L'Éducation
sentimentale

Gustave Flaubert

L'Éducation sentimentale

Histoire d'un jeune homme

Éditions Garnier Frères
6, Rue des Saints-Pères, Paris

Introduction,
notes et relevé de variantes
par
Édouard Maynial

Agrégé des Lettres

Édition illustrée

INTRODUCTION

L'ÉDUCATION
SENTIMENTALE

« Me voici maintenant attelé depuis un mois à un roman
de mœurs modernes qui se passera à Paris. Je veux faire
l'histoire morale des hommes de ma génération ; « sentimentale » serait plus vrai. C'est un livre d'amour, de passion;
mais de passion telle qu'elle peut exister maintenant,
c'est-à-dire inactive. Le sujet, tel que je l'ai conçu, est je
crois, profondément vrai, mais, à cause de cela même,
peu amusant probablement. Les faits, le drame manquent
un peu ; et puis l'action est étendue dans un laps de temps
trop considérable. Enfin, j'ai beaucoup de mal et je suis
plein d'inquiétudes. »

Tel est le texte essentiel, dans lequel Flaubert a lui-
même, avec une lucidité parfaite, défini l'idée essentielle,
l'inspiration, l'atmosphère de *L'Éducation sentimentale*,
dans une lettre du 6 octobre 1864 à Mlle Leroyer de
Chantepie *.

C'est, en effet, le 1er septembre 1864, d'après la date
même du manuscrit, qu'il a commencé son grand roman.
Il mettra près de cinq ans à l'écrire, puisque *L'Éducation
sentimentale*, terminée en mai 1869, paraîtra le 17 novembre
de la même année, chez l'éditeur Michel Lévy.

* *Corresp.*, V, 158.

Comme d'habitude, on peut suivre tout au long de la
Correspondance la genèse et le développement de l'œuvre *.
« Lourd bouquin », dit-il encore, en parlant de ce livre, qui
nous apparaît aujourd'hui comme la somme d'une époque ;
dix heures par jour, il s'enfonce dans son labeur, parfois
dégoûté par un sujet contraire à ses aspirations profondes :
« Ce qui me désole, c'est la conviction de faire une chose
inutile, je veux dire opposée au but de l'Art, qui est l'exaltation vague. Avec les exigences scientifiques que l'on
a maintenant et un sujet bourgeois, la chose me semble
radicalement impossible. La beauté n'est pas compatible
avec la vie moderne. » Affirmation maintes fois répétée,
sur un ton de découragement sincère. Ce sujet, « inextri-
cable par sa simplicité et son abondance », il y a pourtant
mis, comme nous le verrons, une grande partie de sa vie
secrète. Mais Flaubert n'était pas homme à écrire sous la
dictée de son cœur. Pour lui, la grande difficulté était
« d'emboîter ses personnages dans les événements politiques de 48 ». Il avait peur « que les fonds ne dévorent les
premiers plans ; c'est là le défaut du genre historique. Les
personnages de l'histoire sont plus intéressants que ceux
de la fiction, surtout quand ceux-là ont des passions modé-
rées ». Cette inquiétude se trouva justifiée par quelques-
unes des critiques, peu clairvoyantes il est vrai, qui accueillirent le roman à son apparition. Faisant allusion à
quelques-uns de ces jugements, Flaubert écrivait à George
Sand : « Les plus indulgents trouvent que je n'ai fait que
des tableaux, et que la composition, le dessin manquent
absolument. »

Si la postérité a fait justice de ces sévérités, on peut
admettre que l'incompréhension de la critique s'explique
en partie par le double caractère de *L'Éducation sentimentale*.

---

* Voir surtout *Corresp.*, V, 237, 238, 260, 331, 363, VI, 82, 97.

Elle est à la fois un roman personnel, le roman de la désillusion, et la somme d'une époque, une sorte de roman social.

D'une part, Flaubert s'est peint lui-même sous les traits de Frédéric Moreau, et sous le nom de Mme Arnoux il a évoqué la figure de Mme Schlésinger, qu'il avait connue à Trouville en 1836, quand il était encore presque un enfant, et qui fut la grande tendresse, la seule vraie passion de toute sa vie. Considérée à ce point de vue, *L'Éducation sentimentale* est dans la ligne des grands romans personnels du xixe siècle, *Adolphe*, *Volupté*, *Le Lys dans la vallée*, *Dominique*.

Mais d'autre part, en nous contant cette existence qui est une faillite, ce beau rêve qui se défait peu à peu au contact d'une réalité humiliante, ce renoncement de la sensibilité et de l'imagination devant la vie, Flaubert a fait revivre le Paris de la monarchie de Juillet, travaillé par la fièvre des révolutions, peuplé d'une jeunesse déjà découragée parce qu'elle est « assez intelligente et assez forte pour concevoir un idéal, mais pas assez pour le réaliser ». La génération qu'il incarne dans ses tristes héros est celle qui suit immédiatement le triomphe et le déclin du romantisme. Et par là, *L'Éducation sentimentale* se place entre *La Confession d'un enfant du siècle* et *Les Déracinés*.

Ce double caractère, — roman psychologique et personnel, roman de mœurs et historique, — apparaît mieux encore depuis l'importante publication que Mme M.-J. Durry a faite des *Projets inédits* de Flaubert d'après ses « carnets » et les commentaires si perspicaces et si pénétrants dont elle a entouré ces documents essentiels *.

On ne saurait trop insister, en effet, sur ce que Flaubert, malgré sa réputation injustifiée d'impersonnalité, a voulu mettre de lui-même et de vécu dans son livre. Mme Durry

---

* Marie-Jeanne DURRY, *Flaubert et ses projets inédits*, Nizet, 1950.

cite, en la soulignant, une phrase d'une lettre à sa mère, écrite à l'époque où il méditait son roman : « Je rapporte à cette œuvre (suivant mon habitude) tout ce que je vois et ressens. » Qu'il se soit trouvé plus d'une fois dans la situation où il placera son héros, c'est ce que l'on savait déjà ; mais c'est ce dont l'on ne peut plus douter en lisant, dans ses *Carnets*, d'abord les pages intitulées *Mœurs parisiennes*, puis surtout les « projets » de romans, celui de Mme Dumesnil et celui de Mme Moreau, où apparaissent ces lignes émouvantes : « Traversée sur le bateau de Montereau ; un collégien. Mme Sch (lésinger), M. Sch (lésinger), moi. Obsession femme vertueuse et raisonnable (escortée d'enfants).

L'Éducation sentimentale peut être considérée, après *Madame Bovary*, comme un effort victorieux de Flaubert pour se purger du romantisme de sa jeunesse. Faguet avait déjà fait remarquer justement que Frédéric Moreau était le fils spirituel de Bovary et d'Emma. On retrouve en lui cet héritage d'illusions intérieures, de piétinements amoureux, de faillites sentimentales que sa mère lui a légué. Mais cet héritage était aussi celui de Flaubert ; il liquide ici, par l'observation et l'ironie, tous ses rêves, toutes ses chimères de la vingtième année, dont il avait déjà dressé le bilan, en 1845, dans un livre qui porte le même titre *.

Entre la première *Éducation sentimentale*, celle de la vingt-cinquième année, et l'*Éducation* de 1869, il y a toute l'expérience de Flaubert, acquise au cours des autres vingt-cinq années qui les séparent. Mais il y a aussi toute sorte d'analogies profondes, qui démontrent à la fois la continuité

---

* Sur cette comparaison, cf. A. THIBAUDET, *Gustave Flaubert*.

de cette éducation du sentiment chez Flaubert et les rapports étroits de la double fiction avec la réalité *. Les deux
livres nous retracent bien une éducation de la sensibilité
à travers la vie, l'expérience de la vie amoureuse dans les
années de formation. Frédéric Moreau, c'est encore
Flaubert, comme le Jules de la première *Éducation* était
déjà Flaubert.

On a dit de Frédéric qu'il était une transposition réaliste
du romantique Amaury de *Volupté*. Et il est indéniable que
l'influence du roman de Flaubert sur la littérature réaliste
fut considérable, plus considérable peut-être que celle de
Madame Bovary ; le roman réaliste sera plein de ces existences qui sont une faillite ; l'œuvre de Maupassant lui-
même comme celles de Zola, de Daudet, des Goncourt,
de Huysmans abondent en *Éducations sentimentales*. A
l'étranger, que ce soit dans *Anna Karénine*, de Tolstoï,
dans *Petit monde d'autrefois*, de Fogazzaro, on retrouve
aussi ce type d'esprits désabusés, de velléitaires, dont les
grandes ambitions ou les inquiets désirs se heurtent aux
dures nécessités d'une évolution sociale qui les dépasse.
Et tout près de nous, un critique découvrait, il y a quelques
années, dans un roman de Paul Morand, *Bouddha vivant*,
une lointaine survivance du chef-d'œuvre de Flaubert :
cet apprentissage de la sensibilité d'un jeune prince oriental à travers notre civilisation usée se termine par un renoncement, par un échec analogue à celui de Frédéric Moreau **.

*
* *

La matière « personnelle » de *L'Éducation sentimentale*
est aujourd'hui bien connue, grâce aux remarquables études

---

* Sur ce sujet, voir surtout GÉRARD-GAILLY, *L'Unique passion
de Flaubert*.
** Edmond JALOUX, critique de *Bouddha vivant*, dans *Les Nouvelles
littéraires*, n° 247.

de M. Gérard-Gailly *. On savait avant lui que Mme
Schlésinger, la « vieille tendresse », la « toujours aimée »,
fut la grande passion de Flaubert et que sa figure revit
dans *L'Éducation* sous les traits de Mme Arnoux. Les
flaubertistes ne sont plus seuls à connaître la rencontre de
l'enfant romantique sur la plage de Trouville avec la
jeune femme qu'il aima d'un impossible amour pendant
toute sa vie. Mais cette femme, nous ignorions presque
tout d'elle. Les livres de M. Gérard-Gailly nous l'ont rendue tout entière : d'abord, son nom de jeune fille, que
personne n'avait jamais cité, Elisa Foucault ; ses origines,
sa parenté, son état civil ; puis la date exacte de la rencontre
à Trouville, août 1836, et non 1837, comme on l'avait
toujours cru ; les deux mariages d'Elisa Foucault, le mystère qui entoure les premières années de sa vie de femme,
et que M. Gérard-Gailly respecte délicatement, tout
en nous en laissant pénétrer le sens ; la naissance de ses
deux enfants ; sa vie conjugale avec ce curieux personnage
qu'était Maurice Schlésinger, dont la complexe personnalité et la décevante activité nous sont présentées dans une
pittoresque et amusante évocation ; tous les contrastes et
toutes les déchéances d'un destin manqué, à travers les
incartades du mari et les dissentiments des enfants, jusqu'à
la fin tragique de la mère dans un asile d'aliénés... Cette
histoire n'est pas contée gratuitement, mais les épisodes
essentiels en sont rattachés à la vie de Flaubert, qu'ils
croisent sans cesse, et au tissu romanesque de *L'Éducation
sentimentale*, où ils ont été transposés, et où nous pouvons
les reconnaître.

Contrairement à ce qu'ont répété la plupart des critiques
depuis la publication des œuvres de jeunesse de Flaubert,
M. Gérard-Gailly établit la parenté évidente, grâce à cette

---

* *Flaubert et les Fantômes de Trouville* (1930) et *L'Unique passion
de Flaubert* (1932).

authentique résurrection de Mme Schlésinger, entre
L'Éducation sentimentale de 1845 et celle de 1869 ; dans la
première, Flaubert, à vingt-cinq ans, donne à sa grande
passion le dénouement naturel qu'il avait rêvé ; dans
la seconde, à quarante-huit ans, il avoue avec une poignante
lucidité le démenti que la vie lui a infligé.

Si l'on était tenté, malgré une si pressante démonstration,
de mettre en doute la réalité du souvenir d'Élisa Foucault
dans la vie et dans l'œuvre de Flaubert, que l'on veuille
bien réfléchir à ce fait émouvant que nous a livré M.
Gérard-Gailly : il sait où se trouvent, à Paris, les exem-
plaires des livres de Flaubert que l'écrivain envoyait
fidèlement à son amie de toujours ; ces livres, dédicacés,
M. Gérard-Gailly les a tous vus, touchés, avec l'émotion
et le respect que l'on devine ; mais il a cherché en vain
parmi eux *L'Éducation sentimentale*.

**

Souvenir d'amour, mais très différent de la confession
romantique d'un Musset, et même d'un Sainte-Beuve *,
L'Éducation sentimentale est aussi une sorte de roman historique. Et cela Flaubert lui-même l'a dit ; ici, l'historien,
agissant avec les mêmes scrupules que lorsqu'il écrivait
Salammbô ou lorsqu'il écrira *Hérodias*, fondera cette vaste
reconstitution d'une époque politique et sociale sur une
masse imposante de documents vécus ou livresques,
d'enquêtes, de témoignages de toute sorte.

Quelle est aujourd'hui la valeur historique de ce tableau
du Paris de 1848 ? Si l'on a pu y relever des erreurs de détail,
on ne peut y dénoncer aucun parti pris et l'impartialité,

---

* Flaubert déclara un jour que c'était en grande partie pour Sainte-
Beuve qu'il avait écrit son roman (*Corresp.*, VI, 82) : aveu bien
caractéristique.

l'objectivité de l'auteur paraissent absolues. Lorsque parurent *Les Misérables*, Flaubert, malgré son admiration et son respect pour Victor Hugo, s'était élevé avec indignation contre un livre où il ne trouvait « ni vérité ni grandeur ». Surtout le style, « intentionnellement incorrect et bas », le révoltait : « C'est une façon de flatter le populaire. Hugo a des attentions et des prévenances pour tout le monde ; Saint-Simoniens, Philippistes et jusqu'aux aubergistes, tous sont platement adulés... » Il faut lire tout ce jugement * pour apprécier l'art avec lequel Flaubert a su fondre, dans un roman qui, par certains côtés, est un roman social, le fond historique, la réalité vivante, avec la fiction romanesque, sans dénaturer l'une ni gâter l'autre.

On a voulu établir une comparaison entre *L'Éducation sentimentale* et un roman de Maxime Du Camp, *Les Forces perdues*, qui peint la même époque. Flaubert lui-même s'inquiétait de ce rapprochement, tout en trouvant que le roman de son ami donnait « une idée exacte des hommes de leur génération » **. Mais pour l'historien des mœurs, comme pour l'historien politique, le tableau peint par Du Camp est beaucoup moins vaste et complet que celui de Flaubert. Le premier écrit presque uniquement avec ses impressions et ses souvenirs personnels ; le second a fait œuvre d'historien. La vie des personnages de *L'Éducation sentimentale*, a-t-on dit, « est si bien tissée de réalités qu'il devient impossible d'apercevoir où l'œuvre cesse d'être de l'histoire ***. » Aussi ce livre mérite-t-il aujourd'hui d'être utilisé comme un témoignage historique ; on l'a confronté avec les historiens de la Monarchie de Juillet et de la Révo-

---

* Lettre à Mme Roger des Genettes, du 26 juillet 1862. *Corresp.*, V, 35.

** *Corresp.*, V, 256. 257 Cf. M. PARTURIER, *Les Forces perdues et L'Éducation sentimentale*, 1932.

*** R. DUMESNIL, *Gustave Flaubert, L'Homme et l'Œuvre*, p. 371-372.

lution de 1848 *, et on l'a trouvé exact ; on contrôle, on éclaire, on précise les nombreuses allusions qu'il renferme aux faits et aux personnages de l'époque, et ce travail d'exégèse, qui le rapproche encore de nous, ne lui est pas défavorable. On a pu aller jusqu'à dire : « Un historien, désireux de connaître l'époque qui précéda le coup d'État, ne peut négliger *L'Éducation sentimentale* **. »

Est-il nécessaire d'ajouter que, dans une œuvre où la réalité historique sert de trame à la fiction romanesque, il ne faut pas serrer la chronologie de trop près ? De patients chercheurs ont pourtant soumis cette chronologie à une critique rigoureuse ***. Qu'importe après tout que Flaubert, dans les chapitres 3 et 4 de la dernière partie de *L'Éducation sentimentale*, se soit « laissé prendre au jeu des allusions multiples » et que, parfois, il se soit « empêtré dans les fils d'un écheveau qu'il avait voulu embrouillé » ! La chronologie a beaucoup plus gravement souffert de cette négligence de l'auteur, peut-être voulue, dans *Bouvard et Pécuchet*, roman inachevé, au surplus, et les inconséquences que l'on a pu relever dans la vie des deux personnages n'enlèvent rien à l'intérêt du livre.

Dans cette question des dates, comme dans celle des sources, on a parfois tendance à sous-estimer, sinon à négliger, la part prédominante de l'art de l'écrivain. Admirant l'habileté avec laquelle Flaubert a réussi à souder, dans son personnage de Frédéric, « tant de traits qui viennent de Du Camp, à tant d'autres, beaucoup plus

---

* Par exemple, l'*Histoire de la Monarchie de juillet*, de THUREAU-DANGIN. Voir dans l'édition Conard les nombreuses références.
** H. BACHELIN, *Le Cinquantenaire d'un livre.* (Comœdia, 10 octobre 1919.)
*** STRATTON BUCK, *The chronology of* L'Éducation sentimentale (Modern Language, february 1952). — J. PINATEL, *Notes vétilleuses sur la chronologie de* L'Éducation sentimentale (*Revue d'Histoire littéraire*, janvier-mars 1953).

nombreux encore, qui lui viennent de son propre passé »,
M. René Dumesnil conclut excellemment : « Ceci montre
combien il est hasardeux de chercher dans un roman une
confession entière, une autobiographie sincère. Qui dit
roman digne de ce nom, dit forcément invention *. »

*
* *

Lorsque Flaubert, en écrivant son roman, se désolait
de « faire une chose contraire au but de l'Art, qui est
l'exaltation vague », sentait-il confusément qu'il apportait
sur sa propre personnalité un témoignage aussi sincère et
aussi émouvant que sur les jeunes gens de sa génération ?
L'Éducation sentimentale, c'est le drame de la jeunesse bourgeoise de 1840 ; c'est aussi le drame d'un tempérament
romantique, qui échoue toujours parce qu'il cherche
toujours l'inaccessible. Frédéric Moreau a manqué sa vie
parce que les circonstances extérieures sont hostiles au
rêve, et parce qu'il s'évade sans cesse au lieu de vivre.
Mais pour Flaubert, pour le Flaubert de 1860, quelle a été
la conclusion de cette évasion manquée ? « Le mépris des
tentations du monde et le refuge dans l'art **. »

---

* René DUMESNIL, Introduction à *L'Éducation sentimentale*, p. XLIV.
** André MAUROIS, *Mes Songes que voici*, p. 238.

BIBLIOGRAPHIE

QUELQUES OUVRAGES A CONSULTER

Francis AMBRIÈRE, *La Fabrication de* L'Éducation sentimentale (*Mercure de France*, 15 février 1938).

Henry BACHELIN, *Flaubert et Nogent-sur-Seine* (*Comœdia*, 22 juillet 1911).

Henry BACHELIN, *Le Cinquantenaire d'un livre :* L'Éducation sentimentale (*Comœdia*, 10 octobre 1919).

BARBEY D'AUREVILLY, *Le Roman contemporain* (article sur *L'Éducation sentimentale*, dans le *Constitutionnel*, 29 novembre 1869).

BAUCHARD, *Sur les traces de Flaubert et de Mme Schlésinger* (*Revue d'Histoire littéraire de la France*, janvier-mars 1953).

Édition CONARD de *L'Éducation sentimentale*, 1910.

DANIEL-ROPS, *Postérité de Frédéric Moreau* (*Les Nouvelles littéraires*, 17 mai 1930).

René DESCHARMES, *Flaubert avant 1857*, 1909.

René DUMESNIL, *Quatre épisodes de la vie sentimentale de Flaubert* (*Mercure de France*, 15 août 1932).

René DUMESNIL, *Notes sur* L'Éducation sentimentale (*Mercure de France*, 1er février 1936).

René DUMESNIL, *Introduction à son édition de* L'Éducation sentimentale, 1942.

René DUMESNIL, *Album de documents iconographiques sur* L'Éducation sentimentale, 1947.

René DUMESNIL, *Flaubert, documents iconographiques*, 1948.

Marie-Jeanne DURRY, *Flaubert et ses projets inédits*, 1950.

FLAUBERT, *Correspondance*, tomes V à VIII (*Édition Conard*, 1933).

Alexis FRANÇOIS, *Flaubert, Maxime Du Camp et la Révolution de 1848* (*Revue d'Histoire littéraire de la France*, janvier-mars 1953).

GÉRARD-GAILLY, *Les Fantômes de Trouville*, 1930.

GÉRARD-GAILLY, *L'Unique passion de Flaubert*, 1932.

GÉRARD-GAILLY, *Le Grand Amour de Flaubert* (Aubier) 1944.

Émile HENRIOT, *Maxime Du Camp, Flaubert et une dame* (*Le Temps*, 22 décembre 1931).

Robert KEMP et E.-L. FERRÈRE, Préface et annotation de *L'Éducation sentimentale*, Édition des Grands Maîtres (Lyon, Audin), 1949.

Lucien LAUMET, *La Sensibilité de Flaubert*, 1951.

Jules LEMAITRE, *Les Contemporains*, 1re et 8e séries, 1918.

Louis MAIGRON, *Le Romantisme et les mœurs*, 1910.

Georges PALANTE, *La Sentimentalité, étude psychologique* (*Mercure de France*, 16 novembre 1917).

Georges PALANTE, *La Lenteur psychique* (*étude du caractère de Frédéric Moreau*). (*Mercure de France*, 1er juin 1921).

Maurice PARTURIER, *Les Forces perdues et* L'Éducation sentimentale, 1932.

G.-A. PÉRONNET, L'Éducation sentimentale *et les événements contemporains* (*Mercure de France*, 1920).

Joseph PINATEL, *Notes vétilleuses sur la chronologie de* L'Éducation sentimentale (*Revue d'Histoire littéraire de la France*, janvier-mars 1953).

Maurice RAT, *Flaubert a-t-il été l'amant de Mme Arnoux?* (*Figaro littéraire*, 31 mai 1953).

Maurice RAT, *Flaubert à Bade ou la vieillesse de Mme Arnoux.* (*Figaro littéraire*, 28 novembre 1953).

Ernest SEILLIÈRE, *Le Romantisme des réalistes*, 1914.

STRATTON BUCK, *The chronology of* L'Éducation sentimentale (*Modern language*, february 1952).

Étienne de ULLMANN, *Valeurs stylistiques de l'inversion dans* L'Éducation sentimentale (*Le Français moderne*, juillet 1953).

André VIAL, *Flaubert émule et disciple émancipé de Balzac :* L'Éducation sentimentale (*Revue d'Histoire littéraire de la France*, juillet-septembre 1948).

Madame Schlésinger et son fils par Achille Devéria, 1838.
(Voir l'Introduction.)

Le 15 septembre 1840, vers six heures du matin, la Ville-de-Montereau, *près de partir, fumait à gros tourbillons devant le quai Saint-Bernard.* (Voir p. 1.)

L'abeille, bateau à vapeur faisant le service de Paris à Montereau.

Les dames sur le Turf. (Voir p. 203 à 207.)
Lithographie d'E. de Beaumont, 1846.

Le peuple dans la salle du trône aux Tuileries le 24 février 1848. (Voir p. 290 et p. 291.)

Lithographie de V. Adam et J. Arnout.

L'ÉDUCATION
SENTIMENTALE

PREMIÈRE PARTIE

LE 15 septembre 1840, vers six heures du matin, *la Ville-de-Montereau*, près de partir, fumait à gros tourbillons devant le quai Saint-Bernard.

Des gens arrivaient hors d'haleine ; des barriques, des câbles, des corbeilles de linge gênaient la circulation ; les matelots ne répondaient à personne ; on se heurtait ; les colis montaient entre les deux tambours, et le tapage s'absorbait dans le bruissement de la vapeur, qui, s'échappant par des plaques de tôle, enveloppait tout d'une nuée blanchâtre, tandis que la cloche, à l'avant [1], tintait sans discontinuer.

Enfin le navire partit ; et les deux berges, peuplées de magasins, de chantiers et d'usines, filèrent comme deux larges rubans que l'on déroule.

Un jeune homme de dix-huit ans, à longs cheveux et qui tenait un album sous son bras, restait auprès du gouvernail, immobile. A travers le brouillard, il contemplait des clochers, des édifices dont il ne savait pas les noms ; puis il embrassa, dans un dernier coup d'œil, l'île Saint-Louis, la Cité, Notre-Dame ; et bientôt, Paris disparaissant, il poussa un grand soupir.

M. Frédéric Moreau [2], nouvellement reçu bachelier, s'en retournait à Nogent-sur-Seine, où il devait languir pendant [3] deux mois, avant d'aller *faire son droit*. Sa mère, avec la somme indispensable, l'avait envoyé au Havre voir son oncle, dont elle espérait, pour lui, l'héritage ; il en était revenu la veille seulement ; et il se dédommageait

de ne pouvoir séjourner dans la capitale, en regagnant
sa province par la route la plus longue.

Le tumulte s'apaisait ; tous avaient pris leur place ;
quelques-uns, debout, se chauffaient autour de la machine,
et la cheminée crachait avec un râle lent et rythmique son
panache de fumée noire ; des gouttelettes de rosée coulaient
sur les cuivres ; le pont tremblait sous une petite vibration
intérieure, et les deux roues, tournant rapidement, battaient l'eau.

La rivière était bordée par des grèves de sable. On rencontrait des trains de bois qui se mettaient à onduler
sous le remous des vagues, ou bien, dans un bateau sans
voiles, un homme assis pêchait ; puis les brumes errantes
se fondirent, le soleil parut, la colline qui suivait à droite
le cours de la Seine peu à peu s'abaissa, et il en surgit
une autre, plus proche, sur la rive opposée.

Des arbres la couronnaient parmi des maisons basses
couvertes de toits à l'italienne. Elles avaient des jardins
en pente que divisaient des murs neufs, des grilles de fer,
des gazons, des serres chaudes, et des vases de géraniums,
espacés régulièrement sur des terrasses où l'on pouvait
s'accouder. Plus d'un, en apercevant ces coquettes résidences, si tranquilles, enviait d'en être le propriétaire [4],
pour vivre là jusqu'à la fin de ses jours, avec un bon
billard, une chaloupe, une femme ou quelque autre rêve.
Le plaisir tout nouveau d'une excursion maritime [5] facilitait les épanchements. Déjà les farceurs commençaient
leurs plaisanteries. Beaucoup chantaient [6]. On était gai.
Il se versait des petits verres.

Frédéric pensait [7] à la chambre qu'il occuperait là-
bas, au plan d'un drame, à des sujets de tableaux, à des
passions futures. Il trouvait [8] que le bonheur mérité par
l'excellence de son âme tardait à venir. Il se déclama des
vers mélancoliques ; il marchait sur le pont à pas rapides ;
il s'avança jusqu'au bout, du côté de la cloche ; — et,
dans un cercle de passagers et de matelots, il vit un monsieur qui contait des galanteries à une paysanne, tout en
lui maniant la croix d'or qu'elle portait sur la poitrine.
C'était un gaillard d'une quarantaine d'années, à cheveux
crépus. Sa taille robuste emplissait une jaquette de velours
noir, deux émeraudes brillaient à sa chemise de batiste,
et son large pantalon blanc tombait [9] sur d'étranges

bottes rouges, en cuir de Russie, rehaussées de dessins bleus [10].

La présence de Frédéric ne le dérangea pas. Il se tourna vers lui plusieurs fois, en l'interpellant par des clins d'œil ; ensuite il offrit des cigares à tous ceux qui l'entouraient. Mais, ennuyé de cette compagnie, sans doute, il alla se mettre plus loin. Frédéric le suivit.

La conversation roula d'abord sur les différentes espèces de tabacs, puis, tout naturellement, sur les femmes. Le monsieur en bottes rouges donna des conseils au jeune homme ; il exposait des théories, narrait des anecdotes, se citait lui-même en exemple, débitant tout cela d'un ton paterne, avec une ingénuité de corruption divertissante.

Il était républicain ; il avait voyagé, il connaissait l'intérieur des théâtres, des restaurants, des journaux, et tous les artistes célèbres, qu'il appelait familièrement par leurs prénoms ; Frédéric lui confia bientôt ses projets ; il les encouragea.

Mais il s'interrompit pour observer le tuyau de la cheminée, puis il marmotta vite un long calcul, afin de savoir « combien chaque coup de piston, à tant de fois par minute, devait, etc. ». — Et, la somme trouvée, il admira beaucoup le paysage. Il se disait heureux d'être échappé aux affaires.

Frédéric éprouvait un certain respect pour lui, et ne résista pas à l'envie de savoir son nom. L'inconnu [11] répondit tout d'une haleine :

— « Jacques Arnoux, propriétaire de *l'Art industriel*, boulevard Montmartre. »

Un domestique ayant un galon d'or à la casquette vint lui dire :

— « Si Monsieur voulait descendre ? Mademoiselle pleure. »

Il disparut [12].

L'Art industriel était un établissement hybride, comprenant un journal de peinture et un magasin de tableaux. Frédéric avait vu ce titre-là, plusieurs fois, à l'étalage du libraire de son pays natal, sur d'immenses prospectus, où le nom de Jacques Arnoux se développait magistralement.

Le soleil dardait d'aplomb, en faisant reluire les gabillots de fer autour des mâts, les plaques du bastingage et la surface de l'eau [13] ; elle se coupait à la proue en deux sillons, qui se déroulaient jusqu'au bord des prairies. A chaque détour de la rivière, on retrouvait le même rideau de peupliers pâles. La campagne était toute vide. Il y avait dans le ciel de petits nuages blancs arrêtés, — et l'ennui, vaguement répandu, semblait alanguir la marche du bateau et rendre l'aspect des voyageurs plus insignifiant encore.

A part quelques bourgeois, aux Premières, c'étaient des ouvriers, des gens de boutique avec leurs femmes et leurs enfants. Comme on avait coutume alors de se vêtir sordidement en voyage, presque tous portaient de vieilles calottes grecques ou des chapeaux déteints, de maigres habits noirs, râpés par le frottement du bureau, ou des redingotes ouvrant la capsule de leurs boutons pour avoir trop servi au magasin ; çà et là quelque gilet à châle laissait voir une chemise de calicot, maculée de café ; des épingles de chrysocale piquaient des cravates en lambeaux ; des sous-pieds cousus retenaient des chaussons de lisière ; deux ou trois gredins qui tenaient des bambous à ganse de cuir lançaient des regards obliques, et des pères de famille ouvraient de gros yeux, en faisant des questions. Ils causaient debout, ou bien accroupis sur leurs bagages ; d'autres dormaient dans les coins ; plusieurs mangeaient. Le pont était sali par des écales de noix, des bouts de cigares, des pelures de poires, des détritus de charcuterie apportée dans du papier ; trois ébénistes, en blouse, stationnaient devant la cantine ; un joueur de harpe en haillons se reposait, accoudé sur son instrument ; on entendait par intervalles le bruit du charbon de terre dans le fourneau, un éclat de voix, un rire ; — et le capitaine, sur la passerelle, marchait d'un tambour à l'autre, sans s'arrêter. Frédéric, pour rejoindre sa place, poussa la grille des Premières, dérangea deux chasseurs avec leurs chiens.

Ce fut comme une apparition [14] :

Elle était assise, au milieu du banc, toute seule ; ou du moins il ne distingua personne dans l'éblouissement que lui envoyèrent ses yeux. En même temps qu'il passait, elle leva la tête ; il fléchit involontairement les épaules ; et, quand il se fut mis plus loin, du même côté, il la regarda.

Elle avait un large chapeau de paille [15], avec des rubans

roses qui palpitaient au vent, derrière elle. Ses bandeaux
noirs, contournant la pointe de ses grands sourcils, descendaient très bas et semblaient presser amoureusement
l'ovale de sa figure. Sa robe de mousseline claire, tachetée
de petits pois [16], se répandait à plis nombreux. Elle était
en train de broder quelque chose ; et son nez droit, son
menton, toute sa personne se découpait sur le fond de
l'air bleu.

Comme elle gardait la même attitude, il fit plusieurs
tours de droite et de gauche pour dissimuler sa manœuvre ;
puis il se planta tout près de son ombrelle, posée contre
le banc, et il affectait d'observer une chaloupe sur la
rivière.

Jamais il n'avait vu cette splendeur de sa peau brune,
la séduction de sa taille, ni cette finesse des doigts que la
lumière traversait. Il considérait son panier à ouvrage
avec ébahissement, comme une chose extraordinaire.
Quels étaient son nom, sa demeure, sa vie, son passé ?
Il souhaitait connaître les meubles de sa chambre, toutes
les robes qu'elle avait portées, les gens qu'elle fréquentait ; et le désir de la possession physique même disparaissait sous une envie plus profonde, dans une curiosité
douloureuse qui n'avait pas de limites.

Une négresse, coiffée d'un foulard, se présenta, en
tenant par la main une petite fille, déjà grande. L'enfant,
dont les yeux roulaient des larmes [17], venait de s'éveiller;
elle la prit [18] sur ses genoux. « Mademoiselle n'était pas
sage, quoiqu'elle eût sept ans bientôt ; sa mère ne l'aimerait
plus ; on lui pardonnait trop ses caprices [19]. » Et Frédéric
se réjouissait d'entendre ces choses, comme s'il eût fait
une découverte, une acquisition [20].

Il la supposait d'origine andalouse [21], créole peut-être ;
elle avait ramené des îles cette négresse avec elle ? [22]

Cependant, un long châle [23] à bandes violettes était
placé derrière son dos, sur le bordage de cuivre. Elle
avait dû, bien des fois, au milieu de la mer, durant les
soirs humides, en envelopper sa taille, s'en couvrir les
pieds, dormir dedans ! Mais, entraîné par les franges,
il glissait peu à peu, il allait tomber dans l'eau [24], Frédéric
fit un bond et le rattrapa. Elle lui dit :

— « Je vous remercie, monsieur. »

Leurs yeux se rencontrèrent.

— « Ma femme, es-tu prête ? » cria le sieur Arnoux,
apparaissant dans le capot de l'escalier.

Mlle Marthe courut vers lui, et, cramponnée à son cou,
elle tirait ses moustaches. Les sons d'une harpe retentirent,
elle voulut voir la musique ; et bientôt le joueur d'instrument, amené par la négresse, entra dans les Premières.
Arnoux le reconnut pour un ancien modèle ; il le tutoya,
ce qui surprit les assistants. Enfin le harpiste rejeta ses
longs cheveux derrière ses épaules, étendit les bras et
se mit à jouer.

C'était une romance orientale où il était question de
poignards, de fleurs et d'étoiles. L'homme en haillons
chantait cela d'une voix mordante ; les battements de la
machine coupaient la mélodie à fausse mesure ; il pinçait
plus fort : les cordes vibraient ; et leurs sons métalliques
semblaient exhaler des sanglots et comme la plainte d'un
amour orgueilleux et vaincu. Des deux côtés de la rivière,
des bois s'inclinaient jusqu'au bord de l'eau ; un courant
d'air frais passait ; Mme Arnoux regardait au loin d'une
manière vague. Quand la musique s'arrêta, elle remua les
paupières plusieurs fois, comme si elle sortait d'un songe.

Le harpiste s'approcha d'eux, humblement. Pendant
qu'Arnoux cherchait de la monnaie, Frédéric allongea
vers la casquette sa main fermée, et, l'ouvrant avec pudeur,
il y déposa un louis d'or. Ce n'était pas la vanité qui le
poussait à faire cette aumône devant elle, mais une pensée
de bénédiction où il l'associait, un mouvement de cœur
presque religieux.

Arnoux, en lui montrant le chemin, l'engagea cordialement à descendre. Frédéric affirma qu'il venait de déjeuner ; il se mourait de faim, au contraire ; et il ne possédait plus un centime au fond de sa bourse.

Ensuite il songea qu'il avait bien le droit, comme un
autre, de se tenir dans la chambre.

Autour des tables rondes, des bourgeois mangeaient,
un garçon de café circulait ; M. et Mme Arnoux étaient
dans le fond, à droite ; il s'assit sur la longue banquette
de velours, ayant ramassé un journal qui se trouvait là.

Ils devaient, à Montereau, prendre la diligence de
Châlons. Leur voyage en Suisse durerait un mois. Mme
Arnoux blâma son mari de sa faiblesse pour son enfant.
Il chuchota dans son oreille une gracieuseté, sans doute,

car elle sourit. Puis il se dérangea pour fermer derrière son cou le rideau de la fenêtre.

Le plafond, bas et tout blanc, rabattait une lumière crue. Frédéric, en face, distinguait l'ombre de ses cils. Elle trempait ses lèvres dans son verre, cassait un peu de croûte entre ses doigts ; le médaillon de lapis-lazuli, attaché par une chaînette d'or à son poignet, de temps à autre sonnait contre son assiette. Ceux qui étaient là, pourtant, n'avaient pas l'air de la remarquer.

Quelquefois, par les hublots, on voyait glisser le flanc d'une barque qui accostait le navire pour prendre ou déposer des voyageurs. Les gens attablés se penchaient aux ouvertures et nommaient les pays riverains.

Arnoux se plaignait de la cuisine : il se récria considérablement devant l'addition, et il la fit réduire. Puis il emmena le jeune homme à l'avant du bateau pour boire des grogs. Mais Frédéric s'en retourna bientôt sous la tente, où Mme Arnoux était revenue. Elle lisait un mince volume à couverture grise. Les deux coins de sa bouche se relevaient par moments, et un éclair de plaisir illuminait son front. Il jalousa [25] celui qui avait inventé ces choses dont elle paraissait occupée. Plus il la contemplait, plus il sentait entre elle et lui se creuser des abîmes. Il songeait qu'il faudrait la quitter tout à l'heure, irrévocablement, sans en avoir arraché une parole, sans lui laisser même un souvenir !

Une plaine s'étendait à droite ; à gauche un herbage allait doucement rejoindre une colline, où l'on apercevait des vignobles, des noyers, un moulin dans la verdure, et des petits chemins au delà, formant des zigzags sur la roche blanche qui touchait au bord du ciel. Quel bonheur de monter côte à côte, le bras autour de sa taille, pendant que sa robe balayerait les feuilles jaunies, en écoutant sa voix, sous le rayonnement de ses yeux ! Le bateau pouvait s'arrêter, ils n'avaient qu'à descendre ; et cette chose bien simple n'était pas plus facile, cependant, que de remuer le soleil !

Un peu plus loin, on découvrit un château, à toit pointu, avec des tourelles carrées. Un parterre de fleurs s'étalait devant la façade ; et des avenues s'enfonçaient, comme des voûtes noires, sous les hauts tilleuls. Il se la figura passant

au bord des charmilles. A ce moment, une jeune dame et
un jeune homme se montrèrent sur le perron, entre les
caisses d'orangers. Puis tout disparut.

La petite fille jouait autour de lui. Frédéric voulut la
baiser. Elle se cacha derrière sa bonne ; sa mère la gronda
de n'être pas aimable pour le monsieur qui avait sauvé
son châle. Était-ce une ouverture indirecte ?

— « Va-t-elle enfin me parler ? » se demandait-il.

Le temps pressait. Comment obtenir une invitation
chez Arnoux ? Et il n'imagina rien de mieux que de lui
faire remarquer la couleur de l'automne, en ajoutant :

— « Voilà bientôt l'hiver, la saison des bals et des dîners ! »

Mais Arnoux était tout occupé de ses bagages. La côte
de Surville apparut, les deux ponts se rapprochaient,
on longea une corderie, ensuite une rangée de maisons
basses ; il y avait, en dessous, des marmites de goudron,
des éclats de bois ; et des gamins couraient sur le sable,
en faisant la roue. Frédéric reconnut un homme avec un
gilet à manches, il lui cria :

— « Dépêche-toi. »

On arrivait. Il chercha péniblement Arnoux dans la foule
des passagers, et l'autre répondit en lui serrant la main :

— « Au plaisir, cher monsieur ! »

Quand il fut sur le quai, Frédéric se retourna. Elle
était près du gouvernail, debout. Il lui envoya [26] un regard où il avait tâché de mettre toute son âme ; comme s'il
n'eût rien fait [27], elle demeura immobile. Puis, sans égard
aux salutations de son domestique :

— « Pourquoi n'as-tu pas amené la voiture jusqu'ici ? »

Le bonhomme s'excusait.

— « Quel maladroit ! Donne-moi de l'argent ! »

Et il alla manger dans une auberge.

Un quart d'heure après, il eut envie d'entrer comme par
hasard dans la cour des diligences. Il la verrait encore,
peut-être ?

— « A quoi bon ? » se dit-il.

Et l'américaine l'emporta. Les deux chevaux n'appartenaient pas à sa mère. Elle avait emprunté celui de
M. Chambrion, le receveur, pour l'atteler auprès du sien.
Isidore, parti la veille, s'était reposé à Bray jusqu'au soir
et avait couché à Montereau, si bien que les bêtes rafraîchies
trottaient lestement.

Des champs moissonnés se prolongeaient à n'en plus finir. Deux lignes d'arbres bordaient la route, les tas de cailloux se succédaient ; et peu à peu, Villeneuve-Saint-Georges, Ablon, Châtillon, Corbeil et les autres pays, tout son voyage lui revint à la mémoire, d'une façon si nette qu'il distinguait maintenant des détails nouveaux, des particularités plus intimes ; sous le dernier volant de sa robe, son pied passait dans une mince bottine en soie, de couleur marron ; la tente de coutil formait un large dais sur sa tête, et les petits glands rouges de la bordure tremblaient à la brise, perpétuellement.

Elle ressemblait [28] aux femmes des livres romantiques. Il n'aurait voulu rien ajouter, rien retrancher à sa personne. L'univers venait tout à coup de s'élargir. Elle était le point lumineux où l'ensemble des choses convergeait ; — et, bercé par le mouvement de la voiture, les paupières à demi closes, le regard dans les nuages, il s'abandonnait à une joie rêveuse et infinie.

A Bray, il n'attendit pas qu'on eût donné l'avoine, il alla devant, sur la route, tout seul. Arnoux l'avait appelée « Marie ! » Il cria très haut « Marie ! » Sa voix se perdit dans l'air.

Une large couleur de pourpre enflammait le ciel à l'occident. De grosses meules de blé, qui se levaient au milieu des chaumes, projetaient des ombres géantes. Un chien se mit à aboyer dans une ferme, au loin. Il frissonna, pris d'une inquiétude sans cause.

Quand Isidore l'eut rejoint, il se plaça sur le siège pour conduire. Sa défaillance était passée. Il était bien résolu à s'introduire, n'importe comment, chez les Arnoux, et à se lier avec eux. Leur maison devait être amusante, Arnoux lui plaisait d'ailleurs ; puis, qui sait ? Alors, un flot de sang lui monta au visage : ses tempes bourdonnaient, il fit claquer son fouet, secoua les rênes, et il menait les chevaux d'un tel train que le vieux cocher répétait :

— « Doucement ! mais doucement ! vous les rendrez poussifs. »

Peu à peu Frédéric se calma, et il écouta parler son domestique.

On attendait Monsieur avec grande impatience. Mlle Louise avait pleuré pour partir dans la voiture.

— « Qu'est-ce donc, Mlle Louise ? »

— « La petite à M. Roque, vous savez ? »

— « Ah ! j'oubliais ! » répliqua Frédéric, négligemment.

Cependant, les deux chevaux n'en pouvaient plus. Ils boitaient l'un et l'autre ; et neuf heures sonnaient à Saint-Laurent lorsqu'il arriva sur la place d'Armes, devant la maison de sa mère. Cette maison, spacieuse, avec un jardin donnant sur la campagne, ajoutait à la considération de Mme Moreau, qui était la personne du pays la plus respectée.

Elle sortait d'une vieille famille de gentilshommes, éteinte maintenant. Son mari, un plébéien que ses parents lui avaient fait épouser, était mort d'un coup d'épée, pendant sa grossesse, en lui laissant une fortune compromise. Elle recevait trois fois la semaine et donnait de temps à autre un beau dîner. Mais le nombre des bougies était calculé d'avance, et elle attendait impatiemment ses fermages. Cette gêne, dissimulée comme un vice, la rendait sérieuse. Cependant, sa vertu s'exerçait sans étalage de pruderie, sans aigreur. Ses moindres charités semblaient de grandes aumônes. On la consultait sur le choix des domestiques, l'éducation des jeunes filles, l'art des confitures, et Monseigneur descendait chez elle dans ses tournées épiscopales.

Mme Moreau nourrissait une haute ambition pour son fils. Elle n'aimait pas à entendre blâmer le Gouvernement, par une sorte de prudence anticipée. Il aurait besoin de protections d'abord ; puis, grâce à ses moyens, il deviendrait conseiller d'État, ambassadeur, ministre. Ses triomphes au collège de Sens légitimaient cet orgueil ; il avait remporté le prix d'honneur.

Quand il entra dans le salon, tous se levèrent à grand bruit, on l'embrassa ; et avec les fauteuils et les chaises on fit un large demi-cercle autour de la cheminée. M. Gamblin lui demanda immédiatement son opinion sur Mme Lafarge [29]. Ce procès, la fureur de l'époque, ne manqua pas d'amener une discussion violente ; Mme Moreau l'arrêta, au regret toutefois de M. Gamblin ; il la jugeait utile pour le jeune homme, en sa qualité de futur jurisconsulte, et il sortit du salon, piqué.

Rien ne devait surprendre dans un ami du père Roque ! À propos du père Roque, on parla de M. Dambreuse, qui venait d'acquérir le domaine de la Fortelle. Mais le

Percepteur avait entraîné Frédéric à l'écart, pour savoir
ce qu'il pensait du dernier ouvrage de M. Guizot [30]. Tous
désiraient connaître ses affaires ; et Mme Benoît s'y prit
adroitement en s'informant de son oncle. Comment allait
ce bon parent ? Il ne donnait plus de ses nouvelles. N'avait-il
pas un arrière-cousin en Amérique ?

La cuisinière annonça que le potage de Monsieur était
servi. On se retira, par discrétion. Puis, dès qu'ils furent
seuls, dans la salle, sa mère lui dit, à voix basse :

— « Eh bien ? »

Le vieillard l'avait reçu très cordialement, mais sans
montrer ses intentions.

Mme Moreau soupira.

— « Où est-elle, à présent ? » songeait-il.

La diligence roulait, et, enveloppée dans le châle sans
doute, elle appuyait contre le drap du coupé sa belle tête
endormie.

Ils montaient dans leurs chambres quand un garçon
du *Cygne de la Croix* apporta un billet.

— « Qu'est-ce donc ? »

— « C'est Deslauriers qui a besoin de moi, » dit-il.

— « Ah ! ton camarade ! » fit Mme Moreau avec un
ricanement de mépris. « L'heure est bien choisie, vraiment ! »

Frédéric hésitait. Mais l'amitié fut plus forte. Il prit
son chapeau.

— « Au moins, ne sois pas longtemps ! » lui dit sa mère.

II

Le père de Charles Deslauriers, ancien capitaine de ligne, démissionnaire en 1818, était revenu se marier à Nogent, et, avec l'argent de la dot, avait acheté une charge d'huissier, suffisant à peine pour le faire vivre. Aigri par de longues injustices, souffrant de ses vieilles blessures, et toujours regrettant l'Empereur, il dégorgeait sur son entourage les colères qui l'étouffaient. Peu d'enfants furent plus battus que son fils. Le gamin ne cédait pas, malgré les coups. Sa mère, quand elle tâchait de s'interposer, était rudoyée comme lui. Enfin le Capitaine le plaça dans son étude, et tout le long du jour, il le tenait courbé sur son pupitre à copier des actes, ce qui lui rendit l'épaule droite visiblement plus forte que l'autre.

En 1833, d'après l'invitation de M. le président, le Capitaine vendit son étude. Sa femme mourut d'un cancer [31]. Il alla vivre à Dijon ; ensuite il s'établit marchand d'hommes [32] à Troyes ; et, ayant obtenu pour Charles une demi-bourse [33], le mit au collège de Sens [34], où Frédéric le reconnut. Mais l'un avait douze ans, l'autre quinze ; d'ailleurs, mille différences de caractère et d'origine les séparaient.

Frédéric possédait dans sa commode toutes sortes de provisions, des choses recherchées, un nécessaire de toilette, par exemple. Il aimait à dormir tard le matin, à regarder les hirondelles, à lire des pièces de théâtre, et, regrettant les douceurs de la maison, il trouvait rude la vie de collège [35].

Elle semblait bonne au fils de l'huissier. Il travaillait si bien qu'au bout de la seconde année il passa dans la classe de Troisième. Cependant, à cause de sa pauvreté, ou de son humeur querelleuse, une sourde malveillance l'entourait. Mais un domestique, une fois, l'ayant appelé

enfant de gueux, en pleine cour des Moyens, il lui sauta
à la gorge et l'aurait tué, sans trois maîtres d'études qui
intervinrent. Frédéric, emporté d'admiration, le serra
dans ses bras. A partir de ce jour, l'intimité fut complète.
L'affection d'un *grand*, sans doute, flatta la vanité du
petit, et l'autre accepta comme un bonheur ce dévouement
qui s'offrait.

Son père, pendant les vacances, le laissait au collège.
Une traduction de Platon ouverte par hasard l'enthou-
siasma. Alors il s'éprit d'études métaphysiques ; et ses
progrès furent rapides, car il les abordait avec des forces
jeunes et dans l'orgueil d'une intelligence qui s'affranchit ;
Jouffroy, Cousin, Laromiguière, Malebranche, les Écossais, tout ce que la bibliothèque contenait y passa. Il
avait eu besoin d'en voler la clef, pour se procurer des
livres.

Les distractions de Frédéric étaient moins sérieuses.
Il dessina dans la rue des Trois-Rois la généalogie du Christ,
sculptée sur un poteau, puis le portail de la cathédrale.
Après les drames moyen âge, il entama les Mémoires :
Froissart, Comines [36], Pierre de l'Estoile, Brantôme.

Les images que ces lectures amenaient à son esprit
l'obsédaient si fort qu'il éprouvait le besoin de les reproduire. Il ambitionnait d'être un jour le Walter Scott
de la France [37]. Deslauriers méditait un vaste système de
philosophie qui aurait les applications les plus lointaines.

Ils causaient de tout cela, pendant les récréations, dans
la cour, en face de l'inscription morale peinte sous l'horloge [38] ; ils en chuchotaient dans la chapelle, à la barbe
de saint Louis ; ils en rêvaient dans le dortoir, d'où l'on
domine un cimetière. Les jours de promenade, ils se rangeaient derrière les autres, et ils parlaient intermina-
blement.

Ils parlaient de ce qu'ils feraient plus tard, quand ils
seraient sortis du collège. D'abord, ils entreprendraient
un grand voyage avec l'argent que Frédéric prélèverait
sur sa fortune, à sa majorité. Puis ils reviendraient à Paris,
ils travailleraient ensemble, ne se quitteraient pas ; — et,
comme délassement à leurs travaux, ils auraient des amours
de princesses dans des boudoirs de satin, ou de fulgurantes
orgies avec des courtisanes illustres. Des doutes [39] succédaient à leurs emportements d'espoir. Après des crises de

gaieté verbeuse, ils tombaient dans des silences profonds.

Les soirs d'été, quand ils avaient marché longtemps
par les chemins pierreux au bord des vignes, ou sur la
grande route en pleine campagne, et que les blés ondulaient
au soleil, tandis que des senteurs d'angélique passaient
dans l'air, une sorte d'étouffement les prenait, et ils s'étendaient sur le dos, étourdis [40], enivrés. Les autres, en manches de chemise, jouaient aux barres ou faisaient partir
des cerfs-volants. Le pion les appelait [41]. On s'en revenait,
en suivant les jardins que traversaient de petits ruisseaux,
puis les boulevards ombragés par les vieux murs ; les
rues désertes sonnaient sous leurs pas [42] ; la grille s'ouvrait,
on remontait l'escalier ; et ils étaient tristes comme après
de grandes débauches.

M. le censeur [43] prétendait qu'ils s'exaltaient mutuellement. Cependant, si Frédéric travailla dans les hautes
classes, ce fut par les exhortations de son ami ; et, aux
vacances de 1837, il l'emmena chez sa mère.

Le jeune homme déplut à Mme Moreau. Il mangea [44]
extraordinairement, il refusa d'assister le dimanche aux
offices, il tenait des discours républicains ; enfin, elle crut
savoir qu'il avait conduit son fils dans des lieux déshonnêtes.
On surveilla leurs relations. Ils ne s'en aimèrent que davantage ; et les adieux furent pénibles, quand Deslauriers,
l'année suivante, partit du collège pour étudier le droit [45]
à Paris.

Frédéric comptait bien l'y rejoindre. Ils ne s'étaient
pas vus depuis deux ans ; et, leurs embrassades étant
finies, ils allèrent sur les ponts afin de causer plus à l'aise.

Le Capitaine, qui tenait maintenant un billard à
Villenauxe, s'était fâché rouge lorsque son fils avait réclamé ses comptes de tutelle, et même lui avait coupé
les vivres, tout net. Mais comme il voulait concourir
plus tard pour une chaire de professeur à l'École et qu'il
n'avait pas d'argent, Deslauriers acceptait à Troyes une
place de maître clerc chez un avoué. A force de privations,
il économiserait quatre mille francs ; et, s'il ne devait
rien toucher de la succession maternelle, il aurait toujours
de quoi travailler librement, pendant trois années, en
attendant une position. Il fallait donc abandonner leur
vieux projet de vivre ensemble dans la Capitale [46], pour
le présent du moins.

Frédéric baissa la tête. C'était le premier de ses rêves qui s'écroulait.

— « Console-toi, » dit le fils du capitaine [47], « la vie est longue ; nous sommes jeunes. Je te rejoindrai ! N'y pense plus ! »

Il le secouait par les mains, et, pour le distraire [48], lui fit des questions sur son voyage.

Frédéric n'eut pas grand'chose à narrer. Mais, au souvenir de Mme Arnoux, son chagrin s'évanouit. Il ne parla pas d'elle, retenu par une pudeur [49]. Il s'étendit en revanche sur Arnoux, rapportant ses discours, ses manières, ses relations ; et Deslauriers l'engagea fortement à cultiver cette connaissance.

Frédéric, dans ces derniers temps, n'avait rien écrit ; ses opinions littéraires étaient changées : il estimait par-dessus tout la passion ; Werther [50], René, Franck, Lara, Lélia et d'autres plus médiocres l'enthousiasmaient presque également. Quelquefois la musique lui semblait seule capable d'exprimer ses troubles intérieurs ; alors, il rêvait des symphonies ; ou bien la surface des choses l'appréhendait, et il voulait peindre. Il avait composé des vers, pourtant ; Deslauriers les trouva fort beaux, mais sans demander une autre pièce [51].

Quant à lui, il ne donnait plus dans la métaphysique. L'économie sociale et la Révolution française le préoccupaient. C'était, à présent, un grand diable de vingt-deux ans, maigre, avec une large bouche, l'air résolu. Il portait, ce soir-là, un mauvais paletot de lasting ; et ses souliers étaient blancs de poussière, car il avait fait la route de Villenauxe à pied, exprès pour voir Frédéric.

Isidore les aborda. Madame priait Monsieur de revenir, et, craignant qu'il n'eût froid, elle lui envoyait son manteau.

— « Reste donc ! » dit Deslauriers.

Et ils continuèrent à se promener d'un bout à l'autre des deux ponts qui s'appuient sur l'île étroite, formée par le canal et la rivière.

Quand ils allaient du côté de Nogent, ils avaient, en face, un pâté de maisons s'inclinant quelque peu ; à droite, l'église apparaissait derrière les moulins de bois dont les vannes étaient fermées ; et, à gauche, les haies [52] d'arbustes, le long de la rive, terminaient des jardins, que l'on

distinguait à peine. Mais, du côté de Paris, la grande route
descendait en ligne droite, et des prairies se perdaient au
loin, dans les vapeurs de la nuit. Elle était silencieuse
et d'une clarté blanchâtre. Des odeurs de feuillage humide
montaient jusqu'à eux ; la chute de la prise d'eau, cent
pas plus loin, murmurait avec ce gros bruit doux que
font les ondes dans les ténèbres.

Deslauriers s'arrêta, et il dit :

— « Ces bonnes gens qui dorment tranquilles, c'est
drôle ! Patience ! un nouveau 89 se prépare ! On est
las de constitutions, de chartes, de subtilités, de mensonges ! Ah ! si j'avais un journal ou une tribune, comme
je vous secouerais tout cela ! Mais, pour entreprendre
n'importe quoi, il faut de l'argent ! Quelle malédiction
que d'être le fils d'un cabaretier et de perdre sa jeunesse
à la quête de son pain ! »

Il baissa la tête, se mordit les lèvres, et il grelottait
sous son vêtement mince.

Frédéric lui jeta la moitié de son manteau sur les épaules.
Ils s'en enveloppèrent tous deux ; et, se tenant par la taille,
ils marchaient dessous, côte à côte.

— « Comment veux-tu que je vive là-bas, sans toi ? »
disait Frédéric. L'amertume de son ami avait ramené
sa tristesse. « J'aurais fait quelque chose avec une femme
qui m'eût aimé... Pourquoi ris-tu ? L'amour est la pâture
et comme l'atmosphère du génie. Les émotions extraordinaires produisent les œuvres sublimes. Quant à chercher
celle qu'il me faudrait, j'y renonce ! D'ailleurs, si jamais
je la trouve, elle me repoussera. Je suis de la race des dés-
hérités, et je m'éteindrai avec un trésor qui était de strass
ou de diamant, je n'en sais rien. »

L'ombre de quelqu'un s'allongea sur les pavés, en
même temps qu'ils entendirent ces mots :

— « Serviteur, messieurs ! »

Celui qui les prononçait était un petit homme, habillé
d'une ample redingote brune, et coiffé d'une casquette
laissant paraître sous la visière un nez pointu.

— « M. Roque ? » dit Frédéric.

— « Lui-même ! » reprit la voix.

Le Nogentais justifia sa présence en contant qu'il revenait
d'inspecter ses pièges à loup, dans son jardin, au bord de
l'eau.

— « Et vous voilà de retour dans nos pays ? Très bien ! j'ai appris cela par ma fillette. La santé est toujours bonne, j'espère ? Vous ne partez pas encore ? »

Et il s'en alla, rebuté, sans doute, par l'accueil de Frédéric.

Mme Moreau, en effet, ne le fréquentait pas ; le père Roque vivait en concubinage avec sa bonne, et on le considérait fort peu, bien qu'il fût le croupier d'élections [53], le régisseur de M. Dambreuse.

— « Le banquier qui demeure rue d'Anjou ? » reprit Deslauriers. « Sais-tu ce que tu devrais faire, mon brave ? »

Isidore les interrompit encore une fois. Il avait ordre de ramener Frédéric, définitivement. Madame s'inquiétait de son absence.

— « Bien, bien ! on y va, » dit Deslauriers ; « il ne découchera pas. »

Et, le domestique étant parti :

— « Tu devrais prier ce vieux de t'introduire chez les Dambreuse ; rien n'est utile comme de fréquenter une maison riche ! Puisque tu as un habit noir et des gants blancs, profites-en ! Il faut que tu ailles dans ce monde-là ! Tu m'y mèneras plus tard. Un homme à millions, pense donc ! Arrange-toi pour lui plaire, et à sa femme aussi. Deviens son amant ! »

Frédéric se récriait.

— « Mais je te dis là des choses classiques, il me semble ? Rappelle-toi Rastignac dans la Comédie humaine ! Tu réussiras, j'en suis sûr ! »

Frédéric avait tant de confiance en Deslauriers qu'il se sentit ébranlé, et oubliant Mme Arnoux, ou la comprenant dans la prédiction faite sur l'autre, il ne put s'empêcher de sourire.

— « Dernier conseil : passe tes examens ! Un titre est toujours bon ; et lâche-moi franchement tes poètes catholiques et sataniques, aussi avancés en philosophie qu'on l'était au XIIe siècle. Ton désespoir est bête. De très grands particuliers ont eu des commencements plus difficiles, à commencer par Mirabeau. D'ailleurs, notre séparation ne sera pas si longue. Je ferai rendre gorge à mon filou de père. Il est temps que je m'en retourne, adieu ! As-tu cent sous pour que je paye mon dîner ? »

Frédéric lui donna dix francs, le reste de la somme prise le matin à Isidore.

Cependant, à vingt toises des ponts, sur la rive gauche, une lumière brillait dans la lucarne d'une maison basse.

Deslauriers l'aperçut. Alors, il dit emphatiquement, tout en retirant son chapeau :

— « Vénus, reine des cieux, serviteur ! Mais la Pénurie est la mère de la Sagesse. Nous a-t-on assez calomniés pour ça, miséricorde ! »

Cette allusion à une aventure commune les mit en joie. Ils riaient très haut, dans les rues.

Puis, ayant soldé sa dépense à l'auberge, Deslauriers reconduisit Frédéric jusqu'au carrefour de l'Hôtel-Dieu ; — et, après une longue étreinte, les deux amis se séparèrent.

III

Deux mois plus tard, Frédéric, débarqué un matin rue Coq-Héron, songea immédiatement à faire sa grande visite.

Le hasard l'avait servi. Le père Roque était venu lui apporter un rouleau de papiers, en le priant de les remettre lui-même chez M. Dambreuse ; et il accompagnait l'envoi d'un billet décacheté, où il présentait son jeune compatriote.

Mme Moreau parut surprise de cette démarche. Frédéric dissimula le plaisir qu'elle lui causait.

M. Dambreuse [54] s'appelait de son vrai nom le comte d'Ambreuse ; mais, dès 1825, abandonnant peu à peu sa noblesse et son parti, il s'était tourné vers l'industrie ; et, l'oreille dans tous les bureaux, la main dans toutes les entreprises, à l'affût des bonnes occasions, subtil comme un Grec et laborieux comme un Auvergnat, il avait amassé une fortune que l'on disait considérable ; de plus, il était officier de la Légion d'honneur, membre du conseil général de l'Aube, député, pair de France un de ces jours [55] ; complaisant du reste, il fatiguait le ministre par ses demandes continuelles de secours, de croix, de bureaux de tabac ; et, dans ses bouderies contre le pouvoir, il inclinait au centre gauche [56]. Sa femme, la jolie Mme Dambreuse, que citaient les journaux de modes, présidait les assemblées de charité. En cajolant les duchesses, elle apaisait les rancunes du noble faubourg et laissait croire que M. Dambreuse pouvait encore se repentir et rendre des services.

Le jeune homme était troublé en allant chez eux.

— « J'aurais mieux fait de prendre mon habit. On m'invitera sans doute au bal pour la semaine prochaine ? Que va-t-on me dire ? »

L'aplomb lui revint en songeant que M. Dambreuse

n'était qu'un bourgeois, et il sauta gaillardement de son cabriolet [57] sur le trottoir de la rue d'Anjou.

Quand il eut poussé une des deux portes cochères [58], il traversa la cour, gravit le perron et entra dans un vestibule pavé en marbre de couleur.

Un double escalier droit, avec un tapis rouge à baguettes de cuivre, s'appuyait contre les hautes murailles en stuc luisant. Il y avait, au bas des marches, un bananier dont les feuilles larges retombaient sur le velours de la rampe. Deux candélabres de bronze tenaient des globes de porcelaine suspendus à des chaînettes ; les soupiraux des calorifères béants exhalaient un air lourd ; et l'on n'entendait que le tic tac d'une grande horloge, dressée à l'autre bout du vestibule, sous une panoplie.

Un timbre sonna ; un valet parut, et introduisit Frédéric dans une petite pièce, où l'on distinguait deux coffres-forts, avec des casiers remplis de cartons. M. Dambreuse écrivait au milieu, sur un bureau à cylindre.

Il parcourut la lettre du père Roque, ouvrit avec son canif la toile qui enfermait les papiers, et les examina.

De loin, à cause de sa taille mince, il pouvait sembler jeune encore. Mais ses rares cheveux blancs, ses membres débiles et surtout la pâleur extraordinaire de son visage, accusaient un tempérament délabré. Une énergie impitoyable reposait dans ses yeux glauques, plus froids que des yeux de verre. Il avait les pommettes saillantes, et des mains à articulations noueuses.

Enfin, s'étant levé, il adressa au jeune homme quelques questions sur des personnes de leur connaissance, sur Nogent, sur ses études ; puis il le congédia en s'inclinant. Frédéric sortit par un autre corridor et se trouva dans le bas de la cour, auprès des remises.

Un coupé bleu, attelé d'un cheval noir, stationnait devant le perron. La portière s'ouvrit, une dame y monta et la voiture [59], avec un bruit sourd, se mit à rouler sur le sable.

Frédéric, en même temps qu'elle, arriva de l'autre côté, sous la porte cochère. L'espace n'étant pas assez large, il fut contraint d'attendre. La jeune femme, penchée en dehors du vasistas, parlait tout bas au concierge. Il n'apercevait que son dos, couvert d'une mante violette. Cependant, il plongeait dans l'intérieur de la voiture, tendue de reps bleu, avec des passementeries et des effilés de soie. Les vêtements de la dame l'emplissaient ; il s'échappait de cette petite boîte capitonnée un parfum d'iris, et comme une vague senteur d'élégances féminines. Le cocher lâcha les rênes, le cheval frôla la borne brusquement, et tout disparut.

Frédéric s'en revint à pied, en suivant les boulevards. Il regrettait de n'avoir pu distinguer Mme Dambreuse.

Un peu plus haut que la rue Montmartre, un embarras de voitures lui fit tourner la tête ; et, de l'autre côté, en face, il lut sur une plaque de marbre :

JACQUES ARNOUX.

Comment n'avait-il pas songé à elle plus tôt ? La faute venait de Deslauriers, et il s'avança vers la boutique, il n'entra pas, cependant ; il attendit qu'Elle parût.

Les hautes glaces transparentes offraient aux regards, dans une disposition habile, des statuettes, des dessins, des gravures, des catalogues, des numéros de l'*Art industriel* [60] ; et les prix de l'abonnement étaient répétés sur la porte, que décoraient à son milieu [61] les initiales de l'éditeur. On apercevait, contre les murs, de grands tableaux dont le vernis brillait, puis, dans le fond, deux bahuts, chargés de porcelaines, de bronzes, de curiosités alléchantes ; un petit escalier les séparait, fermé dans le haut par une portière de moquette ; et un lustre en vieux saxe, un tapis vert sur le plancher, avec une table en marqueterie, donnaient à cet intérieur plutôt l'apparence d'un salon que d'une boutique.

Frédéric faisait semblant d'examiner les dessins. Après des hésitations infinies, il entra.

Un employé souleva la portière, et répondit que Monsieur ne serait pas « au magasin » avant cinq heures. Mais si la commission pouvait se transmettre...

— « Non ! je reviendrai, » répliqua doucement Frédéric.

Les jours suivants furent employés à se chercher un logement ; et il se décida pour une chambre au second étage, dans un hôtel garni, rue Saint-Hyacinthe [62].

En portant sous son bras un buvard tout neuf, il se rendit à l'ouverture des cours. Trois cents jeunes gens, nu-tête, emplissaient un amphithéâtre où un vieillard en robe rouge dissertait d'une voix monotone ; des plumes grinçaient sur le papier. Il retrouvait dans cette salle l'odeur poussiéreuse des classes, une chaire de forme pareille, le même ennui ! Pendant quinze jours, il y retourna. Mais on n'était pas encore à l'article 3 qu'il avait lâché le Code civil, et il abandonna les Institutes [3] à la *Summa divisio personarum*.

Les joies qu'il s'était promises n'arrivaient pas ; et, quand il eut épuisé un cabinet de lecture, parcouru les collections du Louvre, et plusieurs fois de suite été au spectacle, il tomba dans un désœuvrement sans fond.

Mille choses nouvelles ajoutaient à sa tristesse. Il lui fallait compter son linge et subir le concierge, rustre à tournure d'infirmier, qui venait le matin retaper son lit, en sentant l'alcool et en grommelant. Son appartement, orné d'une pendule d'albâtre, lui déplaisait. Les cloisons étaient minces ; il entendait les étudiants faire du punch, rire, chanter.

Las de cette solitude, il rechercha un de ses anciens camarades nommé Baptiste Martinon [4] ; et il le découvrit dans une pension bourgeoise de la rue Saint-Jacques, bûchant sa procédure, devant un feu de charbon de terre.

En face de lui, une femme en robe d'indienne reprisait des chaussettes.

Martinon était ce qu'on appelle un fort bel homme : grand, joufflu, la physionomie régulière et des yeux bleuâtres à fleur de tête ; son père, un gros cultivateur, le destinait à la magistrature, — et, voulant déjà paraître sérieux, il portait sa barbe taillée en collier.

Comme les ennuis de Frédéric n'avaient point de cause raisonnable et qu'il ne pouvait arguer d'aucun malheur, Martinon ne comprit rien à ses lamentations sur l'existence. Lui, il allait tous les matins à l'École, se promenait ensuite dans le Luxembourg, prenait le soir sa demi-tasse au café, et, avec quinze cents francs par an et l'amour de cette ouvrière, il se trouvait parfaitement heureux.

— « Quel bonheur ! » exclama intérieurement Frédéric.

Il avait fait à l'École une autre connaissance, celle de M. de Cisy, enfant de grande famille et qui semblait une demoiselle, à la gentillesse de ses manières.

M. de Cisy s'occupait de dessin, aimait le gothique. Plusieurs fois ils allèrent ensemble admirer la Sainte-Chapelle et Notre-Dame. Mais la distinction du jeune

patricien recouvrait une intelligence des plus pauvres.
Tout le surprenait ; il riait beaucoup à la moindre plaisanterie, et montrait une ingénuité si complète que Frédéric
le prit d'abord pour un farceur, et finalement le considéra
comme un nigaud.

Les épanchements n'étaient donc possibles avec personne ; et il attendait toujours l'invitation des Dambreuse.
Au jour de l'an, il leur envoya des cartes de visite,
mais il n'en reçut aucune.

Il était retourné à l'*Art industriel*.

Il y retourna une troisième fois, et il vit enfin Arnoux
qui se disputait au milieu de cinq à six personnes et répondit
à peine à son salut ; Frédéric en fut blessé. Il n'en chercha
pas moins comment parvenir jusqu'à Elle.

Il eut d'abord l'idée de se présenter souvent, pour
marchander des tableaux. Puis il songea à glisser dans la
boîte du journal quelques articles « très forts », ce qui
amènerait des relations. Peut-être valait-il mieux courir
droit au but, déclarer son amour ? Alors, il composa une
lettre de douze pages, pleine de mouvements lyriques
et d'apostrophes ; mais il la déchira, et ne fit rien, ne tenta
rien, — immobilisé par la peur de l'insuccès.

Au-dessus de la boutique d'Arnoux, il y avait au premier
étage trois fenêtres, éclairées chaque soir. Des ombres
circulaient par derrière, une surtout ; c'était la sienne ;
— et il se dérangeait de très loin pour regarder ces fenêtres
et contempler cette ombre.

Une négresse, qu'il croisa un jour dans les Tuileries
tenant une petite fille par la main, lui rappela la négresse
de Mme Arnoux. Elle devait y venir comme les autres ;
toutes les fois qu'il traversait les Tuileries, son cœur
battait, espérant la rencontrer. Les jours de soleil, il continuait sa promenade jusqu'au bout des Champs-Élysées.

Des femmes, nonchalamment assises dans des calèches,
et dont les voiles flottaient au vent, défilaient près de lui,
au pas ferme de leurs chevaux, avec un balancement
insensible qui faisait craquer les cuirs vernis. Les voitures
devenaient plus nombreuses, et, se ralentissant à partir
du Rond-Point, elles occupaient toute la voie. Les crinières
étaient près des crinières, les lanternes près des lanternes ;
les étriers d'acier, les gourmettes d'argent, les boucles
de cuivre jetaient çà et là des points lumineux entre

les culottes courtes, les gants blancs et les fourrures qui
retombaient sur le blason des portières. Il se sentait comme
perdu dans un monde lointain. Ses yeux erraient sur les
têtes féminines ; et de vagues ressemblances amenaient
à sa mémoire Mme Arnoux. Il se la figurait, au milieu des
autres, dans un de ces petits coupés, pareils au coupé
de Mme Dambreuse. — Mais le soleil se couchait, et le
vent froid soulevait des tourbillons de poussière. Les
cochers baissaient le menton dans leurs cravates, les roues
se mettaient à tourner plus vite, le macadam grinçait ; et
tous les équipages descendaient au grand trot la longue
avenue, en se frôlant, se dépassant, s'écartant les uns
des autres, puis, sur la place de la Concorde, se dispersaient.
Derrière les Tuileries, le ciel prenait la teinte des ardoises.
Les arbres du jardin formaient deux masses énormes, vio-
lacées par le sommet. Les becs de gaz s'allumaient ; et
la Seine, verdâtre dans toute son étendue, se déchirait
en moires d'argent contre les piles des ponts.

Il allait dîner, moyennant quarante-trois sols le cachet,
dans un restaurant, rue de la Harpe [65].

Il regardait avec dédain le vieux comptoir d'acajou,
les serviettes tachées, l'argenterie crasseuse et les chapeaux suspendus contre la muraille. Ceux qui l'entouraient étaient des étudiants comme lui. Ils causaient de
leurs professeurs, de leurs maîtresses. Il s'inquiétait bien
des professeurs ! Est-ce qu'il avait une maîtresse ! Pour
éviter leurs joies, il arrivait le plus tard possible. Des restes
de nourriture couvraient toutes les tables. Les deux garçons,
fatigués, dormaient dans des coins, et une odeur de cuisine,
de quinquet et de tabac emplissait la salle déserte.

Puis il remontait lentement les rues. Les réverbères
se balançaient, en faisant trembler sur la boue de longs
reflets jaunâtres. Des ombres glissaient au bord des trottoirs, avec des parapluies. Le pavé était gras, la brume
tombait, et il lui semblait que les ténèbres humides, l'enveloppant, descendaient indéfiniment dans son cœur.

Un remords le prit. Il retourna aux cours. Mais
comme il ne connaissait rien aux matières élucidées,
des choses très simples l'embarrassèrent.

Il se mit à écrire un roman [66] intitulé : *Sylvio, le fils du
pêcheur*. La chose se passait à Venise. Le héros, c'était
lui-même ; l'héroïne, Mme Arnoux. Elle s'appelait Antonia ;

— et, pour l'avoir, il assassinait plusieurs gentilshommes, brûlait une partie de la ville et chantait sous son balcon, où palpitaient à la brise les rideaux en damas rouge du boulevard Montmartre. Les réminiscences trop nombreuses dont il s'aperçut le découragèrent ; il n'alla pas plus loin, et son désœuvrement redoubla.

Alors, il supplia Deslauriers de venir partager sa chambre. Ils s'arrangeraient pour vivre avec ses deux mille francs de pension ; tout valait mieux que cette existence intolérable. Deslauriers ne pouvait encore quitter Troyes. Il l'engageait à se distraire, et à fréquenter Sénécal.

Sénécal était un répétiteur de mathématiques, homme de forte tête et de convictions républicaines, un futur Saint-Just, disait le clerc. Frédéric avait monté trois fois ses cinq étages, sans en recevoir aucune visite. Il n'y retourna plus.

Il voulut s'amuser. Il se rendit aux bals de l'Opéra [67]. Ces gaietés tumultueuses le glaçaient dès la porte. D'ailleurs, il était retenu par la crainte d'un affront pécuniaire, s'imaginant qu'un souper avec un domino entraînait à des frais considérables, était une grosse aventure.

Il lui semblait, cependant, qu'on devait l'aimer [68]. Quelquefois, il se réveillait le cœur plein d'espérance, s'habillait soigneusement comme pour un rendez-vous, et il faisait dans Paris des courses interminables. A chaque femme qui marchait devant lui, ou qui s'avançait à sa rencontre, il se disait : « La voilà ! » [69] C'était, chaque fois, une déception nouvelle. L'idée de Mme Arnoux fortifiait ces convoitises. Il la trouverait peut-être sur son chemin ; et il imaginait, pour l'aborder, des complications du hasard, des périls extraordinaires dont il la sauverait.

Ainsi les jours s'écoulaient, dans la répétition des mêmes ennuis et des habitudes contractées. Il feuilletait des brochures sous les arcades de l'Odéon, allait lire la *Revue des Deux Mondes* [70] au café, entrait dans une salle du Collège de France, écoutait [71] pendant une heure une leçon de chinois ou d'économie politique. Toutes les semaines, il écrivait longuement à Deslauriers, dînait de temps en temps avec Martinon, voyait quelquefois M. de Cisy.

Il loua un piano, et composa des valses allemandes.

Un soir, au théâtre du Palais-Royal [72], il aperçut, dans une loge d'avant-scène, Arnoux près d'une femme. Était-ce elle ? L'écran de taffetas vert, tiré au bord de la loge, masquait son visage. Enfin la toile se leva ; l'écran s'abattit. C'était une longue personne, de trente ans environ, fanée, et dont les grosses lèvres découvraient, en riant, des dents splendides. Elle causait familièrement avec Arnoux et lui donnait [73] des coups d'éventail sur les doigts. Puis une jeune fille blonde, les paupières un peu rouges comme si elle venait de pleurer, s'assit entre eux. Arnoux resta dès lors à demi penché sur son épaule, en lui tenant des discours qu'elle écoutait sans répondre. Frédéric s'ingéniait à découvrir la condition de ces femmes, modestement habillées de robes sombres, à cols plats rabattus.

A la fin du spectacle, il se précipita dans les couloirs. La foule les remplissait. Arnoux, devant lui, descendait l'escalier, marche à marche, donnant le bras aux deux femmes.

Tout à coup, un bec de gaz l'éclaira. Il avait un crêpe à son chapeau. Elle était morte, peut-être ? Cette idée tourmenta Frédéric si fortement qu'il courut le lendemain à l'*Art industriel*, et, payant vite une des gravures étalées devant la montre, il demanda au garçon de boutique comment se portait M. Arnoux.

Le garçon répondit :

— « Mais très bien ! »

Frédéric ajouta en pâlissant :

— « Et Madame ? »

— « Madame aussi ! »

Frédéric oublia d'emporter sa gravure.

L'hiver se termina. Il fut moins triste au printemps, se mit à préparer son examen, et l'ayant subi d'une façon médiocre, partit [74] ensuite pour Nogent.

Il n'alla point à Troyes voir son ami, afin d'éviter les observations de sa mère, Puis, à la rentrée, il abandonna son logement et prit, sur le quai Napoléon, deux pièces, qu'il meubla. L'espoir d'une invitation chez les Dambreuse l'avait quitté ; sa grande passion pour Mme Arnoux commençait à s'éteindre.

IV

Un matin du mois de décembre, en se rendant au cours de procédure, il crut remarquer dans la rue Saint-Jacques plus d'animation qu'à l'ordinaire. Les étudiants sortaient précipitamment des cafés, ou, par les fenêtres ouvertes, ils s'appelaient d'une maison à l'autre ; les boutiquiers, au milieu du trottoir, regardaient d'un air inquiet ; les volets se fermaient ; et, quand il arriva dans la rue Soufflot, il aperçut un grand rassemblement autour du Panthéon.

Des jeunes gens, par bandes inégales de cinq à douze, se promenaient en se donnant le bras et abordaient les groupes plus considérables qui stationnaient çà et là ; au fond de la place, contre les grilles, des hommes en blouse péroraient, tandis que, le tricorne sur l'oreille et les mains derrière le dos, des sergents de ville erraient le long des murs, en faisant sonner les dalles sous leurs fortes bottes. Tous avaient un air mystérieux, ébahi ; on attendait quelque chose évidemment ; chacun retenait au bord des lèvres une interrogation.

Frédéric se trouvait auprès d'un jeune homme blond, à figure avenante, et portant moustache et barbiche comme un raffiné du temps de Louis XIII. Il lui demanda la cause du désordre.

— « Je n'en sais rien, » reprit l'autre « ni eux non plus ! C'est leur mode à présent ! quelle bonne farce ! »

Et il éclata de rire.

Les pétitions [75] pour la Réforme [76], que l'on faisait signer dans la garde nationale, jointes au recensement Humann [77], d'autres événements encore, amenaient depuis six mois, dans Paris, d'inexplicables attroupements ; et même ils se renouvelaient si souvent que les journaux n'en parlaient plus.

— « Cela manque de galbe et de couleur, » continua

le voisin de Frédéric. « Ie cuyde, messire, que nous avons dégénéré ! A la bonne époque de Loys onzième, voire de Benjamin Constant, il y avait plus de mutinerie parmi les escholiers. Ie les treuve pacifiques comme moutons, bêtes comme cornichons, et idoines à estre épiciers, Pasque-Dieu ! Et voilà ce qu'on appelle la Jeunesse des écoles ! »

Il écarta les bras, largement, comme Frédérick Lemaître dans *Robert Macaire*.

— « Jeunesse des écoles, je te bénis ! »

Ensuite, apostrophant un chiffonnier qui remuait des écailles d'huîtres contre la borne d'un marchand de vin :

— « En fais-tu partie, toi, de la Jeunesse des écoles ? »

Le vieillard releva une face hideuse où l'on distinguait, au milieu d'une barbe grise, un nez rouge, et deux yeux avinés, stupides.

— « Non ! tu me parais plutôt *un de ces hommes à figure patibulaire que l'on voit, dans divers groupes, semant l'or à pleines mains*... Oh ! sème, mon patriarche, sème ! Corromps-moi avec les trésors d'Albion ! *Are you English ?* Je ne repousse pas les présents d'Artaxerxès ! Causons un peu de l'union douanière. »

Frédéric sentit quelqu'un lui toucher [78] à l'épaule ; il se retourna. C'était Martinon, prodigieusement pâle.

— « Eh bien ! » fit-il en poussant un gros soupir, « encore une émeute ! »

Il avait peur d'être compromis, se lamentait. Des hommes en blouse [79], surtout, l'inquiétaient, comme appartenant à des sociétés secrètes [80].

— « Est-ce qu'il y a des sociétés secrètes ! » dit le jeune homme à moustaches. « C'est une vieille blague du Gouvernement pour épouvanter les bourgeois ! »

Martinon l'engagea à parler plus bas, dans la crainte de la police.

— « Vous croyez encore à la police, vous ? Au fait, que savez-vous, monsieur, si je ne suis pas moi-même un mouchard ? »

Et il le regarda d'une telle manière que Martinon, fort ému, ne comprit point d'abord la plaisanterie. La foule les poussait, et ils avaient été forcés, tous les trois, de se mettre sur le petit escalier conduisant, par un couloir, dans le nouvel amphithéâtre.

Bientôt [81], la multitude se fendit d'elle-même ; plusieurs têtes se découvrirent ; on saluait l'illustre professeur Samuel Rondelot, qui, enveloppé de sa grosse redingote, levant en l'air ses lunettes d'argent et soufflant de son asthme, s'avançait à pas tranquilles, pour faire son cours. Cet homme était une des gloires judiciaires du XIXe siècle, le rival des Zachariæ, des Ruhdorff. Sa dignité nouvelle de pair de France n'avait modifié en rien ses allures. On le savait pauvre, et un grand respect l'entourait.

Cependant, du fond de la place, quelques-uns crièrent :

— « A bas Guizot ! »

— « A bas Pritchard [82] ! »

— « A bas les vendus ! »

— « A bas Louis-Philippe ! »

La foule oscilla, et, se pressant contre la porte de la cour qui était fermée, elle empêchait le professeur d'aller plus loin. Il s'arrêta devant l'escalier. On l'aperçut bientôt sur la dernière des trois marches. Il parla ; un bourdonnement couvrit sa voix. Bien qu'on l'aimât tout à l'heure, on le haïssait maintenant, car il représentait l'Autorité. Chaque fois qu'il essayait de se faire entendre, les cris recommençaient. Il fit un grand geste [83] pour engager les étudiants à le suivre. Une vocifération universelle lui répondit. Il haussa les épaules dédaigneusement et s'enfonça dans le couloir. Martinon avait profité de sa place pour disparaître en même temps.

— « Quel lâche ! » dit Frédéric.

— « Il est prudent ! » reprit l'autre.

La foule éclata en applaudissements. Cette retraite du professeur devenait une victoire pour elle. A toutes les fenêtres, des curieux regardaient. Quelques-uns entonnaient *la Marseillaise ;* d'autres proposaient d'aller chez Béranger [84].

— « Chez Laffitte [85] ! »

— « Chez Chateaubriand [86] ! »

— « Chez Voltaire ! » hurla le jeune homme à moustaches blondes.

Les sergents de ville [87] tâchaient de circuler, en disant le plus doucement qu'ils pouvaient :

— « Partez, messieurs, partez, retirez-vous ! »

Quelqu'un cria :

— « A bas les assommeurs ! »

C'était une injure usuelle depuis les troubles du mois
de septembre [88]. Tous la répétèrent. On huait, on sifflait
les gardiens de l'ordre public ; ils commençaient à pâlir ;
un d'eux n'y résista plus, et, avisant un petit jeune homme
qui s'approchait de trop près, en lui riant au nez, il le repoussa si rudement qu'il le fit tomber cinq pas plus loin,
sur le dos, devant la boutique du marchand de vin. Tous
s'écartèrent ; mais presque aussitôt il roula lui-même,
terrassé par une sorte d'Hercule dont la chevelure, telle
qu'un paquet d'étoupes, débordait sous une casquette
en toile cirée.

Arrêté depuis quelques minutes au coin de la rue Saint-
Jacques, il avait lâché bien vite un large carton qu'il
portait pour bondir vers le sergent de ville, et le tenant
renversé sous lui, il labourait sa face à grands coups de
poing. Les autres sergents accoururent. Le terrible garçon
était si fort qu'il en fallut quatre au moins pour le dompter.
Deux le secouaient par le collet, deux autres le tiraient
par les bras, un cinquième lui donnait, avec le genou,
des bourrades dans les reins, et tous l'appelaient brigand,
assassin, émeutier. La poitrine nue et les vêtements en lambeaux, il protestait de son innocence ; il n'avait pu, de
sang-froid, voir battre un enfant.

— « Je m'appelle Dussardier ! chez MM. Valinçart
frères, dentelles et nouveautés, rue de Cléry. Où est mon
carton ? Je veux mon carton ! » Il répétait : « Dussardier !...
rue de Cléry. Mon carton ! »

Il s'apaisa pourtant, et, d'un air stoïque, se laissa conduire vers le poste de la rue Descartes. Un flot de monde [89]
le suivit. Frédéric et le jeune homme à moustaches marchaient immédiatement par derrière, pleins d'admiration
pour le commis et révoltés contre la violence du Pouvoir.

A mesure que l'on avançait, la foule devenait moins
grosse.

Les sergents de ville, de temps à autre, se retournaient
d'un air féroce ; et les tapageurs n'ayant plus rien à faire,
les curieux rien à voir, tous s'en allaient peu à peu. Des
passants, que l'on croisait, considéraient Dussardier et
se livraient tout haut à des commentaires outrageants.
Une vieille femme, sur sa porte, s'écria même qu'il avait
volé un pain ; cette injustice augmenta l'irritation des
deux amis. Enfin on arriva devant le corps de garde. Il

ne restait qu'une vingtaine de personnes. La vue des soldats suffit pour les disperser.

Frédéric [90] et son camarade réclamèrent, hardiment,
celui qu'on venait de mettre en prison. Le factionnaire
les menaça, s'ils insistaient, de les y fourrer eux-mêmes.
Ils demandèrent le chef du poste, et déclinèrent leur nom
avec leur qualité d'élèves en droit [91], affirmant que le
prisonnier était leur condisciple.

On les fit entrer [92] dans une pièce toute nue, où quatre
bancs s'allongeaient contre les murs de plâtre, enfumés.
Au fond, un guichet s'ouvrit. Alors parut le robuste
visage de Dussardier, qui, dans le désordre de sa chevelure,
avec ses petits yeux francs et son nez carré du bout, rappelait
confusément la physionomie d'un bon chien.

— « Tu ne nous reconnais pas ? » dit Hussonnet [93].

C'était le nom du jeune homme à moustaches.

— « Mais... » balbutia Dussardier.

— « Ne fais donc plus l'imbécile, » reprit l'autre ;
« on sait que tu es, comme nous, élève en droit [94]. »

Malgré leurs clignements de paupières, Dussardier
ne devinait rien. Il parut se recueillir, puis tout à coup :

— « A-t-on trouvé mon carton ? »

Frédéric leva les yeux, découragé. Hussonnet répliqua :

— « Ah ! ton carton, où tu mets tes notes de cours ?
Oui, oui ! rassure-toi ! »

Ils redoublaient leur pantomime. Dussardier comprit
enfin qu'ils venaient pour le servir ; et il se tut, craignant de les compromettre. D'ailleurs, il éprouvait une
sorte de honte en se voyant haussé au rang social d'étudiant et le pareil de ces jeunes hommes qui avaient des
mains si blanches.

— « Veux-tu faire dire quelque chose à quelqu'un ? »
demanda Frédéric [95].

— « Non, merci, à personne ! »

— « Mais ta famille ? »

Il baissa la tête sans répondre ; le pauvre garçon était
bâtard. Les deux amis restaient étonnés de son silence.

— « As-tu de quoi fumer ? » reprit Frédéric.

Il se palpa, puis retira du fond de sa poche les débris
d'une pipe, — une belle pipe en écume de mer, avec un
tuyau en bois noir, un couvercle d'argent et un bout
d'ambre.

Depuis trois ans, il travaillait à en faire un chef-d'œuvre.
Il avait eu soin d'en tenir le fourneau constamment serré
dans une gaine de chamois, de la fumer le plus lentement
possible, sans jamais la poser sur du marbre, et, chaque
soir, de la suspendre au chevet de son lit [96]. A présent,
il en secouait les morceaux dans sa main dont les ongles
saignaient ; et, le menton sur la poitrine, les prunelles
fixes, béant, il contemplait ces ruines de sa joie avec un
regard d'une ineffable tristesse.

— « Si nous lui donnions des cigares, hein ? » dit tout
bas Hussonnet, en faisant le geste d'en atteindre.

Frédéric avait déjà posé, au bord du guichet, un porte-
cigares rempli.

— « Prends donc ! Adieu, bon courage ! »

Dussardier se jeta sur les deux mains qui s'avançaient.
Il les serrait frénétiquement, la voix entrecoupée par
des sanglots.

— « Comment ?... à moi !... à moi !... »

Les deux amis se dérobèrent à sa reconnaissance [97],
sortirent, et allèrent déjeuner ensemble au café Tabourey,
devant le Luxembourg.

Tout en séparant le beefsteak, Hussonnet apprit à
son compagnon qu'il travaillait dans des journaux de
modes et fabriquait des réclames pour l'*Art industriel*.

— « Chez Jacques Arnoux, » dit Frédéric.

— « Vous le connaissez ? »

— « Oui ! non !... C'est-à-dire je l'ai vu, je l'ai rencontré. »

Il demanda négligemment à Hussonnet s'il voyait
quelquefois sa femme.

— De temps à autre, » reprit le bohème.

Frédéric n'osa poursuivre ses questions ; cet homme
venait de prendre une place démesurée dans sa vie ;
il paya [98] la note du déjeuner, sans qu'il y eût de la part
de l'autre aucune protestation.

La sympathie était mutuelle ; ils échangèrent leurs
adresses, et Hussonnet [99] l'invita cordialement à l'accompagner jusqu'à la rue de Fleurus.

Ils étaient au milieu du jardin quand l'employé d'Arnoux,
retenant son haleine, contourna son visage dans une
grimace abominable et se mit à faire le coq. Alors tous
les coqs qu'il y avait aux environs lui répondirent par des
cocoricos prolongés.

— « C'est un signal, » dit Hussonnet.

Ils s'arrêtèrent près du théâtre Bobino, devant une maison où l'on pénétrait par une allée. Dans la lucarne d'un grenier, entre des capucines et des pois de senteur, une jeune femme se montra, nu-tête, en corset, et appuyant ses deux bras contre le bord de la gouttière.

— « Bonjour, mon ange, bonjour, bibiche, » fit Hussonnet, en lui envoyant des baisers.

Il ouvrit [100] la barrière d'un coup de pied, et disparut.

Frédéric l'attendit toute la semaine. Il n'osait aller chez lui, pour n'avoir point l'air impatient de se faire rendre à déjeuner ; mais il le chercha par tout le quartier latin. Il le rencontra un soir, et l'emmena dans sa chambre sur le quai Napoléon.

La causerie fut longue ; ils s'épanchèrent. Hussonnet ambitionnait la gloire et les profits du théâtre. Il collaborait à des vaudevilles non reçus, « avait des masses de plans », tournait le couplet ; il en chanta quelques-uns. Puis, remarquant dans l'étagère un volume de Hugo et un autre de Lamartine, il se répandit en sarcasmes sur l'école romantique. Ces poètes-là n'avaient ni bon sens ni correction, et n'étaient pas Français, surtout ! Il se vantait de savoir sa langue et épluchait les phrases les plus belles avec cette sévérité hargneuse, ce goût académique qui distinguent les personnes d'humeur folâtre quand elles abordent l'art sérieux.

Frédéric fut blessé dans ses prédilections ; il avait envie de rompre. Pourquoi [101] ne pas hasarder, tout de suite, le mot d'où son bonheur dépendait ? Il demanda [102] au garçon de lettres s'il pouvait le présenter chez Arnoux.

La chose était facile, et ils convinrent du jour suivant.

Hussonnet manqua le rendez-vous ; il en manqua trois autres. Un samedi, vers quatre heures, il apparut. Mais, profitant de la voiture, il s'arrêta d'abord au Théâtre-Français pour avoir un coupon de loge ; il se fit descendre chez un tailleur, chez une couturière ; il écrivait des billets [103] chez les concierges. Enfin ils arrivèrent boulevard Montmartre. Frédéric traversa la boutique, monta l'escalier. Arnoux le reconnut dans la glace placée devant son bureau ; et, tout en continuant à écrire, lui tendit [104] la main par-dessus l'épaule.

Cinq ou six personnes, debout, emplissaient l'appar-

tement étroit, qu'éclairait une seule fenêtre donnant
sur la cour ; un canapé en damas de laine brune occupait
au fond l'intérieur d'une alcôve, entre deux portières
d'étoffe semblable. Sur la cheminée couverte de paperasses,
il y avait une Vénus en bronze ; deux candélabres [105],
garnis de bougies roses, la flanquaient parallèlement.
À droite, près d'un cartonnier, un homme dans un fauteuil lisait le journal, en gardant son chapeau sur sa tête ;
les murailles disparaissaient sous des estampes et des
tableaux, gravures précieuses ou esquisses de maîtres
contemporains, ornées de dédicaces, qui témoignaient
pour Jacques Arnoux de l'affection la plus sincère.

— « Cela va toujours bien ? » fit-il en se tournant vers
Frédéric.

Et, sans attendre sa réponse, il demanda bas à Hussonnet :

— « Comment l'appelez-vous, votre ami ? »

Puis tout haut :

— « Prenez donc un cigare, sur le cartonnier, dans
la boîte. »

L'Art industriel, posé au point central de Paris, était
un lieu de rendez-vous commode, un terrain neutre où
les rivalités se coudoyaient familièrement. On y voyait
ce jour-là, Anténor Braive, le portraitiste des rois ; Jules
Burrieu, qui commençait à populariser par ses dessins les
guerres d'Algérie ; le caricaturiste Sombaz, le sculpteur
Vourdat, d'autres encore, et aucun ne répondait aux
préjugés de l'étudiant. Leurs manières étaient simples,
leurs propos libres. Le mystique Lovarias débita un conte
obscène ; et l'inventeur du paysage oriental, le fameux
Dittmer, portait une camisole de tricot sous son gilet,
et prit l'omnibus pour s'en retourner.

Il fut d'abord question d'une nommée Apollonie, un
ancien modèle, que Burrieu prétendait avoir reconnue
sur le boulevard, dans une daumont. Hussonnet expliqua cette métamorphose par la série de ses entreteneurs.

— « Comme ce gaillard-là connaît les filles de Paris ! »
dit Arnoux.

— « Après vous, s'il en reste, sire, » répliqua le bohème,
avec un salut militaire, pour imiter le grenadier offrant
sa gourde à Napoléon.

Puis on discuta quelques toiles, où la tête d'Apollonie
avait servi. Les confrères absents furent critiqués. On

s'étonnait du prix de leurs œuvres ; et tous se plaignaient de ne point gagner suffisamment, lorsque entra un homme de taille moyenne, l'habit fermé par un seul bouton, les yeux vifs, l'air un peu fou.

— « Quel tas de bourgeois vous êtes ! » dit-il. « Qu'est-ce que cela fait, miséricorde ! Les vieux qui confectionnaient des chefs-d'œuvre ne s'inquiétaient pas du million. Corrège, Murillo... »

— « Ajoutez Pellerin, » dit Sombaz.

Mais sans relever l'épigramme, il continua de discourir avec tant de véhémence qu'Arnoux fut contraint de lui répéter deux fois :

— « Ma femme a besoin de vous, jeudi. N'oubliez pas ! »

Cette parole ramena la pensée de Frédéric sur Mme Arnoux. Sans doute, on pénétrait chez elle par le cabinet près du divan ? Arnoux, pour prendre un mouchoir, venait de l'ouvrir ; Frédéric avait aperçu [106], dans le fond, un lavabo. Mais une sorte de grommellement sortit du coin de la cheminée ; c'était le personnage qui lisait son journal, dans le fauteuil. Il avait cinq pieds neuf pouces, les paupières un peu tombantes, la chevelure grise, l'air majestueux — et s'appelait Regimbart.

— « Qu'est-ce donc, citoyen [107] ? » dit Arnoux.

— « Encore une nouvelle canaillerie du Gouvernement ! »

Il s'agissait de la destitution d'un maître d'école ; Pellerin reprit son parallèle entre Michel-Ange et Shakespeare. Dittmer s'en allait. Arnoux le rattrapa pour lui mettre dans la main deux billets de banque. Alors, Hussonnet, croyant le moment favorable :

— « Vous ne pourriez pas m'avancer, mon cher patron ?... »

Mais Arnoux s'était rassis et gourmandait un vieillard d'aspect sordide, en lunettes bleues.

— « Ah ! vous êtes joli, père Isaac ! Voilà trois œuvres décriées, perdues ! Tout le monde se fiche de moi ! On les connaît maintenant ! Que voulez-vous que j'en fasse ? Il faudra que je les envoie en Californie !... au diable ! Taisez-vous ! »

La spécialité de ce bonhomme consistait à mettre au bas de ces tableaux des signatures de maîtres anciens. Arnoux refusait de le payer ; il le congédia brutalement.

Puis, changeant de manières, il salua un monsieur décoré, gourmé, avec favoris et cravate blanche.

Le coude sur l'espagnolette de la fenêtre, il lui parla pendant longtemps, d'un air mielleux. Enfin il éclata :

— « Eh ! je ne suis pas embarrassé d'avoir des courtiers, monsieur le comte ! »

Le gentilhomme s'étant résigné, Arnoux lui solda vingt-cinq louis, et, dès qu'il fut dehors :

— « Sont-ils assommants, ces grands seigneurs ! »

— « Tous des misérables ! » murmura Regimbart.

A mesure que l'heure avançait, les occupations d'Arnoux redoublaient ; il classait des articles, décachetait des lettres, alignait des comptes ; au bruit du marteau dans le magasin, sortait pour surveiller les emballages, puis reprenait sa besogne ; et, tout en faisant courir sa plume de fer sur le papier, il ripostait aux plaisanteries. Il devait dîner le soir chez son avocat, et partait le lendemain pour la Belgique.

Les autres causaient des choses du jour : le portrait de Chérubini, l'hémicycle des Beaux-Arts, l'Exposition prochaine. Pellerin déblatérait contre l'Institut. Les cancans, les discussions s'entrecroisaient. L'appartement, bas de plafond, était si rempli qu'on ne pouvait remuer ; et la lumière des bougies roses passait dans la fumée des cigares comme des rayons de soleil dans la brume.

La porte [108], près du divan, s'ouvrit, et une grande femme mince entra, — avec des gestes brusques qui faisaient sonner sur sa robe en taffetas noir toutes les breloques de sa montre.

C'était la femme entrevue, l'été dernier, au Palais-Royal. Quelques-uns, l'appelant par son nom, échangèrent avec elle des poignées de main. Hussonnet avait enfin arraché une cinquantaine de francs ; la pendule sonna sept heures ; tous se retirèrent.

Arnoux dit à Pellerin de rester, et conduisit Mlle Vatnaz dans le cabinet.

Frédéric n'entendait pas leurs paroles ; ils chuchotaient. Cependant, la voix féminine s'éleva :

— « Depuis six mois que l'affaire est faite, j'attends toujours ! »

Il y eut un long silence, Mlle Vatnaz reparut. Arnoux lui avait encore promis quelque chose.

— « Oh ! oh ! plus tard, nous verrons ! »

— « Adieu, homme heureux ! » dit-elle, en s'en allant.

Arnoux rentra vivement dans le cabinet, écrasa du cosmétique sur ses moustaches, haussa ses bretelles pour tendre ses sous-pieds ; et, tout en se lavant les mains :

— « Il me faudrait deux dessus de porte, à deux cent cinquante la pièce, genre Boucher, est-ce convenu ? »

— « Soit, » dit l'artiste, devenu rouge.

— « Bon ! et n'oubliez pas ma femme ! »

Frédéric accompagna Pellerin jusqu'au haut du faubourg Poissonnière, et lui demanda la permission de venir le voir quelquefois, faveur qui fut accordée gracieusement.

Pellerin lisait tous les ouvrages d'esthétique pour découvrir la véritable théorie du Beau, convaincu, quand il l'aurait trouvée, de faire des chefs-d'œuvre. Il s'entourait de tous les auxiliaires imaginables, dessins, plâtres, modèles, gravures ; et il cherchait, se rongeait ; il accusait le temps, ses nerfs, son atelier, sortait dans la rue pour rencontrer l'inspiration, tressaillait de l'avoir saisie, puis abandonnait son œuvre et en rêvait une autre qui devait être plus belle. Ainsi tourmenté par des convoitises de gloire et perdant ses jours en discussions, croyant à mille niaiseries, aux systèmes, aux critiques, à l'importance d'un règlement ou d'une réforme en matière d'art, il n'avait, à cinquante ans, encore produit que des ébauches. Son orgueil robuste l'empêchait de subir aucun découragement, mais il était toujours irrité, et dans cette exaltation à la fois factice et naturelle qui constitue les comédiens.

On remarquait en entrant chez lui deux grands tableaux, où les premiers tons, posés çà et là, faisaient sur la toile blanche des taches de brun, de rouge et de bleu. Un réseau de lignes à la craie s'étendait par-dessus, comme les mailles vingt fois reprises d'un filet ; il était même impossible d'y rien comprendre. Pellerin expliqua le sujet de ces deux compositions en indiquant avec le pouce les parties qui manquaient. L'une devait représenter *la Démence de Nabuchodonosor*, l'autre *l'Incendie de Rome par Néron*. Frédéric les admira.

Il admira des académies de femmes échevelées, des paysages où les troncs d'arbres tordus par la tempête foisonnaient, et surtout des caprices à la plume, souvenirs de Callot, de Rembrandt ou de Goya, dont il ne connaissait pas les modèles. Pellerin [109] n'estimait plus ces travaux de sa jeunesse ; maintenant il était pour le grand style ; il dogmatisa sur Phidias et Winckelmann, éloquemment. Les choses autour de lui renforçaient la puissance de sa parole : on voyait une tête de mort sur un prie-Dieu, des yatagans, une robe de moine ; Frédéric l'endossa.

Quand il arrivait de bonne heure, il le surprenait dans son mauvais lit de sangle, que cachait un lambeau de tapisserie ; car Pellerin se couchait tard, fréquentant les théâtres avec assiduité. Il était servi par une vieille femme en haillons, dînait à la gargote et vivait sans maîtresse. Ses connaissances, ramassées pêle-mêle, rendaient ses paradoxes amusants. Sa haine contre le commun et le bourgeois débordait en sarcasmes d'un lyrisme superbe, et il avait pour les maîtres une telle religion, qu'elle le montait presque jusqu'à eux.

Mais pourquoi ne parlait-il jamais de Mme Arnoux ? Quant à son mari, tantôt il l'appelait un bon garçon, d'autres fois un charlatan. Frédéric attendait ses confidences.

Un jour, en feuilletant un de ses cartons, il trouva dans le portrait d'une bohémienne quelque chose de Mlle Vatnaz, et, comme cette personne l'intéressait, il voulut savoir sa position.

Elle avait été, croyait Pellerin, d'abord institutrice en province ; maintenant, elle donnait des leçons et tâchait d'écrire dans les petites feuilles.

D'après ses manières avec Arnoux, on pouvait, selon Frédéric, la supposer sa maîtresse.

— « Ah ! bah ! il en a d'autres ! »

Alors, le jeune homme, en détournant son visage qui rougissait de honte sous l'infamie de sa pensée, ajouta d'un air crâne :

— « Sa femme le lui rend, sans doute ? »

— « Pas du tout ! elle est honnête [110] » !

Frédéric eut un remords, et se montra plus assidu au journal.

Les grandes lettres composant le nom d'Arnoux sur la plaque de marbre, au haut de la boutique, lui semblaient toutes particulières et grosses de significations, comme une écriture sacrée. Le large trottoir, descendant, facilitait sa marche, la porte tournait presque d'elle même ; et la poignée, lisse au toucher, avait la douceur et comme l'intelligence d'une main dans la sienne. Insensiblement, il devint aussi ponctuel que Regimbart.

Tous les jours, Regimbart s'asseyait au coin du feu, dans son fauteuil, s'emparait du *National* [111], ne le quittait plus, et exprimait sa pensée [112] par des exclamations ou de simples haussements d'épaules. De temps à autre, il s'essuyait le front avec son mouchoir de poche roulé en boudin, et qu'il portait sur sa poitrine, entre deux boutons de sa redingote [113] verte. Il avait un pantalon à plis, des souliers-bottes, une cravate longue ; et son chapeau à bords retroussés le faisait reconnaître, de loin, dans les foules.

A huit heures du matin, il descendait des hauteurs de Montmartre, pour prendre le vin blanc dans la rue Notre-Dame-des-Victoires. Son déjeuner, que suivaient plusieurs parties de billard, le conduisait jusqu'à trois heures. Il se dirigeait alors vers le passage des Panoramas, pour prendre l'absinthe. Après la séance chez Arnoux, il entrait à l'estaminet Bordelais, pour prendre le vermout ; puis, au lieu de rejoindre sa femme, souvent il préférait dîner seul, dans un petit café de la place Gaillon, où il voulait qu'on lui servît « des plats de ménage, des choses naturelles » ! Enfin il se transportait dans un autre billard, et y restait jusqu'à minuit, jusqu'à une heure du matin, jusqu'au moment où, le gaz éteint et les volets fermés, le maître de l'établissement, exténué, le suppliait de sortir.

Et ce n'était pas l'amour des boissons qui attirait dans ces endroits le citoyen Regimbart, mais l'habitude ancienne d'y causer politique ; avec l'âge, sa verve était tombée, il n'avait plus qu'une morosité silencieuse. On aurait dit, à voir le sérieux de son visage, qu'il roulait le monde dans sa tête. Rien n'en sortait ; et personne, même de ses amis, ne lui connaissait d'occupations, bien qu'il se donnât pour tenir un cabinet d'affaires.

Arnoux paraissait l'estimer infiniment. Il dit un jour à Frédéric :

— « Celui-là en sait long, allez ! C'est un homme fort ! »

Une autre fois, Regimbart étala sur son pupitre des papiers concernant des mines de kaolin en Bretagne ; Arnoux s'en rapportait à son expérience.

Frédéric se montra plus cérémonieux pour Regimbart, — jusqu'à lui offrir l'absinthe de temps à autre ; et quoiqu'il

le jugeât stupide, souvent il demeurait dans sa compagnie
pendant une grande heure, uniquement parce que c'était
l'ami de Jacques Arnoux.

Après avoir poussé dans leurs débuts des maîtres contemporains, le marchand de tableaux, homme de progrès,
avait tâché, tout en conservant des allures artistiques,
d'étendre ses profits pécuniaires. Il recherchait l'émanci-
pation des arts, le sublime à bon marché. Toutes les in-
dustries du luxe parisien subirent son influence, qui
fut bonne pour les petites choses, et funeste pour les
grandes. Avec sa rage de flatter l'opinion, il détourna
de leur voie les artistes habiles, corrompit les forts, épuisa
les faibles et illustra les médiocres ; il en disposait par
ses relations et par sa revue. Les rapins ambitionnaient
de voir leurs œuvres à sa vitrine et les tapissiers prenaient
chez lui des modèles d'ameublement. Frédéric le considérait à la fois comme millionnaire, comme dilettante, comme
homme d'action. Bien des choses, pourtant, l'étonnaient,
car le sieur Arnoux était malicieux dans son commerce.

Il recevait du fond de l'Allemagne ou de l'Italie une
toile achetée à Paris quinze cents francs, et, exhibant
une facture qui la portait à quatre mille, la revendait
trois mille cinq cents, par complaisance. Un de ses tours
ordinaires avec les peintres était d'exiger comme pot-de-vin
une réduction de leur tableau, sous prétexte [114] d'en
publier la gravure ; il vendait toujours la réduction et
jamais la gravure ne paraissait. A ceux qui se plaignaient
d'être exploités, il répondait par une tape sur le ventre.
Excellent d'ailleurs, il prodiguait les cigares, tutoyait
les inconnus, s'enthousiasmait pour une œuvre ou pour un
homme, et, s'obstinant alors, ne regardant à rien, multipliait les courses, les correspondances, les réclames. Il se
croyait fort honnête, et, dans son besoin d'expansion,
racontait naïvement ses indélicatesses.

Une fois, pour vexer un confrère qui inaugurait un
autre journal de peinture par un grand festin, il pria Frédéric
d'écrire sous ses yeux, un peu avant l'heure du rendez-
vous, des billets où l'on désinvitait les convives.

— « Cela n'attaque pas l'honneur, vous comprenez ? »
Et le jeune homme n'osa lui refuser ce service.

Le lendemain, en entrant avec Hussonnet dans son

bureau, Frédéric vit par la porte (celle qui s'ouvrait sur l'escalier) le bas d'une robe disparaître.

— « Mille excuses ! » dit Hussonnet. « Si j'avais cru qu'il y eût des femmes... »

— « Oh ! pour celle-là, c'est la mienne, » reprit Arnoux. « Elle montait me faire une petite visite, en passant. »

— « Comment ? » dit Frédéric.

— « Mais oui ! elle s'en retourne chez elle, à la maison. »

Le charme des choses ambiantes se retira tout à coup. Ce qu'il y sentait confusément épandu venait de s'évanouir, ou plutôt n'y avait jamais été. Il éprouvait une surprise infinie et comme la douleur d'une trahison.

Arnoux, en fouillant dans son tiroir, souriait. Se moquait-il de lui ? Le commis déposa sur la table une liasse de papiers humides.

— « Ah ! les affiches ! » s'écria le marchand. « Je ne suis pas près de dîner ce soir ! »

Regimbart prenait son chapeau.

— « Comment, vous me quittez ? »

— « Sept heures ! » dit Regimbart.

Frédéric le suivit.

Au coin de la rue Montmartre, il se retourna ; il regarda les fenêtres du premier étage ; et il rit intérieurement de pitié sur lui-même, en se rappelant avec quel amour il les avait si souvent contemplées ! Où donc vivait-elle ? Comment la rencontrer maintenant ? La solitude se rouvrait autour de son désir plus immense que jamais [115] !

— « Venez-vous la prendre ? » dit Regimbart.

— « Prendre qui ? »

— « L'absinthe ! »

Et, cédant à ses obsessions, Frédéric se laissa conduire à l'estaminet Bordelais. Tandis que son compagnon, posé sur le coude, considérait la carafe, il jetait les yeux de droite et de gauche. Mais il aperçut le profil de Pellerin sur le trottoir ; il cogna vivement contre le carreau, et le peintre n'était pas assis que Regimbart lui demanda pourquoi on ne le voyait plus à l'*Art industriel*.

— « Que je crève, si j'y retourne ! C'est une brute, un bourgeois, un misérable, un drôle ! »

Ces injures flattaient la colère de Frédéric. Il en était blessé cependant, car il lui semblait qu'elles atteignaient un peu Mme Arnoux.

— « Qu'est-ce donc qu'il vous a fait ! » dit Regimbart.

Pellerin battit le sol avec son pied, et souffla fortement, au lieu de répondre.

Il se livrait à des travaux clandestins, tels que portraits aux deux crayons ou pastiches de grands maîtres pour les amateurs peu éclairés ; et, comme ces travaux l'humiliaient, il préférait se taire, généralement. Mais « la crasse d'Arnoux » l'exaspérait trop. Il se soulagea.

D'après une commande, dont Frédéric avait été le témoin, il lui avait apporté deux tableaux. Le marchand, alors, s'était permis des critiques ! Il avait blâmé la composition, la couleur et le dessin, le dessin surtout, bref, à aucun prix n'en avait voulu. Mais, forcé par l'échéance d'un billet, Pellerin les avait cédés au juif Isaac ; et, quinze jours plus tard, Arnoux lui-même les vendait à un Espagnol, pour deux mille francs.

— « Pas un sou de moins ! Quelle gredinerie ! et il en fait bien d'autres, parbleu ! Nous le verrons, un de ces matins, en cour d'assises. »

— « Comme vous exagérez ! » dit Frédéric d'une voix timide.

— « Allons ! bon ! j'exagère ! » s'écria l'artiste, en donnant sur la table un grand coup de poing.

Cette violence rendit au jeune homme tout son aplomb. Sans doute, on pouvait se conduire plus gentiment ; cependant, si Arnoux trouvait ces deux toiles...

— « Mauvaises ! lâchez le mot ! Les connaissez-vous ? Est-ce votre métier ? Or, vous savez, mon petit, moi, je n'admets pas cela, les amateurs ! »

— « Eh ! ce ne sont pas mes affaires ! » dit Frédéric.

— « Quel intérêt avez-vous donc à le défendre ? » reprit froidement Pellerin.

Le jeune homme balbutia :

— « Mais... parce que je suis son ami. »

— « Embrassez-le de ma part ! bonsoir ! »

Et le peintre sortit furieux, sans parler, bien entendu, de sa consommation [116].

Frédéric s'était convaincu lui-même, en défendant Arnoux. Dans l'échauffement de son éloquence, il fut pris de tendresse pour cet homme intelligent et bon, que ses amis calomniaient et qui maintenant travaillait tout seul, abandonné. Il ne résista pas au singulier besoin de

le revoir immédiatement. Dix minutes après, il poussait
la porte du magasin.

Arnoux élaborait, avec son commis, des affiches monstres
pour une exposition de tableaux.

— « Tiens ! qui vous ramène ? »

Cette question bien simple embarrassa Frédéric ; et,
ne sachant que répondre, il demanda si l'on n'avait point
trouvé par hasard son calepin, un petit calepin en cuir
bleu.

— « Celui où vous mettez vos lettres de femmes ? »
dit Arnoux.

Frédéric, en rougissant comme une vierge, se défendit
d'une telle supposition.

— « Vos poésies, alors ? » répliqua le marchand.

Il maniait les spécimens étalés, en discutait la forme,
la couleur, la bordure ; et Frédéric se sentait de plus en
plus irrité par son air de méditation, et surtout par ses
mains qui se promenaient sur les affiches, — de grosses
mains, un peu molles, à ongles plats. Enfin Arnoux se leva ;
et, en disant : « C'est fait ! » il lui passa la main sous le
menton, familièrement. Cette privauté déplut à Frédéric,
il se recula ; puis il franchit le seuil du bureau, pour la
dernière fois de son existence, croyait-il. Mme Arnoux
elle-même se trouvait comme diminuée par la vulgarité
de son mari.

Il reçut, dans la même semaine, une lettre où Deslauriers
annonçait qu'il arriverait à Paris jeudi prochain. Alors,
il se rejeta violemment sur cette affection plus solide
et plus haute. Un pareil homme valait toutes les femmes.
Il n'aurait plus besoin de Regimbart, de Pellerin,
d'Hussonnet, de personne ! Afin de mieux loger son ami,
il acheta une couchette de fer, un second fauteuil, dédoubla
sa literie ; et, le jeudi matin, il s'habillait pour aller au-devant
de Deslauriers quand un coup de sonnette retentit à sa
porte. Arnoux entra.

— « Un mot, seulement ! Hier, on m'a envoyé de Genève
une belle truite ; nous comptons sur vous, tantôt, à sept
heures juste... C'est rue de Choiseul, 24 *bis*. N'oubliez
pas ! »

Frédéric fut obligé de s'asseoir. Ses genoux chan-
celaient. Il se répétait : « Enfin ! enfin ! » Puis il écrivit
à son tailleur, à son chapelier, à son bottier ; et il fit porter

ces trois billets par trois commissionnaires différents.
La clef tourna [117] dans la serrure et le concierge parut,
avec une malle sur l'épaule.

Frédéric, en apercevant Deslauriers, se mit à trembler
comme une femme adultère sous le regard de son époux.

— « Qu'est-ce donc qui te prend ? » dit Deslauriers,
« tu dois cependant avoir reçu de moi une lettre ? »

Frédéric n'eut pas la force de mentir [118].

Il ouvrit les bras et se jeta sur sa poitrine.

Ensuite, le clerc conta son histoire. Son père n'avait
pas voulu rendre ses comptes de tutelle, s'imaginant
que ces comptes-là se prescrivaient par dix ans. Mais,
fort en procédure, Deslauriers avait enfin arraché tout
l'héritage de sa mère, sept mille francs nets, qu'il tenait
là, sur lui, dans un vieux portefeuille.

— « C'est une réserve, en cas de malheur. Il faut que
j'avise à les placer et à me caser moi-même, dès demain
matin. Pour aujourd'hui, vacance complète, et tout à toi,
mon vieux ! »

— « Oh ! ne te gêne pas ! » dit Frédéric. « Si tu avais
ce soir quelque chose d'important... »

— « Allons donc ! Je serais un fier misérable... »

Cette épithète [119], lancée au hasard, toucha Frédéric
en plein cœur, comme une allusion outrageante.

Le concierge [120] avait disposé sur la table, auprès du
feu, des côtelettes, de la galantine, une langouste, un
dessert, et deux bouteilles de vin de Bordeaux. Une réception si bonne émut Deslauriers.

— « Tu me traites comme un roi, ma parole ! »

Ils causèrent de leur passé, de l'avenir ; et, de temps
à autre, ils se prenaient les mains par-dessus la table,
en se regardant une minute avec attendrissement. Mais
un commissionnaire apporta un chapeau neuf. Deslauriers
remarqua, tout haut, combien la coiffe était brillante.

Puis le tailleur, lui-même, vint remettre l'habit auquel
il avait donné un coup de fer.

— « On croirait que tu vas te marier, » dit Deslauriers.

Une heure après, un troisième individu survint et retira
d'un grand sac noir une paire de bottes vernies, splendides.
Pendant que Frédéric les essayait, le bottier observait
narquoisement la chaussure du provincial.

— « Monsieur n'a besoin de rien ? »

— « Merci », répliqua le clerc, en rentrant sous sa chaise ses vieux souliers à cordons.

Cette humiliation gêna Frédéric. Il reculait à faire son aveu. Enfin, il s'écria, comme saisi par une idée :

— « Ah ! saprelotte, j'oubliais ! »

— « Quoi donc ? »

— « Ce soir, je dîne en ville ! »

— « Chez les Dambreuse ? Pourquoi ne m'en parles-tu jamais dans tes lettres ? »

Ce n'était pas chez les Dambreuse, mais chez les Arnoux.

— « Tu aurais dû m'avertir ! » dit Deslauriers. « Je serais venu un jour plus tard. »

— « Impossible ! » répliqua brusquement Frédéric. « On ne m'a invité que ce matin, tout à l'heure. »

Et, pour racheter sa faute et en distraire son ami, il dénoua les cordes emmêlées de sa malle, il arrangea dans la commode toutes ses affaires, il voulait lui donner son propre lit, coucher dans le cabinet au bois. Puis, dès quatre heures, il commença les préparatifs de sa toilette.

— « Tu as bien le temps ! » dit l'autre.

Enfin, il s'habilla, il partit.

— « Voilà les riches ! » pensa Deslauriers.

Et il alla dîner rue Saint-Jacques, chez un petit restaurateur qu'il connaissait.

Frédéric s'arrêta plusieurs fois dans l'escalier, tant son cœur battait fort. Un de ses gants, trop juste, éclata ; et, tandis qu'il enfonçait la déchirure sous la manchette de sa chemise, Arnoux, qui montait par derrière, le saisit au bras et le fit entrer.

L'antichambre, décorée à la chinoise, avait une lanterne peinte, au plafond, et des bambous dans les coins. En traversant le salon, Frédéric trébucha contre une peau de tigre. On n'avait point allumé les flambeaux, mais deux lampes brûlaient dans le boudoir tout au fond.

Mlle Marthe vint dire que sa maman s'habillait. Arnoux l'enleva jusqu'à la hauteur de sa bouche pour la baiser ; puis, voulant choisir lui-même dans la cave certaines bouteilles de vin, il laissa Frédéric avec l'enfant.

Elle avait grandi beaucoup depuis le voyage de Montereau. Ses cheveux bruns descendaient en longs anneaux frisés sur ses bras nus. Sa robe, plus bouffante que le jupon d'une danseuse, laissait voir ses mollets roses, et toute sa gentille personne sentait frais comme un bouquet. Elle reçut les compliments du monsieur avec des airs de coquette, fixa sur lui ses yeux profonds, puis, se coulant parmi les meubles, disparut comme un chat [121].

Il n'éprouvait plus aucun trouble. Les globes des lampes, recouverts d'une dentelle en papier, envoyaient un jour laiteux [122] et qui attendrissait la couleur des murailles, tendues de satin mauve. A travers les lames du garde-feu, pareil à un gros éventail, on apercevait les charbons dans la cheminée ; il y avait contre la pendule un coffret à fermoirs d'argent. Çà et là, des choses intimes traînaient : une poupée au milieu de la causeuse, un fichu contre le dossier d'une chaise, et, sur la table à ouvrage, un tricot de laine d'où pendaient en dehors deux aiguilles d'ivoire, la pointe en bas. C'était un endroit paisible, honnête et familier tout ensemble.

Arnoux rentra ; et, par l'autre portière, Mme Arnoux parut [123]. Comme elle se trouvait enveloppée d'ombre, il ne distingua d'abord que sa tête. Elle avait une robe de velours noir et, dans les cheveux, une longue bourse algérienne en filet de soie rouge qui, s'entortillant à son peigne, lui tombait sur l'épaule gauche.

Arnoux présenta Frédéric.

— « Oh ! je reconnais Monsieur parfaitement, » répondit-elle.

Puis les convives arrivèrent tous, presque en même temps : Dittmer, Lovarias, Burrieu, le compositeur Rosenwald, le poète Théophile Lorris, deux critiques d'art collègues d'Hussonnet, un fabricant de papier, et enfin l'illustre Pierre-Paul Meinsius, le dernier représentant de la grande peinture, qui portait gaillardement avec sa gloire ses quatre-vingts années et son gros ventre.

Lorsqu'on passa dans la salle à manger, Mme Arnoux prit son bras. Une chaise était restée vide pour Pellerin. Arnoux l'aimait, tout en l'exploitant. D'ailleurs, il redoutait sa terrible langue — si bien que, pour l'attendrir, il avait publié dans l'*Art industriel* son portrait, accompagné d'éloges hyperboliques ; et Pellerin, plus sensible à la gloire qu'à l'argent, apparut vers huit heures, tout essoufflé. Frédéric s'imagina qu'ils étaient réconciliés depuis longtemps.

La compagnie, les mets, tout lui plaisait. La salle, telle qu'un parloir moyen âge, était tendue de cuir battu ; une étagère hollandaise se dressait devant un râtelier de chibouques ; et, autour de la table, les verres de Bohême, diversement colorés, faisaient au milieu des fleurs et des fruits comme une illumination dans un jardin.

Il eut à choisir entre dix espèces de moutarde. Il mangea du daspachio, du cari, du gingembre, des merles de Corse, des lasagnes romaines ; il but des vins extraordinaires, du lip-fraoli et du tokay. Arnoux se piquait effectivement de bien recevoir. Il courtisait en vue des comestibles tous les conducteurs de malle-poste, et il était lié avec des cuisiniers de grandes maisons qui lui communiquaient des sauces.

Mais la causerie surtout amusait Frédéric. Son goût pour les voyages fut caressé par Dittmer, qui parla de l'Orient ; il assouvit sa curiosité des choses du théâtre en écoutant Rosenwald causer de l'Opéra ; et l'existence atroce de la bohème lui parut drôle, à travers la gaieté d'Hussonnet, lequel narra, d'une manière pittoresque, comment il avait passé tout un hiver, n'ayant pour nourriture que du fromage de Hollande. Puis, une discussion entre Lovarias et Burrieu, sur l'école florentine, lui révéla des chefs-d'œuvre, lui ouvrit des horizons, et il eut du mal à contenir son enthousiasme quand Pellerin s'écria :

— « Laissez-moi tranquille avec votre hideuse réalité ! Qu'est-ce que cela veut dire, la réalité ? Les uns voient noir, d'autres bleu, la multitude voit bête. Rien de moins naturel que Michel-Ange, rien de plus fort ! Le souci de la vérité extérieure dénote la bassesse contemporaine ; et l'art deviendra, si l'on continue, je ne sais quelle rocambole au-dessous de la religion comme poésie, et de la politique comme intérêt. Vous n'arriverez pas à son but, — oui, son but ! — qui est de nous causer une exaltation impersonnelle, avec de petites œuvres, malgré toutes vos finasseries d'exécution. Voilà les tableaux de Bassolier, par exemple : c'est joli, coquet, propret, et pas lourd ! Ça peut se mettre dans la poche, se prendre en voyage ! Les notaires achètent ça vingt mille francs ; il y a pour trois sous d'idée ; mais, sans l'idée, rien de grand ! sans grandeur, pas de beau ! L'Olympe est une montagne !

Le plus crâne monument, ce sera toujours les Pyramides. Mieux vaut l'exubérance que le goût, le désert qu'un trottoir, et un sauvage qu'un coiffeur ! »

Frédéric, en écoutant ces choses, regardait Mme Arnoux. Elles tombaient dans son esprit comme des métaux dans une fournaise, s'ajoutaient à sa passion et faisaient de l'amour.

Il était assis trois places au-dessous d'elle, sur le même côté. De temps à autre, elle se penchait un peu, en tournant la tête pour adresser quelques mots à sa petite fille ; et, comme elle souriait alors, une fossette se creusait dans sa joue, ce qui donnait à son visage un air de bonté plus délicate.

Au moment des liqueurs [124], elle disparut. La conversation devint très libre ; M. Arnoux y brilla, et Frédéric fut étonné du cynisme de ces hommes. Cependant, leur préoccupation de la femme établissait entre eux et lui comme une égalité, qui le haussait dans sa propre estime.

Rentré au salon [125], il prit, par contenance, un des albums traînant sur la table. Les grands artistes de l'époque l'avaient illustré de dessins, y avaient mis de la prose, des vers, ou simplement leurs signatures ; parmi [126] les noms fameux, il s'en trouvait beaucoup d'inconnus, et les pensées curieuses n'apparaissaient que sous un débordement de sottises. Toutes contenaient un hommage plus ou moins direct à Mme Arnoux, Frédéric aurait eu peur d'écrire une ligne à côté.

Elle alla chercher dans son boudoir le coffret à fermoirs d'argent qu'il avait remarqué sur la cheminée. C'était un cadeau de son mari, un ouvrage de la Renaissance. Les amis d'Arnoux le complimentèrent, sa femme le remerciait ; il fut pris d'attendrissement, et lui donna devant le monde un baiser.

Ensuite, tous causèrent çà et là, par groupes ; le bonhomme Meinsius était avec Mme Arnoux, sur une bergère, près du feu ; elle se penchait vers son oreille, leurs têtes se touchaient ; — et Frédéric aurait accepté d'être sourd, infirme et laid pour un nom illustre et des cheveux blancs, enfin pour avoir quelque chose qui l'intronisât dans une intimité pareille. Il se rongeait le cœur, furieux contre sa jeunesse.

Mais elle vint dans l'angle du salon où il se tenait,

lui demanda [127] s'il connaissait quelques-uns des convives,
s'il aimait la peinture, depuis combien de temps il étudiait
à Paris. Chaque mot qui sortait de sa bouche semblait
à Frédéric être une chose nouvelle, une dépendance exclusive de sa personne. Il regardait attentivement les effilés
de sa coiffure, caressant par le bout son épaule nue ;
et il n'en détachait pas ses yeux, il enfonçait son âme dans
la blancheur de cette chair féminine ; cependant, il n'osait
lever ses paupières, pour la voir plus haut, face à face.

Rosenwald les interrompit, en priant Mme Arnoux
de chanter quelque chose. Il préluda, elle attendait ;
ses lèvres s'entr'ouvrirent, et un son pur, long, filé monta
dans l'air.

Frédéric ne comprit rien aux paroles italiennes.

Cela commençait sur un rythme grave, tel qu'un chant
d'église, puis, s'animant crescendo, multipliait les éclats
sonores, s'apaisait tout à coup ; et la mélodie revenait
amoureusement, avec une oscillation large et paresseuse.

Elle se tenait debout, près du clavier, les bras tombants,
le regard perdu. Quelquefois, pour lire la musique, elle
clignait ses paupières en avançant le front, un instant.
Sa voix de contralto prenait dans les cordes basses une
intonation lugubre qui glaçait, et alors sa belle tête, aux
grands sourcils, s'inclinait sur son épaule ; sa poitrine [128]
se gonflait, ses bras s'écartaient, son cou d'où s'échappaient
des roulades se renversait mollement comme sous des
baisers aériens ; elle lança trois notes aiguës, redescendit,
en jeta une plus haute encore, et, après un silence, termina
par un point d'orgue.

Rosenwald n'abandonna pas le piano. Il continua
de jouer, pour lui-même. De temps à autre, un des convives
disparaissait. A onze heures [129], comme les derniers s'en
allaient, Arnoux sortit avec Pellerin, sous prétexte de le
reconduire. Il était de ces gens qui se disent malades quand
ils n'ont pas *fait leur tour* après dîner.

Mme Arnoux s'était avancée dans l'antichambre ;
Dittmer et Hussonnet la saluaient, elle leur tendit la
main ; elle la tendit également à Frédéric ; et il éprouva
comme [130] une pénétration à tous les atomes de sa peau.

Il quitta ses amis ; il avait besoin d'être seul. Son cœur
débordait. Pourquoi cette main offerte ? Était-ce un geste
irréfléchi, ou un encouragement ? « Allons donc ! je suis

fou ! » Qu'importait [131] d'ailleurs, puisqu'il pouvait maintenant la fréquenter tout à son aise, vivre dans son atmosphère.

Les rues étaient désertes. Quelquefois une charrette
lourde passait, en ébranlant les pavés. Les maisons se
succédaient avec leurs façades grises, leurs fenêtres closes ;
et il songeait dédaigneusement à tous ces êtres humains
couchés derrière ces murs, qui existaient sans la · voir,
et dont pas un même ne se doutait qu'elle vécût ! Il n'avait
plus conscience du milieu, de l'espace, de rien ; et, battant [132]
le sol du talon, en frappant avec sa canne les volets des boutiques, il allait toujours devant lui, au hasard, éperdu,
entraîné. Un air humide l'enveloppa ; il se reconnut
au bord des quais.

Les réverbères brillaient en deux lignes droites, indéfiniment, et de longues flammes rouges vacillaient dans
la profondeur de l'eau. Elle était de couleur ardoise, tandis
que le ciel, plus clair, semblait soutenu par les grandes
masses d'ombre qui se levaient de chaque côté du fleuve.
Des édifices, que l'on n'apercevait pas, faisaient des redou-
blements d'obscurité. Un brouillard lumineux flottait
au delà, sur les toits ; tous les bruits se fondaient en un
seul bourdonnement ; un vent léger soufflait.

Il s'était arrêté au milieu du Pont-Neuf, et, tête nue,
poitrine ouverte [133], il aspirait l'air. Cependant, il sentait
monter du fond de lui-même quelque chose d'intaris-
sable, un afflux de tendresse qui l'énervait, comme le
mouvement des ondes sous ses yeux. A l'horloge d'une
église, une heure sonna, lentement [134], pareille à une voix
qui l'eût appelé.

Alors, il fut saisi par un de ces frissons de l'âme où
il vous semble qu'on est transporté dans un monde supérieur. Une faculté extraordinaire, dont il ne savait pas l'objet,
lui était venue. Il se demanda, sérieusement, s'il serait
un grand peintre ou un grand poète ; — et il se décida pour
la peinture, car les exigences de ce métier le rapprocheraient
de Mme Arnoux. Il avait donc trouvé sa vocation ! Le but
de son existence était clair maintenant, et l'avenir infaillible.

Quand il eut refermé sa porte, il entendit quelqu'un
qui ronflait, dans le cabinet noir, près de la chambre.
C'était l'autre. Il n'y pensait plus.

Son visage s'offrait à lui [135] dans la glace. Il se trouva
beau ; — et resta [136] une minute à se regarder.

V

Le lendemain, avant midi, il s'était acheté une boîte de couleurs, des pinceaux, un chevalet. Pellerin consentit à lui donner des leçons, et Frédéric l'emmena dans son logement pour voir si rien ne manquait parmi ses ustensiles de peinture.

Deslauriers était rentré. Un jeune homme occupait le second fauteuil. Le clerc dit en le montrant :

— « C'est lui ! le voilà ! Sénécal [137] ! »

Ce garçon déplut à Frédéric. Son front était rehaussé par la coupe de ses cheveux taillés en brosse. Quelque chose de dur et de froid perçait dans ses yeux gris ; et sa longue redingote noire, tout son costume sentait le pédagogue et l'ecclésiastique.

D'abord, on causa des choses du jour, entre autres du *Stabat* de Rossini [138] ; Sénécal, interrogé, déclara qu'il n'allait jamais au théâtre. Pellerin ouvrit la boîte de couleurs.

— « Est-ce pour toi, tout cela ? » dit le clerc.

— « Mais sans doute ! »

— « Tiens ! quelle idée ! »

Et il se pencha sur la table, où le répétiteur de mathématiques feuilletait un volume de Louis Blanc. Il l'avait apporté lui-même, et lisait à voix basse des passages, tandis que Pellerin et Frédéric examinaient ensemble la palette, le couteau, les vessies ; puis ils vinrent à s'entretenir du dîner chez Arnoux.

— « Le marchand de tableaux ? » demanda Sénécal. « Joli monsieur, vraiment ! »

— « Pourquoi donc ? » dit Pellerin.

Sénécal répliqua :

— « Un homme qui bat monnaie avec des turpitudes politiques ! »

Et il se mit à parler d'une lithographie célèbre, repré-

sentant toute la famille royale livrée à des occupations
édifiantes : Louis-Philippe tenait un code, la reine un
paroissien, les princesses brodaient, le duc de Nemours
ceignait un sabre, M. de Joinville montrait une carte géo-
graphique [139] à ses jeunes frères ; on apercevait, dans le
fond, un lit à deux compartiments. Cette image, intitulée
Une bonne famille, avait fait les délices des bourgeois, mais
l'affliction des patriotes. Pellerin, d'un ton vexé comme s'il
en était l'auteur, répondit que toutes les opinions se valaient ; Sénécal protesta. L'Art devait exclusivement
viser à la moralisation des masses ! Il ne fallait reproduire
que des sujets poussant aux actions vertueuses ; les autres
étaient nuisibles.

— « Mais ça dépend de l'exécution ? » cria Pellerin.
« Je peux faire des chefs-d'œuvre ! »

— « Tant pis pour vous, alors ! on n'a pas le droit... »

— « Comment ? »

— « Non ! monsieur, vous n'avez pas le droit de m'intéresser à des choses que je réprouve ! Qu'avons-nous
besoin de laborieuses bagatelles, dont il est impossible
de tirer aucun profit, de ces Vénus, par exemple, avec
tous vos paysages ? Je ne vois pas là d'enseignement
pour le peuple ! Montrez-nous ses misères, plutôt ! en-
thousiasmez-nous pour ses sacrifices ! Eh ! bon Dieu,
les sujets ne manquent pas : la ferme, l'atelier... »

Pellerin en balbutiait d'indignation, et, croyant avoir
trouvé un argument :

— « Molière, l'acceptez-vous [140] ? »

— « Soit ! » dit Sénécal. « Je l'admire comme précurseur
de la Révolution française. »

— « Ah ! la Révolution ! Quel art ! Jamais il n'y a eu
d'époque plus pitoyable ! »

— « Pas de plus grande, monsieur ! »

Pellerin se croisa les bras, et, le regardant en face :

— « Vous m'avez l'air d'un fameux garde national ! »

Son antagoniste, habitué aux discussions, répondit :

— « Je n'*en* suis pas ! et je la déteste autant que vous.
Mais, avec des principes pareils, on corrompt les foules !
Ça fait le compte du Gouvernement, du reste, il ne serait
pas si fort sans la complicité d'un tas de farceurs comme
celui-là. »

Le peintre prit la défense du marchand, car les opinions

de Sénécal l'exaspéraient. Il osa même soutenir que Jacques
Arnoux était un véritable cœur d'or, dévoué à ses amis,
chérissant sa femme.

— « Oh ! oh ! si on lui offrait une bonne somme, il ne
la refuserait pas pour servir de modèle. »

Frédéric devint blême.

— « Il vous a donc fait bien du tort, monsieur ? »

— « A moi ? non ! Je l'ai vu, une fois, au café, avec
un ami. Voilà tout. »

Sénécal disait vrai. Mais il se trouvait agacé, quotidiennement, par les réclames de l'*Art industriel*. Arnoux
était, pour lui, le représentant d'un monde qu'il jugeait
funeste à la démocratie. Républicain austère, il suspectait
de corruption toutes les élégances, n'ayant d'ailleurs aucun
besoin, et étant d'une probité inflexible.

La conversation eut peine à reprendre. Le peintre
se rappela bientôt son rendez-vous, le répétiteur ses
élèves ; et, quand ils furent sortis, après un long silence,
Deslauriers fit différentes questions sur Arnoux.

— « Tu m'y présenteras plus tard, n'est-ce pas, mon
vieux ? »

— « Certainement, » dit Frédéric.

Puis ils avisèrent à leur installation. Deslauriers avait
obtenu, sans peine, une place de second clerc chez un
avoué, pris à l'École de droit son inscription, acheté les
livres indispensables, — et la vie qu'ils avaient tant rêvée
commença.

Elle fut charmante, grâce à la beauté de leur jeunesse.
Deslauriers n'ayant parlé d'aucune convention pécuniaire,
Frédéric n'en parla pas. Il subvenait à toutes les dépenses,
rangeait l'armoire, s'occupait du ménage ; mais, s'il fallait
donner une mercuriale au concierge, le clerc s'en chargeait,
continuant, comme au collège, son rôle de protecteur
et d'aîné.

Séparés tout le long du jour, ils se retrouvaient le soir.
Chacun prenait sa place au coin du feu et se mettait à la
besogne. Ils ne tardaient pas à l'interrompre. C'étaient
des épanchements sans fin, des gaietés sans cause, et des
disputes quelquefois, à propos de la lampe qui filait ou d'un
livre égaré, colères d'une minute, que des rires apaisaient.

La porte du cabinet au bois restant ouverte, ils bavardaient de loin, dans leur lit.

Le matin, ils se promenaient en manches de chemise sur leur terrasse ; le soleil se levait, des brumes légères passaient sur le fleuve, on entendait un glapissement dans le marché aux fleurs à côté ; — et les fumées de leurs pipes tourbillonnaient dans l'air pur, qui rafraîchissait leurs yeux encore bouffis ; ils sentaient, en l'aspirant, un vaste espoir épandu.

Quand il ne pleuvait pas, le dimanche, ils sortaient ensemble ; et, bras dessus bras dessous, ils s'en allaient par les rues. Presque toujours la même réflexion leur survenait à la fois, ou bien ils causaient, sans rien voir autour d'eux. Deslauriers ambitionnait la richesse, comme moyen de puissance sur les hommes. Il aurait voulu remuer beaucoup de monde, faire beaucoup de bruit, avoir trois secrétaires sous ses ordres, et un grand dîner politique une fois par semaine [141]. Frédéric se meublait un palais à la moresque, pour vivre couché sur des divans de cachemire, au murmure d'un jet d'eau, servi par des pages nègres ; — et ces choses rêvées devenaient à la fin tellement précises, qu'elles le désolaient comme s'il les avait perdues.

— « A quoi bon causer de tout cela, » disait-il, « puisque jamais nous ne l'aurons ! »

— « Qui sait ? » reprenait Deslauriers.

Malgré ses opinions démocratiques, il l'engageait à s'introduire chez les Dambreuse. L'autre objectait ses tentatives.

— « Bah ! retournes-y ! On t'invitera ! »

Ils reçurent, vers le milieu du mois de mars, parmi des notes assez lourdes, celles du restaurateur qui leur apportait à dîner. Frédéric, n'ayant point la somme suffisante, emprunta cent écus à Deslauriers ; quinze jours plus tard, il réitéra la même demande, et le clerc le gronda pour les dépenses auxquelles il se livrait chez Arnoux.

Effectivement, il n'y mettait point de modération. Une vue de Venise, une vue de Naples et une autre de Constantinople occupant le milieu des trois murailles, des sujets équestres d'Alfred de Dreux çà et là, un groupe de Pradier sur la cheminée, des numéros de l'*Art industriel* sur le piano, et des cartonnages par terre dans les angles encombraient le logis d'une telle façon qu'on avait peine à poser un livre, à remuer les coudes. Frédéric prétendait qu'il lui fallait tout cela pour sa peinture.

Il travaillait [142] chez Pellerin. Mais souvent Pellerin
était en courses, — ayant coutume d'assister à tous les
enterrements et événements dont les journaux devaient
rendre compte ; — et Frédéric passait des heures entièrement seul dans l'atelier. Le calme de cette grande pièce,
où l'on n'entendait que le trottinement des souris, la lumière
qui tombait du plafond, et jusqu'au ronflement du poêle,
tout le plongeait d'abord dans une sorte de bien-être
intellectuel. Puis ses yeux, abandonnant son ouvrage,
se portaient sur les écaillures de la muraille, parmi les
bibelots de l'étagère, le long des torses où la poussière
amassée faisait comme des lambeaux de velours ; et, tel
qu'un voyageur perdu au milieu d'un bois et que tous les
chemins ramènent à la même place, continuellement,
il retrouvait au fond de chaque idée le souvenir de Mme
Arnoux.

Il se fixait des jours pour aller chez elle ; arrivé [143]
au second étage, devant sa porte, il hésitait à sonner.
Des pas se rapprochaient ; on ouvrait, et, à ces mots :
« Madame est sortie, » c'était une délivrance, et comme
un fardeau de moins sur son cœur.

Il la rencontra, pourtant. La première fois, il y avait
trois dames avec elle ; une autre après-midi, le maître
d'écriture de Mlle Marthe survint. D'ailleurs, les hommes
que recevait Mme Arnoux ne lui faisaient point de visites.
Il n'y retourna plus, par discrétion.

Mais il ne manquait pas, pour qu'on l'invitât aux dîners
du jeudi, de se présenter à l'*Art industriel*, chaque mercredi,
régulièrement ; et il y restait après tous les autres, plus
longtemps que Regimbart, jusqu'à la dernière minute,
en feignant de regarder une gravure, de parcourir un journal.
Enfin Arnoux lui disait : — « Êtes-vous libre, demain soir ? »
Il acceptait avant que la phrase fût achevée. Arnoux
semblait le prendre en affection. Il lui montra l'art de reconnaître les vins [144], à brûler le punch, à faire des salmis
de bécasses ; Frédéric suivait docilement ses conseils, —
aimant tout ce qui dépendait de Mme Arnoux, ses meubles,
ses domestiques, sa maison, sa rue.

Il ne parlait guère pendant ces dîners ; il la contemplait.
Elle avait à droite, contre la tempe, un petit grain de beauté ;
ses bandeaux étaient plus noirs que le reste de sa chevelure
et toujours comme un peu humides sur les bords ; elle

les flattait de temps à autre, avec deux doigts seulement. Il connaissait la forme de chacun de ses ongles, il se délectait à écouter le sifflement de sa robe de soie quand elle passait auprès des portes, il humait en cachette la senteur de son mouchoir ; son peigne, ses gants, ses bagues étaient pour lui des choses particulières, importantes comme des œuvres d'art, presque animées comme des personnes ; toutes lui prenaient le cœur et augmentaient sa passion.

Il n'avait pas eu la force de la cacher à Deslauriers. Quand il revenait de chez Mme Arnoux, il le réveillait comme par mégarde, afin de pouvoir causer d'elle.

Deslauriers, qui couchait dans le cabinet au bois, près de la fontaine, poussait un long bâillement. Frédéric s'asseyait au pied de son lit. D'abord il parlait du dîner, puis il racontait mille détails insignifiants, où il voyait des marques de mépris ou d'affection. Une fois, par exemple, elle avait refusé son bras, pour prendre celui de Dittmer, et Frédéric se désolait.

— « Ah ! quelle bêtise ! »

Ou bien elle l'avait appelé son « ami ».

— « Vas-y gaiement, alors ! »

— « Mais je n'ose pas, » disait Frédéric.

— « Eh bien, n'y pense plus ! Bonsoir. »

Deslauriers se retournait vers la ruelle et s'endormait. Il ne comprenait rien à cet amour, qu'il regardait comme une dernière faiblesse d'adolescence ; et, son intimité ne lui suffisant plus, sans doute, il imagina de réunir leurs amis communs une fois la semaine.

Ils arrivaient le samedi, vers neuf heures. Les trois rideaux d'algérienne étaient soigneusement tirés ; la lampe et quatre bougies brûlaient ; au milieu de la table, le pot à tabac, tout plein de pipes, s'étalait entre les bouteilles de bière, la théière, un flacon de rhum et des petits fours. On discutait sur l'immortalité de l'âme, on faisait des parallèles entre les professeurs.

Hussonnet, un soir, introduisit un grand jeune homme habillé d'une redingote trop courte des poignets, et la contenance embarrassée. C'était le garçon qu'ils avaient réclamé au poste, l'année dernière.

N'ayant pu rendre à son maître le carton de dentelles perdu dans la bagarre, celui-ci l'avait accusé de vol, menacé des tribunaux ; maintenant, il était commis dans une maison de roulage. Hussonnet, le matin, l'avait rencontré au coin d'une rue ; et il l'amenait, car Dussardier, par reconnaissance, voulait voir « l'autre ».

Il tendit à Frédéric le porte-cigares encore plein, et qu'il avait gardé religieusement avec l'espoir de le rendre. Les jeunes gens l'invitèrent à revenir. Il n'y manqua pas.

Tous sympathisaient. D'abord, leur haine du Gouvernement avait la hauteur d'un dogme indiscutable. Martinon seul tâchait de défendre Louis-Philippe. On l'accablait sous les lieux communs traînant dans les journaux : l'embastillement de Paris [145], les lois de septembre [146], Pritchard, lord Guizot [147], — si bien que Martinon se taisait, craignant d'offenser quelqu'un. En sept ans de collège, il n'avait pas mérité de pensum [148], et, à l'École de droit, il savait plaire aux professeurs. Il portait ordinairement une grosse redingote couleur mastic avec des claques en caoutchouc ; mais il apparut un soir dans une toilette de marié : gilet de velours à châle, cravate blanche, chaîne d'or.

L'étonnement redoubla quand on sut qu'il sortait de chez M. Dambreuse. En effet, le banquier Dambreuse venait d'acheter au père Martinon une partie de bois considérable ; le bonhomme lui ayant présenté son fils, il les avait invités à dîner tous les deux.

— « Y avait-il beaucoup de truffes, » demanda Deslauriers, « et as-tu pris la taille à son épouse, entre deux portes, *sicut decet* ? »

Alors, la conversation s'engagea sur les femmes. Pellerin n'admettait pas qu'il y eût de belles femmes (il préférait les tigres) ; d'ailleurs, la femelle de l'homme était une créature inférieure dans la hiérarchie esthétique :

— « Ce qui vous séduit est particulièrement ce qui la dégrade comme idée ; je veux dire les seins, les cheveux...»

— « Cependant, » objecta Frédéric, « de longs cheveux noirs, avec de grands yeux noirs... »

— « Oh ! connu ! » s'écria Hussonnet. « Assez d'Andalouses sur la pelouse ! des choses antiques ? serviteur ! Car enfin, voyons, pas de blagues ! une lorette est plus amusante que la Vénus de Milo ! Soyons Gaulois, nom d'un petit bonhomme ! et Régence si nous pouvons !

Coulez, bons vins ; femmes, daignez sourire !

Il faut passer de la brune à la blonde ! — Est-ce votre avis, père Dussardier ? »

Dussardier ne répondit pas. Tous le pressèrent pour connaître ses goûts.

— « Eh bien, » fit-il en rougissant, « moi, je voudrais aimer la même, toujours ! »

Cela fut dit d'une telle façon qu'il y eut un moment de silence, les uns étant surpris de cette candeur, et les autres y découvrant, peut-être, la secrète convoitise de leur âme.

Sénécal posa sur le chambranle sa chope de bière, et déclara dogmatiquement que, la prostitution étant une tyrannie et le mariage une immoralité, il valait mieux s'abstenir. Deslauriers prenait les femmes comme une distraction, rien de plus. M. de Cisy avait à leur endroit toute espèce de crainte.

Élevé sous les yeux d'une grand'mère dévote, il trouvait la compagnie de ces jeunes gens alléchante comme un mauvais lieu et instructive comme une Sorbonne. On ne lui ménageait pas les leçons ; et il se montrait plein de zèle, jusqu'à vouloir fumer, en dépit des maux de cœur qui le tourmentaient chaque fois, régulièrement. Frédéric l'entourait de soins. Il admirait la nuance de ses cravates, la fourrure de son paletot et surtout ses bottes, minces comme des gants et qui semblaient insolentes de netteté et de délicatesse ; sa voiture l'attendait en bas dans la rue.

Un soir qu'il venait de partir, et que la neige tombait, Sénécal se mit à plaindre son cocher. Puis il déclama contre les gants jaunes, le Jockey-Club. Il faisait plus de cas d'un ouvrier que de ces messieurs.

— « Moi, je travaille, au moins ! je suis pauvre ! »
— « Cela se voit, » dit à la fin Frédéric, impatienté.

Le répétiteur lui garda rancune pour cette parole.

Mais, Regimbart ayant dit qu'il connaissait un peu Sénécal, Frédéric, voulant faire une politesse à l'ami d'Arnoux, le pria de venir aux réunions du samedi, et la rencontre fut agréable aux deux patriotes.

Ils différaient cependant.

Sénécal — qui avait un crâne en pointe — ne considérait que les systèmes. Regimbart, au contraire, ne voyait dans les faits que les faits. Ce qui l'inquiétait principalement, c'était la frontière du Rhin [149]. Il prétendait se connaître

en artillerie, et se faisait habiller par le tailleur de l'École
polytechnique.

Le premier jour, quand on lui offrit des gâteaux, il
leva les épaules dédaigneusement, en disant que cela
convenait aux femmes ; et il ne parut guère plus gracieux
les fois suivantes. Du moment que les idées atteignaient
une certaine hauteur, il murmurait : « Oh ! pas d'utopies,
pas de rêves ! » En fait d'art (bien qu'il fréquentât les ateliers, où quelquefois il donnait, par complaisance, une leçon
d'escrime), ses opinions n'étaient point transcendantes.
Il comparait le style de M. Marrast à celui de Voltaire [150]
et Mlle Vatnaz à Mme de Staël, à cause d'une ode sur la
Pologne, « où il y avait du cœur ». Enfin, Regimbart
assommait tout le monde et particulièrement Deslauriers,
car le Citoyen était un familier d'Arnoux. Or, le clerc
ambitionnait de fréquenter cette maison, espérant y faire
des connaissances profitables. « Quand donc m'y mène-
ras-tu ? » disait-il. Arnoux se trouvait surchargé de
besogne, ou bien il partait en voyage ; puis, ce n'était pas
la peine, les dîners allaient finir.

S'il avait fallu risquer sa vie pour son ami. Frédéric
l'eût fait. Mais comme il tenait à se montrer le plus avan-
tageusement possible, comme il surveillait son langage,
ses manières et son costume jusqu'à venir au bureau
de l'*Art industriel* toujours irréprochablement ganté,
il avait peur que Deslauriers, avec son vieil habit noir,
sa tournure de procureur et ses discours outrecuidants,
ne déplût à Mme Arnoux, ce qui pouvait le compromettre,
le rabaisser lui-même auprès d'elle. Il admettait bien les
autres [151], mais celui-là, précisément, l'aurait gêné mille
fois plus. Le clerc s'apercevait qu'il ne voulait pas tenir
sa promesse, et le silence de Frédéric lui semblait une
aggravation d'injure.

Il aurait voulu le conduire absolument, le voir se dévelop-
per d'après l'idéal de leur jeunesse ; et sa fainéantise le
révoltait [152], comme une désobéissance et comme une
trahison. D'ailleurs Frédéric, plein de l'idée de Mme
Arnoux, parlait de son mari souvent ; et Deslauriers
commença une intolérable *scie*, consistant à répéter son
nom cent fois par jour, à la fin de chaque phrase, comme
un tic d'idiot. Quand on frappait à sa porte, il répondait :
« Entrez, Arnoux ! » Au restaurant, il demandait un fro-

mage de Brie « à l'instar d'Arnoux » ; et, la nuit, feignant
d'avoir un cauchemar, il réveillait son compagnon en
hurlant : « Arnoux ! Arnoux ! » Enfin, un jour, Frédéric,
excédé, lui dit d'une voix lamentable :

— « Mais laisse-moi tranquille avec Arnoux ! »

— « Jamais ! » répondit le clerc.

> *Toujours lui ! lui partout ! ou brûlante ou glacée,*
> *L'image de l'Arnoux...*

— « Tais-toi donc ! » s'écria Frédéric en levant le poing [153].
Il reprit doucement :

— « C'est un sujet qui m'est pénible, tu sais bien. »

— « Oh ! pardon, mon bonhomme, » répliqua Deslauriers
en s'inclinant très bas, « on respectera désormais les nerfs
de Mademoiselle ! Pardon encore une fois. Mille excuses ! »
Ainsi fut terminée la plaisanterie.

Mais, trois semaines après, un soir, il lui dit.

— « Eh bien, je l'ai vue tantôt, Mme Arnoux ! »

— « Où donc ? »

— « Au Palais, avec Balandard, avoué ; une femme
brune, n'est-ce pas, de taille moyenne ? »

Frédéric fit un signe d'assentiment. Il attendait que
Deslauriers parlât. Au moindre mot d'admiration, il se
serait épanché largement, était tout prêt à le chérir ; l'autre
se taisait toujours ; enfin n'y tenant plus, il lui demanda
d'un air indifférent ce qu'il pensait d'elle.

Deslauriers la trouvait « pas mal, sans avoir pourtant
rien d'extraordinaire ».

— « Ah ! tu trouves, » dit Frédéric.

Arriva [154] le mois d'août, époque de son deuxième
examen [155]. D'après l'opinion courante, quinze jours
devaient suffire pour en préparer les matières. Frédéric,
ne doutant pas de ses forces, avala d'emblée les quatre
premiers livres du Code de procédure, les trois premiers
du Code pénal, plusieurs morceaux d'Instruction cri-
minelle et une partie du Code civil, avec les annotations
de M. Poncelet. La veille [156], Deslauriers lui fit faire une
récapitulation qui se prolongea jusqu'au matin ; et, pour
mettre à profit le dernier quart d'heure, il continua à l'interroger sur le trottoir, tout en marchant.

Comme plusieurs examens se passaient simultanément,
il y avait beaucoup de monde dans la cour, entre autres

Hussonnet et Cisy ; on ne manquait pas de venir à ces
épreuves quand il s'agissait des camarades. Frédéric endossa la robe noire traditionnelle ; puis il entra suivi de
la foule, avec trois autres étudiants, dans une grande
pièce, éclairée par des fenêtres sans rideaux et garnie de
banquettes, le long des murs. Au milieu, des chaises de
cuir entouraient une table, décorée d'un tapis vert. Elle
séparait les candidats de MM. les examinateurs en robe
rouge, tous portant des chausses d'hermine sur l'épaule,
avec des toques à galons d'or sur le chef.

Frédéric se trouvait l'avant-dernier dans la série, position
mauvaise. A la première question sur la différence entre
une convention et un contrat, il définit l'une pour l'autre ;
et le professeur, un brave homme, lui dit : — « Ne vous
troublez pas, monsieur, remettez-vous ! » puis, ayant fait
deux demandes faciles, suivies de réponses obscures, il
passa enfin au quatrième. Frédéric fut démoralisé par ce
piètre commencement. Deslauriers, en face, dans le public,
lui faisait signe que tout n'était pas encore perdu [157] ;
et à la deuxième interrogation sur le droit criminel, il
se montra passable. Mais, après la troisième, relative
au testament mystique, l'examinateur étant resté impassible
tout le temps, son angoisse redoubla ; car Hussonnet
joignait les mains comme pour applaudir, tandis que
Deslauriers prodiguait les haussements d'épaules. Enfin,
le moment arriva [158] où il fallut répondre sur la Procédure !
Il s'agissait de la tierce opposition. Le professeur, choqué
d'avoir entendu des théories contraires aux siennes, lui
demanda d'un ton brutal :

— « Et vous, monsieur, est-ce votre avis ? Comment
conciliez-vous le principe de l'article 1351 du Code civil
avec cette voie d'attaque extraordinaire ? »

Frédéric se sentait un grand mal de tête, pour avoir
passé la nuit sans dormir. Un rayon de soleil, entrant
par l'intervalle d'une jalousie, le frappait au visage. Debout
derrière la chaise, il se dandinait [159] et tirait sa moustache.

— « J'attends toujours votre réponse ! » reprit l'homme
à la toque d'or.

Et, comme le geste de Frédéric l'agaçait sans doute :
— « Ce n'est pas dans votre barbe que vous la
trouverez ! »

Ce sarcasme causa un rire dans l'auditoire ; le profes-

seur, flatté, s'amadoua. Il lui fit deux questions encore
sur l'ajournement et sur l'affaire sommaire, puis baissa
la tête en signe d'approbation ; l'acte public était fini.
Frédéric rentra dans le vestibule.

Pendant que l'huissier le dépouillait de sa robe, pour la
repasser à un autre immédiatement, ses amis l'entourè-
rent, en achevant de l'ahurir avec leurs opinions contradictoires sur le résultat de l'examen. On le proclama
bientôt d'une voix sonore, à l'entrée de la salle : « Le
troisième était... ajourné ! »

— « Emballé ! » dit Hussonnet, « allons-nous-en ! »

Devant la loge du concierge, ils rencontrèrent Martinon,
rouge, ému, avec un sourire dans les yeux et l'auréole
du triomphe sur le front. Il venait de subir sans encombre
son dernier examen. Restait seulement la thèse. Avant
quinze jours, il serait licencié. Sa famille connaissait un
ministre, « une belle carrière » s'ouvrait devant lui.

— « Celui-là t'enfonce tout de même, » dit Deslauriers.

Rien n'est humiliant comme de voir les sots réussir
dans les entreprises où l'on échoue. Frédéric, vexé, répondit
qu'il s'en moquait. Ses prétentions étaient plus hautes ;
et, comme Hussonnet faisait mine de s'en aller, il le prit
à l'écart pour lui dire :

— « Pas un mot de tout cela, chez eux, bien entendu ! »

Le secret était facile, puisque Arnoux, le lendemain,
partait en voyage pour l'Allemagne.

Le soir, en rentrant, le clerc trouva son ami singulièrement changé : il pirouettait, sifflait ; et, l'autre s'éton-
nant de cette humeur, Frédéric déclara qu'il n'irait pas
chez sa mère ; il emploierait ses vacances à travailler.

A la nouvelle du départ d'Arnoux, une joie l'avait
saisi. Il pouvait se présenter [160] là-bas, tout à son aise
sans crainte d'être interrompu dans ses visites [161]. La
conviction d'une sécurité absolue lui donnerait du courage.
Enfin il ne serait pas éloigné, ne serait pas séparé [162]
d'Elle ! Quelque chose de plus fort qu'une chaîne de
fer l'attachait à Paris, une voix intérieure lui criait de
rester.

Des obstacles s'y opposaient. Il les franchit en écrivant
à sa mère ; il confessait d'abord son échec, occasionné par
des changements faits dans le programme, — un hasard,
une injustice ; — d'ailleurs, tous les grands avocats (il

citait leurs noms) avaient été refusés à leurs examens. Mais
il comptait se présenter de nouveau au mois de novembre.
Or, n'ayant pas de temps à perdre, il n'irait point à la maison cette année ; et il demandait, outre l'argent d'un trimestre, deux cent cinquante francs pour des répétitions
de droit, fort utiles ; — le tout enguirlandé de regrets,
condoléances, chatteries et protestations d'amour filial.

Mme Moreau, qui l'attendait le lendemain, fut chagrinée
doublement. Elle cacha la mésaventure de son fils, et lui
répondit « de venir tout de même ». Frédéric ne céda pas.
Une brouille s'ensuivit. A la fin de la semaine, néanmoins,
il reçut l'argent du trimestre avec la somme destinée aux
répétitions, et qui servit à payer un pantalon gris perle,
un chapeau de feutre blanc et une badine à pomme d'or.

Quand tout cela [163] fut en sa possession :

— « C'est peut-être une idée de coiffeur que j'ai eue ? »
songea-t-il.

Et une grande hésitation le prit.

Pour savoir [164] s'il irait chez Mme Arnoux, il jeta par
trois fois, dans l'air, des pièces de monnaie. Toutes les
fois, le présage fut heureux. Donc, la fatalité l'ordonnait.
Il se fit conduire en fiacre rue de Choiseul.

Il monta vivement l'escalier, tira le cordon de la sonnette ;
elle ne sonna pas ; il se sentait près de défaillir.

Puis il ébranla, d'un coup furieux, le lourd gland de
soie rouge. Un carillon retentit, s'apaisa par degrés, et
l'on n'entendait plus rien. Frédéric eut peur.

Il colla son oreille contre la porte ; pas un souffle !
Il mit son œil au trou de la serrure, et il n'apercevait dans
l'antichambre que deux pointes de roseau, sur la muraille,
parmi les fleurs de papier. Enfin, il tournait les talons
quand il se ravisa. Cette fois, il donna un petit coup, léger.
La porte s'ouvrit ; et, sur le seuil, les cheveux ébouriffés,
la face cramoisie et l'air maussade, Arnoux lui-même
parut.

— « Tiens ! Qui diable vous amène ? Entrez ! »

Il l'introduisit, non dans le boudoir ou dans sa chambre,
mais dans la salle à manger, où l'on voyait sur la table
une bouteille de vin de Champagne avec deux verres ;
et, d'un ton brusque :

— « Vous avez quelque chose à me demander, cher
ami ? »

— « Non ! rien ! rien ! » balbutia le jeune homme, cherchant un prétexte à sa visite.

Enfin, il dit qu'il était venu savoir de ses nouvelles, car il le croyait en Allemagne, sur le rapport d'Hussonnet.

— « Nullement ! » reprit Arnoux. « Quelle linotte que ce garçon-là, pour entendre tout de travers ! »

Afin de dissimuler son trouble, Frédéric marchait de droite et de gauche, dans la salle. En heurtant le pied d'une chaise [165], il fit tomber une ombrelle posée dessus ; le manche d'ivoire se brisa.

— « Mon Dieu ! » s'écria-t-il, « comme je suis chagrin d'avoir brisé l'ombrelle [166] de Mme Arnoux. »

A ce mot, le marchand releva la tête et eut un singulier sourire. Frédéric [167], prenant l'occasion qui s'offrait de parler d'elle, ajouta timidement :

— « Est-ce que je ne pourrai pas la voir ? »

Elle était dans son pays, près de sa mère malade.

Il n'osa faire de questions sur la durée de cette absence. Il demanda seulement quel était le pays de Mme Arnoux.

— « Chartres ! Cela vous étonne ? »

— « Moi ? non ! pourquoi ? Pas le moins du monde ! »

Ils ne trouvèrent, ensuite, absolument rien à se dire. Arnoux, qui s'était fait une cigarette, tournait autour de la table, en soufflant. Frédéric, debout contre le poêle, contemplait les murs, l'étagère, le parquet : et des images charmantes défilaient dans sa mémoire, devant ses yeux plutôt. Enfin il se retira.

Un morceau de journal, roulé en boule, traînait par terre, dans l'antichambre. Arnoux le prit ; et, se haussant sur la pointe des pieds, il l'enfonça dans la sonnette, pour continuer, dit-il, sa sieste interrompue. Puis, en lui donnant une poignée de main :

— « Avertissez le concierge, s'il vous plaît, que je n'y suis pas ! »

Et il referma la porte sur son dos, violemment [168].

Frédéric descendit l'escalier marche à marche. L'insuccès de cette première tentative le décourageait sur le hasard des autres. Alors commencèrent trois mois d'ennui. Comme il n'avait aucun travail, son désœuvrement renforçait sa tristesse.

Il passait des heures à regarder, du haut de son balcon,

la rivière qui coulait entre les quais grisâtres, noircis, de
place en place, par la bavure des égouts, avec un ponton
de blanchisseuses amarré contre le bord, où des gamins quelquefois s'amusaient, dans la vase, à faire baigner un caniche.
Ses yeux [169], délaissant à gauche le pont de pierre de Notre-
Dame et trois ponts suspendus, se dirigeaient toujours
vers le quai aux Ormes, sur un massif de vieux arbres,
pareils aux tilleuls du port de Montereau. La tour Saint-
Jacques, l'Hôtel de Ville, Saint-Gervais, Saint-Louis,
Saint-Paul se levaient en face, parmi les toits confondus, —
et le génie de la colonne [170] de Juillet resplendissait à l'orient
comme une large étoile d'or, tandis qu'à l'autre extrémité
le dôme des Tuileries arrondissait, sur le ciel, sa lourde
masse bleue. C'était par derrière, de ce côté-là, que devait
être la maison de Mme Arnoux.

Il rentrait dans sa chambre ; puis, couché sur son divan,
s'abandonnait [171] à une méditation désordonnée : plans
d'ouvrage, projets de conduite, élancements vers l'avenir.
Enfin, pour se débarrasser de lui-même, il sortait.

Il remontait, au hasard, le quartier latin, si tumultueux
d'habitude, mais désert à cette époque, car les étudiants
étaient partis dans leurs familles. Les grands murs des
collèges, comme allongés par le silence, avaient un aspect
plus morne encore ; on entendait toutes sortes de bruits
paisibles, des battements d'ailes dans des cages, le ronflement d'un tour, le marteau d'un savetier ; et les marchands
d'habits, au milieu des rues, interrogeaient de l'œil chaque
fenêtre, inutilement. Au fond des cafés solitaires, la dame
du comptoir bâillait entre ses carafons remplis ; les journaux demeuraient en ordre sur la table des cabinets de
lecture ; dans l'atelier des repasseuses, des linges frissonnaient sous les bouffées du vent tiède. De temps à autre,
il s'arrêtait à l'étalage d'un bouquiniste ; un omnibus [172],
qui descendait en frôlant le trottoir, le faisait se retourner ;
et, parvenu devant le Luxembourg, il n'allait pas plus
loin.

Quelquefois, l'espoir d'une distraction l'attirait vers
les boulevards. Après de sombres ruelles exhalant des
fraîcheurs humides, il arrivait sur de grandes places désertes, éblouissantes de lumière, et où les monuments
dessinaient au bord du pavé des dentelures d'ombre noire.
Mais les charrettes, les boutiques recommençaient, et la

foule l'étourdissait, — le dimanche surtout, — quand, depuis la Bastille jusqu'à la Madeleine, c'était un immense flot ondulant sur l'asphalte, au milieu de la poussière, dans une rumeur continue ; il se sentait tout écœuré par la bassesse des figures, la niaiserie des propos, la satisfaction imbécile transpirant sur les fronts en sueur ! Cependant, la conscience de mieux valoir que ces hommes atténuait la fatigue de les regarder.

Il allait tous les jours à l'*Art industriel* ; — et pour savoir quand reviendrait Mme Arnoux, il s'informait de sa mère très longuement. La réponse d'Arnoux ne variait pas ; « le mieux se continuait, » sa femme, avec la petite, serait de retour la semaine prochaine. Plus elle tardait à revenir, plus Frédéric témoignait d'inquiétude, — si bien qu'Arnoux, attendri par tant d'affection, l'emmena cinq ou six fois dîner au restaurant.

Frédéric, dans ces longs tête-à-tête, reconnut que le marchand de peinture n'était pas fort spirituel. Arnoux pouvait s'apercevoir de ce refroidissement ; et puis c'était l'occasion de lui rendre, un peu, ses politesses [173].

Voulant donc faire les choses très bien, il vendit à un brocanteur [174] tous ses habits neufs, moyennant la somme de quatre-vingts francs ; et, l'ayant grossie de cent autres qui lui restaient, il vint chez Arnoux le prendre pour dîner. Regimbart s'y trouvait. Ils s'en allèrent aux Trois-Frères-Provençaux [175].

Le Citoyen commença par retirer sa redingote, et, sûr de la déférence des deux autres, écrivit la carte. Mais il eut beau se transporter dans la cuisine pour parler lui-même au chef, descendre à la cave dont il connaissait tous les coins, et faire monter le maître de l'établissement, auquel il « donna un savon », il ne fut content ni des mets, ni des vins, ni du service ! A chaque plat nouveau, à chaque bouteille différente, dès la première bouchée, la première gorgée, il laissait tomber sa fourchette, ou repoussait au loin son verre ; puis s'accoudant sur la nappe de toute la longueur de son bras, il s'écriait qu'on ne pouvait plus dîner à Paris ! Enfin, ne sachant qu'imaginer pour sa bouche, Regimbart se commanda des haricots à l'huile, « tout bonnement », lesquels, bien qu'à moitié réussis, l'apaisèrent un peu. Puis il eut, avec le garçon, un dialogue, roulant sur les anciens garçons des Provençaux : « Qu'était

devenu Antoine ? Et un nommé Eugène ? Et Théodore,
le petit, qui servait toujours en bas ? Il y avait dans ce
temps-là une chère autrement distinguée, et des têtes de
Bourgogne comme on n'en reverra plus ! »

Ensuite, il fut question de la valeur des terrains dans la
banlieue, une spéculation d'Arnoux, infaillible. En attendant, il perdait ses intérêts. Puisqu'il ne voulait vendre
à aucun prix, Regimbart [176] lui découvrirait quelqu'un ;
et ces deux messieurs firent, avec un crayon, des calculs
jusqu'à la fin du dessert.

On s'en alla prendre le café, passage du Saumon, dans
un estaminet, à l'entresol. Frédéric assista, sur ses jambes,
à d'interminables parties de billard, abreuvées d'innom-
brables chopes ; — et il resta là, jusqu'à minuit, sans savoir pourquoi, par lâcheté, par bêtise, dans l'espérance
confuse d'un événement quelconque favorable à son
amour.

Quand donc la reverrait-il ? Frédéric se désespérait.
Mais un soir, vers la fin de novembre, Arnoux lui dit :
— « Ma femme est revenue hier, vous savez ! »

Le lendemain, à cinq heures, il entrait chez elle.

Il débuta par des félicitations, à propos de sa mère,
dont la maladie avait été si grave.

— « Mais non ! Qui vous l'a dit ? »
— « Arnoux ! »

Elle fit un « ah ! » léger, puis ajouta qu'elle avait eu
d'abord [177] des craintes sérieuses, maintenant disparues.

Elle se tenait près du feu, dans la bergère de tapisserie.
Il était sur le canapé, avec son chapeau entre ses genoux ;
et l'entretien fut pénible, elle l'abandonnait à chaque minute ;
il ne trouvait pas de joint pour y introduire ses sentiments.
Mais, comme il se plaignait d'étudier la chicane, elle répliqua : — Oui..., je conçois..., les affaires... ! » en baissant
la figure, absorbée tout à coup par des réflexions.

Il avait soif de les connaître, et même ne songeait pas à
autre chose. Le crépuscule amassait de l'ombre autour
d'eux.

Elle se leva, ayant une course à faire, puis reparut avec
une capote de velours, et une mante noire, bordée de
petit-gris. Il osa offrir de l'accompagner.

On n'y voyait plus ; le temps était froid, et un lourd
brouillard, estompant la façade des maisons, puait dans

l'air. Frédéric le humait avec délices ; car il sentait à travers la ouate du vêtement la forme de son bras ; et sa main,
prise dans un gant chamois à deux boutons, sa petite main
qu'il aurait voulu couvrir de baisers, s'appuyait sur sa
manche. A cause du pavé glissant, ils oscillaient un peu ;
il lui semblait qu'ils étaient tous les deux comme bercés
par le vent, au milieu d'un nuage.

L'éclat des lumières, sur le boulevard, le remit dans la
réalité. L'occasion était bonne, le temps pressait. Il se
donna jusqu'à la rue de Richelieu pour déclarer son amour.
Mais, presque aussitôt, devant un magasin de porcelaines,
elle s'arrêta net, en lui disant :

— « Nous y sommes, je vous remercie ! A jeudi, n'est-ce
pas, comme d'habitude ? »

Les dîners recommencèrent ; et plus il fréquentait
Mme Arnoux, plus ses langueurs augmentaient.

La contemplation de cette femme l'énervait, comme
l'usage d'un parfum trop fort. Cela descendait dans les
profondeurs de son tempérament, et devenait presque
une manière générale de sentir, un mode nouveau d'exister.

Les prostituées qu'il rencontrait aux feux du gaz, les
cantatrices poussant leurs roulades, les écuyères sur leurs
chevaux au galop, les bourgeoises à pied, les grisettes à
leur fenêtre, toutes les femmes lui rappelaient celle-là,
par des similitudes [178] ou par des contrastes violents. Il
regardait, le long des boutiques, les cachemires, les dentelles et les pendeloques de pierreries, en les imaginant
drapés autour de ses reins, cousues à son corsage, faisant
des feux dans sa chevelure noire. A l'éventaire des mar-
chandes, les fleurs s'épanouissaient pour qu'elle les choisît
en passant ; dans la montre des cordonniers, les petites
pantoufles de satin à bordure de cygne semblaient attendre
son pied ; toutes les rues conduisaient vers sa maison :
les voitures ne stationnaient sur les places que pour y
mener plus vite ; Paris se rapportait à sa personne, et la
grande ville avec toutes ses voix, bruissait, comme un
immense orchestre, autour d'elle.

Quand il allait au Jardin des Plantes, la vue d'un palmier
l'entraînait vers des pays lointains. Ils voyageaient [179]
ensemble, au dos des dromadaires, sous le tendelet des
éléphants, dans la cabine d'un yacht parmi des archipels
bleus, ou côte à côte sur deux mulets à clochettes, qui

trébuchaient dans les herbes contre des colonnes brisées. Quelquefois, il s'arrêtait au Louvre devant de vieux tableaux ; et son amour l'embrassant jusque dans les siècles disparus, il la substituait aux personnages des peintures. Coiffée d'un hennin, elle priait à deux genoux derrière un vitrage de plomb. Seigneuresse des Castilles ou des Flandres, elle se tenait assise, avec une fraise empesée et un corps de baleines à gros bouillons. Puis elle descendait quelque grand escalier de porphyre, au milieu des sénateurs, sous un dais de plumes d'autruche, dans une robe de brocart. D'autres fois, il la rêvait en pantalon de soie jaune, sur les coussins d'un harem ; — et tout ce qui était beau, le scintillement des étoiles, certains airs de musique, l'allure d'une phrase, un contour l'amenaient à sa pensée d'une façon brusque et insensible.

Quant à essayer d'en faire sa maîtresse, il était sûr que toute tentative serait vaine.

Un soir, Dittmer, qui arrivait, la baisa sur le front ; Lovarias fit de même, en disant :

— « Vous permettez, n'est-ce pas, selon le privilège des amis ? »

Frédéric balbutia :

— « Il me semble que nous sommes tous des amis ? »

— « Pas tous des vieux ! » reprit-elle.

C'était le repousser d'avance, indirectement.

Que faire, d'ailleurs ? Lui dire qu'il l'aimait ? Elle l'éconduirait sans doute ; ou bien, s'indignant, le chasserait de sa maison ! Or, il préférait toutes les douleurs à l'horrible chance de ne plus la voir.

Il enviait le talent des pianistes, les balafres des soldats. Il souhaitait une maladie dangereuse, espérant de cette façon l'intéresser.

Une chose l'étonnait [180], c'est qu'il n'était pas jaloux d'Arnoux ; et il ne pouvait se la figurer autrement que vêtue, — tant sa pudeur semblait naturelle, et reculait son sexe dans une ombre mystérieuse.

Cependant, il songeait au bonheur de vivre avec elle, de la tutoyer, de lui passer la main sur les bandeaux longuement, ou de se tenir par terre, à genoux, les deux bras autour de sa taille, à boire son âme dans ses yeux ! Il aurait fallu, pour cela, subvertir la destinée [181] ; et, incapable d'action, maudissant Dieu et s'accusant d'être lâche, il tournait

dans son désir, comme un prisonnier dans son cachot.
Une angoisse permanente l'étouffait. Il restait pendant
des heures immobile, ou bien, il éclatait en larmes ; et,
un jour qu'il n'avait pas eu la force de se contenir,
Deslauriers lui dit :

— « Mais, saprelotte ! qu'est-ce que tu as ? »

Frédéric souffrait des nerfs [182]. Deslauriers n'en crut
rien. Devant une pareille douleur, il avait senti se réveiller
sa tendresse, et il le réconforta. Un homme comme lui
se laisser abattre, quelle sottise ! Passe encore dans la
jeunesse, mais plus tard, c'est perdre son temps.

— « Tu me gâtes mon Frédéric ! Je redemande l'ancien.
Garçon, toujours du même ! Il me plaisait ! Voyons,
fume une pipe, animal ! Secoue-toi un peu, tu me désoles ! »

— « C'est vrai, » dit Frédéric, « je suis fou ! »

Le clerc reprit :

— « Ah ! vieux troubadour, je sais bien ce qui t'afflige !
Le petit cœur ? Avoue-le ! Bah ! une de perdue, quatre
de trouvées ! On se console des femmes vertueuses avec
les autres. Veux-tu que je t'en fasse connaître, des femmes ?
Tu n'as qu'à venir à l'Alhambra. » (C'était un bal public
ouvert récemment au haut des Champs-Élysées, et qui
se ruina dès la seconde saison, par un luxe prématuré
dans ce genre d'établissements.) « On s'y amuse à ce qu'il
paraît. Allons-y ! Tu prendras tes amis si tu veux ; je te
passe même Regimbart ! »

Frédéric n'invita pas le Citoyen. Deslauriers se priva
de Sénécal. Ils emmenèrent seulement Hussonnet et Cisy
avec Dussardier ; et le même fiacre les descendit tous les
cinq à la porte de l'Alhambra.

Deux galeries moresques s'étendaient à droite et à
gauche, parallèlement. Le mur d'une maison, en face,
occupait tout le fond, et le quatrième côté (celui du restaurant) figurait un cloître gothique à vitraux de couleurs.
Une sorte de toiture chinoise abritait l'estrade où jouaient
les musiciens ; le sol autour était couvert d'asphalte, et
des lanternes vénitiennes accrochées à des poteaux formaient
de loin, sur les quadrilles, une couronne de feux multico-
lores. Un piédestal, çà et là, supportait une cuvette de
pierre, d'où s'élevait un mince filet d'eau. On apercevait
dans les feuillages des statues en plâtre, Hébés ou Cupidons
tout gluants de peinture à l'huile ; et les allées nombreuses,

garnies d'un sable très jaune soigneusement ratissé, faisaient paraître le jardin beaucoup plus vaste qu'il ne l'était [183].

Des étudiants promenaient leurs maîtresses ; des commis en nouveautés se pavanaient une canne entre les doigts ; des collégiens fumaient des régalias ; de vieux célibataires caressaient avec un peigne leur barbe teinte ; il y avait des Anglais, des Russes, des gens de l'Amérique du Sud, trois Orientaux en tarbouch. Des lorettes, des grisettes et des filles étaient venues là, espérant trouver un protecteur, un amoureux, une pièce d'or, ou simplement pour le plaisir de la danse ; et leurs robes à tunique vert d'eau, bleue-cerise [184], ou violette, passaient, s'agitaient entre les ébéniers et les lilas. Presque tous les hommes portaient des étoffes à carreaux, quelques-uns des pantalons blancs, malgré la fraîcheur du soir. On allumait les becs de gaz.

Hussonnet, par ses relations avec les journaux de modes et les petits théâtres, connaissait beaucoup de femmes ; il leur envoyait des baisers par le bout des doigts [185], et de temps à autre, quittant ses amis, allait causer avec elles.

Deslauriers fut jaloux de ces allures. Il aborda cyniquement une grande blonde, vêtue de nankin. Après l'avoir considéré d'un air maussade, elle dit : — « Non ! pas de confiance, mon bonhomme ! » et tourna les talons.

Il recommença près d'une grosse brune, qui était folle sans doute, car elle bondit dès le premier mot, en le menaçant, s'il continuait, d'appeler les sergents de ville. Deslauriers s'efforça de rire ; puis, découvrant une petite femme assise à l'écart sous un réverbère, il lui proposa une contredanse.

Les musiciens, juchés sur l'estrade, dans des postures de singe [186], raclaient et soufflaient, impétueusement. Le chef d'orchestre, debout, battait la mesure d'une façon automatique. On était tassé, on s'amusait ; les brides dénouées des chapeaux effleuraient les cravates, les bottes s'enfonçaient sous les jupons ; tout cela sautait en cadence ; Deslauriers pressait contre lui la petite femme, et, gagné par le délire du cancan, se démenait au milieu des quadrilles comme une grande marionnette. Cisy et Dussardier continuaient leur promenade ; le jeune aristocrate lorgnait les filles, et, malgré les exhortations du commis, n'osait leur parler [187], s'imaginant qu'il y avait toujours chez ces

femmes-là « un homme caché dans l'armoire avec un pistolet, et qui en sort pour vous faire souscrire des lettres
de change ».

Ils revinrent près de Frédéric. Deslauriers ne dansait
plus ; et tous se demandaient comment finir la soirée,
quand Hussonnet s'écria :

— « Tiens ! la marquise d'Amaëgui ! »

C'était une femme pâle, à nez retroussé, avec des mitaines
jusqu'aux coudes et de grandes boucles noires qui pendaient le long de ses joues, comme deux oreilles de chien.
Hussonnet lui dit :

— « Nous devrions organiser une petite fête chez
toi, un raout oriental ? Tâche d'herboriser quelques-
unes de tes amies pour ces chevaliers français ? Et bien,
qu'est-ce qui te gêne ? Attendrais-tu ton hidalgo ? »

L'Andalouse baissait la tête ; sachant les habitudes
peu luxueuses de son ami, elle avait peur d'en être pour
ses rafraîchissements. Enfin, au mot d'argent lâché par elle,
Cisy proposa cinq napoléons, toute sa bourse ; la chose
fut décidée. Mais Frédéric n'était plus là.

Il avait cru reconnaître la voix d'Arnoux, avait aperçu
un chapeau de femme, et il s'était enfoncé bien vite dans le
bosquet à côté.

Mlle Vatnaz se trouvait seule avec Arnoux.

— « Excusez-moi ! je vous dérange ? »

— « Pas le moins du monde ! » reprit le marchand.

Frédéric, aux derniers mots de leur conversation, comprit
qu'il était accouru à l'Alhambra pour entretenir Mlle
Vatnaz d'une affaire urgente ; et sans doute Arnoux
n'était pas complètement rassuré, car il lui dit d'un air
inquiet :

— « Vous êtes bien sûre ? »

— « Très sûre ! on vous aime ! Ah ! quel homme ! »

Et elle lui faisait la moue, en avançant ses grosses lèvres,
presque sanguinolentes à force d'être rouges. Mais elle
avait d'admirables yeux, fauves avec des points d'or
dans les prunelles, tout pleins d'esprit, d'amour et de
sensualité. Ils éclairaient, comme des lampes, le teint
un peu jaune de sa figure maigre. Arnoux semblait jouir
de ses rebuffades. Il se pencha de son côté en lui disant :

— « Vous êtes gentille, embrassez-moi ! »

Elle le prit par les deux oreilles, et le baisa sur le front.

A ce moment, les danses s'arrêtèrent ; et, à la place
du chef d'orchestre, parut un beau jeune homme, trop
gras et d'une blancheur de cire. Il avait de longs cheveux
noirs disposés à la manière du Christ, un gilet de velours
azur à grandes palmes d'or, l'air orgueilleux comme un
paon, bête comme un dindon ; et quand il eut salué le
public, il entama une chansonnette. C'était un villageois
narrant lui-même son voyage dans la capitale [188] ; l'artiste
parlait bas-normand, faisait l'homme soûl ; le refrain :

> *Ah ! j'ai t'y ri, j'ai t'y ri,*
> *Dans ce gueusard de Paris !*

soulevait des trépignements d'enthousiasme. Delmas,
« chanteur expressif », était trop malin pour le laisser refroidir. On lui passa vivement une guitare, et il gémit
une romance intitulée *le Frère de l'Albanaise.*

Les paroles rappelèrent à Frédéric celles que chantait
l'homme en haillons, entre les tambours du bateau. Ses
yeux s'attachaient involontairement sur le bas de la robe
étalée devant lui. Après chaque couplet, il y avait une
longue pause, — et le souffle du vent dans les arbres
ressemblait au bruit des ondes.

Mlle Vatnaz, en écartant d'une main les branches d'un
troène qui lui masquait la vue de l'estrade, contemplait
le chanteur, fixement, les narines ouvertes, les cils
rapprochés, et comme perdue dans une joie sérieuse.

— « Très bien ! » dit Arnoux. « Je comprends pourquoi
vous êtes ce soir à l'Alhambra ! Delmas vous plaît, ma
chère. »

Elle ne voulut rien avouer.

— « Ah ! quelle pudeur ! »

Et, montrant Frédéric :

— « Est-ce à cause de lui ? Vous auriez tort. Pas de
garçon plus discret [189] ! »

Les autres, qui cherchaient leur ami, entrèrent dans la
salle de verdure. Hussonnet les présenta. Arnoux fit une
distribution de cigares et régala de sorbets la compagnie.

Mlle Vatnaz avait rougi en apercevant Dussardier.
Elle se leva bientôt, et, lui tendant la main :

— « Vous ne me remettez pas, monsieur Auguste ? »

— « Comment la connaissez-vous ? » demanda Frédéric.

— « Nous avons été dans la même maison ! » reprit-il.

Cisy le tirait [190] par la manche, ils sortirent ; et, à peine disparu, Mlle Vatnaz commença l'éloge de son caractère. Elle ajouta même qu'il avait *le génie du cœur*.

Puis on causa de Delmas, qui pourrait, comme mime, avoir des succès au théâtre ; et il s'ensuivit une discussion, où l'on mêla Shakespeare, la Censure, le Style, le Peuple [191], les recettes de la Porte-Saint-Martin, Alexandre Dumas, Victor Hugo et Dumersan. Arnoux avait connu plusieurs actrices célèbres ; les jeunes gens se penchaient pour l'écouter. Mais ses paroles étaient couvertes par le tapage de la musique ; et, sitôt le quadrille ou la polka terminés, tous s'abattaient sur les tables, appelaient le garçon, riaient ; les bouteilles de bière et de limonade gazeuse détonaient dans les feuillages, des femmes criaient comme des poules ; quelquefois, deux messieurs voulaient se battre ; un voleur fut arrêté.

Au galop [192], les danseurs envahirent les allées.

Haletant, souriant, et la face rouge, ils défilaient dans un tourbillon qui soulevait les robes avec les basques des habits ; les trombones rugissaient plus fort ; le rythme s'accélérait ; derrière le cloître moyen âge, on entendit des crépitations, des pétards éclatèrent ; des soleils se mirent à tourner ; la lueur des feux de Bengale, couleur d'émeraude, éclaira pendant une minute tout le jardin ; — et, à la dernière fusée, la multitude exhala un grand soupir.

Elle s'écoula [193] lentement. Un nuage de poudre à canon flottait dans l'air. Frédéric et Deslauriers marchaient au milieu de la foule, pas à pas, quand un spectacle les arrêta [194] : Martinon se faisait rendre de la monnaie au dépôt des parapluies ; et il accompagnait une femme d'une cinquantaine d'années, laide, magnifiquement vêtue, et d'un rang social problématique.

— « Ce gaillard-là, » dit Deslauriers, « est moins simple qu'on ne suppose. Mais où est donc Cisy ? »

Dussardier leur montra l'estaminet où ils aperçurent le fils des preux, devant un bol de punch, en compagnie d'un chapeau rose.

Hussonnet, qui s'était absenté depuis cinq minutes, reparut au même moment.

Une jeune fille s'appuyait sur son bras, en l'appelant tout haut « mon petit chat ».

— « Mais non ! » lui disait-il. « Non ! pas en public !
Appelle-moi vicomte, plutôt ! Ça vous donne un genre
cavalier, Louis XIII et bottes molles, qui me plaît ! Oui,
mes bons, une ancienne ! N'est-ce pas qu'elle est gentille ? »
Il lui prenait le menton. — « Salue ces messieurs ! ce sont
des fils de pairs de France ! je les fréquente pour qu'ils
me nomment ambassadeur !

— « Comme vous êtes fou ! » soupira Mlle Vatnaz.
Elle pria [195] Dussardier de la reconduire jusqu'à sa
porte.

Arnoux les regarda s'éloigner, puis, se tournant vers
Frédéric :

— « Vous plairait-elle, la Vatnaz ? Au reste, vous
n'êtes pas franc là-dessus ? Je crois que vous cachez vos
amours ? »

Frédéric, devenu blême, jura qu'il ne cachait rien.

— « C'est qu'on ne vous connaît pas de maîtresse, »
reprit Arnoux.

Frédéric eut envie de citer un nom, au hasard. Mais
l'histoire pouvait *lui* être racontée. Il répondit qu'effectivement, il n'avait pas de maîtresse.

Le marchand l'en blâma.

— « Ce soir, l'occasion était bonne ! Pourquoi n'avez-
vous pas fait comme les autres, qui s'en vont tous avec
une femme ? »

— « Eh bien, et vous ? » dit Frédéric, impatienté d'une
telle persistance.

— « Ah ! moi ! mon petit ! c'est différent ! Je m'en
retourne auprès de la mienne ! »

Il appela un cabriolet, et disparut.

Les deux amis s'en allèrent à pied. Un vent d'est soufflait.
Ils ne parlaient ni l'un ni l'autre. Deslauriers regrettait
de n'avoir pas *brillé* devant le directeur d'un journal, et
Frédéric s'enfonçait dans sa tristesse. Enfin, il dit que [196]
le bastringue lui avait paru stupide.

— « A qui la faute ? Si tu ne nous avais pas lâchés
pour ton Arnoux ! »

— « Bah ! tout ce que j'aurais pu faire eût été complètement inutile ! »

Mais le clerc avait des théories. Il suffisait pour obtenir
les choses de les désirer fortement.

— « Cependant, toi-même, tout à l'heure... »

— « Je m'en moquais bien ! » fit Deslauriers, arrêtant net l'allusion. « Est-ce que je vais m'empêtrer de femmes ! »

Et il déclama contre leurs mièvreries, leurs sottises ; bref, elles lui déplaisaient.

— « Ne pose donc pas ! » dit Frédéric.

Deslauriers se tut. Puis, tout à coup :

— « Veux-tu parier cent francs que je *fais* la première qui passe ? »

— « Oui ! accepté ! »

La première qui passa était une mendiante hideuse ; et ils désespéraient du hasard, lorsque, au milieu de la rue de Rivoli, ils aperçurent une grande fille, portant à la main un petit carton.

Deslauriers l'accosta sous les arcades. Elle inclina brusquement du côté des Tuileries, et elle prit bientôt par la place du Carrousel ; elle jetait des regards de droite et de gauche. Elle courut après un fiacre ; Deslauriers la rattrapa. Il marchait près d'elle, en lui parlant avec des gestes expressifs. Enfin elle accepta son bras, et ils continuèrent le long des quais. Puis, à la hauteur du Châtelet, pendant vingt minutes au moins, ils se promenèrent sur le trottoir, comme deux marins faisant leur quart. Mais, tout à coup, ils traversèrent le pont au Change, le marché aux Fleurs, le quai Napoléon. Frédéric entra derrière eux. Deslauriers lui fit comprendre qu'il les gênerait, et n'avait qu'à suivre son exemple.

— « Combien as-tu encore ? »

— « Deux pièces de cent sous ! »

— « C'est assez ! bonsoir ! »

Frédéric fut saisi par l'étonnement que l'on éprouve à voir une farce réussir : [197] « Il se moque de moi, » pensa-t-il. « Si je remontais ? » Deslauriers croirait, peut-être, qu'il lui enviait cet amour ? « Comme si je n'en avais pas un, et cent fois plus rare, plus noble, plus fort ! » Une espèce de colère le poussait. Il arriva devant la porte de Mme Arnoux.

Aucune des fenêtres extérieures ne dépendait de son logement. Cependant, il restait les yeux collés sur la façade, — comme s'il avait cru, par cette contemplation, pouvoir fendre les murs. Maintenant, sans doute, elle reposait, tranquille comme une fleur endormie, avec ses beaux cheveux noirs parmi les dentelles de l'oreiller, les lèvres entre-closes, la tête sur un bras.

Celle d'Arnoux lui apparut. Il s'éloigna, pour fuir cette vision.

Le conseil de Deslauriers vint à sa mémoire ; il en eut horreur. Alors, il vagabonda dans les rues.

Quand un piéton s'avançait, il tâchait de distinguer son visage. De temps à autre, un rayon de lumière lui passait entre les jambes, décrivait au ras du pavé un immense quart de cercle ; et un homme surgissait, dans l'ombre, avec sa hotte et sa lanterne. Le vent, en de certains endroits, secouait le tuyau de tôle d'une cheminée ; des sons lointains s'élevaient, se mêlant au bourdonnement de sa tête, et il croyait entendre, dans les airs, la vague ritournelle des contredanses. Le mouvement de sa marche entretenait cette ivresse ; il se trouva sur le pont de la Concorde.

Alors, il se ressouvint de ce soir de l'autre hiver, — où, sortant de chez elle, pour la première fois, il lui avait fallu s'arrêter, tant son cœur battait vite sous l'étreinte de ses espérances. Toutes étaient mortes, maintenant !

Des nues sombres couraient sur la face de la lune. Il la contempla, en rêvant à la grandeur des espaces, à la misère de la vie, au néant de tout. Le jour [198] parut ; ses dents claquaient ; et, à moitié endormi, mouillé par le brouillard et tout plein de larmes, il se demanda pourquoi n'en pas finir ? Rien qu'un mouvement à faire ! Le poids de son front l'entraînait, il voyait son cadavre flottant sur l'eau ; Frédéric se pencha. Le parapet était un peu large [199], et ce fut par lassitude qu'il n'essaya pas de le franchir.

Une épouvante le saisit. Il regagna les boulevards et s'affaissa sur un banc. Des agents de police le réveillèrent, convaincus qu'il « avait fait la noce ».

Il se mit à marcher [200]. Mais, comme il se sentait grand' faim, et que tous les restaurants étaient fermés, il alla souper dans un cabaret des Halles. Après quoi, jugeant qu'il était encore trop tôt, il flâna aux alentours de l'Hôtel de Ville, jusqu'à huit heures et un quart.

Deslauriers avait depuis longtemps congédié sa donzelle ; et il écrivait sur la table, au milieu de la chambre. Vers quatre heures, M. de Cisy entra.

Grâce à Dussardier, la veille au soir, il s'était abouché avec une dame ; et même il l'avait reconduite en voiture, avec son mari, jusqu'au seuil de sa maison, où elle lui avait donné rendez-vous. Il en sortait. On ne connaissait pas ce nom-là !

— « Que voulez-vous que j'y fasse ? » dit Frédéric.

Alors le gentilhomme battit la campagne ; il parla de Mlle Vatnaz, de l'Andalouse, et de toutes les autres. Enfin, avec beaucoup de périphrases, il exposa le but de sa visite : se fiant à la discrétion de son ami, il venait pour qu'il l'assistât dans une démarche, après laquelle il se regardait définitivement comme un homme ; et Frédéric ne le refusa pas. Il conta l'histoire à Deslauriers, sans dire la vérité sur ce qui le concernait personnellement.

Le clerc trouva qu'« il allait maintenant très bien ». Cette déférence à ses conseils augmenta sa bonne humeur.

C'était par elle qu'il avait séduit, dès le premier jour, Mlle Clémence Daviou, brodeuse en or pour équipements militaires, la plus douce personne qui fût, et svelte comme un roseau, avec de grands yeux bleus, continuellement ébahis. Le clerc abusait de sa candeur, jusqu'à lui faire croire qu'il était décoré ; il ornait sa redingote d'un ruban rouge, dans leurs tête-à-tête, mais s'en privait en public, pour ne point humilier son patron, disait-il. Du reste, il la tenait à distance, se laissait caresser comme un pacha, et l'appelait « fille du peuple » par manière de rire. Elle lui apportait chaque fois de petits bouquets de violettes. Frédéric n'aurait pas voulu d'un tel amour.

Cependant, lorsqu'ils sortaient, bras dessus bras dessous, pour se rendre dans un cabinet chez Pinson ou chez Barillot, il éprouvait une singulière tristesse. Frédéric ne savait pas combien, depuis un an, chaque jeudi, il avait fait souffrir Deslauriers, quand il se brossait les ongles, avant d'aller dîner rue de Choiseul !

Un soir que, du haut de son balcon, il venait de les regarder partir, il vit de loin Hussonnet sur le pont d'Arcole. Le bohème se mit à l'appeler par des signaux, et, Frédéric ayant descendu ses cinq étages :

— « Voici la chose : c'est samedi prochain, 24, la fête de Mme Arnoux. »

— « Comment, puisqu'elle s'appelle Marie ? »

— « Angèle aussi, n'importe ! On festoiera dans leur

maison de campagne, à Saint-Cloud ; je suis chargé de
vous en prévenir. Vous trouverez un véhicule à trois
heures, au Journal [201] ! Ainsi convenu ! Pardon de vous
avoir dérangé. Mais j'ai tant de courses ! »

Frédéric n'avait pas tourné les talons que son portier
lui remit une lettre :

« Monsieur et Madame Dambreuse prient Monsieur
F. Moreau de leur faire l'honneur de venir dîner chez
eux samedi 24 courant. — R. S. V. P. »

— « Trop tard, » pensa-t-il.

Néanmoins, il montra la lettre à Deslauriers, lequel
s'écria :

— « Ah ! enfin ! Mais tu n'as pas l'air content. Pourquoi ? »

Frédéric, ayant hésité quelque peu, dit qu'il avait le
même jour une autre invitation.

— « Fais-moi le plaisir d'envoyer bouler la rue de
Choiseul. Pas de bêtises ! Je vais répondre pour toi, si
ça te gêne. »

Et le clerc écrivit une acceptation, à la troisième personne.

N'ayant jamais vu le monde qu'à travers la fièvre de
ses convoitises, il se l'imaginait comme une création
artificielle, fonctionnant en vertu de lois mathématiques.
Un dîner en ville, la rencontre d'un homme en place, le
sourire d'une jolie femme pouvaient, par une série d'actions se déduisant les unes des autres, avoir de gigantesques
résultats. Certains salons parisiens étaient comme ces machines qui prennent la matière à l'état brut et la rendent
centuplée de valeur. Il croyait aux courtisanes conseillant
les diplomates, aux riches mariages obtenus par les intrigues, au génie des galériens, aux docilités du hasard sous
la main des forts. Enfin il estimait la fréquentation des
Dambreuse tellement utile, et il parla si bien que Frédéric
ne savait plus à quoi se résoudre.

Il n'en devait pas moins, puisque c'était la fête de Mme
Arnoux, lui offrir un cadeau ; il songea, naturellement,
à une ombrelle, afin de réparer sa maladresse. Or, il découvrit une marquise en soie gorge-pigeon, à petit manche
d'ivoire ciselé, et qui arrivait de la Chine. Mais cela coûtait cent soixante-quinze francs et il n'avait pas un sou,
vivant même à crédit sur le trimestre prochain. Cependant,
il la voulait, il y tenait, et, malgré sa répugnance, il eut
recours à Deslauriers.

Deslauriers lui répondit qu'il n'avait pas d'argent.
— « J'en ai besoin, » dit Frédéric, « grand besoin ! »
Et, l'autre ayant répété la même excuse, il s'emporta.
— « Tu pourrais bien, quelquefois... »
— « Quoi donc ? »
— « Rien ! »
Le clerc avait compris. Il leva sur sa réserve la somme
en question, et, quand il l'eut versée pièce à pièce :
— « Je ne te réclame pas de quittance, puisque je vis
à tes crochets ! »
Frédéric lui sauta au cou, avec mille protestations af-
fectueuses. Deslauriers resta froid. Puis, le lendemain,
apercevant l'ombrelle sur le piano :
— « Ah ! c'était pour cela ! »
— « Je l'enverrai peut-être, » dit lâchement Frédéric.
Le hasard le servit, car il reçut, dans la soirée, un billet
bordé de noir, et où Mme Dambreuse, lui annonçant
la perte d'un oncle, s'excusait de remettre à plus tard le
plaisir de faire sa connaissance.
Il arriva dès deux heures au bureau du Journal [202].
Au lieu [203] de l'attendre pour le mener dans sa voiture,
Arnoux était parti la veille, ne résistant plus à son besoin
de grand air.
Chaque année, aux premières feuilles, durant plusieurs
jours de suite, il décampait le matin, faisait de longues
courses à travers champs, buvait du lait dans les fermes,
batifolait avec les villageoises, s'informait des récoltes,
et rapportait des pieds de salade dans son mouchoir.
Enfin, réalisant un vieux rêve, il s'était acheté [204] une maison
de campagne.
Pendant que Frédéric parlait au commis, Mlle Vatnaz
survint, et fut désappointée de ne pas voir Arnoux. Il
resterait là-bas encore deux jours, peut-être. Le commis
lui conseilla « d'y aller » ; elle ne pouvait y aller ; d'écrire
une lettre ; elle avait peur que la lettre ne fût perdue.
Frédéric s'offrit à la porter lui-même. Elle en fit une rapidement, et le conjura de la remettre sans témoins.
Quarante minutes après [205], il débarquait à Saint-
Cloud.
La maison, cent pas plus loin que le pont, se trouvait
à mi-hauteur de la colline. Les murs du jardin étaient
cachés par deux rangs de tilleuls, et une large pelouse

descendait jusqu'au bord de la rivière. La porte de la grille étant ouverte, Frédéric entra.

Arnoux, étendu sur l'herbe, jouait avec une portée de petits chats. Cette distraction paraissait l'absorber infiniment. La lettre [206] de Mlle Vatnaz le tira de sa torpeur.

— « Diable, diable ! c'est ennuyeux ! elle a raison ; il faut que je parte. »

Puis, ayant fourré la missive dans sa poche, il prit plaisir à montrer son domaine. Il montra tout, l'écurie, le hangar, la cuisine. Le salon était à droite, et, du côté de Paris, donnait sur une varangue en treillage, chargée d'une clématite. Mais, au-dessus de leur tête, une roulade éclata ; Mme Arnoux, se croyant seule, s'amusait à chanter. Elle faisait des gammes, des trilles, des arpèges. Il y avait de longues notes qui semblaient se tenir suspendues ; d'autres tombaient précipitées, comme les gouttelettes d'une cascade ; et sa voix, passant par la jalousie, coupait le grand silence, et montait vers le ciel bleu.

Elle cessa tout à coup, quand M. et Mme Oudry, deux voisins, se présentèrent.

Puis elle parut elle-même au bout du perron ; et, comme elle descendait les marches, il aperçut son pied. Elle avait de petites chaussures décõuvertes, en peau mordorée, avec trois pattes transversales, ce qui dessinait sur ses bas un grillage d'or.

Les invités arrivèrent. Sauf Me Lefaucheur, avocat, c'étaient les convives du jeudi. Chacun avait apporté quelque cadeau : Dittmer une écharpe syrienne, Rosenwald un album de romances, Burrieu une aquarelle, Sombaz sa propre caricature, et Pellerin un fusain, représentant une espèce de danse macabre, hideuse fantaisie d'une exécution médiocre. Hussonnet s'était dispensé de tout présent.

Frédéric attendit après les autres pour offrir le sien. Elle l'en remercia beaucoup. Alors, il dit :

— « Mais... c'est presque une dette ! J'ai été si fâché. »

— « De quoi donc? » reprit-elle. « Je ne comprends pas ! »

— « A table ! » fit Arnoux, en le saisissant par le bras ; puis, dans l'oreille : « Vous n'êtez guère malin, vous ! »

Rien n'était plaisant comme la salle à manger, peinte d'une couleur vert d'eau. A l'un des bouts, une nymphe de pierre trempait son orteil dans un bassin en forme de coquille. Par les fenêtres ouvertes, on apercevait tout le jardin avec la longue pelouse que flanquait un vieux pin d'Écosse, aux trois quarts dépouillé ; des massifs de fleurs la bombaient inégalement ; et, au delà du fleuve, se développaient, en large demi-cercle, le bois de Boulogne, Neuilly, Sèvres, Meudon. Devant la grille, en face, un canot à la voile prenait des bordées.

On causa d'abord de cette vue que l'on avait, puis du paysage en général ; et les discussions commençaient quand Arnoux donna l'ordre à son domestique d'atteler l'américaine vers les neuf heures et demie. Une lettre de son caissier le rappelait.

— « Veux-tu que je m'en retourne avec toi ? » dit Mme Arnoux.

— « Mais certainement ! » et, en lui faisant un beau salut [207] : « Vous savez bien, Madame, qu'on ne peut vivre sans vous ! »

Tous la complimentèrent d'avoir un si bon mari.

— « Ah ! c'est que je ne suis pas seule ! » répliqua-t-elle doucement, en montrant sa petite fille.

Puis, la conversation ayant repris sur la peinture, on parla d'un Ruysdael, dont Arnoux espérait des sommes considérables, et Pellerin lui demanda s'il était vrai que le fameux Saül Mathias, de Londres, fût venu, le mois passé, lui en offrir vingt-trois mille francs.

— « Rien de plus vrai ! » et, se tournant vers Frédéric : « C'est même le monsieur que je promenais l'autre jour à l'Alhambra, bien malgré moi je vous assure, car ces Anglais ne sont pas drôles ! »

Frédéric, soupçonnant dans la lettre de Mlle Vatnaz quelque histoire de femme, avait admiré l'aisance du sieur Arnoux à trouver un moyen honnête de déguerpir ; mais son nouveau mensonge, absolument inutile, lui fit écarquiller les yeux.

Le marchand ajouta, d'un air simple :

— « Comment l'appelez-vous donc, ce grand jeune homme, votre ami ? »

— « Deslauriers, » dit vivement Frédéric.

Et, pour réparer les torts qu'il se sentait à son endroit, il le vanta comme une intelligence supérieure.

— « Ah ! vraiment ? Mais il n'a pas l'air si brave garçon que l'autre, le commis de roulage [208]. »

Frédéric maudit Dussardier. Elle allait croire qu'il frayait avec les gens du commun.

Ensuite, il fut question des embellissements de la capitale, des quartiers nouveaux, et le bonhomme Oudry vint à citer, parmi les grands spéculateurs, M. Dambreuse.

Frédéric, saisissant l'occasion de se faire valoir, dit qu'il le connaissait. Mais Pellerin se lança dans une catilinaire contre les épiciers ; vendeurs de chandelles ou d'argent, il n'y voyait pas de différence. Puis, Rosenwald et Burrieu devisèrent porcelaines ; Arnoux causait jardinage avec Mme Oudry ; Sombaz, loustic de la vieille école, s'amusait à blaguer son époux ; il l'appelait Odry, comme l'acteur, déclara qu'il devait descendre d'Oudry, le peintre des chiens, car la bosse des animaux était visible sur son front. Il voulut même lui tâter le crâne, l'autre s'en défendait à cause de sa perruque ; et le dessert finit avec des éclats de rires.

Quand on eut pris le café, sous les tilleuls, en fumant, et fait plusieurs tours dans le jardin, on alla se promener [209] le long de la rivière.

La compagnie s'arrêta devant un pêcheur, qui nettoyait des anguilles, dans une boutique à poisson. Mlle Marthe voulut les voir. Il vida sa boîte sur l'herbe ; et la petite fille se jetait à genoux pour les rattraper, riait de plaisir, criait d'effroi. Toutes furent perdues, Arnoux les paya.

Il eut, ensuite, l'idée de faire une promenade en canot.

Un côté [210] de l'horizon commençait à pâlir, tandis que, de l'autre, une large couleur orange s'étalait dans le ciel et était plus empourprée au faîte des collines, devenues complètement noires. Mme Arnoux se tenait assise sur une grosse pierre, ayant cette lueur d'incendie derrière elle. Les autres personnes flânaient, çà et là ; Hussonnet, au bas de la berge, faisait des ricochets sur l'eau.

Arnoux revint, suivi par une vieille chaloupe, où malgré les représentations les plus sages il empila ses convives. Elle sombrait ; il fallut débarquer.

Déjà des bougies brûlaient dans le salon, tout tendu de perse, avec des girandoles en cristal contre les murs. La mère Oudry s'endormait doucement [211] dans un fauteuil, et les autres écoutaient M. Lefaucheur, dissertant sur les gloires du barreau. Mme Arnoux était seule près de la croisée, Frédéric l'aborda.

Ils causèrent de ce que l'on disait. Elle admirait les orateurs ; lui, il préférait la gloire des écrivains. Mais on devait sentir, reprit-elle, une plus forte jouissance à remuer les foules directement, soi-même, à voir que l'on fait passer dans leur âme tous les sentiments de la sienne. Ces triomphes ne tentaient guère Frédéric, qui n'avait point d'ambition.

— « Ah ! pourquoi ? » dit-elle. « Il faut en avoir un peu ! »

Ils étaient l'un près de l'autre, debout, dans l'embrasure de la croisée [212]. La nuit, devant eux, s'étendait comme un immense voile sombre, piqué d'argent. C'était la première fois qu'ils ne parlaient pas de choses insignifiantes. Il vint même à savoir ses antipathies et ses goûts : certains parfums lui faisaient mal, les livres d'histoire l'intéressaient, elle croyait aux songes.

Il entama le chapitre des aventures sentimentales. Elle plaignait les désastres de la passion, mais était révoltée par les turpitudes hypocrites ; et cette droiture d'esprit se rapportait si bien à la beauté régulière de son visage qu'elle semblait en dépendre.

Elle souriait quelquefois, arrêtant sur lui ses yeux [213], une minute. Alors, il sentait ses regards pénétrer son âme, comme ces grands rayons de soleil qui descendent jusqu'au fond de l'eau. Il l'aimait sans arrière-pensée, sans espoir de retour, absolument ; et, dans ces muets transports, pareils à des élans de reconnaissance, il aurait voulu couvrir son front d'une pluie de baisers. Cependant, un souffle intérieur l'enlevait comme hors de lui ; c'était une envie de se sacrifier, un besoin de dévouement immédiat, et d'autant plus fort qu'il ne pouvait l'assouvir.

Il ne partit pas avec les autres, Hussonnet non plus. Ils devaient s'en retourner dans la voiture ; et l'américaine attendait au bas du perron, quand Arnoux descendit dans le jardin, pour cueillir des roses. Puis, le bouquet étant lié avec un fil, comme les tiges dépassaient inégalement, il fouilla dans sa poche, pleine de papiers, en prit un au hasard, les enveloppa, consolida son œuvre avec une forte épingle [214] et il l'offrit à sa femme, avec une certaine émotion.

— « Tiens, ma chérie, excuse-moi de t'avoir oubliée ! »

Mais elle poussa un petit cri ; l'épingle, sottement mise, l'avait blessée, et elle remonta dans sa chambre.

On l'attendit près d'un quart d'heure. Enfin elle reparut, enleva Marthe, se jeta dans la voiture.

— « Et ton bouquet ? » dit Arnoux.

— « Non ! non ! ce n'est pas la peine ! »

Frédéric courait pour l'aller prendre ; elle lui cria :

— « Je n'en veux pas ! »

Mais il l'apporta bientôt, disant qu'il venait de le remettre dans l'enveloppe, car il avait trouvé les fleurs à terre. Elle les enfonça dans le tablier de cuir, contre le siège, et l'on partit.

Frédéric, assis près d'elle, remarqua qu'elle tremblait horriblement. Puis, quand on eut passé le pont, comme Arnoux tournait à gauche :

— « Mais non ! tu te trompes ! par là, à droite ! »

Elle semblait irritée ; tout la gênait. Enfin, Marthe ayant fermé les yeux, elle tira le bouquet et le lança par la portière, puis saisit au bras Frédéric, en lui faisant signe, avec l'autre main, de n'en jamais parler.

Ensuite, elle appliqua son mouchoir contre ses lèvres, et ne bougea plus.

Les deux autres, sur le siège, causaient imprimerie, abonnés. Arnoux [215], qui conduisait sans attention, se perdit au milieu du bois de Boulogne. Alors, on s'enfonça dans de petits chemins. Le cheval marchait au pas ; les branches des arbres frôlaient la capote. Frédéric n'apercevait de Mme Arnoux que ses deux yeux, dans l'ombre ; Marthe s'était allongée sur elle, et il lui soutenait la tête.

— « Elle vous fatigue ! » dit sa mère.

Il répondit :

— « Non ! oh ! non ! »

De lents tourbillons de poussière se levaient ; on traversait Auteuil ; toutes les maisons étaient closes ; un réverbère, çà et là, éclairait l'angle d'un mur, puis on rentrait dans les ténèbres ; une fois, il s'aperçut qu'elle pleurait.

Était-ce un remords ? un désir ? quoi donc ? Ce chagrin, qu'il ne savait pas, l'intéressait comme une chose personnelle ; maintenant [216], il y avait entre eux un lien nouveau, une espèce de complicité ; et il lui dit, de la voix la plus caressante qu'il put :

— « Vous souffrez ? »

— « Oui, un peu, » reprit-elle.

La voiture roulait, et les chèvrefeuilles et les seringas débordaient les clôtures [217] des jardins, envoyaient dans la nuit des bouffées d'odeurs amollissantes. Les plis nombreux de sa robe couvraient ses pieds. Il lui semblait communiquer avec toute sa personne par ce corps d'enfant étendu entre eux. Il se pencha vers la petite fille, et, écartant ses jolis cheveux bruns, la baisa au front, doucement.

— « Vous êtes bon ! » dit Mme Arnoux.

— « Pourquoi ? »

— « Parce que vous aimez les enfants. »

— « Pas tous ! »

Il n'ajouta rien, mais il étendit la main gauche de son côté et la laissa toute grande ouverte, s'imaginant qu'elle allait faire comme lui, peut-être, et qu'il rencontrerait la sienne. Puis il eut honte, et la retira.

On arriva bientôt sur le pavé. La voiture allait plus vite, les becs de gaz se multiplièrent, c'était Paris. Hussonnet, devant le Garde-Meubles, sauta du siège. Frédéric attendit pour descendre que l'on fût arrivé dans la cour ; puis il s'embusqua au coin de la rue de Choiseul, et aperçut Arnoux qui remontait lentement [218] vers les boulevards.

Dès le lendemain, il se mit à travailler de toutes ses forces.

Il se voyait dans une cour d'assises, par un soir d'hiver, à la fin des plaidoiries, quand les jurés sont pâles et que la foule haletante fait craquer les cloisons du prétoire, parlant depuis quatre heures déjà, résumant toutes ses preuves, en découvrant de nouvelles et sentant à chaque phrase, à chaque mot, à chaque geste, le couperet de la guillotine, suspendu derrière lui, se relever ; puis, à la tribune de la Chambre, orateur qui porte sur ses lèvres le salut de tout un peuple, noyant ses adversaires sous ses prosopopées, les écrasant d'une riposte, avec des foudres et des intonations musicales dans la voix, ironique, pathétique, emporté, sublime. Elle serait là, quelque part, au milieu des autres, cachant sous son voile ses pleurs d'enthousiasme ; ils se retrouveraient ensuite ; — et les découragements, les calomnies et les injures ne l'atteindraient pas, si elle disait : — « Ah ! cela est beau ! » en lui passant sur le front ses mains légères.

Ces images fulguraient, comme des phares, à l'horizon de sa vie. Son esprit, excité, devint plus leste et plus fort. Jusqu'au mois d'août, il s'enferma, et fut reçu à son dernier examen.

Deslauriers, qui avait eu tant de mal à lui seriner encore une fois le deuxième à la fin de décembre et le troisième en février, s'étonnait de son ardeur. Alors, les vieux espoirs revinrent. Dans dix ans, il fallait que Frédéric fût député ; dans quinze, ministre ; pourquoi pas ? Avec son patrimoine qu'il allait toucher bientôt, il pouvait, d'abord, fonder un journal ; ce serait le début ; ensuite, on verrait. Quant à lui, il ambitionnait toujours une chaire à l'École de droit ; et il soutint sa thèse pour le doctorat d'une façon si remarquable qu'elle lui valut les compliments des professeurs.

Frédéric passa la sienne trois jours après. Avant de partir en vacances, il eut l'idée d'un pique-nique, pour clore les réunions du samedi.

Il s'y montra gai. Mme Arnoux était maintenant près de sa mère, à Chartres. Mais il la retrouverait bientôt, et finirait par être son amant.

Deslauriers, admis le jour même à la parlotte d'Orsay, avait fait un discours fort applaudi. Quoiqu'il fût sobre, il se grisa, et dit au dessert à Dussardier :

— « Tu es honnête, toi ! Quand je serai riche, je t'instituerai mon régisseur. »

Tous étaient heureux ; Cisy ne finirait pas son Droit ; Martinon allait continuer son stage en province, où il serait nommé substitut ; Pellerin se disposait à un grand tableau figurant *le Génie de la Révolution* ; Hussonnet, la semaine prochaine, devait lire au directeur des Délassements le plan d'une pièce, et ne doutait pas du succès :

— « Car la charpente du drame, on me l'accorde ! Les passions, j'ai assez roulé ma bosse pour m'y connaître ; quant aux traits d'esprit, c'est mon métier ! »

Il fit un saut, retomba sur les deux mains, et marcha quelque temps autour de la table, les jambes en l'air.

Cette gaminerie ne dérida pas Sénécal. Il venait d'être chassé de sa pension, pour avoir battu un fils d'aristocrate. Sa misère augmentant, il s'en prenait à l'ordre social, maudissait les riches ; et il s'épancha dans le sein de Regimbart, lequel était de plus en plus désillusionné, attristé, dégoûté. Le Citoyen se tournait, maintenant, vers les questions budgétaires, et accusait la Camarilla de perdre des millions en Algérie [219].

Comme il ne pouvait dormir sans avoir stationné à l'estaminet Alexandre, il disparut dès onze heures. Les autres se retirèrent plus tard ; et Frédéric, en faisant ses adieux à Hussonnet, apprit que Mme Arnoux avait dû revenir la veille.

Il alla donc aux Messageries changer sa place pour le lendemain, et, vers six heures du soir, se présenta chez elle. Son retour, lui dit le concierge, était différé d'une semaine. Frédéric dîna seul, puis flâna sur les boulevards.

Des nuages roses, en forme d'écharpe, s'allongeaient au delà des toits ; on commençait à relever les tentes des boutiques ; des tombereaux d'arrosage versaient une pluie sur la poussière, et une fraîcheur inattendue se mêlait aux émanations des cafés, laissant voir par leurs portes ouvertes, entre des argenteries et des dorures, des fleurs en gerbes qui se miraient dans les hautes glaces. La foule marchait lentement. Il y avait des groupes d'hommes causant au milieu du trottoir ; et des femmes passaient, avec une mollesse dans les yeux et ce teint de camélia que donne aux chairs féminines la lassitude des grandes chaleurs. Quelque chose d'énorme s'épanchait, enveloppait les maisons. Jamais Paris ne lui avait semblé si beau. Il n'apercevait, dans l'avenir, qu'une interminable série d'années toutes pleines d'amour.

Il s'arrêta devant le théâtre de la Porte-Saint-Martin à regarder l'affiche ; et, par désœuvrement, prit un billet.

On jouait une vieille féerie. Les spectateurs étaient rares ; et, dans les lucarnes du paradis, le jour se découpait en petits carrés bleus, tandis que les quinquets de la rampe formaient une seule ligne de lumières jaunes. La scène représentait un marché d'esclaves à Pékin, avec clochettes, tam-tams, sultanes, bonnets pointus et calembours. Puis, la toile baissée, il erra dans le foyer, solitairement, et admira sur le boulevard, au bas du perron, un grand landau vert, attelé de deux chevaux blancs, tenus par un cocher en culotte courte.

Il regagnait sa place, quand, au balcon, dans la première loge d'avant-scène, entrèrent une dame et un monsieur. Le mari avait un visage pâle, bordé d'un filet de barbe grise, la rosette d'officier, et cet aspect glacial qu'on attribue aux diplomates.

Sa femme, de vingt ans plus jeune pour le moins [220], ni grande ni petite, ni laide ni jolie, portait ses cheveux blonds tirebouchonnés à l'anglaise, une robe à corsage plat, et un large éventail de dentelle noire. Pour que des gens d'un pareil monde fussent venus au spectacle dans cette saison, il fallait supposer un hasard, ou l'ennui de passer leur soirée en tête-à-tête. La dame mordillait son éventail, et le monsieur bâillait. Frédéric ne pouvait se rappeler où il avait vu cette figure.

À l'entr'acte suivant, comme il traversait un couloir, il les rencontra tous les deux ; sur le vague salut qu'il fit, M. Dambreuse, le reconnaissant, l'aborda et s'excusa, tout de suite, de négligences impardonnables. C'était une allusion aux cartes de visite nombreuses, envoyées d'après les conseils du clerc. Toutefois il confondait les époques, croyant que Frédéric était à sa seconde année de Droit. Puis il l'envia de partir pour la campagne. Il aurait eu besoin de se reposer, mais les affaires le retenaient à Paris.

Mme Dambreuse, appuyée sur son bras, inclinait la tête, légèrement ; et l'aménité spirituelle de son visage contrastait avec son expression chagrine de tout à l'heure.

— « On y trouve pourtant de belles distractions ! » dit-elle, aux derniers mots de son mari. « Comme ce spectacle est bête ! n'est-ce pas, monsieur ? » Et tous trois restèrent, debout, à causer théâtres et pièces nouvelles.

Frédéric, habitué aux grimaces des bourgeoises provinciales, n'avait vu chez aucune femme une pareille aisance de manières, cette simplicité, qui est un raffinement, et où les naïfs aperçoivent l'expression d'une sympathie instantanée.

On comptait sur lui, dès son retour ; M. Dambreuse le chargea de ses souvenirs pour le père Roque.

Frédéric ne manqua pas, en rentrant, de conter cet accueil à Deslauriers.

— « Fameux ! » reprit le clerc, « et ne te laisse pas entortiller par ta maman ! Reviens tout de suite ! »

Le lendemain de son arrivée, après leur déjeuner, Mme Moreau emmena son fils dans le jardin.

Elle se dit heureuse de lui voir un état, car ils n'étaient pas aussi riches que l'on croyait ; la terre rapportait peu ;

les fermiers payaient mal ; elle avait même été contrainte
de vendre sa voiture. Enfin, elle lui exposa leur situation.

Dans les premiers embarras de son veuvage, un homme
astucieux, M. Roque, lui avait fait des prêts d'argent,
renouvelés, prolongés malgré elle. Il était venu [221] les
réclamer tout à coup ; et elle avait passé par ses conditions,
en lui cédant à un prix dérisoire la ferme de Presles. Dix
ans plus tard, son capital disparaissait dans la faillite d'un
banquier, à Melun. Par horreur [222] des hypothèques et
pour conserver des apparences utiles à l'avenir de son
fils, comme le père Roque se présentait de nouveau, elle
l'avait écouté, encore une fois. Mais elle était quitte, maintenant. Bref, il leur restait environ dix mille francs de rente,
dont deux mille trois cents à lui, tout son patrimoine !

— « Ce n'est pas possible ! » s'écria Frédéric.

Elle eut un mouvement de tête signifiant que cela
était très possible.

Mais son oncle lui laisserait quelque chose ?

Rien n'était moins sûr !

Et ils firent un tour de jardin, sans parler. Enfin elle
l'attira contre son cœur, et, d'une voix que les larmes
étouffaient :

— « Ah ! mon pauvre garçon ! Il m'a fallu abandonner
bien des rêves ! »

Il s'assit sur le banc [223], à l'ombre du grand acacia.

Ce qu'elle lui conseillait, c'était de se mettre clerc chez M.
Prouharam, avoué, lequel lui céderait son étude ; s'il la faisait
bien valoir, il pourrait la revendre, et trouver un bon parti.

Frédéric n'entendait plus. Il regardait machinalement,
par-dessus la haie, dans l'autre jardin, en face.

Une petite fille d'environ douze ans, et qui avait les
cheveux rouges, se trouvait là, toute seule. Elle s'était
fait des boucles d'oreilles avec des baies de sorbier ; son
corset de toile grise laissait à découvert ses épaules, un
peu dorées par le soleil ; des taches de confitures maculaient
son jupon blanc ; — et il y avait comme une grâce de jeune
sauvage dans toute sa personne, à la fois nerveuse et fluette.
La présence d'un inconnu l'étonnait, sans doute, car elle
s'était brusquement arrêtée, avec son arrosoir à la main,
en dardant sur lui ses prunelles, d'un vert bleu limpide.

— « C'est la fille de M. Roque, » dit Mme Moreau.
« Il vient d'épouser sa servante et de légitimer son enfant. »

VI

Ruiné, dépouillé, perdu !

Il était resté sur le banc, comme étourdi par une commotion. Il maudissait le sort, il aurait voulu battre quelqu'un ; et, pour renforcer son désespoir, il sentait peser sur lui une sorte d'outrage, un déshonneur ; — car Frédéric s'était imaginé que sa fortune paternelle monterait un jour à quinze mille livres de rente, et il l'avait fait savoir, d'une façon indirecte, aux Arnoux. Il allait donc passer pour un hâbleur, un drôle, un obscur polisson, qui s'était introduit chez eux dans l'espérance d'un profit quelconque ! Et elle, Mme Arnoux, comment la revoir, maintenant ?

Cela, d'ailleurs, était complètement impossible, n'ayant que trois mille francs de rente ! Il ne pouvait loger toujours au quatrième, avoir pour domestique le portier, et se présenter avec de pauvres gants noirs bleuis du bout, un chapeau gras, la même redingote pendant un an. Non ! non ! jamais ! Cependant, l'existence était intolérable sans elle. Beaucoup vivaient bien qui n'avaient pas de fortune, Deslauriers entre autres ; — et il se trouva lâche d'attacher une pareille importance à des choses médiocres. La misère, peut-être, centuplerait ses facultés. Il s'exalta, en pensant aux grands hommes qui travaillent dans les mansardes. Une âme comme celle de Mme Arnoux devait s'émouvoir à ce spectacle, et elle s'attendrirait. Ainsi, cette catastrophe était un bonheur, après tout ; comme ces tremblements de terre qui découvrent des trésors, elle lui avait révélé les secrètes opulences de sa nature. Mais il n'existait au monde qu'un seul endroit pour les faire valoir : Paris ! car, dans ses idées, l'art, la science et l'amour (ces trois faces de Dieu, comme eût dit Pellerin) dépendaient exclusivement de la capitale.

Il déclara le soir, à sa mère, qu'il y retournerait. Mme
Moreau fut surprise et indignée. C'était une folie, une
absurdité. Il ferait mieux de suivre ses conseils, c'est-à-dire
de rester près d'elle, dans une étude. Frédéric haussa les
épaules : — « Allons donc ! » — se trouvant insulté par
cette proposition.

Alors, la bonne dame employa une autre méthode.
D'une voix tendre et avec de petits sanglots, elle se mit
à lui parler de sa solitude, de sa vieillesse, des sacrifices
qu'elle avait faits. Maintenant qu'elle était plus malheureuse,
il l'abandonnait. Puis faisant allusion à sa fin prochaine :

— « Un peu de patience, mon Dieu ! bientôt tu seras
libre ! »

Ces lamentations se répétèrent vingt fois par jour,
durant trois mois ; et, en même temps, les délicatesses
du foyer le corrompaient ; il jouissait d'avoir un lit plus
mou, des serviettes sans déchirures ; si bien que, lassé,
énervé, vaincu enfin par la terrible force de la douceur,
Frédéric se laissa conduire chez maître Prouharam.

Il n'y montra ni science ni aptitude. On l'avait considéré jusqu'alors comme un jeune homme de grands
moyens, qui devait être la gloire du département. Ce fut
une déception publique.

D'abord il s'était dit : — « Il faut avertir Mme Arnoux, »
et, pendant une semaine, il avait médité des lettres dithy-
rambiques, et de courts billets, en style lapidaire et sublime.
La crainte d'avouer sa situation le retenait. Puis il songea
qu'il valait mieux écrire au mari. Arnoux connaissait la
vie et saurait le comprendre. Enfin, après quinze jours
d'hésitation :

— « Bah ! je ne dois plus les revoir ; qu'ils m'oublient !
Au moins, je n'aurai pas déchu dans son souvenir ! Elle
me croira mort, et me regrettera... peut-être. »

Comme les résolutions [224] excessives lui coûtaient peu,
il s'était juré de ne jamais revenir à Paris, et même de ne
point s'informer de Mme Arnoux.

Cependant, il regrettait jusqu'à la senteur du gaz et au
tapage des omnibus. Il rêvait à toutes les paroles qu'on
lui avait dites [225], au timbre de sa voix, à la lumière de
ses yeux, — et, se considérant comme un homme mort,
il ne faisait plus rien, absolument.

Il se levait très tard, et regardait par sa fenêtre les attelages des rouliers qui passaient. Les six premiers mois, surtout, furent abominables.

En de certains jours, pourtant, une indignation le prenait contre lui-même. Alors, il sortait. Il s'en allait dans les prairies, à moitié couvertes durant l'hiver par les débordements de la Seine. Des lignes de peupliers les divisent. Çà et là, un petit pont s'élève. Il vagabondait jusqu'au soir, roulant les feuilles jaunes sous ses pas, aspirant la brume, sautant les fossés ; à mesure que ses artères battaient plus fort, des désirs d'action furieuse l'emportaient ; il voulait se faire trappeur en Amérique, servir un pacha en Orient, s'embarquer comme matelot; et il exhalait sa mélancolie dans de longues lettres à Deslauriers.

Celui-là se démenait pour percer. La conduite lâche de son ami et ses éternelles jérémiades lui semblaient stupides. Bientôt, leur correspondance devint presque nulle. Frédéric avait donné tous ses meubles à Deslauriers, qui gardait son logement. Sa mère lui en parlait de temps à autre ; un jour enfin, il déclara son cadeau, et elle le grondait, quand il reçut une lettre.

— « Qu'est-ce donc ? » dit-elle, « tu trembles ? »

— « Je n'ai rien ! » répliqua Frédéric.

Deslauriers lui apprenait qu'il avait recueilli Sénécal ; et depuis quinze jours, ils vivaient ensemble. Donc, Sénécal s'étalait, maintenant, au milieu des choses qui provenaient de chez Arnoux ! Il pouvait les vendre, faire des remarques dessus, des plaisanteries. Frédéric se sentit blessé jusqu'au fond de l'âme. Il monta dans sa chambre. Il avait envie de mourir.

Sa mère l'appela. C'était pour le consulter, à propos d'une plantation dans le jardin.

Ce jardin, en manière de parc anglais, était coupé à son milieu par une clôture de bâtons, et la moitié appartenait au père Roque, qui en possédait un autre, pour les légumes, sur le bord de la rivière. Les deux voisins, brouillés, s'abstenaient d'y paraître aux mêmes heures. Mais, depuis que Frédéric était revenu, le bonhomme s'y promenait plus souvent et n'épargnait pas les politesses au fils de Mme Moreau. Il le plaignait d'habiter une petite ville. Un jour, il raconta que [226] M. Dambreuse avait demandé de ses nouvelles. Une autre fois, il s'étendit sur la coutume de Champagne, où le ventre anoblissait.

— « Dans ce temps-là, vous auriez été un seigneur, puisque votre mère s'appelait de Fouvens. Et on a beau dire, allez! c'est quelque chose, un nom! Après tout, ajouta-t-il, en le regardant d'un air malin, « cela dépend du garde des sceaux. »

Cette prétention d'aristocratie jurait singulièrement avec sa personne. Comme il était petit, sa grande redingote marron exagérait la longueur de son buste. Quand il ôtait sa casquette, on apercevait un visage presque féminin avec un nez extrêmement pointu ; ses cheveux de couleur jaune ressemblaient à une perruque ; il saluait le monde très bas, en frisant les murs.

Jusqu'à cinquante ans, il s'était contenté des services de Catherine, une Lorraine du même âge que lui, et fortement marquée de petite vérole. Mais, vers 1834, il ramena de Paris une belle blonde à figure moutonnière, à « port de reine ». On la vit bientôt se pavaner avec de grandes boucles d'oreilles, et tout fut expliqué par la naissance d'une fille [227], déclarée sous les noms d'Élisabeth-Olympe-Louise Roque.

Catherine, dans sa jalousie, s'attendait à exécrer cette enfant. Au contraire, elle l'aima. Elle l'entoura de soins, d'attentions et de caresses, pour supplanter sa mère et la rendre odieuse, entreprise facile, car Mme Éléonore négligeait complètement la petite, préférant bavarder chez les fournisseurs. Dès le lendemain de son mariage, elle alla faire une visite à la sous-préfecture, ne tutoya plus les servantes, et crut devoir, par bon ton, se montrer sévère pour son enfant. Elle assistait à ses leçons ; le professeur [228], un vieux bureaucrate de la mairie, ne savait pas s'y prendre. L'élève s'insurgeait, recevait des gifles, et allait pleurer sur les genoux de Catherine, qui lui donnait invariablement raison. Alors, les deux femmes se querellaient ; M. Roque les faisait taire. Il s'était marié par tendresse pour sa fille, et ne voulait pas qu'on la tourmentât [229].

Souvent elle portait une robe blanche en lambeaux avec un pantalon garni de dentelles ; et, aux grandes fêtes, sortait vêtue comme une princesse, afin de mortifier un peu les bourgeois, qui empêchaient leurs marmots de la fréquenter, vu sa naissance illégitime.

Elle vivait seule [230], dans son jardin, se balançait à l'escarpolette, courait après les papillons, puis tout à coup

s'arrêtait à contempler les cétoines s'abattant sur les rosiers.
C'étaient ces habitudes, sans doute, qui donnaient à sa
figure une expression à la fois de hardiesse et de rêverie.
Elle avait la taille de Marthe, d'ailleurs, si bien que Frédéric
lui dit, dès leur seconde entrevue :

— « Voulez-vous me permettre de vous embrasser,
mademoiselle ? »

La petite personne leva la tête, et répondit :

— « Je veux bien ! »

Mais la haie de bâtons les séparait l'un de l'autre.

— « Il faut monter dessus, » dit Frédéric.

— « Non, enlève-moi ! »

Il se pencha par-dessus la haie et la saisit au bout de
ses bras, en la baisant sur les deux joues ; puis il la remit
chez elle, par le même procédé, qui se renouvela les fois
suivantes.

Sans plus de réserve qu'une enfant de quatre ans, sitôt
qu'elle entendait venir son ami, elle s'élançait à sa rencontre, ou bien, se cachant derrière un arbre, elle poussait
un jappement de chien pour l'effrayer.

Un jour que Mme Moreau était sortie, il la fit monter
dans sa chambre. Elle ouvrit tous les flacons d'odeur
et se pommada les cheveux abondamment ; puis, sans
la moindre gêne, elle se coucha sur le lit où elle restait
tout de son long, éveillée.

— « Je m'imagine que je suis ta femme, » disait-elle.

Le lendemain [231], il l'aperçut tout en larmes. Elle avoua
« qu'elle pleurait ses péchés », et, comme il le cherchait
à les connaître, elle répondit en baissant les yeux :

— « Ne m'interroge pas davantage ! »

La première communion [232] approchait ; on l'avait
conduite le matin à confesse.

Le sacrement ne la rendit guère plus sage. Elle entrait
parfois dans de véritables colères ; on avait recours [233]
à M. Frédéric pour la calmer.

Souvent il l'emmenait avec lui dans ses promenades.
Tandis qu'il rêvassait en marchant, elle cueillait des coque-
licots au bord des blés, et, quand elle le voyait plus triste
qu'à l'ordinaire, elle tâchait de le consoler par de gentilles
paroles. Son cœur, privé d'amour, se rejeta sur cette amitié
d'enfant ; il lui dessinait des bonshommes, lui contait
des histoires et il se mit à lui faire des lectures.

Il commença par les *Annales romantiques*, un recueil de vers et de prose, alors célèbre. Puis, oubliant son âge, tant son intelligence le charmait, il lut successivement *Atala*, *Cinq-Mars*, *les Feuilles d'automne*. Mais une nuit (le soir même, elle avait entendu *Macbeth*, dans la simple traduction de Letourneur), elle se réveilla en criant : « La tache ! la tache ! » Ses dents claquaient, elle tremblait, et, fixant des yeux épouvantés sur sa main droite, elle la frottait en disant : « Toujours [234] une tache ! » Enfin arriva le médecin, qui prescrivit d'éviter les émotions.

Les bourgeois ne virent là-dedans qu'un pronostic défavorable pour ses mœurs. On disait que « le fils Moreau » voulait en faire plus tard une actrice.

Bientôt [235] il fut question d'un autre événement, à savoir l'arrivée de l'oncle Barthélemy. Mme Moreau lui donna sa chambre à coucher, et poussa la condescendance jusqu'à servir du gras les jours maigres.

Le vieillard fut médiocrement aimable. C'étaient de perpétuelles comparaisons entre le Havre et Nogent, dont il trouvait l'air lourd, le pain mauvais, les rues mal pavées, la nourriture médiocre et les habitants des paresseux. — « Quel pauvre commerce chez vous ! » Il blâma les extravagances de défunt son frère, tandis que, lui, il avait amassé vingt-sept mille livres de rente ! Enfin, il partit au bout de la semaine, et sur le marchepied de la voiture, lâcha ces mots peu rassurants :

— « Je suis toujours bien aise de vous savoir dans une bonne position. »

— « Tu n'auras rien ! » dit Mme Moreau en rentrant dans la salle.

Il n'était venu que sur ses instances ; et, huit jours durant, elle avait sollicité de sa part une ouverture, trop clairement peut-être. Elle se repentait d'avoir agi, et restait dans son fauteuil, la tête basse, les lèvres serrées. Frédéric, en face d'elle, l'observait ; et ils se taisaient tous les deux, comme il y avait cinq ans, au retour de Montereau. Cette coïncidence, s'offrant même à sa pensée, lui rappela Mme Arnoux.

A ce moment [236], des coups de fouet retentirent sous la fenêtre, en même temps qu'une voix l'appelait.

C'était le père Roque, seul dans sa tapissière. Il allait

passer toute la journée à la Fortelle chez M. Dambreuse, et proposa cordialement à Frédéric de l'y conduire.

— « Vous n'avez pas besoin d'invitation avec moi ; soyez sans crainte ! »

Frédéric eut envie d'accepter. Mais comment expliquerait-il son séjour définitif à Nogent ? Il n'avait pas [237] un costume d'été convenable ; enfin que dirait sa mère ? Il refusa.

Dès lors, le voisin se montra moins amical. Louise grandissait [228] ; Mme Éléonore tomba malade dangereusement ; et la liaison se dénoua au grand plaisir de Mme Moreau, qui redoutait pour l'établissement de son fils la fréquentation de pareilles gens.

Elle rêvait de lui acheter le greffe du tribunal ; Frédéric ne repoussait pas trop cette idée. Maintenant, il l'accompagnait à la messe, il faisait le soir sa partie d'impériale, il s'accoutumait à la province, s'y enfonçait ; — et même son amour avait pris comme une douceur funèbre, un charme assoupissant. A force d'avoir versé sa douleur dans ses lettres, de l'avoir mêlée à ses lectures, promenée dans la campagne et partout épandue, il l'avait presque tarie, si bien que Mme Arnoux était pour lui comme une morte dont il s'étonnait de ne pas connaître le tombeau, tant cette affection était devenue tranquille et résignée.

Un jour, le 12 décembre 1845, vers neuf heures du matin, la cuisinière monta une lettre dans sa chambre. L'adresse, en gros caractères, était d'une écriture inconnue ; et Frédéric, sommeillant, ne se pressa pas de la décacheter. Enfin il lut :

« Justice de paix du Havre. IIIe arrondissement.

« Monsieur,

« M. Moreau, votre oncle, étant mort *ab intestat...* »

Il héritait !

Comme si un incendie eût éclaté derrière le mur, il sauta hors de son lit, pieds nus, en chemise : il se passa la main sur le visage, doutant de ses yeux, croyant qu'il rêvait encore, et, pour se raffermir dans la réalité, il ouvrit la fenêtre toute grande.

Il était tombé de la neige ; les toits étaient blancs [239] ;

— et même il reconnut dans la cour un baquet à lessive, qui l'avait fait trébucher la veille au soir.

Il relut [240] la lettre trois fois de suite ; rien de plus vrai ? toute la fortune de l'oncle ! Vingt-sept mille livres de rente ! — et une joie frénétique le bouleversa, à l'idée de revoir Mme Arnoux. Avec la netteté d'une hallucination, il s'aperçut auprès d'elle, chez elle, lui apportant quelque cadeau dans du papier de soie, tandis qu'à la porte stationnerait son tilbury, non, un coupé plutôt ! un coupé noir, avec un domestique en livrée brune ; il entendait piaffer son cheval et le bruit de la gourmette se confondant avec le murmure de leurs baisers. Cela se renouvellerait tous les jours, indéfiniment. Il les recevrait chez lui, dans sa maison ; la salle à manger serait en cuir rouge, le boudoir en soie jaune, des divans partout ! et quelles étagères ! quels vases de Chine ! quels tapis ! Ces images arrivaient si tumultueusement, qu'il sentait la tête lui tourner. Alors, il se rappela sa mère ; et il descendit, tenant toujours la lettre à sa main.

Mme Moreau tâcha de contenir son émotion et eut une défaillance. Frédéric la prit dans ses bras et la baisa au front.

— « Bonne mère, tu peux racheter ta voiture maintenant ; ris donc, ne pleure plus, sois heureuse ! »

Dix minutes après, la nouvelle circulait jusqu'aux faubourgs. Alors, Me Benoist, M. Gamblin, M. Chambion, tous les amis, accoururent. Frédéric s'échappa une minute pour écrire à Deslauriers. D'autres visites survinrent. L'après-midi se passa en félicitations. On en oubliait la femme Roque, qui était cependant « très bas ».

Le soir [241], quand ils furent seuls tous les deux, Mme Moreau dit à son fils qu'elle lui conseillait de s'établir à Troyes, avocat. Étant plus connu dans son pays que dans un autre, il pourrait plus facilement y trouver des partis avantageux.

— « Ah ! c'est trop fort ! » s'écria Frédéric.

A peine avait-il son bonheur entre les mains qu'on voulait le lui prendre. Il signifia sa résolution formelle d'habiter Paris.

— « Pour quoi y faire ? »

— « Rien ! »

Mme Moreau, surprise de ses façons, lui demanda ce qu'il voulait devenir.

— « Ministre ! » répliqua Frédéric.

Et il affirma qu'il ne plaisantait nullement, qu'il prétendait se lancer dans la diplomatie, que ses études et ses
instincts l'y poussaient. Il entrerait d'abord au Conseil
d'État, avec la protection de M. Dambreuse.

— « Tu le connais donc ? »

— « Mais oui ! par M. Roque ! »

— « Cela est singulier, » dit Mme Moreau.

Il avait réveillé dans son cœur ses vieux rêves d'ambition. Elle s'y abandonna intérieurement, et ne reparla
plus des autres.

S'il eût écouté son impatience, Frédéric fût parti à l'instant même. Le lendemain, toutes les places dans les diligences étaient retenues ; il se rongea [242] jusqu'au lendemain, à sept heures du soir.

Ils s'asseyaient pour dîner, quand tintèrent à l'église
trois coups de cloche ; et la domestique, entrant, annonça
que Mme Éléonore venait de mourir.

Cette mort, après tout, n'était un malheur pour personne,
pas même pour son enfant ! La jeune fille ne s'en trouverait
que mieux, plus tard.

Comme les deux maisons [243] se touchaient, on entendait
un grand va-et-vient, un bruit de paroles ; et l'idée de ce
cadavre près d'eux jetait quelque chose de funèbre sur leur
séparation. Mme Moreau, deux ou trois fois, s'essuya
les yeux. Frédéric avait le cœur serré.

Le repas fini, Catherine l'arrêta entre deux portes.
Mademoiselle voulait, absolument, le voir. Elle l'attendait dans le jardin. Il sortit, enjamba la haie, et, tout en se
cognant aux arbres quelque peu, se dirigea vers la maison
de M. Roque. Des lumières brillaient à une fenêtre au
second étage ; puis une forme apparut dans les ténèbres,
et une voix chuchota :

— « C'est moi. »

Elle lui sembla plus grande qu'à l'ordinaire, à cause de sa
robe noire, sans doute. Ne sachant par quelle phrase l'aborder, il se contenta de lui prendre les mains, en soupirant :

— « Ah ! ma pauvre Louise ! »

Elle ne répondit pas. Elle le regarda profondément,
pendant longtemps. Frédéric avait peur de manquer la
voiture ; il croyait entendre un roulement tout au loin,
et pour en finir :

— « Catherine m'a prévenu que tu avais quelque chose... »
— « Oui, c'est vrai ! je voulais vous dire... »
Ce *vous* l'étonna ; et, comme elle se taisait encore :
— « Eh bien, quoi ? »
— « Je ne sais plus. J'ai oublié ! Est-ce vrai que vous partez ? »
— « Oui, tout à l'heure. »
Elle répéta :
— « Ah ! tout à l'heure ?... tout à fait ?... nous ne nous reverrons plus ? »
Des sanglots l'étouffaient.
— « Adieu ! adieu ! embrasse-moi donc ! »
Et elle le serra dans ses bras avec emportement.

DEUXIÈME PARTIE

I

QUAND il fut à sa place, dans le coupé, au fond, et que la diligence s'ébranla, emportée par les cinq chevaux détalant à la fois, il sentit une ivresse [244] le submerger. Comme un architecte qui fait le plan d'un palais, il arrangea, d'avance, sa vie. Il l'emplit de délicatesses et de splendeurs ; elle montait jusqu'au ciel ; une prodigalité de choses y apparaissait et cette contemplation était si profonde que les objets extérieurs avaient disparu.

Au bas de la côte de Sourdun, il s'aperçut de l'endroit où l'on était. On n'avait fait que cinq kilomètres, tout au plus ! Il fut indigné. Il abattit le vasistas pour voir la route. Il demanda plusieurs fois au conducteur dans combien de temps, au juste, on arriverait. Il se calma cependant, et il restait dans son coin, les yeux ouverts.

La lanterne, suspendue au siège du postillon, éclairait les croupes des limoniers. Il n'apercevait au delà que les crinières des autres chevaux qui ondulaient comme des vagues blanches ; leurs haleines formaient un brouillard de chaque côté de l'attelage ; les chaînettes de fer sonnaient, les glaces tremblaient dans leurs châssis ; et la lourde voiture, d'un train égal, roulait sur le pavé. Çà et là, on distinguait le mur d'une grange, ou bien une auberge, toute seule. Parfois en passant dans les villages, le four d'un boulanger projetait des lueurs d'incendie, et la silhouette monstrueuse des chevaux courait sur l'autre maison en face. Aux relais, quand on avait dételé, il se faisait un grand silence, pendant une minute. Quelqu'un piétinait en haut, sous la bâche, tandis qu'au seuil d'une porte une femme, debout, abritait sa chandelle avec sa main. Puis le conducteur sautant sur le marchepied, la diligence repartait.

A Mormans, on entendit sonner une heure et un quart.

— « C'est donc aujourd'hui, » pensa-t-il, « aujourd'hui même, tantôt ! »

Mais, peu à peu ses espérances et ses souvenirs, Nogent, la rue de Choiseul, Mme Arnoux, sa mère, tout se confondait.

Un bruit sourd de planches le réveilla, on traversait le pont de Charenton, c'était Paris. Alors, ses deux compagnons, ôtant l'un sa casquette, l'autre son foulard, se couvrirent de leur chapeau et causèrent. Le premier, un gros homme rouge, en redingote de velours, était un négociant ; le second venait dans la capitale pour consulter un médecin ; — et, craignant de l'avoir incommodé pendant la nuit, Frédéric lui fit spontanément des excuses, tant il avait l'âme attendrie par le bonheur.

Le quai de la gare [245] se trouvant inondé, sans doute, on continua tout droit, et la campagne recommença. Au loin, de hautes cheminées d'usines fumaient. Puis on tourna dans Ivry. On monta une rue ; tout à coup il aperçut le dôme du Panthéon.

La plaine, bouleversée, semblait de vagues ruines. L'enceinte des fortifications y faisait un renflement horizontal ; et, sur les trottoirs en terre qui bordaient la route, de petits arbres sans branches étaient défendus par des lattes hérissées de clous. Des établissements de produits chimiques alternaient avec des chantiers de marchands de bois. De hautes portes, comme il y en a dans les fermes, laissaient voir, par leurs battants entr'ouverts, l'intérieur d'ignobles cours pleines d'immondices, avec des flaques d'eau sale au milieu. De longs cabarets, couleur sang de bœuf portaient à leur premier étage, entre les fenêtres, deux queues de billard en sautoir dans une couronne de fleurs peintes ; çà et là, une bicoque de plâtre à moitié construite était abandonnée. Puis, la double ligne de maisons ne discontinua plus ; et, sur la nudité de leurs façades, se détachait, de loin en loin, un gigantesque cigare de fer-blanc, pour indiquer un débit de tabac. Des enseignes de sage-femme représentaient une matrone en bonnet, dodelinant un poupon dans une courte-pointe garnie de dentelles. Des affiches couvraient l'angle des murs, et, aux trois quarts déchirées, tremblaient au vent comme des guenilles. Des ouvriers en blouse passaient, et des haquets de brasseurs, des fourgons de blanchisseuses, des carrioles de bouchers ; une pluie fine tombait, il faisait froid, le ciel était pâle, mais deux yeux qui valaient pour lui le soleil resplendissaient derrière la brume.

On s'arrêta longtemps à la barrière, car des coquetiers, des rouliers et un troupeau de moutons y faisaient de l'encombrement. Le factionnaire, la capote rabattue, allait et venait devant sa guérite pour se réchauffer. Le commis de l'octroi grimpa sur l'impériale, et une fanfare de cornet à piston éclata. On descendit le boulevard au grand trot, les palonniers battants, les traits flottants. La mèche du long fouet claquait dans l'air humide. Le conducteur lançait son cri sonore : « Allume ! allume ! ohé ! » et les balayeurs se rangeaient, les piétons sautaient en arrière, la boue jaillissait contre les vasistas, on croisait des tombereaux, des cabriolets, des omnibus. Enfin la grille du Jardin des Plantes se déploya.

La Seine, jaunâtre, touchait presque au tablier des ponts. Une fraîcheur s'en exhalait. Frédéric l'aspira de toutes ses forces, savourant ce bon air de Paris qui semble contenir des effluves amoureuses [246] et des émanations intellectuelles ; il eut un attendrissement en apercevant le premier fiacre. Et il aimait jusqu'au seuil des marchands de vin garni de paille, jusqu'aux décrotteurs avec leurs boîtes, jusqu'aux garçons épiciers secouant leur brûloir à café. Des femmes trottinaient [247] sous des parapluies ; il se penchait pour distinguer leur figure ; un hasard pouvait avoir fait sortir Mme Arnoux.

Les boutiques défilaient, la foule augmentait, le bruit devenait plus fort. Après le quai Saint-Bernard, le quai de la Tournelle et le quai Montebello, on prit le quai Napoléon ; il voulut voir ses fenêtres, elles étaient loin. Puis on repassa la Seine sur le Pont-Neuf, on descendit jusqu'au Louvre ; et, par les rues Saint-Honoré, Croix-des-Petits-Champs et du Bouloi, on atteignit la rue Coq-Héron, et l'on entra dans la cour de l'hôtel.

Pour faire durer son plaisir, Frédéric s'habilla le plus lentement possible, et même il se rendit à pied au boulevard Montmartre ; il souriait à l'idée de revoir, tout à l'heure, sur la plaque de marbre, le nom chéri ; — il leva les yeux. Plus de vitrines, plus de tableaux, rien !

Il courut à la rue de Choiseul. M. et Mme Arnoux n'y habitaient pas, et une voisine gardait la loge du portier ; Frédéric l'attendit ; enfin, il parut, ce n'était plus le même. Il ne savait point leur adresse.

Frédéric entra dans un café, et, tout en déjeunant, consulta l'Almanach du Commerce. Il y avait trois cents Arnoux, mais pas de Jacques Arnoux ! Où donc logeaient-ils ? Pellerin devait le savoir.

Il se transporta tout en haut du faubourg Poissonnière, à son atelier. La porte n'ayant ni sonnette ni marteau, il donna de grands coups de poing, et il appela, cria. Le vide seul lui répondit [248].

Il songea ensuite à Hussonnet. Mais où découvrir un pareil homme ? Une fois, il l'avait accompagné jusqu'à la maison de sa maîtresse, rue de Fleurus. Parvenu dans la rue de Fleurus, Frédéric s'aperçut qu'il ignorait le nom de la demoiselle.

Il eut recours à la Préfecture de police. Il erra d'escalier en escalier, de bureau en bureau. Celui des renseignements se fermait. On lui dit de repasser le lendemain.

Puis il entra chez tous les marchands de tableaux qu'il put découvrir, pour savoir si l'on ne connaissait point Arnoux. M. Arnoux ne faisait plus le commerce.

Enfin, découragé, harassé, malade, il s'en revint à son hôtel et se coucha. Au moment où il s'allongeait entre ses draps, une idée le fit bondir de joie :

— « Regimbart ! quel imbécile je suis de n'y avoir pas songé ! »

Le lendemain, dès sept heures, il arriva rue Notre-Dame-des-Victoires devant la boutique d'un rogomiste, où Regimbart avait coutume de prendre le vin blanc. Elle n'était pas encore ouverte ; il fit un tour de promenade aux environs, et, au bout d'une demi-heure, s'y présenta de nouveau. Regimbart en sortait. Frédéric s'élança dans la rue. Il crut même apercevoir au loin son chapeau ; un corbillard [249] et des voitures de deuil s'interposèrent. L'embarras passé, la vision avait disparu.

Heureusement, il se rappela que le Citoyen déjeunait tous les jours à onze heures précises chez un petit restaurateur de la place Gaillon. Il s'agissait de patienter ; et, après une interminable flânerie de la Bourse à la

Madeleine, et de la Madeleine au Gymnase, Frédéric, à onze heures précises, entra dans le restaurant de la place Gaillon, sûr d'y trouver son Regimbart.

— « Connais pas ! » dit le gargotier d'un ton rogue.

Frédéric insistait ; il reprit :

— « Je ne le connais plus, monsieur ! » avec un haussement de sourcils majestueux et des oscillations de la tête, qui décelaient un mystère.

Mais, dans leur dernière entrevue, le Citoyen avait parlé de l'estaminet Alexandre. Frédéric avala une brioche, et, sautant dans un cabriolet, s'enquit près du cocher s'il n'y avait point quelque part, sur les hauteurs de Sainte-Geneviève, un certain café Alexandre. Le cocher le conduisit rue des Francs-Bourgeois-Saint-Michel dans un établissement de ce nom-là, et à sa question : — « M. Regimbart, s'il vous plaît ? » le cafetier lui répondit, avec un sourire extra-gracieux :

— « Nous ne l'avons pas encore vu, monsieur, » tandis qu'il jetait à son épouse, assise dans le comptoir, un regard d'intelligence.

Et aussitôt se tournant vers l'horloge :

— « Mais nous l'aurons, j'espère, d'ici à dix minutes, un quart d'heure tout au plus. — Célestin, vite les feuilles ! — Qu'est-ce que monsieur désire prendre ? »

Quoique n'ayant besoin de rien prendre, Frédéric avala un verre de rhum, puis un verre de kirsch, puis un verre de curaçao, puis différents grogs, tant froids que chauds. Il lut tout le *Siècle* [250] du jour, et le relut ; il examina, jusque dans les grains du papier, la caricature du *Charivari* [251] ; à la fin, il savait par cœur les annonces. De temps à autre, des bottes résonnaient sur le trottoir, c'était lui ! et la forme de quelqu'un se profilait sur les carreaux ; mais cela passait toujours !

Afin de se désennuyer, Frédéric changeait de place ; il alla se mettre dans le fond, puis à droite, ensuite à gauche ; et il restait au milieu de la banquette, les deux bras étendus. Mais un chat, foulant délicatement le velours du dossier, lui faisait des peurs en bondissant tout à coup, pour lécher les taches de sirop sur le plateau ; et l'enfant de la maison, un intolérable mioche de quatre ans, jouait avec une crécelle sur les marches du comptoir. Sa maman, petite femme pâlotte, à dents gâtées, souriait d'un air stupide. Que

pouvait donc faire Regimbart ? Frédéric l'attendait, perdu
dans une détresse illimitée.

La pluie sonnait comme grêle sur la capote du cabriolet.
Par l'écartement du rideau de mousseline, il apercevait
dans la rue le pauvre cheval, plus immobile qu'un cheval
de bois. Le ruisseau, devenu énorme, coulait entre deux
rayons des roues, et le cocher s'abritant de la couverture
sommeillait ; mais, craignant que son bourgeois ne s'es-
quivât, de temps à autre il entr'ouvrait la porte, tout ruis-
selant comme un fleuve ; — et si les regards pouvaient
user les choses, Frédéric aurait dissous l'horloge à force
d'attacher dessus les yeux. Elle marchait, cependant.
Le sieur Alexandre se promenait de long en large, en
répétant : « Il va venir, allez! il va venir! » et, pour le distraire, lui tenait des discours, parlait politique. Il poussa
même la complaisance jusqu'à lui proposer une partie
de dominos.

Enfin, à quatre heures et demie, Frédéric, qui était là
depuis midi, se leva d'un bond, déclarant qu'il n'attendait
plus.

— « Je n'y comprends rien moi-même, » répondit
le cafetier d'un air candide, « c'est la première fois que
manque M. Ledoux! »

— « Comment, M. Ledoux ? »

— « Mais oui, monsieur! »

— « J'ai dit Regimbart! » s'écria Frédéric exaspéré.

— « Ah! mille excuses! vous faites erreur! — N'est-ce
pas, madame Alexandre, monsieur a dit : M. Ledoux ? »

Et, interpellant le garçon :

— « Vous l'avez entendu, vous-même, comme moi ? »

Pour se venger de son maître [252], sans doute, le garçon
se contenta de sourire.

Frédéric se fit ramener vers les boulevards, indigné
du temps perdu, furieux contre le Citoyen, implorant
sa présence comme celle d'un dieu, et bien résolu à l'extraire du fond des caves les plus lointaines. Sa voiture
l'agaçait, il la renvoya : ses idées [253] se brouillaient ; puis
tous les noms des cafés qu'il avait entendu prononcer par
cet imbécile jaillirent de sa mémoire, à la fois, comme les
mille pièces d'un feu d'artifice : café Gascard, café Grimbert,
café Halbout, estaminet Bordelais, Havanais, Havrais,
Bœuf-à-la-mode, brasserie Allemande, Mère Morel, et

il se transporta dans tous successivement. Mais, dans l'un,
Regimbart venait de sortir ; dans un autre, il viendrait
peut-être ; dans un troisième, on ne l'avait pas vu depuis
six mois ; ailleurs, il avait commandé, hier, un gigot
pour samedi. Enfin, chez Vautier, limonadier, Frédéric,
ouvrant la porte, se heurta contre le garçon.

— « Connaissez-vous M. Regimbart ? »

— « Comment, monsieur, si je le connais ? C'est moi
qui ai l'honneur de le servir. Il est en haut ; il achève le
dîner ! »

Et, la serviette sous le bras, le maître de l'établissement,
lui-même, l'aborda :

— « Vous demandez M. Regimbart, monsieur ? il
était ici à l'instant. »

Frédéric poussa un juron, mais le limonadier affirma
qu'il le trouverait chez Bouttevilain, infailliblement.

— « Je vous en donne ma parole d'honneur ! il est
parti un peu plus tôt que de coutume, car il a un rendez-
vous d'affaires avec des messieurs. Mais vous le trouverez,
je vous le répète, chez Bouttevilain, rue Saint-Martin,
92, deuxième perron, à gauche, au fond de la cour, entresol, porte à droite ! »

Enfin, il l'aperçut à travers la fumée des pipes, seul,
au fond de l'arrière-buvette après le billard, une chope
devant lui, le menton baissé et dans une attitude méditative.

— « Ah ! il y a longtemps que je vous cherchais, vous ! »

Sans s'émouvoir, Regimbart lui tendit deux doigts
seulement, et comme s'il l'avait vu la veille, il débita
plusieurs phrases insignifiantes sur l'ouverture de la
session.

Frédéric l'interrompit, en lui disant, de l'air le plus
naturel qu'il put :

— « Arnoux va bien ? »

La réponse fut longue à venir, Regimbart se gargarisait
avec son liquide.

— « Oui, pas mal ! »

— « Où demeure-t-il donc maintenant ? »

— « Mais... rue Paradis-Poissonnière, » répondit le
Citoyen étonné.

— « Quel numéro ? »

— « Trente-sept, parbleu, vous êtes drôle ! »

Frédéric se leva.

— « Comment, vous partez ? »

— « Oui, oui, j'ai une course, une affaire que j'oubliais !
Adieu ! »

Frédéric alla de l'estaminet chez Arnoux, comme soulevé
par un vent tiède et avec l'aisance extraordinaire que l'on
éprouve dans les songes.

Il se trouva bientôt à un second étage, devant une
porte dont la sonnette retentissait ; une servante parut ;
une seconde porte s'ouvrit ; Mme Arnoux était assise
près du feu. Arnoux fit un bond et l'embrassa. Elle avait
sur ses genoux un petit garçon de trois ans, à peu près ;
sa fille, grande comme elle maintenant, se tenait debout,
de l'autre côté de la cheminée.

— « Permettez-moi de vous présenter ce monsieur-là, »
dit Arnoux, en prenant son fils par les aisselles.

Et il s'amusa quelques minutes à le faire sauter en l'air,
très haut, pour le recevoir au bout de ses bras.

— « Tu vas le tuer ! ah ! mon Dieu ! finis donc ! » s'écriait
Mme Arnoux.

Mais Arnoux, jurant qu'il n'y avait pas de danger,
continuait, et même zézayait des caresses en patois mar-
seillais, son langage natal. — « Ah ! brave pichoûn, mon
poulit rossignolet ! » Puis il demanda à Frédéric pourquoi
il avait été si longtemps sans leur écrire, ce qu'il avait pu
faire là-bas, ce qui le ramenait.

— « Moi, à présent, cher ami, je suis marchand de
faïences. Mais causons de vous ! »

Frédéric allégua un long procès, la santé de sa mère ;
il insista beaucoup là-dessus, afin de se rendre intéressant.
Bref, il se fixait à Paris, définitivement cette fois ; et il
ne dit rien de l'héritage, — dans la peur de nuire à son
passé.

Les rideaux, comme les meubles, étaient en damas
de laine marron ; deux oreillers se touchaient contre
le traversin ; une bouillotte chauffait dans les charbons ;
et l'abat-jour de la lampe, posée au bord de la commode,
assombrissait l'appartement. Mme Arnoux avait une
robe de chambre en mérinos gros bleu. Le regard tourné
vers les cendres et une main sur l'épaule du petit garçon [254],
elle défaisait, de l'autre, le lacet de la brassière [255], le
mioche en chemise pleurait tout en se grattant la tête,
comme M. Alexandre fils.

Frédéric s'était attendu à des spasmes de joie ; — mais les passions s'étiolent quand on les dépayse, et, ne retrouvant plus Mme Arnoux dans le milieu où il l'avait connue, elle lui semblait avoir perdu quelque chose, porter confusément comme une dégradation, enfin n'être pas la même. Le calme de son cœur le stupéfiait, Il s'informa des anciens amis, de Pellerin, entre autres.

— « Je ne le vois pas souvent, » dit Arnoux.

Elle ajouta :

— « Nous ne recevons plus, comme autrefois ! »

Était-ce pour l'avertir qu'on ne lui ferait aucune invitation ? Mais Arnoux, poursuivant ses cordialités, lui reprocha de n'être pas venu dîner avec eux, à l'improviste ; et il expliqua pourquoi il avait changé d'industrie.

— « Que voulez-vous faire dans une époque de décadence comme la nôtre ? La grande peinture est passée de mode ! D'ailleurs, on peut mettre de l'art partout. Vous savez, moi, j'aime le Beau ! il faudra un de ces jours que je vous mène à ma fabrique. »

Et il voulut lui montrer, immédiatement, quelques-uns de ses produits dans son magasin à l'entresol.

Les plats, les soupières, les assiettes et les cuvettes encombraient le plancher. Contre les murs étaient dressés de larges carreaux de pavage pour salles de bain et cabinets de toilette, avec sujets mythologiques dans le style de la Renaissance, tandis qu'au milieu une double étagère, montant jusqu'au plafond, supportait des vases à contenir la glace, des pots à fleurs, des candélabres, de petites jardinières et de grandes statuettes polychromes figurant un nègre ou une bergère Pompadour. Les démonstrations d'Arnoux ennuyaient Frédéric, qui avait froid et faim.

Il courut au café Anglais, y soupa splendidement, et, tout en mangeant, il se disait :

— « J'étais bien bon là-bas avec mes douleurs ! A peine si elle m'a reconnu ! quelle bourgeoise ! »

Et dans un brusque épanouissement de santé, il se fit des résolutions d'égoïsme. Il se sentait le cœur dur comme la table où ses coudes posaient. Donc, il pouvait, maintenant, se jeter au milieu du monde, sans peur. L'idée des Dambreuse lui vint ; il les utiliserait ; puis il se rappela Deslauriers. « Ah ! ma foi, tant pis ! » Cependant, il lui envoya, par un commissionnaire, un billet lui donnant rendez-vous le lendemain au Palais-Royal, afin de déjeuner ensemble.

La fortune n'était pas si douce pour celui-là.

Il s'était présenté au concours d'agrégation avec une thèse *sur le droit de tester*, où il soutenait qu'on devait le restreindre autant que possible ; — et, son adversaire l'excitant à lui faire dire des sottises, il en avait dit beaucoup, sans que les examinateurs bronchassent. Puis le hasard avait voulu qu'il tirât au sort, pour sujet de leçon, la Prescription. Alors, Deslauriers s'était livré à des théories déplorables ; les vieilles contestations devaient se produire comme les nouvelles ; pourquoi le propriétaire serait-il privé de son bien parce qu'il n'en peut fournir les titres qu'après trente et un ans révolus ? C'était donner la sécurité de l'honnête homme à l'héritier du voleur enrichi. Toutes les injustices étaient consacrées par une extension de ce droit, qui était la tyrannie, l'abus de la force ! Il s'était même écrié :

— « Abolissons-le ; et les Franks ne pèseront plus sur les Gaulois, les Anglais sur les Irlandais, les Yankees sur les Peaux-Rouges, les Turcs sur les Arabes, les blancs sur les nègres, la Pologne... »

Le président l'avait interrompu :

— « Bien ! bien ! monsieur ! nous n'avons que faire de vos opinions politiques, vous vous représenterez plus tard ! »

Deslauriers n'avait pas voulu se représenter. Mais ce malheureux titre XX du IIIe livre du Code civil était devenu pour lui une montagne d'achoppement. Il élaborait un grand ouvrage sur *la Prescription, considérée comme base du droit civil et du droit naturel des peuples ;* et il était perdu dans Dunod, Rogérius, Balbus, Merlin, Vazeille, Savigny, Troplong, et autres lectures considérables. Afin de s'y livrer plus à l'aise, il s'était démis de sa place de maître-clerc. Il vivait en donnant des répétitions, en fabriquant des thèses ; et, aux séances de la Parlotte, il effrayait par sa virulence le parti conservateur, tous les jeunes doctrinaires issus de M. Guizot, — si bien qu'il avait, dans un certain monde, une espèce de célébrité, quelque peu mêlée de défiance pour sa personne.

Il arriva au rendez-vous, portant un gros paletot doublé de flanelle rouge, comme celui de Sénécal autrefois.

Le respect humain, à cause du public qui passait, les empêcha de s'étreindre longuement, et ils allèrent jusque chez Véfour, bras dessus bras dessous, en ricanant de plaisir, avec une larme au fond des yeux [256]. Puis, dès qu'ils furent seuls, Deslauriers s'écria :

— « Ah! saprelotte, nous allons nous la repasser douce, maintenant! »

Frédéric n'aima point cette manière de s'associer, tout de suite, à sa fortune. Son ami témoignait trop de joie pour eux deux, et pas assez pour lui seul.

Ensuite, Deslauriers conta son échec, et peu à peu ses travaux, son existence, parlant de lui-même stoïquement et des autres avec aigreur. Tout lui déplaisait. Pas un homme en place qui ne fût un crétin ou une canaille. Pour un verre mal rincé, il s'emporta contre le garçon, et, sur le reproche anodin de Frédéric :

— « Comme si j'allais me gêner pour de pareils cocos, qui vous gagnent jusqu'à des six et huit mille francs par an, qui sont électeurs, éligibles peut-être ! Ah ! non, non ! »

Puis d'un air enjoué :

— « Mais j'oublie que je parle à un capitaliste, à un Mondor, car tu es un Mondor, maintenant ! »

Et, revenant sur l'héritage, il exprima cette idée : que les successions collatérales (chose injuste en soi, bien qu'il se réjouît de celle-là) seraient abolies, un de ces jours, à la prochaine révolution.

— « Tu crois ? » dit Frédéric.

— « Compte dessus ! » répondit-il. « Ça ne peut pas durer ! on souffre trop ! Quand je vois dans la misère des gens comme Sénécal... »

« Toujours le Sénécal ! » pensa Frédéric.

— « Quoi de neuf, du reste ? Es-tu encore amoureux de Mme Arnoux ! C'est passé, hein ? »

Frédéric, ne sachant que répondre, ferma les yeux en baissant la tête.

A propos d'Arnoux, Deslauriers lui apprit que son journal appartenait maintenant à Hussonnet, lequel l'avait transformé. Cela s'appelait « *L'Art*, institut littéraire, société par actions de cent francs chacune ; capital social : quarante mille francs », avec la faculté pour chaque actionnaire de pousser là sa copie ; car « la société a pour but de publier les œuvres des débutants, d'épargner au talent,

au génie peut-être, les crises douloureuses qui abreuvent,
etc..., tu vois la blague ! » Il y avait cependant quelque chose
à faire, c'était de hausser le ton de ladite feuille, puis
tout à coup, gardant les mêmes rédacteurs et promettant
la suite du feuilleton, de servir aux abonnés un journal
politique ; les avances ne seraient pas énormes.

— « Qu'en penses-tu, voyons ! veux-tu t'y mettre ? »

Frédéric ne repoussa pas la proposition. Mais il fallait
attendre le règlement de ses affaires.

— « Alors, si tu as besoin de quelque chose... »

— « Merci, mon petit ! » dit Deslauriers.

Ensuite ils fumèrent des puros, accoudés sur la planche
de velours, au bord de la fenêtre. Le soleil brillait, l'air
était doux, des troupes d'oiseaux voletant s'abattaient
dans le jardin ; les statues de bronze et de marbre, lavées
par la pluie, miroitaient ; des bonnes en tablier causaient
assises sur des chaises ; et l'on entendait les rires des
enfants, avec le murmure continu que faisait la gerbe
du jet d'eau.

Frédéric s'était senti troublé par l'amertume de
Deslauriers ; mais, sous l'influence du vin qui circulait
dans ses veines, à moitié endormi, engourdi, et recevant
la lumière en plein visage, il n'éprouvait plus qu'un immense bien-être, voluptueusement stupide, comme une
plante saturée de chaleur et d'humidité. Deslauriers, les
paupières entre-closes, regardait au loin, vaguement.
Sa poitrine se gonflait, et il se mit à dire :

— « Ah ! c'était plus beau, quand Camille Desmoulins,
debout là-bas sur une table, poussait le peuple à la Bastille !
On vivait dans ce temps-là, on pouvait s'affirmer, prouver
sa force ! De simples avocats commandaient [257] à des
généraux, des va-nu-pieds battaient des rois, tandis qu'à
présent... »

Il se tut, puis, tout à coup :

— « Bah ! l'avenir est gros ! »

Et, tambourinant la charge sur les vitres, il déclama
ces vers de Barthélemy [258] :

Elle reparaîtra, la terrible Assemblée
Dont, après quarante ans, votre tête est troublée,
Colosse qui sans peur marche d'un pas puissant.

— « Je ne sais plus le reste! Mais il est tard, si nous partions ? »

Et il continua, dans la rue, à exposer ses théories.

Frédéric, sans l'écouter, observait à la devanture des marchands les étoffes et les meubles convenables pour son installation ; et ce fut peut-être la pensée de Mme Arnoux qui le fit s'arrêter à l'étalage d'un brocanteur, devant trois assiettes de faïence. Elles étaient décorées d'arabesques jaunes, à reflets métalliques, et valaient cent écus la pièce. Il les fit mettre de côté.

— « Moi, à ta place, » dit Deslauriers, « je m'achèterais plutôt de l'argenterie, » décelant, par cet amour du cossu, l'homme de mince origine.

Dès qu'il fut seul, Frédéric se rendit chez le célèbre Pomadère, où il se commanda trois pantalons, deux habits, une pelisse de fourrure et cinq gilets ; puis chez un bottier, chez un chemisier et chez un chapelier, ordonnant partout qu'on se hâtât le plus possible.

Trois jours après, le soir, à son retour du Havre, il trouva chez lui sa garde-robe complète ; et, impatient de s'en servir, il résolut de faire à l'instant même une visite aux Dambreuse. Mais il était trop tôt, huit heures à peine.

— « Si j'allais chez les autres ? » se dit-il.

Arnoux, seul, devant sa glace, était en train de se raser. Il lui proposa de le conduire dans un endroit où il s'amuserait, et, au nom de M. Dambreuse :

— « Ah! ça se trouve bien! Vous verrez là de ses amis ; venez donc! ce sera drôle! »

Frédéric s'excusait, Mme Arnoux reconnut sa voix et lui souhaita le bonjour à travers la cloison, car sa fille était indisposée, elle-même souffrante ; et l'on entendait le bruit d'une cuiller contre un verre, et tout ce frémissement de choses délicatement remuées qui se fait dans la chambre d'un malade. Puis Arnoux disparut pour dire adieu à sa femme. Il entassait les raisons :

— « Tu sais bien que c'est sérieux! Il faut que j'y aille, j'y ai besoin [259], on m'attend. »

— « Va, va, mon ami. Amuse-toi [260]! »

Arnoux héla un fiacre.

— « Palais-Royal! galerie Montpensier, 7. »

Et, se laissant tomber sur les coussins :

— « Ah! comme je suis las, mon cher! j'en crèverai.
Du reste, je peux bien vous le dire, à vous. »

Il se pencha vers son oreille, mystérieusement :

— « Je cherche à retrouver le rouge de cuivre des
Chinois. »

Et il expliqua ce qu'était la couverte et le petit feu.

Arrivé chez Chevet, on lui remit une grande corbeille,
qu'il fit porter sur le fiacre. Puis il choisit pour « sa pauvre
femme [261] » du raisin, des ananas, différentes curiosités
de bouche et recommanda qu'elles fussent envoyées de
bonne heure, le lendemain [262].

Ils allèrent ensuite chez un costumier ; c'était d'un bal
qu'il s'agissait. Arnoux prit une culotte de velours bleu,
une veste pareille, une perruque rouge ; Frédéric un
domino ; et ils descendirent rue de Laval, devant une maison illuminée au second étage par des lanternes de couleur.

Dès le bas de l'escalier, on entendait le bruit de violons.

— « Où diable me menez-vous ? » dit Frédéric.

— « Chez une bonne fille ! n'ayez pas peur ! »

Un groom leur ouvrit la porte, et ils entrèrent dans
l'antichambre, où des paletots, des manteaux et des châles
étaient jetés en pile sur des chaises. Une jeune femme,
en costume de dragon Louis XV, la traversait en ce moment-là. C'était Mlle Rose-Annette Bron, la maîtresse
du lieu.

— « Eh bien ? » dit Arnoux.

— « C'est fait ! » répondit-elle.

— « Ah! merci, mon ange! »

Et il voulut l'embrasser.

— « Prends donc garde, imbécile ! tu vas gâter mon
maquillage ! »

Arnoux présenta Frédéric.

— « Tapez là-dedans, monsieur, soyez le bienvenu! »

Elle écarta une portière derrière elle, et se mit à crier
emphatiquement :

— « Le sieur Arnoux, marmiton, et un prince de ses
amis ! »

Frédéric fut d'abord ébloui par les lumières ; il n'aperçut
que de la soie, du velours, des épaules nues, une masse
de couleurs qui se balançait aux sons d'un orchestre caché
par des verdures, entre des murailles tendues de soie jaune,
avec des portraits au pastel, çà et là, et des torchères de

cristal en style Louis XVI. De hautes lampes, dont les
globes dépolis ressemblaient à des boules de neige, domi-
naient des corbeilles de fleurs, posées sur des consoles,
dans les coins ; — et, en face, après une seconde pièce
plus petite, on distinguait, dans une troisième, un lit à
colonnes torses, ayant une glace de Venise à son chevet.

Les danses [263] s'arrêtèrent, et il y eut des applaudissements, un vacarme de joie, à la vue d'Arnoux s'avançant
avec son panier sur la tête ; les victuailles faisaient bosse
au milieu. — « Gare au lustre ! » Frédéric leva les yeux :
c'était le lustre en vieux saxe qui ornait la boutique de
l'*Art industriel ;* le souvenir des anciens jours passa dans
sa mémoire ; mais un fantassin de la ligne en petite tenue,
avec cet air nigaud que la tradition donne aux conscrits,
se planta devant lui, en écartant les deux bras pour marquer
l'étonnement ; et il reconnut, malgré les effroyables moustaches noires extra-pointues qui le défiguraient, son
ancien ami Hussonnet. Dans un charabia moitié alsacien,
moitié nègre, le bohème l'accablait de félicitations, l'appelant son colonel. Frédéric, décontenancé par toutes
ces personnes, ne savait que répondre. Un archet [264]
ayant frappé sur un pupitre, [265] danseurs et danseuses se
mirent en place.

Ils étaient une soixantaine environ, les femmes pour
la plupart en villageoises ou en marquises, et les hommes,
presque tous d'âge mûr, en costumes de roulier, de dé-
bardeur ou de matelot.

Frédéric, s'étant rangé contre le mur, regarda le quadrille [266] devant lui.

Un vieux beau, vêtu, comme un doge vénitien, d'une
longue simarre de soie pourpre, dansait avec Mme
Rosanette, qui portait un habit vert, une culotte de tricot
et des bottes molles à éperons d'or. Le couple en face se
composait d'un Arnaute chargé de yatagans et d'une
Suissesse aux yeux bleus, blanche comme du lait, potelée
comme une caille, en manches de chemise et corset rouge.
Pour faire valoir sa chevelure qui lui descendait jusqu'aux
jarrets, une grande blonde, marcheuse à l'Opéra, s'était
mise en femme sauvage ; et, par-dessus son maillot de couleur brune, n'avait qu'un pagne de cuir, des bracelets de
verroterie, et un diadème de clinquant, d'où s'élevait
une haute gerbe en plumes de paon. Devant elle, un

Pritchard, affublé d'un habit noir grotesquement large,
battait la mesure avec son coude sur sa tabatière. Un petit
berger Watteau, azur et argent comme un clair de lune,
choquait sa houlette contre le thyre d'une Bacchante,
couronnée de raisins, une peau de léopard sur le flanc
gauche et des cothurnes à rubans d'or. De l'autre côté
une Polonaise, en spencer de velours nacarat, balançait
son jupon de gaze sur les bas de soie gris perle, pris dans
des bottines roses cerclées de fourrure blanche. Elle
souriait à un quadragénaire ventru, déguisé en enfant
de chœur, et qui gambadait très haut, levant d'une main
son surplis et retenant de l'autre sa calotte rouge. Mais
la reine, l'étoile, c'était mademoiselle Loulou, célèbre
danseuse des bals publics. Comme elle se trouvait riche
maintenant, elle portait une large collerette de dentelle sur
sa veste de velours noir uni ; et son large pantalon de
soie ponceau, collant sur la croupe et serré à la taille par
une écharpe de cachemire, avait, tout le long de la couture,
des petits camélias blancs naturels. Sa mine pâle, un peu
bouffie et à nez retroussé, semblait plus insolente encore
par l'ébouriffure de sa perruque où tenait un chapeau
d'homme, en feutre gris, plié d'un coup de poing sur
l'oreille droite ; et, dans les bonds qu'elle faisait, ses
escarpins à boucles de diamants atteignaient presque au
nez de son voisin, un grand Baron moyen âge [267] tout
empêtré dans une armure de fer. Il y avait aussi un Ange,
un glaive d'or à la main, deux ailes de cygne dans le dos,
et qui, allant, venant, perdant à toute minute son cavalier,
un Louis XIV, ne comprenait rien aux figures et embarrassait la contredanse.

Frédéric, en regardant ces personnes, éprouvait un
sentiment d'abandon, un malaise. Il songeait encore
à Mme Arnoux et il lui semblait participer à quelque
chose d'hostile se tramant contre elle.

Quand le quadrille fut achevé, Mme Rosanette l'aborda.
Elle haletait un peu, et son hausse-col, poli comme un
miroir, se soulevait doucement sous son menton.

— « Et vous, monsieur, » dit-elle, « vous ne dansez
pas [268] ? »

Frédéric s'excusa, il ne savait pas danser.

— « Vraiment! mais avec moi ? bien sûr ? »

Et posée sur une seule hanche, l'autre genou un peu

rentré, en caressant de la main gauche le pommeau de nacre
de son épée, elle le considéra pendant une minute, d'un
air moitié suppliant, moitié gouailleur. Enfin elle dit « Bonsoir ! » fit une pirouette, et disparut.

Frédéric, mécontent de lui-même, et ne sachant que
faire, se mit à errer dans le bal.

Il entra dans le boudoir, capitonné de soie bleu pâle
avec des bouquets de fleurs des champs, tandis qu'au
plafond, dans un cercle de bois doré, des Amours, émer-
geant d'un ciel d'azur, batifolaient sur des nuages en
forme d'édredon. Ces élégances, qui seraient aujourd'hui
des misères pour les pareilles de Rosanette, l'éblouirent ;
et il admira tout : les volubilis artificiels ornant le contour
de la glace, les rideaux de la cheminée, le divan turc, et,
dans un renfoncement de la muraille, une manière de
tente tapissée de soie rose, avec de la mousseline blanche
par-dessus. Des meubles noirs à marqueterie de cuivre
garnissaient la chambre à coucher, où se dressait, sur
une estrade couverte d'une peau de cygne, le grand lit à
baldaquin et à plumes d'autruche. Des épingles à tête
de pierreries fichées dans des pelotes, des bagues traînant
sur des plateaux, des médaillons à cercle d'or et des coffrets
d'argent se distinguaient dans l'ombre, sous la lueur
qu'épanchait une urne de Bohême, suspendue à trois chaînettes. Par une petite porte entrebâillée, on apercevait
une serre chaude occupant toute la largeur d'une terrasse,
et que terminait une volière à l'autre bout.

C'était bien là un milieu fait pour plaire. Dans une
brusque révolte de sa jeunesse, il se jura d'en jouir, s'enhardit ; puis, revenu à l'entrée du salon, où il y avait plus
de monde maintenant (tout s'agitait dans une sorte de
pulvérulence lumineuse), il resta debout à contempler
les quadrilles, clignant les yeux pour mieux voir, — et
humant les molles senteurs de femmes, qui circulaient
comme un immense baiser épandu.

Mais il y avait près de lui, de l'autre côté de la porte,
Pellerin ; — Pellerin [269] en grande toilette, le bras gauche
dans la poitrine et tenant de la droite, avec son chapeau,
un gant blanc, déchiré.

— « Tiens, il y a longtemps qu'on ne vous a vu !
Où diable étiez-vous donc ? parti en voyage, en Italie ?
Poncif, hein, l'Italie ? pas si raide qu'on dit ? N'im-

porte ! apportez-moi vos esquisses, un de ces jours ? »

Et, sans attendre sa réponse, l'artiste se mit à parler de lui-même.

Il y avait fait beaucoup de progrès, ayant reconnu définitivement la bêtise de la Ligne [270]. On ne devait pas tant s'enquérir de la Beauté et de l'Unité, dans une œuvre, que du caractère et de la diversité des choses.

— « Car tout existe dans la nature, donc tout est légitime, tout est plastique. Il s'agit seulement d'attraper la note, voilà. J'ai découvert le secret ! » Et lui donnant un coup de coude, il répéta plusieurs fois : — « J'ai découvert le secret, vous voyez ! Ainsi regardez-moi cette petite femme à coiffure de sphinx qui danse avec un postillon russe, c'est net, sec, arrêté, tout en méplats et en tons crus : de l'indigo sous les yeux, une plaque de cinabre à la joue, du bistre sur les tempes ; pif ! paf ! » Et il jetait, avec le pouce, comme des coups de pinceau dans l'air. — « Tandis que la grosse, là-bas, » continua-t-il en montrant une Poissarde, en robe cerise avec une croix d'or au cou et un fichu de linon noué dans le dos, — « rien que des rondeurs ; les narines s'épatent comme les ailes [271] de son bonnet, les coins de la bouche se relèvent, le menton s'abaisse, tout est gras, fondu, copieux, tranquille et soleillant, un vrai Rubens ! Elles sont parfaites cependant ! Où est le type alors ? » Il s'échauffait [272]. « Qu'est-ce qu'une belle femme ? Qu'est-ce que le beau ? Ah ! le beau [273] ! me direz-vous... » Frédéric l'interrompit pour savoir ce qu'était un pierrot [274] à profil de bouc, en train de bénir tous les danseurs au milieu d'une pastourelle.

— « Rien du tout ! un veuf, père de trois garçons. Il les laisse sans culottes, passe sa vie au club, et couche avec la bonne. »

— « Et celui-là, costumé en bailli, qui parle dans l'embrasure de la fenêtre à une marquise-Pompadour ? [275] »

— « La marquise, c'est Mme Vandael, l'ancienne actrice du Gymnase, la maîtresse du Doge, le comte de Palazot. Voilà vingt ans qu'ils sont ensemble ; on ne sait pourquoi. Avait-elle de beaux yeux, autrefois, cette femme-là ! Quant au citoyen près d'elle, on le nomme le capitaine d'Herbigny, un vieux de la vieille, qui n'a pour toute fortune que sa croix d'honneur et sa pension, sert d'oncle aux grisettes dans les solennités, arrange les duels et dîne en ville. »

— « Une canaille ? » dit Frédéric.

— « Non ! un honnête homme »

— « Ah ! »

L'artiste lui en nomma d'autres encore, quand, apercevant un monsieur qui portait comme les médecins de Molière une grande robe de serge noire, mais bien ouverte de haut en bas, afin de montrer toutes ses breloques :

— « Ceci vous représente le docteur Des Rogis, enragé de n'être pas célèbre, a écrit un livre de pornographie médicale, cire volontiers les bottes dans le grand monde, est discret ; ces dames l'adorent. Lui et son épouse (cette maigre châtelaine en robe grise) se trimballent ensemble dans tous les endroits publics, et autres. Malgré la gêne du ménage, on a *un jour*, — thés artistiques où il se dit des vers. — Attention ! »

En effet, le Docteur les aborda ; et bientôt ils formèrent tous les trois, à l'entrée du salon, un groupe de causeurs, où vint s'adjoindre Hussonnet, puis l'amant de la Femme-Sauvage, un jeune poète, exhibant, sous un court mantel à la François Ier, la plus piètre des anatomies, et enfin un garçon d'esprit, déguisé en Turc de barrière. Mais sa veste à galons jaunes avait si bien voyagé sur le dos des dentistes ambulants, son large pantalon à plis était d'un rouge si déteint, son turban roulé comme une anguille à la tartare d'un aspect si pauvre, tout son costume enfin tellement déplorable et réussi que les femmes ne dissimulaient pas leur dégoût. Le docteur l'en consola par de grands éloges sur la Débardeuse sa maîtresse. Ce Turc était fils d'un banquier.

Entre deux quadrilles, Rosanette se dirigea vers la cheminée, où était installé, dans un fauteuil, un petit vieillard replet, en habit marron, à boutons d'or. Malgré ses joues flétries qui tombaient sur sa haute cravate blanche, ses cheveux encore blonds, et frisés naturellement comme les poils d'un caniche, lui donnaient quelque chose de folâtre.

Elle l'écouta, penchée vers son visage. Ensuite, elle lui accommoda un verre de sirop ; et rien n'était mignon comme ses mains sous leurs manches de dentelles qui dépassaient les parements de l'habit vert. Quand le bonhomme eut bu, il les baisa.

— « Mais c'est M. Oudry, le voisin d'Arnoux ! »

— « Il l'a perdu ! » dit en riant Pellerin.

— « Comment ? »

Un postillon de Longjumeau [276] la saisit par la taille, une valse commençait. Alors, toutes les femmes assises autour du salon sur des banquettes se levèrent à la file, prestement ; et leurs jupes, leurs écharpes, leurs coiffures se mirent à tourner.

Elles tournaient si près de lui que Frédéric distinguait les gouttelettes de leur front ; — et ce mouvement giratoire de plus en plus vif et régulier, vertigineux, communiquant à sa pensée une sorte d'ivresse, y faisait surgir d'autres images, tandis que toutes passaient dans le même éblouissement, et chacune avec une excitation particulière selon le genre de sa beauté. La Polonaise, qui s'abandonnait d'une façon langoureuse, lui inspirait l'envie de la tenir contre son cœur, en filant tous les deux dans un traîneau sur une plaine couverte de neige. Des horizons de volupté tranquille, au bord d'un lac, dans un chalet, se déroulaient sous les pas de la Suissesse, qui valsait le torse droit et les paupières baissées. Puis, tout à coup, la Bacchante, penchant en arrière sa tête brune, le faisait rêver à des caresses dévoratrices, dans des bois de lauriers-roses, par un temps d'orage, au bruit confus des tambourins. La Poissarde, que la mesure trop rapide essoufflait, poussait des rires ; et il aurait voulu, buvant avec elle aux Porcherons, chiffonner à pleines mains son fichu, comme au bon vieux temps. Mais la Débardeuse, dont les orteils légers effleuraient à peine le parquet, semblait recéler dans la souplesse de ses membres et le sérieux de son visage tous les raffinements de l'amour moderne, qui a la justesse d'une science et la mobilité d'un oiseau. Rosanette tournait, le poing sur la hanche ; sa perruque à marteau, sautillant sur son collet, envoyait de la poudre d'iris autour d'elle ; et, à chaque tour, du bout de ses éperons d'or, elle manquait d'attraper Frédéric.

Au dernier accord de la valse, Mlle Vatnaz parut. Elle avait un mouchoir algérien sur la tête, beaucoup de piastres sur le front, de l'antimoine au bord des yeux, avec une espèce de paletot en cachemire noir tombant sur un jupon clair, lamé d'argent, et elle tenait un tambour de basque à la main.

Derrière son dos marchait un grand garçon, dans le

costume classique du Dante, et qui était (elle ne s'en
cachait plus maintenant) l'ancien chanteur de l'Alhambra,
— lequel, s'appelant Auguste Delamare, s'était fait appeler
primitivement Anténor Dellamarre, puis Delmas, puis
Belmar, et enfin Delmar, modifiant ainsi et perfectionnant
son nom, d'après sa gloire croissante ; car il avait quitté
le bastringue pour le théâtre, et venait même de débuter
bruyamment à l'Ambigu, dans *Gaspardo le Pêcheur* [277].

Hussonnet, en l'apercevant, se renfrogna. Depuis qu'on
avait refusé sa pièce, il exécrait les comédiens. On n'imaginait pas la vanité de ces Messieurs, de celui-là, surtout !
« Quel poseur, voyez donc ! »

Après un léger salut à Rosanette, Delmar s'était adossé
à la cheminée ; et il restait immobile, une main sur le
cœur, le pied gauche en avant, les yeux au ciel, avec sa
couronne de lauriers dorés par-dessus son capuchon,
tout en s'efforçant de mettre dans son regard beaucoup
de poésie, pour fasciner [278] les dames. On faisait, de loin,
un grand cercle autour de lui.

Mais la Vatnaz, quand elle eut embrassé longuement
Rosanette, s'en vint prier Hussonnet de revoir, sous le
point de vue du style, un ouvrage d'éducation qu'elle
voulait publier : *La Guirlande des jeunes Personnes*, recueil
de littérature et de morale. L'homme de lettres promit
son concours. Alors, elle lui demanda s'il ne pourrait
pas, dans une des feuilles où il avait accès, faire mousser
quelque peu son ami, et même lui confier plus tard un rôle.
Hussonnet en oublia de prendre un verre de punch.

C'était Arnoux qui l'avait fabriqué ; et, suivi par le
groom du Comte portant un plateau vide, il l'offrait
aux personnes avec satisfaction.

Quand il vint à passer devant M. Oudry, Rosanette
l'arrêta.

— « Eh bien, et cette affaire ? »

Il rougit quelque peu ; enfin, s'adressant au bonhomme :
— « Notre amie m'a dit que vous auriez l'obligeance... »
— « Comment donc, mon voisin ! tout à vous. »

Et le nom de M. Dambreuse fut prononcé : comme
ils s'entretenaient à demi-voix, Frédéric les entendait confusément ; il se porta vers l'autre coin de la cheminée, où
Rosanette et Delmar causaient ensemble.

Le cabotin avait une mine vulgaire, faite comme les

décors de théâtre pour être contemplée à distance, des
mains épaisses, de grands pieds, une mâchoire lourde ;
et il dénigrait les acteurs les plus illustres, traitait de haut
les poètes, disait : « mon organe, mon physique, mes
moyens », en émaillant son discours de mots peu intel-
ligibles pour lui-même, et qu'il affectionnait, tels que
« morbidezza, analogue et homogénéité ».

Rosanette l'écoutait [279] avec de petits mouvements
de tête approbatifs. On voyait l'admiration s'épanouir
sous le fard de ses joues, et quelque chose d'humide passait comme un voile sur ses yeux clairs, d'une indéfinissable
couleur. Comment un pareil homme pouvait-il la charmer ?
Frédéric s'excitait intérieurement à le mépriser encore
plus, pour bannir, peut-être, l'espèce d'envie qu'il lui
portait.

Mlle Vatnaz était maintenant avec Arnoux ; et, tout
en riant très haut, de temps à autre, elle jetait un coup
d'œil sur son amie, que M. Oudry ne perdait pas de vue.

Puis Arnoux et la Vatnaz disparurent ; le bonhomme
vint parler bas à Rosanette.

— « Eh bien, oui, c'est convenu ! Laissez-moi tranquille. »

Et elle pria Frédéric d'aller voir dans la cuisine si M.
Arnoux n'y était pas.

Un bataillon de verres à moitié pleins couvrait le
plancher ; et les casseroles, les marmites, la turbotière,
la poêle à frire sautaient. Arnoux commandait aux domestiques en les tutoyant, battait la rémolade, goûtait les
sauces, rigolait avec la bonne.

— « Bien, » dit-il, « avertissez-la ! Je fais servir. »

On ne dansait plus, les femmes venaient de se rasseoir,
les hommes se promenaient. Au milieu du salon, un des
rideaux tendus sur une fenêtre se bombait au vent ; et la
Sphinx, malgré les observations de tout le monde, exposait au courant d'air ses bras en sueur. Où donc était
Rosanette ? Frédéric la chercha plus loin, jusque dans le
boudoir et dans la chambre. Quelques-uns, pour être
seuls, ou deux à deux, s'y étaient réfugiés. L'ombre et
les chuchotements se mêlaient. Il y avait de petits rires
sous des mouchoirs, et l'on entrevoyait au bord des corsages des frémissements d'éventails [280], lents et doux
comme des battements d'aile d'oiseau blessé.

En entrant dans la serre, il vit, sous les larges feuilles

d'un caladium, près du jet d'eau, Delmar, couché à plat
ventre sur le canapé de toile ; Rosanette, assise près de
lui, avait la main passée dans ses cheveux ; et ils se regardaient. Au même moment, Arnoux entra par l'autre côté,
celui de la volière. Delmar se leva d'un bond, puis il
sortit à pas tranquilles sans se retourner ; et même, s'arrêta
près de la porte, pour cueillir une fleur d'hibiscus dont il
garnit sa boutonnière. Rosanette pencha le visage ; Frédéric,
qui la voyait de profil, s'aperçut qu'elle pleurait.

— « Tiens! qu'as-tu donc? » dit Arnoux.

Elle haussa les épaules sans répondre.

— « Est-ce à cause de lui? » reprit-il.

Elle étendit les bras [281] autour de son cou, et, le baisant
au front, lentement :

— « Tu sais bien que je t'aimerai toujours, mon gros.
N'y pensons plus! Allons souper! »

Un lustre de cuivre à quarante bougies éclairait la
salle, dont les murailles disparaissaient sous de vieilles
faïences accrochées ; et cette lumière crue, tombant d'a-
plomb, rendait plus blanc encore, parmi les hors-d'œuvre
et les fruits, un gigantesque turbot occupant le milieu
de la nappe, bordée par des assiettes pleines de potage
à la bisque [282]. Avec un froufrou d'étoffes, les femmes,
tassant leurs jupes, leurs manches et leurs écharpes, s'assirent les unes près des autres ; les hommes, debout, s'é-
tablirent dans les angles. Pellerin et M. Oudry furent placés
près de Rosanette ; Arnoux était en face. Palazot et son
amie venaient de partir.

— « Bon voyage! » dit-elle, « attaquons! »

Et l'Enfant de chœur, homme facétieux, en faisant
un grand signe de croix, commença le *Benedicite*.

Les dames furent scandalisées, et principalement la
Poissarde, mère d'une fille dont elle voulait faire une
femme honnête. Arnoux, non plus, « n'aimait pas ça, »
trouvant qu'on devait respecter la religion.

Une horloge allemande [283], munie d'un coq, carillonnant
deux heures, provoqua sur le coucou force plaisanteries.
Toute sorte de propos s'ensuivirent : calembours, anecdotes, vantardises, gageures, mensonges tenus pour vrais,
assertions improbables, un tumulte de paroles qui bientôt
s'éparpilla en conversations particulières. Les vins circulaient, les plats se succédaient, le docteur découpait. On

se lançait de loin une orange, un bouchon ; on quittait sa place pour causer avec quelqu'un. Souvent Rosanette se tournait vers Delmar, immobile derrière elle ; Pellerin bavardait, M. Oudry souriait. Mlle Vatnaz mangea presque à elle seule le buisson d'écrevisses, et les carapaces sonnaient sous ses longues dents. L'Ange, posé sur le tabouret du piano (seul endroit où ses ailes lui permissent de s'asseoir), mastiquait placidement, sans discontinuer.

— « Quelle fourchette ! » répétait l'Enfant de chœur ébahi, « quelle fourchette ! »

Et la Sphinx buvait de l'eau-de-vie, criait à plein gosier, se démenait comme un démon. Tout à coup ses joues s'enflèrent, et, ne résistant plus au sang qui l'étouffait, elle porta sa serviette contre ses lèvres, puis la jeta sous la table.

Frédéric l'avait vue.

— « Ce n'est rien ! »

Et, à ses instances pour partir et se soigner, elle répondit lentement :

— « Bah ! à quoi bon ? autant ça qu'autre chose ! la vie n'est pas si drôle ! »

Alors, il frissonna, pris d'une tristesse glaciale, comme s'il avait aperçu des mondes entiers de misère et de désespoir, un réchaud de charbon près d'un lit de sangle, et les cadavres de la Morgue en tablier de cuir, avec le robinet d'eau froide qui coule sur leurs cheveux.

Cependant, Hussonnet, accroupi aux pieds de la Femme-Sauvage, braillait d'une voix enrouée, pour imiter l'acteur Grassot :

— « Ne sois pas cruelle, ô Celuta [284] ! cette petite fête de famille est charmante ! Enivrez-moi de voluptés, mes amours ! Folichonnons ! folichonnons ! »

Et il se mit à baiser les femmes sur l'épaule. Elles tressaillaient, piquées par ses moustaches ; puis il imagina de casser contre sa tête une assiette, en la heurtant d'un petit coup. D'autres l'imitèrent ; les morceaux de faïence volaient comme des ardoises par un grand vent, et la Débardeuse s'écria :

— « Ne vous gênez pas ! ça ne coûte rien ! Le bourgeois qui en fabrique nous en cadote ! »

Tous les yeux se portèrent sur Arnoux. Il répliqua :

— « Ah ! sur facture, permettez ! » tenant, sans doute,

à passer pour n'être pas, ou n'être plus l'amant de Rosanette.

Mais deux voix furieuses s'élevèrent :

— « Imbécile ! »

— « Polisson ! »

— « A vos ordres ! »

— « Aux vôtres ! »

C'était le Chevalier moyen âge et le Postillon russe qui se disputaient ; celui-ci ayant soutenu que des armures dispensaient d'être brave, l'autre avait pris cela pour une injure. Il voulait se battre, tous s'interposaient, et le Capitaine, au milieu du tumulte, tâchait de se faire entendre.

— « Messieurs, écoutez-moi ! un mot ! J'ai de l'expérience, messieurs ! »

Rosanette [285], ayant frappé avec son couteau sur un verre, finit par obtenir du silence ; et, s'adressant au Chevalier qui gardait son casque, puis au Postillon coiffé d'un bonnet à longs poils :

— « Retirez d'abord votre casserole ! ça m'échauffe ! — et vous, là-bas, votre tête de loup. — Voulez-vous bien m'obéir, saprelotte ! Regardez donc mes épaulettes ! Je suis votre maréchale ! »

Ils s'exécutèrent, et tous applaudirent en criant :

— « Vive la Maréchale ! vive la Maréchale ! »

Alors, elle prit sur le poêle une bouteille de vin de Champagne, et elle le versa de haut, dans les coupes qu'on lui tendait. Comme la table était trop large, les convives, les femmes surtout, se portèrent de son côté, en se dressant sur la pointe des pieds, sur les barreaux des chaises, ce qui forma pendant une minute un groupe pyramidal de coiffures, d'épaules nues, de bras tendus, de corps penchés ; — et de longs jets de vin rayonnaient dans tout cela, car le Pierrot et Arnoux, aux deux angles de la salle, lâchant chacun une bouteille, éclaboussaient les visages. Les petits oiseaux [286] de la volière, dont on avait laissé la porte ouverte, envahirent la salle, tout effarouchés, voletant autour du lustre, se cognant contre les carreaux, contre les meubles ; et quelques-uns, posés sur les têtes, faisaient au milieu des chevelures comme de larges fleurs.

Les musiciens étaient partis. On tira le piano de l'antichambre dans le salon. La Vatnaz s'y mit, et, accompagnée de l'Enfant de chœur qui battait du tambour de basque, elle entama une contredanse avec furie, tapant les touches comme un cheval qui piaffe, et se dandinant de la taille, pour mieux marquer la mesure. La Maréchale entraîna Frédéric, Hussonnet faisait la roue, la Débardeuse se disloquait comme un clown, le Pierrot avait des façons d'orangoutang, la Sauvagesse, les bras écartés, imitait l'oscillation d'une chaloupe. Enfin tous, n'en pouvant plus, s'arrêtèrent ; et on ouvrit une fenêtre.

Le grand jour entra, avec la fraîcheur du matin. Il y eut une exclamation d'étonnement, puis un silence. Les flammes jaunes [287] vacillaient, en faisant de temps à autre éclater leurs bobèches ; des rubans, des fleurs et des perles jonchaient le parquet ; des taches de punch et de sirop poissaient les consoles ; les tentures étaient salies, les costumes fripés, poudreux ; les nattes pendaient sur les épaules ; et le maquillage, coulant avec la sueur, découvrait des faces blêmes, dont les paupières rouges clignotaient.

La Maréchale, fraîche comme au sortir d'un bain, avait les joues roses, les yeux brillants. Elle jeta au loin sa perruque ; et ses cheveux tombèrent autour d'elle comme une toison, ne laissant voir de tout son vêtement que sa culotte, ce qui produisit un effet à la fois comique et gentil.

La Sphinx [288], dont les dents claquaient de fièvre, eut besoin d'un châle.

Rosanette courut dans sa chambre pour le chercher, et, comme l'autre la suivait, elle lui ferma la porte au nez, vivement.

Le Turc observa, tout haut, qu'on n'avait pas vu sortir M. Oudry. Aucun ne releva cette malice, tant on était fatigué.

Puis, en attendant les voitures, on s'embobelina dans les capelines et les manteaux. Sept heures sonnèrent. L'Ange était toujours dans la salle, attablée devant une compote de beurre et de sardines ; et la Poissarde, près d'elle, fumait des cigarettes, tout en lui donnant des conseils sur l'existence.

Enfin, les fiacres étant survenus, les invités s'en allèrent. Hussonnet, employé dans une correspondance pour la province, devait lire avant son déjeuner cinquante-trois journaux ; la Sauvagesse avait une répétition à son théâtre. Pellerin un modèle, l'Enfant de chœur trois rendez-vous.

Mais l'Ange, envahie par les premiers symptômes d'une indigestion, ne put se lever. Le Baron moyen âge la porta jusqu'au fiacre.

— « Prends garde à ses ailes! » cria par la fenêtre la Débardeuse.

On était sur le palier quand Mlle Vatnaz dit à Rosanette :

— « Adieu, chère! C'était très bien, ta soirée. »

Puis, se penchant à son oreille :

— « Garde-le ! »

— « Jusqu'à des temps meilleurs, » reprit la Maréchale en tournant le dos, lentement.

Arnoux et Frédéric s'en revinrent ensemble, comme ils étaient venus. Le marchand [289] de faïences avait un air tellement sombre que son compagnon le crut indisposé.

— « Moi ? pas du tout ! »

Il se mordait [290] la moustache, fronçait les sourcils, et Frédéric lui demanda si ce n'étaient pas ses affaires qui le tourmentaient.

— « Nullement! »

Puis tout à coup :

— « Vous le connaissiez, n'est-ce pas, le père Oudry ? »

Et, avec une expression de rancune :

— « Il est riche, le vieux gredin! »

Ensuite, Arnoux parla d'une cuisson importante que l'on devait finir aujourd'hui, à sa fabrique. Il voulait la voir. Le train partait dans une heure. « Il faut cependant que j'aille embrasser ma femme. »

— « Ah! sa femme! » pensa Frédéric.

Puis il se coucha, avec une douleur intolérable à l'occiput; et il but une carafe d'eau pour calmer sa soif.

Une autre soif lui était venue, celle des femmes, du luxe et de tout ce que comporte l'existence parisienne. Il se sentait quelque peu étourdi, comme un homme qui descend d'un vaisseau ; et, dans l'hallucination du premier sommeil, il voyait passer et repasser continuellement les épaules de la Poissarde, les reins de la Débardeuse, les mollets de la Polonaise, la chevelure de la Sauvagesse. Puis deux grands yeux noirs, qui n'étaient pas dans le bal, parurent ; et, légers comme des papillons, ardents comme des torches, ils allaient, venaient, vibraient, montaient dans la corniche, descendaient jusqu'à sa bouche. Frédéric s'acharnait à reconnaître ces yeux sans y parvenir. Mais déjà le rêve l'avait pris ; il lui semblait qu'il était attelé près d'Arnoux, au timon d'un fiacre, et que la Maréchale, à califourchon sur lui, l'éventrait avec ses éperons d'or.

II

Frédéric trouva, au coin de la rue Rumfort [291], un petit hôtel et il s'acheta, tout à la fois, le coupé, le cheval, les meubles et deux jardinières prises chez Arnoux pour mettre aux deux coins de la porte dans son salon. Derrière cet appartement, étaient une chambre et un cabinet. L'idée lui vint d'y loger Deslauriers. Mais, comment la recevrait-il, *elle*, sa maîtresse future ? La présence d'un ami serait une gêne. Il abattit le refend pour agrandir son salon, et fit du cabinet un fumoir.

Il acheta les poètes [292] qu'il aimait, des Voyages, des Atlas, des Dictionnaires, car il avait des plans de travail sans nombre ; il pressait les ouvriers, courait les magasins, et, dans son impatience de jouir, emportait tout sans marchander.

D'après les notes [293] des fournisseurs, Frédéric s'aperçut qu'il aurait à débourser prochainement une quarantaine de mille francs, non compris les droits de succession, lesquels dépasseraient trente-sept mille ; comme [294] sa fortune était en biens territoriaux, il écrivit au notaire du Havre d'en vendre une partie [295], pour se libérer de ses dettes et avoir quelque argent à sa disposition. Puis, voulant connaître enfin cette chose vague, miroitante et indéfinissable qu'on appelle *le monde*, il demanda par un billet aux Dambreuse s'ils pouvaient le recevoir. Madame répondit qu'elle espérait sa visite pour le lendemain.

C'était jour de réception. Des voitures stationnaient dans la cour. Deux valets se précipitèrent sous la marquise, et un troisième, au haut de l'escalier, se mit à marcher devant lui.

Il traversa une antichambre, une seconde pièce, puis un grand salon à hautes fenêtres, et dont la cheminée monumentale supportait une pendule en forme de sphère,

avec deux vases de porcelaine monstrueux où se hérissaient,
comme deux buissons d'or, deux faisceaux de bobèches.
Des tableaux dans la manière de l'Espagnolet étaient appendus au mur [296] ; les lourdes portières en tapisserie
tombaient majestueusement ; et les fauteuils, les consoles,
les tables, tout le mobilier, qui était de style Empire, avait
quelque chose d'imposant et de diplomatique [297]. Frédéric
souriait de plaisir, malgré lui.

Enfin il arriva dans un appartement ovale, lambrissé
de bois de rose, bourré de meubles mignons et qu'éclairait une seule glace donnant sur un jardin. Mme Dambreuse
était auprès du feu, une douzaine de personnes formant
cercle autour d'elle. Avec un mot aimable, elle lui fit signe
de s'asseoir, mais sans paraître surprise de ne l'avoir pas
vu depuis longtemps.

On vantait, quand il entra, l'éloquence de l'abbé Cœur.
Puis on déplora l'immoralité des domestiques, à propos
d'un vol commis par un valet de chambre ; et les cancans
se déroulèrent. La vieille dame de Sommery avait un
rhume, Mlle de Turvisot se mariait, les Montcharron ne
reviendraient pas avant la fin de janvier, les Bretancourt
non plus, maintenant on restait tard à la campagne ;
et la misère des propos se trouvait comme renforcée par
le luxe des choses ambiantes ; mais ce qu'on disait était
moins stupide que la manière de causer, sans but, sans
suite et sans animation. Il y avait là, cependant, des hommes
versés dans la vie, un ancien ministre, le curé d'une grande
paroisse, deux ou trois hauts fonctionnaires du gouvernement ; ils s'en tenaient aux lieux communs les plus
rebattus. Quelques-uns ressemblaient à des douairières
fatiguées, d'autres avaient des tournures de maquignon ;
et des vieillards accompagnaient leurs femmes, dont ils
auraient pu se faire passer pour les grands-pères.

Mme Dambreuse les recevait tous avec grâce. Dès
qu'on parlait d'un malade, elle fronçait les sourcils doulou-
reusement, et prenait un air joyeux s'il était question de
bals ou de soirées. Elle serait bientôt contrainte de s'en
priver, car elle allait faire sortir de pension une nièce
de son mari, une orpheline [298]. On exalta son dévouement ;
c'était se conduire en véritable mère de famille.

Frédéric l'observait. La peau mate de son visage paraissait tendue, et d'une fraîcheur sans éclat, comme

celle d'un fruit conservé. Mais ses cheveux, tirebouchonnés
à l'anglaise, étaient plus fins que de la soie, ses yeux d'un
azur brillant, tous ses gestes délicats. Assise au fond,
sur la causeuse, elle caressait les floches rouges d'un écran
japonais, pour faire valoir ses mains, sans doute, de longues mains étroites, un peu maigres, avec des doigts retroussés par le bout. Elle portait une robe de moire grise,
à corsage montant, comme une puritaine.

Frédéric lui demanda si elle ne viendrait pas cette année
à la Fortelle. Mme Dambreuse n'en savait rien. Il concevait
cela, du reste : Nogent devait l'ennuyer. Les visites [299]
augmentaient. C'etait un bruissement continu de robes
sur les tapis ; les dames, posées au bord des chaises, poussaient de petits ricanements, articulaient deux ou trois
mots, et, au bout de cinq minutes, partaient avec leurs
jeunes filles. Bientôt, la conversation fut impossible à
suivre, et Frédéric se retirait quand Mme Dambreuse lui
dit :

— « Tous les mercredis, n'est-ce pas, monsieur Moreau ? »
rachetant par cette seule phrase ce qu'elle avait montré
d'indifférence.

Il était content. Néanmoins, il huma dans la rue une
large bouffée d'air ; et, par besoin [300] d'un milieu moins
artificiel, Frédéric se ressouvint qu'il devait une visite
à la Maréchale.

La porte de l'antichambre était ouverte. Deux bichons
havanais accoururent. Une voix cria :

— « Delphine ! Delphine ! — Est-ce vous, Félix ? »

Il se tenait sans avancer ; les deux petits chiens jappaient toujours. Enfin Rosanette parut, enveloppée
dans une sorte de peignoir en mousseline blanche garnie
de dentelles, pieds nus dans des babouches.

— « Ah ! pardon, monsieur ! Je vous prenais pour le
coiffeur. Une minute ! Je reviens ! »

Et il resta seul dans la salle à manger.

Les persiennes en étaient closes. Frédéric la parcourait
des yeux, en se rappelant le tapage de l'autre nuit, lorsqu'il
remarqua au milieu, sur la table, un chapeau d'homme,
un vieux feutre bossué, gras, immonde. A qui donc ce
chapeau ? Montrant impudemment sa coiffe décousue,
il semblait dire : « Je m'en moque, après tout ! Je suis le
maître ! »

La Maréchale survint. Elle le prit, ouvrit la serre, l'y jeta, referma la porte (d'autres portes, en même temps, s'ouvraient et se refermaient), et, ayant fait passer Frédéric par la cuisine, elle l'introduisit dans son cabinet de toilette.

On voyait, tout de suite, que c'était l'endroit de la maison le plus hanté, et comme son vrai centre moral. Une perse à grands feuillages tapissait les murs, les fauteuils et un vaste divan élastique ; sur une table de marbre blanc s'espaçaient deux larges cuvettes en faïence bleue ; des planches de cristal formant étagère au-dessus étaient encombrées par des fioles, des brosses, des peignes, des bâtons de cosmétique, des boîtes à poudre ; le feu se mirait dans une haute psyché ; un drap pendait en dehors d'une baignoire, et des senteurs de pâte d'amandes et de benjoin s'exhalaient.

— « Vous excuserez le désordre ! Ce soir, je dîne en ville. »

Et, comme elle tournait sur ses talons, elle faillit écraser un des petits chiens. Frédéric les déclara charmants. Elle les souleva tous les deux, et, haussant jusqu'à lui leur museau noir :

— « Voyons, faites une risette, baisez le monsieur. »

Un homme, habillé d'une sale redingote à collet de fourrure, entra brusquement.

— « Félix, mon brave, » dit-elle, « vous aurez votre affaire dimanche prochain, sans faute. »

L'homme [301] se mit à la coiffer. Il lui apprenait des nouvelles de ses amies : Mme de Rochegune, Mme de Saint-Florentin, Mme Lombard [302], toutes étant nobles, comme à l'hôtel Dambreuse. Puis il causa théâtres ; on donnait le soir à l'Ambigu une représentation extraordinaire.

— « Irez-vous ? »

— « Ma foi, non ! Je reste chez moi. »

Delphine parut. Elle la gronda [303] pour être sortie sans sa permission. L'autre jura qu'elle « rentrait du marché ».

— « Eh bien, apportez-moi votre livre ! — Vous permettez, n'est-ce pas ? »

Et, lisant à demi-voix le cahier, Rosanette faisait des observations sur chaque article. L'addition était fausse.

— « Rendez-moi quatre sous ! »

Delphine les rendit, et, quand elle l'eut congédiée :

— « Ah ! Sainte-Vierge ! est-on assez malheureux avec ces gens-là ! »

Frédéric fut choqué de cette récrimination. Elle lui rappelait trop les autres, et établissait entre les deux maisons une sorte d'égalité fâcheuse.

Delphine [304], étant revenue, s'approcha de la Maréchale pour chuchoter un mot à son oreille.

— « Eh non ! je n'en veux pas ! »

Delphine se présenta de nouveau.

— « Madame, elle insiste. »

— « Ah ! quel embêtement ! Flanque-la dehors ! »

Au même instant, une vieille dame habillée de noir poussa la porte. Frédéric n'entendit rien, ne vit rien ; Rosanette s'était précipitée dans la chambre, à sa rencontre.

Quand elle reparut, elle avait les pommettes rouges et elle s'assit dans un des fauteuils, sans parler. Une larme tomba sur sa joue ; puis se tournant vers le jeune homme, doucement :

— « Quel est votre petit nom ? »

— « Frédéric ».

— « Ah ! Federico ! Ça ne vous gêne pas que je vous appelle comme ça ? »

Et elle le regardait d'une façon câline, presque amoureuse. Tout à coup, elle poussa un cri de joie à la vue de Mlle Vatnaz.

La femme artiste n'avait pas de temps à perdre, devant, à six heures juste, présider sa table d'hôte ; et elle haletait, n'en pouvant plus [305]. D'abord, elle retira de son cabas une chaîne de montre avec un papier, puis différents objets, des acquisitions.

— « Tu sauras qu'il y a, rue Joubert, des gants de Suède à trente-six sous magnifiques ! Ton teinturier demande encore huit jours. Pour la guipure, j'ai dit qu'on repasserait. Bugneaux a reçu l'acompte. Voilà tout, il me semble ? C'est cent quatre-vingt-cinq francs que tu me dois ! »

Rosanette alla prendre dans un tiroir dix napoléons. Aucune des deux n'avait de monnaie, Frédéric en offrit.

— « Je vous les rendrai, » dit la Vatnaz, en fourrant les quinze francs dans son sac. « Mais vous êtes un vilain. Je ne vous aime plus, vous ne m'avez pas fait danser une seule

fois, l'autre jour! — Ah! ma chère, j'ai découvert, quai
Voltaire, à une boutique, un cadre d'oiseaux-mouches
empaillés qui sont des amours. A ta place, je me les donne-
rais. Tiens! Comment trouves-tu? »

Et elle exhiba un vieux coupon de soie rose qu'elle avait
acheté au Temple pour faire un pourpoint moyen âge
à Delmar.

— « Il est venu aujourd'hui, n'est-ce pas? »

— « Non! »

— « C'est singulier! »

Et, une minute après :

— « Où vas-tu ce soir? »

— « Chez Alphonsine, » dit Rosanette ; ce qui était
la troisième version sur la manière dont elle devait passer
la soirée.

Mlle Vatnaz reprit :

— « Et le vieux de la Montagne [306], quoi de neuf? »

Mais, d'un brusque clin d'œil, la Maréchale lui commanda de se taire ; et elle reconduisit Frédéric jusque
dans l'antichambre, pour savoir s'il verrait bientôt Arnoux.

— « Priez-le donc de venir ; pas devant son épouse,
bien entendu! »

Au haut des marches, un parapluie était posé contre
le mur, près d'une paire de socques.

— « Les caoutchoucs de la Vatnaz, » dit Rosanette.
« Quel pied, hein ? Elle est forte, ma petite amie! »

Et d'un ton mélodramatique, en faisant rouler la dernière
lettre du mot :

— « Ne pas s'y fierrr! »

Frédéric, enhardi par cette espèce de confidence, voulut
la baiser sur le col. Elle dit froidement.

— « Oh! faites! Ça ne coûte rien! »

Il était léger en sortant de là, ne doutant pas que la
Maréchale ne devînt bientôt sa maîtresse. Ce désir en
éveilla un autre ; et, malgré l'espèce de rancune qu'il lui
gardait, il eut envie de voir Mme Arnoux.

D'ailleurs, il devait y aller pour la commission de
Rosanette.

— « Mais, à présent, » songea-t-il (six heures sonnaient),
« Arnoux est chez lui, sans doute. »

Il ajourna sa visite au lendemain.

Elle se tenait dans la même attitude que le premier jour,

et cousait une chemise d'enfant. Le petit garçon, à ses pieds, jouait avec une ménagerie de bois ; Marthe, [307] un peu plus loin, écrivait.

Il commença par la complimenter de ses enfants. Elle répondit sans aucune exagération de bêtise maternelle.

La chambre avait un aspect tranquille. Un beau soleil passait par les carreaux, les angles des meubles reluisaient, et, comme Mme Arnoux était assise auprès de la fenêtre, un grand rayon, frappant les accroche-cœur de sa nuque, pénétrait d'un fluide d'or sa peau ambrée. Alors, il dit :

— « Voilà une jeune personne qui est devenue bien grande depuis trois ans ! — Vous rappelez-vous, Mademoiselle, quand vous dormiez sur mes genoux, dans la voiture ? » Marthe ne se rappelait pas. « Un soir, en revenant de Saint-Cloud ? »

Mme Arnoux eut un regard singulièrement triste. Était-ce pour lui défendre toute allusion à leur souvenir commun ?

Ses beaux yeux noirs, dont la sclérotique brillait, se mouvaient doucement sous leurs paupières un peu lourdes, et il y avait dans la profondeur de ses prunelles [308] une bonté infinie. Il fut ressaisi par un amour plus fort que jamais, immense : c'était une contemplation qui l'engourdissait, il la secoua pourtant, Comment [309] se faire valoir ? par quels moyens ? Et, ayant bien cherché, Frédéric ne trouva rien de mieux que l'argent. Il se mit à parler du temps, lequel était moins froid qu'au Havre.

— « Vous y avez été ? »

— « Oui, pour une affaire... de famille... un héritage. »

— « Ah ! j'en suis bien contente, » reprit-elle avec un air de plaisir tellement vrai qu'il en fut touché comme d'un grand service.

Puis elle lui demanda ce qu'il voulait faire, un homme devant s'employer à quelque chose. Il se rappela son mensonge et dit qu'il espérait parvenir au Conseil d'État, grâce à M. Dambreuse, le député.

— « Vous le connaissez, peut-être ? »

— « De nom, seulement. »

Puis, d'une voix basse :

— « *Il* vous a mené au bal, l'autre jour, n'est-ce pas ? » Frédéric se taisait.

— « C'est ce que voulais savoir, merci. »

Ensuite, elle lui fit deux ou trois questions discrètes sur sa famille et sa province. C'était bien aimable d'être resté là-bas si longtemps, sans les oublier.

— « Mais..., le pouvais-je? » reprit-il. « En doutiez-vous? »

Mme Arnoux [310] se leva.

— « Je crois que vous nous portez une bonne et solide affection. — Adieu... au revoir! »

Et elle tendit sa main d'une manière franche et virile. N'était-ce pas un engagement, une promesse? Frédéric se sentait tout joyeux de vivre ; il se retenait pour ne pas chanter, il avait besoin de se répandre, de faire des générosités et des aumônes. Il regarda autour de lui s'il n'y avait personne à secourir. Aucun misérable ne passait ; et sa velléité de dévouement s'évanouit, car il n'était pas homme à en chercher au loin les occasions.

Puis il se ressouvint de ses amis. Le premier auquel il songea fut Hussonnet, le second Pellerin. La position infime de Dussardier commandait naturellement des égards ; quant à Cisy, il se réjouissait de lui faire voir un peu sa fortune. Il écrivit donc à tous les quatre de venir pendre la crémaillère le dimanche suivant, à onze heures juste, et il chargea Deslauriers d'amener Sénécal.

Le répétiteur avait été congédié de son troisième pensionnat pour n'avoir point voulu de distribution de prix, usage qu'il regardait comme funeste à l'égalité. Il était maintenant chez un constructeur de machines, et n'habitait plus avec Deslauriers depuis six mois.

Leur séparation n'avait eu rien de pénible. Sénécal, dans les derniers temps, recevait des hommes en blouse, tous patriotes, tous travailleurs, tous braves gens, mais dont la compagnie semblait fastidieuse à l'avocat. D'ailleurs, certaines idées de son ami, excellentes comme armes de guerre, lui déplaisaient. Il s'en taisait par ambition, tenant à le ménager pour le conduire, car il attendait avec impatience un grand bouleversement où il comptait bien faire son trou, avoir sa place.

Les convictions de Sénécal étaient plus désintéressées. Chaque soir, quand sa besogne était finie, il regagnait sa mansarde, et il cherchait dans les livres de quoi justifier ses rêves. Il avait annoté le *Contrat social*. Il se bourrait de la *Revue Indépendante* [311]. Il connaissait Mably, Morelly,

Fourier, Saint-Simon, Comte, Cabet, Louis Blanc, la lourde charretée des écrivains socialistes, ceux qui réclament pour l'humanité le niveau des casernes, ceux qui voudraient la divertir dans un lupanar ou la plier sur un comptoir [312] ; et, du mélange de tout cela, il s'était fait un idéal de démocratie vertueuse, ayant le double aspect d'une métairie et d'une filature, une sorte de Lacédémone américaine où l'individu n'existerait que pour servir la Société, plus omnipotente, absolue, infaillible et divine que les Grands Lamas et les Nabuchodonosors. Il n'avait pas un doute sur l'éventualité prochaine de cette conception ; et tout ce qu'il jugeait lui être hostile, Sénécal s'acharnait dessus, avec des raisonnements de géomètre et une bonne foi d'inquisiteur. Les titres nobiliaires, les croix, les panaches, les livrées surtout, et même les réputations trop sonores, le scandalisaient, — ses études comme ses souffrances avivant chaque jour sa haine essentielle de toute distinction ou supériorité quelconque [313].

— « Qu'est-ce que je dois à ce monsieur pour lui faire des politesses ? S'il voulait de moi, il pouvait venir ! » Deslauriers l'entraîna.

Ils trouvèrent leur ami dans sa chambre à coucher. Stores et doubles rideaux, glace de Venise, rien n'y manquait ; Frédéric, en veste de velours, était renversé dans une bergère, où il fumait des cigarettes de tabac turc.

Sénécal se rembrunit, comme les cagots amenés dans les réunions de plaisir. Deslauriers embrassa tout d'un seul coup d'œil ; puis, le saluant très bas :

— « Monseigneur ! je vous présente mes respects ! » Dussardier lui sauta au cou.

— « Vous êtes donc riche, maintenant ? Ah ! tant mieux, nom d'un chien, tant mieux ! »

Cisy parut, avec un crêpe à son chapeau. Depuis la mort de sa grand'mère, il jouissait d'une fortune considérable, et tenait moins à s'amuser qu'à se distinguer des autres, à n'être pas comme tout le monde, enfin à « avoir du cachet ». C'était son mot.

Il était midi cependant, et tous bâillaient ; Frédéric attendait quelqu'un. Au nom d'Arnoux, Pellerin fit la grimace. Il le considérait comme un renégat depuis qu'il avait abandonné les arts.

— « Si l'on se passait de lui ? qu'en dites-vous ? »

Tous approuvèrent.

Un domestique en longues guêtres ouvrit la porte, et l'on aperçut la salle à manger avec sa haute plinthe en chêne relevé d'or [314] et ses deux dressoirs chargés de vaisselle. Les bouteilles de vin chauffaient sur le poêle ; les lames des couteaux neufs miroitaient près des huîtres ; il y avait dans le ton laiteux des verres mousseline comme une douceur engageante, et la table disparaissait sous du gibier, des fruits, des choses extraordinaires. Ces attentions furent perdues pour Sénécal.

Il commença par demander du pain de ménage (le plus ferme possible), et, à ce propos, parla des meurtres de Buzançais et de la crise des subsistances [315].

Rien de tout cela ne serait survenu si l'on protégeait mieux l'agriculture, si tout n'était pas livré à la concurrence, à l'anarchie, à la déplorable maxime du « laissez faire, laissez passer » ! Voilà comment se constituait la féodalité de l'argent, pire que l'autre ! Mais qu'on y prenne garde ! le peuple, à la fin, se lassera, et pourrait faire payer ses souffrances aux détenteurs du capital, soit par de sanglantes proscriptions, ou par le pillage de leurs hôtels.

Frédéric entrevit, dans un éclair, un flot d'hommes aux bras nus envahissant le grand salon de Mme Dambreuse, cassant les glaces à coups de pique.

Sénécal continuait : l'ouvrier, vu l'insuffisance des salaires, était plus malheureux que l'ilote, le nègre et le paria, s'il a des enfants surtout.

— « Doit-il s'en débarrasser par l'asphyxie, comme le lui conseille je ne sais plus quel docteur anglais, issu de Malthus ? »

Et se tournant vers Cisy :

— « En serons-nous réduits aux conseils de l'infâme Malthus ? »

Cisy, qui ignorait l'infamie et même l'existence de Malthus, répondit qu'on secourait pourtant beaucoup de misères, et que les classes élevées...

— « Ah ! les classes élevées ! » dit, en ricanant, le socialiste. « D'abord, il n'y a pas de classes élevées ; on n'est élevé que par le cœur ! Nous ne voulons pas d'aumônes, entendez-vous ! mais l'égalité, la juste répartition des produits. »

Ce qu'il demandait, c'est que l'ouvrier pût devenir

capitaliste, comme le soldat, colonel. Les jurandes, au moins, en limitant le nombre des apprentis, empêchaient l'encombrement des travailleurs, et le sentiment de la fraternité se trouvait entretenu par les fêtes, les bannières.

Hussonnet, comme poète, regrettait les bannières ; Pellerin aussi, prédilection qui lui était venue au café Dagneaux, en écoutant causer des phalanstériens [316]. Il déclara Fourier un grand homme.

— « Allons donc ! » dit Deslauriers. « Une vieille bête ! qui voit dans les bouleversements d'empires des effets de la vengeance divine ! C'est comme le sieur Saint-Simon et son église, avec sa haine de la Révolution française : un tas de farceurs qui voudraient nous refaire le catholicisme ! »

M. de Cisy [317], pour s'éclairer, sans doute, ou donner de lui une bonne opinion, se mit à dire doucement :

— « Ces deux savants ne sont donc pas de l'avis de Voltaire ?

— « Celui-là, je vous l'abandonne ! » reprit Sénécal.

— « Comment ? moi, je croyais... »

— « Eh non ! il n'aimait pas le peuple ! »

Puis la conversation descendit aux événements contemporains : les mariages espagnols [318], les dilapidations de Rochefort [319], le nouveau chapitre de Saint-Denis [320], ce qui amènerait un redoublement d'impôts. Selon Sénécal, on en payait assez, cependant !

— « Et pourquoi, mon Dieu ? pour élever des palais aux singes du Muséum, faire parader sur nos places de brillants états-majors, ou soutenir, parmi les valets du Château, une étiquette gothique ! »

— « J'ai lu dans la Mode, » dit Cisy, « qu'à la Saint-Ferdinand, au bal des Tuileries, tout le monde était déguisé en chicards. »

— « Si ce n'est pas pitoyable ! » fit le socialiste, en haussant de dégoût les épaules.

— « Et le musée de Versailles ! » s'écria Pellerin. « Parlons-en ! Ces imbéciles-là ont raccourci un Delacroix et rallongé un Gros [321] ! Au Louvre, on a si bien restauré, gratté et tripoté toutes les toiles que, dans dix ans, peut-être pas une ne restera. Quant aux erreurs du catalogue, un Allemand a écrit dessus tout un livre. Les étrangers, ma parole, se fichent de nous ! »

— « Oui, nous sommes la risée de l'Europe, » dit Sénécal.

— « C'est parce que l'Art est inféodé à la Couronne. »

— « Tant que vous n'aurez pas le suffrage universel... »

— « Permettez ! » car l'artiste, refusé depuis vingt ans à tous les salons, était furieux contre le Pouvoir. « Eh ! qu'on nous laisse tranquilles. Moi, je ne demande rien ! seulement les Chambres devraient statuer sur les intérêts de l'Art. Il faudrait établir une chaire d'esthétique, et dont le professeur, un homme à la fois praticien et philosophe, parviendrait, j'espère à grouper la multitude. — Vous feriez bien, Hussonnet, de toucher un mot de ça dans votre journal ? »

— « Est-ce que les journaux sont libres ? est-ce que nous le sommes ? » dit Deslauriers avec emportement. « Quand on pense qu'il peut y avoir jusqu'à vingt-huit formalités pour établir un batelet sur une rivière, ça me donne envie d'aller vivre chez les anthropophages ! Le Gouvernement nous dévore ! Tout est à lui, la philosophie, le droit, les arts, l'air du ciel ; et la France râle, énervée, sous la botte du gendarme et la soutane du calotin ! »

Le futur Mirabeau épanchait ainsi sa bile, largement. Enfin, il prit son verre, se leva, et, le poing sur la hanche, l'œil allumé :

— « Je bois [322] à la destruction complète de l'ordre actuel, c'est-à-dire de tout ce qu'on nomme Privilège, Monopole, Direction, Hiérarchie, Autorité, État ! » et, d'une voix plus haute : « que je voudrais briser comme ceci ! » en lançant sur la table le beau verre à patte, qui se fracassa en mille morceaux.

Tous applaudirent, et Dussardier principalement.

Le spectacle des injustices lui faisait bondir le cœur. Il s'inquiétait de Barbès [323] ; il était de ceux qui se jettent sous les voitures pour porter secours aux chevaux tombés. Son érudition se bornait à deux ouvrages, l'un intitulé *Crimes des rois*, l'autre *Mystères du Vatican*. Il avait écouté l'avocat bouche béante, avec délices. Enfin, n'y tenant plus :

— « Moi, ce que je reproche à Louis-Philippe, c'est d'abandonner les Polonais [324] ! »

— « Un moment ! » dit Hussonnet. « D'abord, la Pologne n'existe pas ; c'est une invention de Lafayette ! Les Polonais, règle générale, sont tous du faubourg Saint-Marceau, les véritables s'étant noyés avec Poniatowski. » Bref,

« il ne donnait plus là-dedans, » il était « revenu de tout
ça ! » C'était comme le serpent de mer, la révocation de
l'édit de Nantes et « cette vieille blague de la Saint-
Barthélemy ! »

Sénécal, sans défendre les Polonais, releva les derniers
mots de l'homme de lettres. On avait calomnié les papes [325],
qui, après tout, défendaient le peuple, et il appelait la
Ligue « l'aurore de la Démocratie, un grand mouvement
égalitaire contre l'individualisme des protestants ».

Frédéric était un peu surpris par ces idées. Elles ennuyaient Cisy probablement, car il mit la conversation sur
les tableaux vivants du Gymnase, qui attiraient alors
beaucoup de monde.

Sénécal s'en affligea. De tels spectacles corrompaient
les filles du prolétaire ; puis on les voyait étaler un luxe
insolent. Aussi approuvait-il les étudiants bavarois qui
avaient outragé Lola Montès [326]. A l'instar de Rousseau,
il faisait plus de cas de la femme d'un charbonnier que
de la maîtresse d'un roi.

— « Vous blaguez les truffes ! » répliqua majestueusement Hussonnet. Et il prit la défense de ces dames, en
faveur de Rosanette. Puis, comme il parlait de son bal
et du costume d'Arnoux :

— « On prétend qu'il branle dans le manche ? » dit
Pellerin.

Le marchand de tableaux venait d'avoir un procès
pour ses terrains de Belleville, et il était actuellement
dans une compagnie de kaolin bas-breton avec d'autres
farceurs de son espèce.

Dussardier en savait davantage ; car son patron à
lui, M. Moussinot, ayant été aux informations sur Arnoux
près du banquier Oscar Lefebvre, celui-ci avait répondu
qu'il le jugeait peu solide, connaissant quelques-uns de
ses renouvellements.

Le dessert [327] était fini ; on passa dans le salon, tendu,
comme celui de la Maréchale, en damas jaune, et de style
Louis XVI.

Pellerin blâma Frédéric de n'avoir pas choisi, plutôt,
le style néo-grec ; Sénécal frotta des allumettes contre
les tentures ; Deslauriers ne fit aucune observation. Il en
fit dans la bibliothèque, qu'il appela une bibliothèque
de petite fille. La plupart des littérateurs contemporains

s'y trouvaient. Il fut impossible [328] de parler de leurs ouvrages, car Hussonnet, immédiatement, contait des anecdotes sur leurs personnes, critiquait leurs figures, leurs
mœurs, leur costume, exaltant les esprits de quinzième
ordre, dénigrant ceux du premier, et déplorant, bien
entendu, la décadence moderne. Telle chansonnette de
villageois contenait, à elle seule, plus de poésie que tous
les lyriques du XIXᵉ siècle ; Balzac était surfait, Byron
démoli, Hugo n'entendait rien au théâtre, etc.

— « Pourquoi donc, » dit Sénécal, « n'avez-vous pas
les volumes de nos poètes-ouvriers ? »

Et M. de Cisy, qui s'occupait de littérature, s'étonna
de ne pas voir sur la table de Frédéric « quelques-unes
de ces physiologies nouvelles, physiologie du fumeur,
du pêcheur à la ligne, de l'employé de barrière ».

Ils arrivèrent [329] à l'agacer tellement qu'il eut envie de
les pousser dehors par les épaules. « Mais je deviens bête ! »
Et, prenant Dussardier à l'écart, il lui demanda s'il pouvait
le servir en quelque chose.

Le brave garçon fut attendri. Avec sa place de caissier,
il n'avait besoin de rien.

Ensuite, Frédéric emmena Deslauriers dans sa chambre, et, tirant, de son secrétaire deux mille francs :

— « Tiens, mon brave, empoche ! C'est le reliquat
de mes vieilles dettes. »

— « Mais... et le Journal ? » dit l'avocat. « J'en ai parlé
à Hussonnet, tu sais bien. »

Et, Frédéric ayant répondu qu'il se trouvait « un peu
gêné, maintenant », l'autre eut un mauvais sourire.

Après les liqueurs, on but de la bière ; après la bière,
des grogs ; on refuma des pipes. Enfin, à cinq heures
du soir, tous s'en allèrent ; et ils marchaient les uns près
des autres, sans parler, quand Dussardier se mit à dire
que Frédéric les avait reçus parfaitement. Tous en
convinrent.

Hussonnet [330] déclara son déjeuner un peu trop lourd.
Sénécal [331] critiqua la futilité de son intérieur. Cisy pensait
de même. Cela manquait de « cachet », absolument.

— « Moi je trouve, » dit Pellerin, « qu'il aurait bien
pu me commander un tableau. »

Deslauriers se taisait, en tenant dans la poche de son
pantalon ses billets de banque.

Frédéric était resté seul. Il pensait à ses amis, et sentait
entre eux et lui comme un grand fossé plein d'ombre
qui les séparait. Il leur avait tendu la main cependant,
et ils n'avaient pas répondu à la franchise de son cœur.
Il se rappela [332] les mots de Pellerin et de Dussardier
sur Arnoux. C'était une invention, une calomnie sans
doute ? Mais pourquoi ? Et il aperçut Mme Arnoux,
ruinée, pleurant, vendant ses meubles. Cette idée le tourmenta toute la nuit ; le lendemain, il se présenta chez elle.

Ne sachant comment s'y prendre pour communiquer
ce qu'il savait, il lui demanda en manière de conversation
si Arnoux avait toujours ses terrains de Belleville.

— « Oui, toujours. »

— « Il est maintenant dans une compagnie pour du
kaolin de Bretagne, je crois ? »

— « C'est vrai. »

— « Sa fabrique marche très bien, n'est-ce pas ? »

— « Mais... je le suppose. »

Et, comme il hésitait :

— « Qu'avez-vous donc ? vous me faites peur ! »

Il lui apprit [333] l'histoire des renouvellements. Elle
baissa la tête, et dit :

— « Je m'en doutais ! »

En effet, Arnoux, pour faire une bonne spéculation,
s'était refusé à vendre ses terrains, avait emprunté dessus
largement et, ne trouvant [334] point d'acquéreurs, avait
cru se rattraper par l'établissement d'une manufacture.
Les frais avaient dépassé les devis. Elle n'en savait pas
davantage ; il éludait toute question et affirmait continuellement que « ça allait très bien ».

Frédéric tâcha de la rassurer. C'étaient peut-être des
embarras momentanés. Du reste, s'il apprenait quelque
chose, il lui en ferait part.

— « Oh ! oui, n'est-ce pas ? » dit-elle, en joignant ses
deux mains, avec un air de supplication charmant.

Il pouvait donc lui être utile. Le voilà qui entrait dans
son existence, dans son cœur !

Arnoux parut.

— « Ah ! comme c'est gentil de venir me prendre
pour dîner ! »

Frédéric en resta muet.

Arnoux parla de choses indifférentes, puis avertit sa

femme qu'il rentrerait fort tard, ayant un rendez-vous
avec M. Oudry.

— « Chez lui? »

— « Mais certainement, chez lui. »

Il avoua, tout en descendant l'escalier, que, la Maréchale
se trouvant libre, ils allaient faire ensemble une partie
fine au Moulin-Rouge ; et, comme il lui fallait toujours
quelqu'un pour recevoir ses épanchements, il se fit conduire
par Frédéric jusqu'à la porte.

Au lieu d'entrer, il se promena sur le trottoir, en
observant les fenêtres du second étage. Tout à coup
les rideaux s'écartèrent.

— « Ah! bravo! le père Oudry n'y est plus. Bonsoir! »

C'était donc le père Oudry qui l'entretenait? Frédéric
ne savait que penser maintenant.

A partir de ce jour-là, Arnoux fut encore plus cordial
qu'auparavant ; il l'invitait à dîner chez sa maîtresse,
et bientôt Frédéric hanta tout à la fois les deux maisons.

Celle de Rosanette l'amusait. On venait là le soir, en
sortant du club ou du spectacle ; on prenait une tasse de
thé, on faisait une partie de loto ; le dimanche, on jouait
des charades ; Rosanette, plus turbulente que les autres,
se distinguait par des inventions drolatiques, comme
de courir à quatre pattes ou de s'affubler d'un bonnet de
coton. Pour regarder les passants par la croisée, elle avait
un chapeau de cuir bouilli ; elle fumait des chibouques,
elle chantait des tyroliennes. L'après-midi, par désœuvrement, elle découpait des fleurs dans un morceau de toile
perse, les collait elle-même sur ses carreaux, barbouillait
de fard ses deux petits chiens, faisait brûler des pastilles,
ou se tirait la bonne aventure. Incapable de résister à une
envie, elle s'engouait d'un bibelot qu'elle avait vu, n'en
dormait pas, courait l'acheter, le troquait contre un autre,
et gâchait les étoffes, perdait ses bijoux, gaspillait l'argent,
aurait vendu sa chemise pour une loge d'avant-scène.
Souvent, elle demandait à Frédéric l'explication d'un mot
qu'elle avait lu, mais n'écoutait pas sa réponse, car elle
sautait vite à une autre idée, en multipliant les questions.
Après des spasmes de gaieté, c'étaient des colères enfantines;
ou bien elle rêvait, assise par terre, devant le feu, la tête
basse et le genou dans ses deux mains, plus inerte qu'une
couleuvre engourdie. Sans y prendre garde, elle s'habillait

devant lui, tirait avec lenteur ses bas de soie, puis se lavait à grande eau le visage, en se renversant la taille comme une naïade qui frissonne ; et le rire de ses dents blanches, les étincelles de ses yeux, sa beauté, sa gaieté éblouissaient Frédéric, et lui fouettaient les nerfs.

Presque toujours, il trouvait Mme Arnoux montrant à lire à son bambin, ou derrière la chaise de Marthe qui faisait des gammes sur son piano ; quand elle travaillait à un ouvrage de couture, c'était pour lui un grand bonheur que de ramasser, quelquefois, ses ciseaux. Tous ses mouvements étaient d'une majesté tranquille ; ses petites mains semblaient faites pour épandre des aumônes, pour essuyer ses pleurs [335] ; et sa voix, un peu sourde naturellement, avait des intonations caressantes et comme des légèretés de brise.

Elle ne s'exaltait point pour la littérature, mais son esprit charmait par des mots simples et pénétrants. Elle aimait les voyages, le bruit du vent dans les bois, et à se promener tête nue sous la pluie. Frédéric écoutait ces choses délicieusement, croyant voir un abandon d'elle-même qui commençait.

La fréquentation [336] de ces deux femmes faisait dans sa vie comme deux musiques : l'une folâtre, emportée, divertissante, l'autre grave et presque religieuse ; et, vibrant à la fois, elles augmentaient toujours, et peu à peu se mêlaient ; — car, si Mme Arnoux venait à l'effleurer du doigt seulement, l'image de l'autre, tout de suite, se présentait à son désir, parce qu'il avait, de ce côté-là, une chance moins lointaine ; — et, dans la compagnie de Rosanette, quand il lui arrivait d'avoir le cœur ému, il se rappelait immédiatement son grand amour.

Cette confusion était provoquée par des similitudes entre les deux logements. Un des bahuts que l'on voyait autrefois boulevard Montmartre ornait à présent la salle à manger de Rosanette, l'autre, le salon de Mme Arnoux. Dans les deux maisons, les services de table étaient pareils, et l'on retrouvait jusqu'à la même calotte de velours traînant sur les bergères ; puis une foule de petits cadeaux, des écrans, des boîtes, des éventails allaient et venaient de chez la maîtresse chez l'épouse, car, sans la moindre gêne, Arnoux, souvent, reprenait à l'une ce qu'il lui avait donné pour l'offrir à l'autre.

La Maréchale riait avec Frédéric de ses mauvaises façons. Un dimanche, après dîner, elle l'emmena derrière la porte, et lui fit voir dans son paletot un sac de gâteaux, qu'il venait d'escamoter sur la table, afin d'en régaler, sans doute, sa petite famille. M. Arnoux se livrait à des espiègleries [337] côtoyant la turpitude. C'était pour lui un devoir que de frauder l'octroi ; il n'allait jamais au spectacle en payant, avec un billet de secondes prétendait toujours se pousser aux premières, et racontait comme une farce excellente qu'il avait coutume, aux bains froids, de mettre dans le tronc du garçon un bouton de culotte pour une pièce de dix sous, ce qui n'empêchait point la Maréchale de l'aimer.

Un jour, cependant, elle dit, en parlant de lui :

— « Ah! il m'embête, à la fin! J'en ai assez! Ma foi, tant pis, j'en trouverai un autre! »

Frédéric croyait « l'autre » déjà trouvé et qu'il s'appelait M. Oudry.

— « Eh bien, » dit Rosanette, « qu'est-ce que cela fait? »

Puis, avec des larmes dans la voix :

— « Je lui demande bien peu de chose, pourtant, et il ne veut pas, l'animal! Il ne veut pas! Quant à ses promesses, oh! c'est différent. »

Il lui avait même promis un quart de ses bénéfices dans les fameuses mines de kaolin ; aucun bénéfice [338] ne se montrait, pas plus que le cachemire dont il la leurrait depuis six mois.

Frédéric pensa, immédiatement, à lui en faire cadeau. Arnoux pouvait prendre cela pour une leçon et se fâcher.

Il était bon cependant, sa femme elle-même le disait. Mais si fou! Au lieu d'amener tous les jours du monde à dîner chez lui, à présent il traitait ses connaissances chez le restaurateur. Il achetait des choses complètement inutiles, telles que des chaînes d'or, des pendules, des articles de ménage. Mme Arnoux montra même à Frédéric, dans le couloir, une énorme provision de bouillottes, chaufferettes et samovars. Enfin, un jour, elle avoua ses inquiétudes : Arnoux lui avait fait signer un billet, souscrit à l'ordre de M. Dambreuse.

Cependant, Frédéric conservait ses projets littéraires, par une sorte de point d'honneur vis-à-vis de lui-même. Il voulait écrire une histoire de l'esthétique, résultat de ses conversations avec Pellerin, puis mettre en drames différentes époques de la Révolution française et composer une grande comédie, par l'influence indirecte de Deslauriers et d'Hussonnet. Au milieu [339] de son travail, souvent le visage de l'une ou de l'autre passait devant lui ; il luttait contre l'envie de la voir, ne tardait pas à y céder ; et il était plus triste en revenant de chez Mme Arnoux.

Un matin qu'il ruminait sa mélancolie au coin de son feu, Deslauriers entra. Les discours incendiaires de Sénécal avaient inquiété son patron, et, une fois de plus, il se trouvait sans ressources.

— « Que veux-tu que j'y fasse ? » dit Frédéric.

— « Rien ! tu n'as pas d'argent, je le sais. Mais ça ne te gênerait guère de lui découvrir une place, soit par M. Dambreuse ou bien Arnoux ? »

Celui-ci devait avoir besoin d'ingénieurs dans son établissement. Frédéric eut une inspiration : Sénécal pourrait l'avertir des absences du mari, porter des lettres, l'aider dans mille occasions qui se présenteraient. D'homme à homme, on se rend toujours ces services-là. D'ailleurs, il trouverait moyen de l'employer sans qu'il s'en doutât. Le hasard lui offrait un auxiliaire, c'était de bon augure, il fallait le saisir ; et, affectant de l'indifférence, il répondit que la chose peut-être était faisable et qu'il s'en occuperait.

Il s'en occupa tout de suite. Arnoux se donnait beaucoup de peine dans sa fabrique. Il cherchait le rouge de cuivre des Chinois ; mais ses couleurs se volatilisaient par la cuisson. Afin d'éviter les gerçures de ses faïences, il mêlait de la chaux à son argile ; mais les pièces se brisaient pour la plupart, l'émail de ses peintures sur cru bouillonnait, ses grandes plaques gondolaient ; et, attribuant ces mécomptes au mauvais outillage de sa fabrique, il voulait se faire faire d'autres moulins à broyer, d'autres séchoirs. Frédéric se rappela quelques-unes de ces choses ; et il l'aborda en annonçant qu'il avait découvert un homme très fort, capable de trouver son fameux rouge. Arnoux en fit un bond, puis, l'ayant écouté, répondit qu'il n'avait besoin de personne.

Frédéric exalta les connaissances prodigieuses de Sénécal, tout à la fois ingénieur, chimiste et comptable, étant un mathématicien de première force.

Le faïencier consentit à le voir.

Tous deux se chamaillèrent sur les émoluments. Frédéric s'interposa et parvint, au bout de la semaine, à leur faire conclure un arrangement.

Mais, l'usine étant située à Creil, Sénécal ne pouvait en rien l'aider. Cette réflexion, très simple, abattit son courage comme une mésaventure.

Il songea que plus Arnoux serait détaché de sa femme plus il aurait de chances auprès d'elle. Alors, il se mit à faire l'apologie de Rosanette, continuellement ; il lui représenta tous ses torts à son endroit, conta les vagues menaces de l'autre jour, et même parla du cachemire, sans taire qu'elle l'accusait d'avarice.

Arnoux, piqué du mot (et, d'ailleurs, concevant des inquiétudes), apporta le cachemire à Rosanette, mais la gronda de s'être plainte à Frédéric ; comme elle disait lui avoir cent fois rappelé sa promesse, il prétendit qu'il ne s'en était pas souvenu, ayant trop d'occupations.

Le lendemain, Frédéric se présenta chez elle. Bien qu'il fût deux heures, la Maréchale était encore couchée ; et, à son chevet, Delmar, installé devant un guéridon, finissait une tranche de foie gras. Elle cria de loin : « Je l'ai, je l'ai ; » puis, le prenant par les oreilles, elle l'embrassa au front, le remercia beaucoup, le tutoya, voulut même ³⁴⁰ le faire asseoir sur son lit. Ses jolis yeux tendres pétillaient, sa bouche humide souriait, ses deux bras ronds sortaient de sa chemise qui n'avait pas de manches ; et, de temps à autre, il sentait, à travers la batiste, les fermes contours de son corps. Delmar, pendant ce temps-là, roulait ses prunelles.

— « Mais véritablement, mon amie, ma chère amie !... »

Il en fut de même les fois suivantes. Dès que Frédéric entrait, elle montait debout sur un coussin, pour qu'il l'embrassât mieux, l'appelait un mignon, un chéri, mettait une fleur à sa boutonnière, arrangeait sa cravate ; ces gentillesses redoublaient toujours lorsque Delmar se trouvait là.

Étaient-ce des avances ? Frédéric le crut. Quant à tromper un ami, Arnoux, à sa place, ne s'en gênerait guère ! et il avait bien le droit de n'être pas vertueux avec sa maîtresse, l'ayant toujours été avec sa femme ; car il croyait l'avoir été, ou plutôt il aurait voulu se le faire accroire, pour la justification de sa prodigieuse couardise. Il se trouvait stupide cependant, et résolut de s'y prendre avec la Maréchale carrément.

Donc une après-midi, comme elle se baissait devant sa commode, il s'approcha d'elle et eut un geste d'une éloquence si peu ambiguë qu'elle se redressa tout empourprée. Il recommença de suite ; alors elle fondit en larmes, disant qu'elle était bien malheureuse et que ce n'était pas une raison pour qu'on la méprisât.

Il réitéra ses tentatives. Elle [341] prit un autre genre, qui fut de rire toujours. Il crut malin de riposter par le même ton, et en l'exagérant. Mais il se montrait trop gai pour qu'elle le crût sincère ; et leur camaraderie faisait obstacle à l'épanchement de toute émotion sérieuse. Enfin, un jour, elle répondit qu'elle n'acceptait pas les restes d'une autre.

— « Quelle autre? »

— « Eh oui ! va retrouver Mme Arnoux [342] ! »

Car Frédéric en parlait souvent ; Arnoux, de son côté, avait la même manie ; elle s'impatientait, à la fin, d'entendre toujours vanter cette femme ; et son imputation était une espèce de vengeance.

Frédéric lui en garda rancune.

Elle commençait, du reste, à l'agacer fortement. Quelquefois, se posant comme expérimentée, elle disait du mal de l'amour avec un rire sceptique qui donnait des démangeaisons de la gifler. Un quart d'heure après, c'était la seule chose qu'il y eût au monde, et, croisant ses bras sur sa poitrine, comme pour serrer quelqu'un, elle murmurait : « Oh! oui, c'est bon! c'est si bon! » les paupières entre-closes et à demi pâmée d'ivresse. Il était impossible de la connaître, de savoir, par exemple, si elle aimait Arnoux, car elle se moquait de lui et en paraissait jalouse. De même pour la Vatnaz, qu'elle appelait une misérable, d'autres fois sa meilleure amie. Elle avait, enfin, sur toute sa personne et jusque dans le retroussement de son chignon, quelque chose d'inexprimable qui ressemblait à un défi ; — et il la désirait, pour le plaisir surtout de la vaincre et de la dominer.

Comment faire [343] ? car souvent elle le renvoyait sans nulle cérémonie, apparaissant une minute entre deux portes pour chuchoter : « Je suis occupée ; à ce soir! » ou bien il la trouvait au milieu de douze personnes ;

et quand ils étaient seuls, on aurait juré une gageure,
tant les empêchements se succédaient. Il l'invitait à dîner,
elle refusait toujours ; une fois, elle accepta, mais ne vint pas.

Une idée machiavélique [344] surgit dans sa cervelle.

Connaissant par Dussardier les récriminations de Pellerin
sur son compte, il imagina de lui commander le portrait
de la Maréchale, un portrait grandeur nature, qui exigerait
beaucoup de séances ; il n'en manquerait pas une seule ;
l'inexactitude habituelle de l'artiste faciliterait les tête-à-
tête. Il engagea donc Rosanette à se faire peindre, pour offrir
son visage à son cher Arnoux. Elle accepta, car elle se voyait
au milieu du Grand Salon, à la place d'honneur, avec
une foule devant elle, et les journaux en parleraient, ce
qui « la lancerait » tout à coup.

Quant à Pellerin, il saisit la proposition avidement.
Ce portrait devait le poser en grand homme, être un chef-
d'œuvre.

Il passa en revue dans sa mémoire tous les portraits
de maître qu'il connaissait, et se décida finalement pour
un Titien, lequel serait rehaussé d'ornements à la Véronèse.
Donc il exécuterait son projet [345] sans ombres factices,
dans une lumière franche éclairant les chairs d'un seul
ton, et faisant étinceler les accessoires.

— « Si je lui mettais, » pensa-t-il, « une robe de soie
rose, avec un burnous oriental ? oh ! non ! canaille, le burnous ! ou plutôt si je l'habillais de velours bleu, sur un
fond gris, très coloré ? On pourrait lui donner également
une collerette de guipure blanche, avec un éventail noir
et un rideau d'écarlate par derrière ? »

Et, cherchant ainsi, il élargissait chaque jour sa conception
et s'en émerveillait.

Il eut un battement de cœur quand Rosanette, accompagnée de Frédéric, arriva chez lui pour la première séance.
Il la plaça debout [346], sur une manière d'estrade, au
milieu de l'appartement ; et, en se plaignant du jour et
regrettant son ancien atelier [347], il la fit d'abord s'accouder
contre un piédestal, puis asseoir dans un fauteuil, et tour
à tour s'éloignant d'elle et s'en rapprochant pour corriger
d'une chiquenaude les plis de sa robe, il la regardait les
paupières entre-closes, et consultait d'un mot Frédéric.

— « Eh bien, non ! » s'écria-t-il. « J'en reviens à mon
idée ! Je vous flanque en Vénitienne ! »

Elle aurait une robe de velours ponceau avec une ceinture d'orfèvrerie, et sa large manche doublée d'hermine
laisserait voir son bras nu qui toucherait à la balustrade
d'un escalier montant derrière elle. A sa gauche, une grande
colonne irait jusqu'au haut de la toile rejoindre des archi-
tectures, décrivant un arc. On apercevrait en dessous,
vaguement, des massifs d'orangers presque noirs, où
se découperait un ciel bleu, rayé de nuage blancs. Sur le
balustre couvert d'un tapis, il y aurait, dans un plat d'argent, un bouquet de fleurs, un chapelet d'ambre, un
poignard et un coffret de vieil ivoire un peu jaune dégor-
geant des sequins d'or ; quelques-uns même, tombés
par terre çà et là, formeraient une suite d'éclaboussures
brillantes, de manière à conduire l'œil vers la pointe
de son pied, car elle serait posée sur l'avant-dernière marche,
dans un mouvement naturel et en pleine lumière.

Il alla chercher une caisse à tableaux, qu'il mit sur l'estrade
pour figurer la marche ; puis il disposa comme accessoires,
sur un tabouret en guise de balustrade, sa vareuse, un
bouclier, une boîte de sardines, un paquet de plumes,
un couteau, et, quand il eut jeté devant Rosanette une
douzaine de gros sous, il lui fit prendre sa pose.

— « Imaginez-vous que ces choses-là sont des richesses,
des présents splendides. La tête un peu à droite ! Parfait !
et ne bougez plus ! Cette attitude majestueuse va bien à
votre genre de beauté [348] ? »

Elle avait une robe écossaise avec un gros manchon
et se retenait pour ne pas rire.

— « Quant à la coiffure, nous la mêlerons à un tortis
de perles : cela fait toujours bon effet dans les cheveux
rouges. »

La Maréchale se récria, disant qu'elle n'avait pas les
cheveux rouges.

— « Laissez donc ! Le Rouge des peintres [349] n'est pas
celui des bourgeois ! »

Il commença à esquisser la position des masses ; et
il était si préoccupé des grands artistes de la Renaissance
qu'il en parlait. Pendant une heure, il rêva tout haut
à ces existences magnifiques, pleines de génie, de gloire
et de somptuosités, avec des entrées triomphales dans les
villes, et des galas à la lueur des flambeaux, entre des
femmes à moitié nues, belles comme des déesses.

— « Vous étiez faite pour vivre dans ce temps-là. Une créature de votre calibre aurait mérité un monseigneur ! »

Rosanette trouvait ses compliments fort gentils. On fixa le jour de la séance prochaine ; Frédéric se chargeait d'apporter les accessoires.

Comme la chaleur [350] du poêle l'avait étourdie quelque peu, ils s'en retournèrent à pied par la rue du Bac et arrivèrent sur le pont Royal.

Il faisait un beau temps, âpre et splendide. Le soleil s'abaissait ; quelques vitres de maison, dans la Cité, brillaient au loin comme des plaques d'or, tandis que, par derrière à droite, les tours de Notre-Dame [351] se profilaient en noir sur le ciel bleu, mollement baigné à l'horizon dans des vapeurs grises. Le vent [352] souffla ; et Rosanette, ayant déclaré qu'elle avait faim, ils entrèrent à la Pâtisserie anglaise.

Des jeunes femmes, avec leurs enfants, mangeaient debout contre le buffet de marbre, où se pressaient, sous des cloches de verre, les assiettes de petits gâteaux. Rosanette avala deux tartes à la crème. Le sucre en poudre faisait des moustaches au coin de sa bouche. De temps à autre, pour l'essuyer, elle tirait son mouchoir de son manchon ; et sa figure ressemblait, sous sa capote de soie verte, à une rose épanouie entre ses feuilles.

Ils se remirent [353] en marche ; dans la rue de la Paix, elle s'arrêta, devant la boutique d'un orfèvre, à considérer un bracelet ; Frédéric voulut lui en faire cadeau.

— « Non, » dit-elle, « garde ton argent. »

Il fut blessé de cette parole.

— « Qu'a donc le mimi ? On est triste ? »

Et, la conversation s'étant renouée, il en vint, comme d'habitude, à des protestations d'amour.

— « Tu sais bien que c'est impossible ! »

— « Pourquoi ? »

— « Ah ! parce que... »

Ils allaient côte à côte, elle appuyée sur son bras, et les volants de sa robe lui battaient contre les jambes. Alors, il se rappela un crépuscule d'hiver, où, sur le même trottoir, Mme Arnoux marchait ainsi à son côté ; et ce souvenir l'absorba [354] tellement qu'il ne s'apercevait plus de Rosanette et n'y songeait pas.

Elle regardait, au hasard, devant elle, tout en se laissant

un peu traîner, comme un enfant paresseux. C'était l'heure
où l'on rentrait de la promenade, et des équipages défilaient au grand trot sur le pavé sec. Les flatteries [355] de
Pellerin lui revenant sans doute à la mémoire, elle poussa
un soupir.

— « Ah! il y en a qui sont heureuses! Je suis faite pour
un homme riche, décidément. »

Il répliqua d'un ton brutal :

— « Vous en avez un, cependant! » car M. Oudry
passait pour trois fois millionnaire.

Elle ne demandait pas mieux que de s'en débarrasser.

— « Qui vous en empêche? »

Et il exhala d'amères plaisanteries sur ce vieux bourgeois
à perruque, lui montrant qu'une pareille liaison était in-
digne, et qu'elle devait la rompre!

— « Oui, » répondit la Maréchale, comme se parlant à
elle-même. « C'est ce que je finirai par faire, sans doute! »

Frédéric fut charmé de ce désintéressement. Elle se
ralentissait, il la crut fatiguée. Elle s'obstina à ne pas vouloir de voiture et elle le congédia devant sa porte, en lui
envoyant un baiser du bout des doigts.

— « Ah! quel dommage! et songer que des imbéciles
me trouvent riche! »

Il était sombre en arrivant chez lui.

Hussonnet et Deslauriers l'attendaient.

Le bohème, assis devant sa table, dessinait des têtes
de Turcs, et l'avocat, en bottes crottées, sommeillait sur
le divan.

— « Ah! enfin, » s'écria-t-il. « Mais quel air farouche!
Peux-tu m'écouter? »

Sa vogue comme répétiteur diminuait, car il bourrait
ses élèves de théories défavorables pour leurs examens.
Il avait plaidé deux ou trois fois, avait perdu, et chaque
déception nouvelle le rejetait plus fortement vers son vieux
rêve : un journal où il pourrait s'étaler, se venger, cracher
sa bile et ses idées. Fortune et réputation, d'ailleurs, s'en-
suivraient. C'était dans cet espoir qu'il avait circonvenu
le bohème, Hussonnet possédant une feuille.

A présent, il la tirait sur papier rose ; il inventait des
canards, composait des rébus, tâchait d'engager des polé-
miques, et même (en dépit du local) voulait monter des con-
certs! L'abonnement d'un an « donnait droit à une place

d'orchestre dans un des principaux théâtres de Paris ;
de plus, l'administration se chargeait de fournir à MM. les
étrangers tous les renseignements désirables, artistiques,
et autres. » Mais l'imprimeur faisait des menaces, on devait
trois termes au propriétaire, toutes sortes d'embarras
surgissaient; et Hussonnet aurait laissé périr l'*Art*, sans
les exhortations de l'avocat, qui lui chauffait le moral
quotidiennement. Il l'avait pris, afin de donner plus de
poids à sa démarche.

— « Nous venons pour le Journal, » dit-il.

— « Tiens, tu y penses encore ! » répondit Frédéric,
d'un ton distrait.

— « Certainement, j'y pense ! »

Et il exposa de nouveau son plan. Par des comptes
rendus de la Bourse, ils se mettraient en relations avec
des financiers, et obtiendraient ainsi les cent mille francs
de cautionnement indispensables. Mais, pour que la feuille
pût être transformée en journal politique, il fallait auparavant
avoir une large clientèle, et, pour cela, se résoudre à quelques dépenses tant pour les frais de papeterie, d'imprimerie,
de bureau, bref une somme de quinze mille francs.

— « Je n'ai pas de fonds, » dit Frédéric.

— « Et nous donc ! » fit Deslauriers en croisant ses deux
bras.

Frédéric, blessé du geste, répliqua :

— « Est-ce ma faute ?... »

— « Ah ! très bien ! Ils ont du bois dans leur cheminée,
des truffes sur leur table, un bon lit, une bibliothèque,
une voiture, toutes les douceurs ! Mais qu'un autre grelotte
sous les ardoises, dîne à vingt sous, travaille comme un
forçat, et patauge dans la misère ! est-ce leur faute ? »

Et il répétait : « Est-ce leur faute ? » avec une ironie
cicéronienne qui sentait le Palais. Frédéric voulait parler.

— « Du reste, je comprends, on a des besoins... aris-
tocratiques ; car sans doute... quelque femme... »

— « Eh bien, quand cela serait ? Ne suis-je pas libre?... »

— « Oh ! très libre ! »

Et, après une minute de silence :

— « C'est si commode, les promesses ! »

— « Mon Dieu ! je ne les nie pas ! » dit Frédéric.

L'avocat continuait :

— « Au collège, on fait des serments, on constituera

une phalange, on imitera *les Treize* de Balzac [356]! Puis, quand on se retrouve : Bonsoir, mon vieux, va te promener! Car celui qui pourrait servir l'autre retient précieusement tout, pour lui seul. »

— « Comment? »

— « Oui, tu ne nous as pas même présentés chez les Dambreuse! »

Frédéric le regarda ; avec sa pauvre redingote, ses lunettes dépolies et sa figure blême, l'avocat lui parut un tel cuistre qu'il ne put empêcher sur ses lèvres un sourire dédaigneux. Deslauriers l'aperçut et rougit.

Il avait déjà son chapeau pour s'en aller. Hussonnet, plein d'inquiétude, tâchait de l'adoucir par des regards suppliants, et, comme Frédéric lui tournait le dos :

— « Voyons, mon petit [357]! Soyez mon Mécène! Protégez les arts! »

Frédéric, dans un brusque mouvement de résignation, prit une feuille de papier, et, ayant griffonné dessus quelques lignes, la lui tendit. Le visage [358] du bohème s'illumina. Puis, repassant la lettre à Deslauriers :

— « Faites des excuses, Seigneur! »

Leur ami conjurait son notaire de lui envoyer au plus vite quinze mille francs.

— « Ah! je te reconnais là! » dit Deslauriers.

— « Foi de gentilhomme! » ajouta le bohème, « vous êtes un brave, on vous mettra dans la galerie des hommes utiles! »

L'avocat reprit :

— « Tu n'y perdras rien, la spéculation est excellente. »

— « Parbleu! » s'écria Hussonnet, « j'en fourrerais ma tête sur l'échafaud. »

Et il débita tant de sottises et promit tant de merveilles (auxquelles il croyait peut-être) que Frédéric ne savait pas si c'était pour se moquer des autres ou de lui-même.

Ce soir-là, il reçut une lettre de sa mère.

Elle s'étonnait de ne pas le voir encore ministre, tout en le plaisantant quelque peu. Puis elle parlait de sa santé, et lui apprenait que M. Roque venait maintenant chez elle. « Depuis qu'il est veuf, j'ai cru sans inconvénient de le recevoir. Louise est très changée à son avantage. » Et en post-scriptum : « Tu ne me dis rien de ta belle connaissance, M. Dambreuse ; à ta place, je l'utiliserais. »

Pourquoi pas [359] ? Ses ambitions intellectuelles l'avaient quitté, et sa fortune (il s'en apercevait) était insuffisante ; car, ses dettes payées et la somme convenue remise aux autres [360], son revenu serait diminué de quatre mille francs, pour le moins ! D'ailleurs, il sentait le besoin de sortir de cette existence, de se raccrocher à quelque chose. Aussi, le lendemain, en dînant chez Mme Arnoux, il dit que sa mère le tourmentait pour qu'il embrassât une profession.

— « Mais je croyais » reprit-elle, « que M. Dambreuse devait vous faire entrer au Conseil d'État ? Cela vous irait très bien. »

Elle le voulait donc. Il obéit.

Le banquier, comme la première fois, était assis à son bureau, et d'un geste le pria d'attendre quelques minutes, car un monsieur, tournant le dos à la porte, l'entretenait de matières graves. Il s'agissait de charbons de terre et d'une fusion à opérer entre diverses compagnies.

Les portraits du général Foy et de Louis-Philippe se faisaient pendant de chaque côté de la glace ; des cartonniers montaient contre le lambris jusqu'au plafond, et il y avait six chaises de paille, M. Dambreuse n'ayant pas besoin pour ses affaires d'un appartement plus beau ; c'était comme ces sombres cuisines où s'élaborent de grands festins. Frédéric observa surtout deux coffres monstrueux, dressés dans les encoignures. Il se demandait combien de millions y pouvaient tenir. Le banquier [361] en ouvrit un et la planche de fer tourna, ne laissant voir à l'intérieur que des cahiers de papier bleu.

Enfin l'individu passa devant Frédéric. C'était le père Oudry. Tous deux se saluèrent en rougissant, ce qui parut étonner M. Dambreuse. Du reste, il se montra fort aimable. Rien n'était plus facile que de recommander son jeune ami au garde des sceaux. On serait trop heureux de l'avoir ; et il termina ses politesse en l'invitant à une soirée qu'il donnait dans quelques jours.

Frédéric montait en coupé pour s'y rendre quand arriva un billet de la Maréchale. À la lueur des lanternes, il lut :

« Cher, j'ai suivi vos conseils. Je viens d'expulser mon Osage. A partir de demain soir liberté ! Dites que je ne suis pas brave. »

Rien de plus ! Mais c'était le convier à la place vacante. Il poussa une exclamation, serra le billet dans sa poche et partit.

Deux municipaux à cheval stationnaient dans la rue. Une file de lampions brûlaient sur les deux portes cochères ; et des domestiques [362], dans la cour, criaient pour faire avancer les voitures jusqu'au bas du perron, sous la marquise. Puis, tout à coup, le bruit cessait dans le vestibule.

De grands arbres [363] emplissaient la cage de l'escalier ; les globes de porcelaine versaient une lumière qui ondulait comme des moires de satin blanc sur les murailles. Frédéric monta les marches allégrement. Un huissier lança son nom ; M. Dambreuse lui tendit la main ; presque aussitôt, Mme Dambreuse parut.

Elle avait une robe mauve garnie de dentelles, les boucles de sa coiffure plus abondantes qu'à l'ordinaire, et pas un seul bijou.

Elle se plaignit de ses rares visites [364], trouva moyen de dire quelque chose. Les invités arrivaient ; en manière de salut, ils jetaient leur torse de côté, ou se courbaient en deux, ou baissaient la figure seulement ; puis un couple conjugal, une famille passait, et tous se dispersaient dans le salon déjà plein.

Sous le lustre [365], au milieu, un pouf énorme supportait une jardinière, dont les fleurs, s'inclinant comme des panaches, surplombaient la tête des femmes assises en rond, tout autour, tandis que d'autres occupaient les bergères formant deux lignes droites interrompues symétriquement par les grands rideaux des fenêtres en velours nacarat et les hautes baies des portes à linteau doré.

La foule des hommes qui se tenaient debout sur le parquet, avec leur chapeau à la main, faisait de loin une seule masse noire, où les rubans des boutonnières mettaient des points rouges çà et là, et que rendait plus sombre la motonone blancheur des cravates. Sauf de petits jeunes gens à barbe naissante, tous paraissaient s'ennuyer; quelques dandies, d'un air maussade, se balançaient sur leurs talons. Les têtes grises, les perruques étaient nombreuses; de place en place, un crâne chauve luisait; et les visages, ou empourprés ou très blêmes, laissaient voir dans leur flétrissure la trace d'immenses fatigues, — les gens qu'il y avait là appartenant à la politique ou aux affaires. M. Dambreuse avait aussi invité plusieurs savants, des magistrats, deux ou trois médecins illustres, et il repoussait avec d'humbles attitudes les éloges qu'on lui faisait sur sa soirée et les allusions à sa richesse.

Partout, une valetaille à larges galons d'or circulait. Les grandes torchères, comme des bouquets de feu, s'épanouissaient sur les tentures ; elles se répétaient dans les glaces ; et au fond de la salle à manger, que tapissait un treillage de jasmin, le buffet ressemblait à un maître-autel de cathédrale ou à une exposition d'orfèvrerie, — tant il y avait de plats, de cloches, de couverts et de cuillers en argent et en vermeil, au milieu des cristaux à facettes qui entre-croisaient, par-dessus les viandes, des lueurs irisées. Les trois autres salons regorgeaient d'objets d'art : paysages de maîtres contre les murs, ivoires et porcelaines au bord des tables, chinoiseries sur les consoles ; des paravents de laque se développaient devant les fenêtres, des touffes de camélias montaient dans les cheminées ; et une musique légère vibrait, au loin, comme un bourdonnement d'abeilles.

Les quadrilles [366] n'étaient pas nombreux, et les danseurs, à la manière nonchalante dont ils traînaient leurs escarpins, semblaient s'acquitter d'un devoir. Frédéric entendait des phrases comme celles-ci :

— « Avez-vous été à la dernière fête de charité de l'hôtel Lambert, Mademoiselle ? »

— « Non, Monsieur ! »

— « Il va faire, tout à l'heure, une chaleur ! »

— « Oh ! c'est vrai, étouffante ! »

— « De qui donc cette polka ? »

— « Mon Dieu ! je ne sais pas, Madame ! »

Et, derrière lui, trois roquentins, postés dans une embrasure, chuchotaient des remarques obscènes ; d'autres causaient chemins de fer, libre-échange ; un sportsman contait une histoire de chasse ; un légitimiste et un orléaniste discutaient.

En errant de groupe en groupe, il arriva dans le salon des joueurs, où, dans un cercle de gens graves, il reconnut Martinon, « attaché maintenant au parquet de la capitale ».

Sa grosse face couleur de cire emplissait convenablement son collier, lequel était une merveille, tant les poils noirs se trouvaient bien égalisés ; et, gardant un juste milieu entre l'élégance voulue par son âge et la dignité que réclamait sa profession, il accrochait son pouce dans son aisselle suivant l'usage des beaux, puis mettait son bras dans son gilet à la façon des doctrinaires. Bien qu'il eût des bottes

extra-vernies [367], il portait les tempes rasées pour se faire
un front de penseur.

Après quelques mots débités froidement, il se retourna
vers son conciliabule. Un propriétaire disait :

— « C'est une classe d'hommes qui rêvent le bouleversement de la société! »

— « Ils demandent l'organisation du travail! » reprit un
autre. « Conçoit-on cela? »

— « Que voulez-vous! » fit un troisième « quand on voit
M. de Genoude donner la main au *Siècle* [368]! »

— « Et des conservateurs, eux-mêmes, s'intituler progres-
sifs! Pour nous amener, quoi ? la République! comme si
elle était possible en France! »

Tous déclarèrent que la République était impossible en France.

— « N'importe », remarqua tout haut [369] un monsieur.
« On s'occupe trop de la Révolution ; on publie là-dessus
un tas d'histoires, de livres!... »

— « Sans compter », dit Martinon, « qu'il y a, peut-être,
des sujets d'étude plus sérieux! »

Un ministériel s'en prit aux scandales du théâtre :

— « Ainsi, par exemple, ce nouveau drame *la Reine
Margot* dépasse véritablement les bornes! Où était le besoin
qu'on nous parlât des Valois? Tout cela montre la royauté
sous un jour défavorable! C'est comme votre Presse!
Les lois de septembre, on a beau dire, sont infiniment trop
douces! Moi je voudrais des cours martiales pour bâillonner
les journalistes! A la moindre insolence, traînés devant un
conseil de guerre! et allez donc! »

— « Oh! prenez garde, Monsieur, prenez garde! » dit
un professeur, « n'attaquez pas nos précieuses conquêtes
de 1830! respectons nos libertés. »

Il fallait décentraliser plutôt, répartir l'excédent des villes
dans les campagnes.

— « Mais elle sont gangrenées! » s'écria un catholique [370].
« Faites qu'on raffermisse la Religion! »

Martinon s'empressa de dire :

— « Effectivement, c'est un frein! »

Tout le mal gisait dans cette envie moderne de s'élever
au-dessus de sa classe, d'avoir du luxe.

— « Cependant », objecta un industriel, « le luxe favorise
le commerce. Aussi j'approuve le duc de Nemours d'exiger
la culotte courte à ses soirées. »

— « M. Thiers y est venu en pantalon. Vous connaissez son mot? »

— « Oui, charmant, Mais il tourne au démagogue, et son discours dans la question des incompatibilités n'a pas été sans influence sur l'attentat du 12 mai. »

— « Ah! bah! »

— « Eh! eh! »

Le cercle fut contraint de s'entr'ouvrir pour livrer passage à un domestique portant un plateau, et qui tâchait d'entrer dans le salon des joueurs.

Sous l'abat-jour vert des bougies, des rangées de cartes et de pièces d'or couvraient la table [371]. Frédéric s'arrêta devant une d'elles, perdit les quinze napoléons qu'il avait dans sa poche, fit une pirouette, et se trouva au seuil du boudoir où était alors Mme Dambreuse.

Des femmes le remplissaient, les unes près des autres, sur des sièges sans dossier. Leurs longues jupes, bouffant autour d'elles semblaient des flots d'où leur taille émergeait, et les seins s'offraient aux regards dans l'échancrure des corsages. Presque toutes portaient un bouquet de violettes à la main. Le ton mat de leurs gants faisait ressortir la blancheur humaine [372] de leurs bras ; des effilés, des herbes [373] leur pendaient sur les épaules, et on croyait quelquefois, à certains frissonnements, que la robe allait tomber. Mais la décence des figures tempérait les provocations du costume ; plusieurs même avaient une placidité presque bestiale, et ce rassemblement de femmes demi-nues faisait songer à un intérieur de harem ; il vint à l'esprit du jeune homme une comparaison plus grossière. En effet, toutes sortes de beautés se trouvaient là : des Anglaises à profil de keepsake, une Italienne dont les yeux noirs fulguraient comme un Vésuve, trois sœurs habillées de bleu, trois Normandes, fraîches comme des pommiers d'avril, une grande rousse avec une parure d'améthystes ; — et les blanches scintillations des diamants qui tremblaient en aigrettes dans les chevelures, les taches lumineuses des pierreries étalées sur les poitrines, et l'éclat doux des perles accompagnant les visages se mêlaient au miroitement des anneaux d'or, aux dentelles, à la poudre, aux plumes, au vermillon des petites bouches, à la nacre des dents. Le plafond, arrondi en coupole, donnait au boudoir la forme d'une corbeille ; et un courant d'air parfumé circulait sous le battement des éventails.

Frédéric, campé derrière elles, avec son lorgnon dans
l'œil, ne jugeait pas toutes les épaules irréprochables ; il
songeait [374] à la Maréchale, ce qui refoulait ses tentations,
ou l'en consolait.

Il regardait cependant Mme Dambreuse, et il la trouvait
charmante, malgré sa bouche un peu longue et ses narines
trop ouvertes. Mais sa grâce était particulière. Les boucles
de sa chevelure avaient comme une langueur passionnée,
et son front couleur d'agate semblait contenir beaucoup
de choses et dénotait un maître.

Elle avait mis près d'elle la nièce de son mari, jeune
personne assez laide. De temps à autre, elle se dérangeait
pour recevoir celles qui entraient ; et le murmure des voix
féminines, augmentant, faisait comme un caquetage d'oiseaux.

Il était question des ambassadeurs tunisiens et de leurs
costumes. Une dame avait assisté à la dernière réception
de l'Académie ; une autre parla du *Don Juan* de Molière,
représenté nouvellement aux Français. Mais, désignant
sa nièce d'un coup d'œil, Mme Dambreuse posa un doigt
contre sa bouche, et un sourire qui lui échappa démentait
cette austérité.

Tout à coup, Martinon apparut, en face, sous l'autre porte.
Elle se leva. Il lui offrit son bras. Frédéric, pour le voir
continuer ses galanteries, traversa les tables de jeu et les
rejoignit dans le grand salon ; Mme Dambreuse quitta
aussitôt son cavalier, et l'entretint familièrement.

Elle comprenait qu'il ne jouât pas, ne dansât pas.

— « Dans la jeunesse on est triste ! » Puis, enveloppant
le bal d'un seul regard :

— « D'ailleurs, tout cela n'est pas drôle ! pour certaines
natures du moins ! »

Et elle s'arrêtait devant la rangée des fauteuils, distribuant
çà et là des mots aimables, tandis que des vieux qui avaient
des binocles à deux branches venaient lui faire la cour.
Elle présenta Frédéric à quelques-uns. M. Dambreuse le toucha
au coude légèrement, et l'emmena dehors sur la terrasse.

Il avait vu le Ministre. La chose n'était pas facile. Avant
d'être présenté comme auditeur au Conseil d'État, on
devait subir un examen. Frédéric, pris d'une confiance
inexplicable, répondit qu'il en savait les matières.

Le financier n'en était pas surpris, d'après tous les éloges
que faisait de lui M. Roque.

A ce nom, Frédéric revit la petite Louise, sa maison, sa chambre ; et il se rappela des nuits pareilles, où il restait à sa fenêtre, écoutant les rouliers qui passaient. Ce souvenir de ses tristesses amena la pensée de Mme Arnoux ; et il se taisait, tout en continuant à marcher sur la terrasse. Les croisées dressaient au milieu des ténèbres de longues plaques rouges ; le bruit du bal s'affaiblissait ; les voitures commençaient à s'en aller.

— « Pourquoi donc », reprit M. Dambreuse, « tenez-vous au Conseil d'État? »

Et il affirma, d'un ton de libéral, que les fonctions publiques ne menaient à rien, il en savait quelque chose ; les affaires valaient mieux. Frédéric objecta la difficulté de les apprendre.

— « Ah! bah! en peu de temps, je vous y mettrais. »

Voulait-il l'associer à ses entreprises ?

Le jeune homme aperçut, comme dans un éclair, une immense fortune qui allait venir.

— « Rentrons », dit le banquier. « Vous soupez avec nous, n'est-ce pas? »

Il était trois heures, on partait. Dans la salle à manger, une table servie attendait les intimes.

M. Dambreuse aperçut Martinon, et s'approchant de sa femme [375], d'une voix basse :

— « C'est vous qui l'avez invité? »

Elle répliqua sèchement :

— « Mais oui! »

La nièce n'était pas là [376]. On but très bien, on rit très haut ; et des plaisanteries hasardeuses ne choquèrent point, tous éprouvant cet allégement qui suit les contraintes un peu longues. Seul, Martinon se montra sérieux ; il refusa de boire du vin de Champagne par bon genre, souple d'ailleurs et fort poli, car M. Dambreuse, qui avait la poitrine étroite, se plaignant d'oppression, il s'informa de sa santé à plusieurs reprises ; puis il dirigeait ses yeux bleuâtres du côté de Mme Dambreuse.

Elle interpella Frédéric pour savoir quelles jeunes personnes lui avaient plu. Il n'en avait remarqué aucune, et préférait, d'ailleurs, les femmes de trente ans.

— « Ce n'est peut-être pas bête! » répondit-elle.

Puis, comme on mettait les pelisses et les paletots, M. Dambreuse lui dit :

— « Venez me voir un de ces matins, nous causerons ! »

Martinon, au bas de l'escalier, alluma un cigare ; et il offrait, en le suçant, un profil tellement lourd que son compagnon lâcha cette phrase :

— « Tu as une bonne tête, ma parole ! »

— « Elle en a fait tourner quelques-unes ! » reprit le jeune magistrat, d'un air à la fois convaincu et vexé.

Frédéric, en se couchant, résuma la soirée. D'abord, sa toilette (il s'était observé dans les glaces plusieurs fois), depuis la coupe de l'habit jusqu'au nœud des escarpins, ne laissait rien à reprendre ; il avait parlé à des hommes considérables, avait vu de près des femmes riches, M. Dambreuse s'était montré excellent et Mme Dambreuse presque engageante. Il pesa un à un ses moindres mots, ses regards, mille choses inanalysables et cependant expressives. Ce serait crânement beau d'avoir une pareille maîtresse ! Pourquoi non, après tout ? Il en valait bien un autre ! Peut-être qu'elle n'était pas si difficile ? Martinon ensuite revint à sa mémoire ; et, en s'endormant, il souriait de pitié sur ce brave garçon.

L'idée de la Maréchale le réveilla ; ces mots de son billet : « A partir de demain soir », étaient bien un rendez-vous pour le jour même. Il attendit jusqu'à neuf heures, et courut chez elle.

Quelqu'un, devant lui, qui montait l'escalier, ferma la porte. Il tira la sonnette ; Delphine vint ouvrir, et affirma que Madame n'y était pas.

Frédéric insista, pria. Il avait à lui communiquer quelque chose de très grave, un simple mot. Enfin l'argument de la pièce de cent sous réussit, et la bonne le laissa seul dans l'antichambre.

Rosanette parut. Elle était en chemise, les cheveux dénoués ; et, tout en hochant la tête, elle fit de loin avec les deux bras, un grand geste exprimant qu'elle ne pouvait le recevoir.

Frédéric descendit l'escalier, lentement. Ce caprice-là dépassait tous les autres. Il n'y comprenait rien.

Devant la loge du portier, Mlle Vatnaz l'arrêta.

— « Elle vous a reçu ? »

— « Non ! »

— « On vous a mis à la porte ? »

— « Comment le savez-vous ? »

— « Ça se voit ! Mais venez ! sortons, j'étouffe ! »

Elle l'emmena dans la rue. Elle haletait. Il sentait son bras maigre trembler sur le sien. Tout à coup elle éclata.

— « Ah ! le misérable ! »

— « Qui donc ? »

— « Mais c'est lui ! lui ! Delmar ! »

Cette révélation humilia Frédéric ; il reprit :

— « En êtes-vous bien sûre ? »

— « Mais quand je vous dis que je l'ai suivi ! » s'écria la Vatnaz ; « je l'ai vu entrer ! Comprenez-vous maintenant ? Je devais m'y attendre, d'ailleurs ; c'est moi, dans ma bêtise, qui l'ai mené chez elle. Et si vous saviez, mon Dieu ! Je l'ai recueilli, je l'ai nourri, je l'ai habillé ; et toutes mes démarches dans les journaux ! Je l'aimais comme une mère ! » Puis, avec un ricanement : « Ah ! c'est qu'il faut à Monsieur des robes de velours ! une spéculation de sa part, vous pensez bien ! Et elle ! Dire que je l'ai connue confectionneuse de lingerie ! Sans moi, plus de vingt fois, elle serait tombée dans la crotte. Mais je l'y plongerai ! oh ! oui ! Je veux qu'elle crève à l'hôpital ! On saura tout ! »

Et, comme un torrent d'eau de vaisselle qui charrie des ordures, sa colère fit passer tumultueusement sous Frédéric les hontes de sa rivale.

— « Elle a couché avec Jumillac, avec Flacourt, avec le petit Allard, avec Bertinaux, avec Saint-Valéry, le grêlé. Non ! l'autre ! Ils sont deux frères, n'importe ! Et quand elle avait des embarras, j'arrangeais tout. Qu'est-ce que j'y gagnais ? Elle est si avare ! Et puis, vous en conviendrez, c'était une jolie complaisance que de la voir, car enfin, nous ne sommes pas du même monde ! Est-ce que je suis une fille, moi ! Est-ce que je me vends ! Sans compter qu'elle est bête comme un chou ! Elle écrit catégorie par un *th*. Au reste, ils vont bien ensemble ; ça fait la paire, quoiqu'il s'intitule artiste et se croie du génie ! Mais, mon Dieu ! s'il avait seulement de l'intelligence, il n'aurait pas commis une infamie pareille ! On ne quitte pas une femme supérieure pour une coquine ! Je m'en moque, après tout. Il devient laid ! Je l'exècre ! Si je le rencontrais, tenez, je lui cracherais à la figure. » Elle cracha. « Oui, voilà le cas que j'en fais maintenant ! Et Arnoux, hein ? N'est-ce pas abominable ! Il lui a tant de fois pardonné ! On n'imagine pas ses sacrifices ! Elle devrait baiser ses pieds ! Il est si généreux, si bon ! »

Frédéric jouissait à entendre dénigrer Delmar. Il avait

accepté Arnoux. Cette perfidie de Rosanette lui semblait une chose anormale, injuste ; et, gagné par l'émotion de la vieille fille, il arrivait à sentir pour lui comme de l'attendrissement. Tout à coup, il se trouva devant sa porte ; Mlle Vatnaz, sans qu'il s'en aperçût, lui avait fait descendre le faubourg Poissonnière.

— « Nous y voilà », dit-elle. « Moi, je ne peux pas monter. Mais vous, rien ne vous empêche ? »

— « Pour quoi faire ? »

— « Pour lui dire tout, parbleu ! »

Frédéric, comme se réveillant en sursaut, comprit l'infamie où on le poussait.

— « Eh bien ? » reprit-elle.

Il leva les yeux vers le second étage. La lampe de Mme Arnoux brûlait. Rien effectivement ne l'empêchait de monter.

— « Je vous attends ici. Allez donc ! »

Ce commandement acheva de le refroidir, et il dit :

— « Je serai là-haut longtemps. Vous feriez mieux de vous en retourner. J'irai demain chez vous. »

— « Non, non ! » répliqua la Vatnaz, en tapant du pied. « Prenez-le ! emmenez-le ! faites qu'il les surprenne ! »

— « Mais Delmar n'y sera plus ! »

Elle baissa la tête.

— « Oui, c'est peut-être vrai ? »

Et elle resta sans parler, au milieu de la rue, entre les voitures ; puis, fixant sur lui ses yeux de chatte sauvage :

— « Je peux compter sur vous, n'est-ce pas ? Entre nous deux maintenant, c'est sacré ! Faites donc. A demain ! »

Frédéric, en traversant le corridor, entendit deux voix qui se répondaient. Celle de Mme Arnoux disait :

— « Ne mens pas ! ne mens donc pas ! »

Il entra. On se tut.

Arnoux marchait de long en large, et Madame était assise sur la petite chaise près du feu, extrêmement pâle, l'œil fixe. Frédéric fit un mouvement pour se retirer. Arnoux lui saisit la main, heureux du secours qui lui arrivait.

— « Mais je crains..., » dit Frédéric.

— « Restez donc ! » souffla Arnoux dans son oreille. Madame reprit :

— « Il faut être indulgent, monsieur Moreau ! Ce sont de ces choses que l'on rencontre parfois dans les ménages. »

— « C'est qu'on les y met », dit gaillardement Arnoux.
« Les femmes vous ont des lubies ! Ainsi, celle-là, par exemple, n'est pas mauvaise. Non, au contraire ! Eh bien, elle
s'amuse depuis une heure à me taquiner avec un tas
d'histoires. »

— « Elles sont vraies ! » répliqua Mme Arnoux impatientée.
« Car, enfin, tu l'as acheté. »

— « Moi ? »

— « Oui, toi-même ! au Persan ! »

— « Le cachemire ! » pensa Frédéric.

Il se sentait coupable et avait peur.

Elle ajouta, de suite :

— « C'était l'autre mois, un samedi, le 14. »

— « Ah ! ce jour-là, précisément, j'étais à Creil ! Ainsi,
tu vois. »

— « Pas du tout ! Car nous avons dîné chez les Bertin, le 14. »

— « Le 14... ? » fit Arnoux, en levant les yeux comme
pour chercher une date.

— « Et même le commis qui t'a vendu était un blond ! »

— « Est-ce que je peux me rappeler le commis ! »

— « Il a cependant écrit, sous ta dictée, l'adresse : 18,
rue de Laval. »

— « Comment sais-tu ? » dit Arnoux stupéfait.

Elle leva les épaules.

— « Oh ! c'est bien simple : j'ai été pour faire réparer
mon cachemire [377], et un chef de rayon m'a appris qu'on
venait d'en expédier un autre pareil chez Mme Arnoux. »

— « Est-ce ma faute, à moi, s'il y a dans la même rue une
dame Arnoux ? »

— « Oui ! mais pas Jacques Arnoux », reprit-elle.

Alors, il se mit à divaguer, protestant de son innocence.
C'était une méprise, un hasard, une de ces choses inexplicables comme il en arrive. On ne devait pas condamner
les gens sur de simples soupçons, des indices vagues ; et
il cita l'exemple de l'infortuné Lesurques.

— « Enfin, j'affirme que tu te trompes ! Veux-tu que je
t'en jure ma parole ? »

— « Ce n'est point la peine ! »

— « Pourquoi ? »

Elle le regarda en face, sans rien dire ; puis allongea
la main, prit le coffret d'argent sur la cheminée, et lui tendit
une facture grande ouverte.

Arnoux rougit jusqu'aux oreilles et ses traits décomposés s'enflèrent.

— « Eh bien? »

— « Mais... » répondit-il, lentement, « qu'est-ce que ça prouve? »

— « Ah! » fit-elle, avec une intonation de voix singulière, où il y avait de la douleur et de l'ironie. « Ah! »

Arnoux gardait la note entre ses mains, et la retournait, n'en détachant pas les yeux comme s'il avait dû y découvrir la solution d'un grand problème.

— « Oh! oui, oui, je me rappelle, » dit-il enfin. « C'est une commission. — Vous devez savoir cela, vous, Frédéric? » Frédéric se taisait. « Une commission dont j'étais chargé... par... par le père Oudry. »

— « Et pour qui? »

— « Pour sa maîtresse! »

— « Pour la vôtre! » s'écria Mme Arnoux, se levant toute droite.

— « Je te jure... »

— « Ne recommencez pas! Je sais tout! »

— « Ah! très bien! Ainsi, on m'espionne! »

Elle répliqua froidement :

— « Cela blesse, peut-être, votre délicatesse? »

— « Du moment qu'on s'emporte, » reprit Arnoux, en cherchant son chapeau, « et qu'il n'y a pas moyen de raisonner! »

Puis, avec un grand soupir :

— « Ne vous mariez pas, mon pauvre ami, non, croyez-moi! »

Et il décampa, ayant besoin de prendre l'air.

Alors, il se fit un grand silence ; et tout, dans l'appartement, sembla plus immobile. Un cercle lumineux, au-dessus de la carcel, blanchissait le plafond, tandis que, dans les coins, l'ombre s'étendait comme des gazes noires superposées; on entendait le tic-tac de la pendule avec la crépitation du feu.

Mme Arnoux venait de se rasseoir, à l'autre angle de la cheminée, dans le fauteuil; elle mordait ses lèvres en gre-lottant ; ses deux mains [378] se levèrent, un sanglot lui échappa, elle pleurait.

Il se mit sur la petite chaise ; et d'une voix caressante, comme on fait avec une personne malade :

— « Vous ne doutez pas que je ne partage... ? »

Elle ne répondit rien. Mais continuant tout haut ses réflexions :

— « Je le laisse bien libre ! Il n'avait pas besoin de mentir ! »

— « Certainement », dit Frédéric.

C'était la conséquence de ses habitudes sans doute, il n'y avait pas songé, et peut-être que, dans des choses plus graves...

— « Que voyez-vous donc de plus grave? »

— « Oh ! rien ! »

Frédéric s'inclina, avec un sourire d'obéissance. Arnoux néanmoins possédait certaines qualités ; il aimait ses enfants.

— « Ah ! et il fait tout pour les ruiner ! »

Cela venait de son humeur trop facile ; car, enfin, c'était un bon garçon.

Elle s'écria :

— « Mais qu'est-ce que cela veut dire, un bon garçon ! »

Il le défendait ainsi, de la manière la plus vague qu'il pouvait trouver, et, tout en la plaignant, il se réjouissait, se délectait au fond de l'âme. Par vengeance ou besoin d'affection, elle se réfugierait vers lui. Son espoir, démesurément accru, renforçait son amour.

Jamais elle ne lui avait paru si captivante, si profondément belle. De temps à autre, une aspiration soulevait sa poitrine ; ses deux yeux fixes semblaient dilatés par une vision intérieure, et sa bouche demeurait entre-close comme pour donner son âme. Quelquefois, elle appuyait dessus fortement son mouchoir ; il aurait voulu être ce petit morceau de batiste tout trempé de larmes. Malgré lui, il regardait la couche, au fond de l'alcôve, en imaginant sa tête sur l'oreiller ; et il voyait cela si bien qu'il se retenait pour ne pas la saisir dans ses bras. Elle ferma [379] les paupières, apaisée, inerte, Alors, il s'approcha de plus près, et, penché sur elle, il examinait avidement sa figure. Un bruit de bottes résonna dans le couloir, c'était l'autre. Ils l'entendirent fermer la porte de sa chambre. Frédéric demanda, d'un signe, à Mme Arnoux, s'il devait y aller.

Elle répliqua « oui » de la même façon ; et ce muet échange de leurs pensées était comme un consentement, un début d'adultère.

Arnoux, près de se coucher, défaisait sa redingote.

— « Eh bien, comment va-t-elle? »

— « Oh! mieux! » dit Frédéric. « Cela se passera! »

Mais Arnoux était peiné.

— « Vous ne la connaissez pas! Elle a maintenant des nerfs...! Imbécile de commis! Voilà ce que c'est que d'être trop bon! Si je n'avais pas donné ce maudit châle à Rosanette! »

— « Ne regrettez rien! Elle vous est on ne peut plus reconnaissante! »

— « Vous croyez? »

Frédéric n'en doutait pas. La preuve, c'est qu'elle venait de congédier le père Oudry.

— « Ah! pauvre biche! »

Et, dans l'excès de son émotion, Arnoux voulait courir chez elle.

— « Ce n'est pas la peine! j'en viens. Elle est malade! »

— « Raison de plus! »

Il repassa vivement sa redingote et avait pris son bougeoir. Frédéric se maudit pour sa sottise et lui représenta qu'il devait, par décence, rester ce soir auprès de sa femme. Il ne pouvait l'abandonner, ce serait très mal.

— « Franchement, vous auriez tort! Rien ne presse là-bas! Vous irez demain! Voyons! faites cela pour moi. »

Arnoux déposa son bougeoir, et lui dit, en l'embrassant :

— « Vous êtes bon, vous! »

III

Alors commença pour Frédéric une existence misérable.
Il fut le parasite de la maison.

Si quelqu'un était indisposé [380], il venait trois fois par
jour savoir de ses nouvelles, allait chez l'accordeur de piano,
inventait mille prévenances ; et il endurait d'un air content
les bouderies de Mlle Marthe et les caresses du jeune Eugène,
qui lui passait toujours ses mains sales sur la figure. Il assistait
aux dîners où Monsieur et Madame, en face l'un de l'autre,
n'échangeaient pas un mot : ou bien, Arnoux agaçait sa
femme par des remarques saugrenues. Le repas terminé,
il jouait dans la chambre avec son fils, se cachait derrière
les meubles, ou le portait sur son dos, en marchant à quatre
pattes, comme le Béarnais. Il s'en allait enfin ; et elle abordait
immédiatement l'éternel sujet de plainte : Arnoux.

Ce n'était pas son inconduite qui l'indignait. Mais elle
paraissait souffrir dans son orgueil, et laissait voir sa répugnance pour cet homme sans délicatesse, sans dignité, sans
honneur.

— « Ou plutôt il est fou ! » disait-elle.

Frédéric sollicitait adroitement ses confidences. Bientôt,
il connut toute sa vie.

Ses parents étaient de petits bourgeois de Chartres [381].
Un jour, Arnoux, dessinant au bord de la rivière (il se croyait
peintre dans ce temps-là), l'avait aperçue comme elle sortait
de l'église et demandée en mariage ; à cause de sa fortune,
on n'avait pas hésité. D'ailleurs, il l'aimait éperdument.
Elle ajouta :

— « Mon Dieu, il m'aime encore ! à sa manière ! »

Ils avaient, les premiers mois, voyagé en Italie.

Arnoux [382], malgré son enthousiasme devant les paysages
et les chefs-d'œuvre, n'avait fait que gémir sur le vin, et

organisait des pique-nique avec des Anglais, pour se distraire. Quelques tableaux bien revendus l'avaient poussé au commerce des arts. Puis il s'était engoué d'une manufacture de faïence. D'autres spéculations, à présent, le tentaient ; et, se vulgarisant de plus en plus, il prenait des habitudes grossières et dispendieuses. Elle avait moins à lui reprocher ses vices que toutes ses actions. Aucun changement ne pouvait survenir, et son malheur à elle était irréparable.

Frédéric affirmait que son existence, de même, se trouvait manquée [383].

Il était bien jeune cependant. Pourquoi désespérer? Et elle lui donnait de bons conseils : « Travaillez ! mariez-vous ! » Il répondait par des sourires amers ; car, au lieu d'exprimer le véritable motif de son chagrin, il en feignait un autre, sublime, faisant un peu l'Antony [384], le maudit, — langage, du reste, qui ne dénaturait pas complètement sa pensée.

L'action, pour certains hommes, est d'autant plus impraticable que le désir est plus fort. La méfiance d'eux-mêmes les embarrasse, la crainte de déplaire les épouvante ; d'ailleurs, les affections profondes ressemblent aux honnêtes femmes ; elles ont peur d'être découvertes, et passent dans la vie les yeux baissés.

Bien qu'il connût Mme Arnoux davantage (à cause de cela peut-être), il était encore plus lâche qu'autrefois. Chaque matin, il se jurait d'être hardi. Une invincible pudeur l'en empêchait ; et il ne pouvait se guider d'après aucun exemple puisque celle-là différait des autres. Par la force de ses rêves, il l'avait posée en dehors des conditions humaines. Il se sentait, à côté d'elle, moins important sur la terre que les brindilles de soie s'échappant de ses ciseaux.

Puis il pensait à des choses monstrueuses, absurdes, telles que des surprises, la nuit, avec des narcotiques, et des fausses clefs, — tout lui paraissant plus facile que d'affronter son dédain.

D'ailleurs, les enfants, les deux bonnes, la disposition des pièces faisaient d'insurmontables obstacles. Donc, il résolut de la posséder à lui seul, et aller vivre ensemble bien loin, au fond d'une solitude ; il cherchait même sur quel lac assez bleu, au bord de quelle plage assez douce, si ce serait l'Espagne, la Suisse ou l'Orient ; et, choisissant exprès les jours où elle semblait plus irritée, il lui disait qu'il faudrait sortir de là, imaginer un moyen, et qu'il n'en

voyait pas d'autre qu'une séparation. Mais, pour l'amour
de ses enfants, jamais elle n'en viendrait à une telle extrémité.
Tant de vertu augmenta son respect.

Ses après-midi se passaient à se rappeler la visite de la
veille, à désirer celle du soir. Quand il ne dînait pas chez
eux, vers neuf heures, il se postait au coin de la rue ; et,
dès qu'Arnoux avait tiré la grande porte, Frédéric montait
vivement les deux étages et demandait à la bonne d'un air
ingénu !

— « Monsieur est là ? »

Puis faisait l'homme surpris de ne pas le trouver.

Arnoux, souvent [385], rentrait à l'improviste. Alors,
il fallait le suivre dans un petit café de la rue Sainte-Anne,
que fréquentait maintenant Regimbart.

Le Citoyen commençait par articuler contre la Couronne
quelque nouveau grief. Puis ils causaient, en disant amicalement des injures ; car le fabricant tenait Regimbart
pour un penseur de haute volée, et, chagriné de voir tant de
moyens perdus, il le taquinait sur sa paresse. Le Citoyen
jugeait Arnoux plein de cœur et d'imagination, mais décidément trop immoral ; aussi le traitait-il sans la moindre indulgence et refusait même de dîner chez lui, parce que « la
cérémonie l'embêtait ».

Quelquefois, au moment des adieux, Arnoux était pris
de fringale. Il « avait besoin » de manger une omelette ou
des pommes cuites ; et, les comestibles ne se trouvant
jamais dans l'établissement, il les envoyait chercher. On
attendait. Regimbart ne s'en allait pas, et finissait, en grommelant, par accepter quelque chose.

Il était sombre néanmoins, car il restait pendant des
heures, en face du même verre à moitié plein. La providence[386]
ne gouvernant point les choses selon ses idées, il tournait
à l'hypocondriaque, ne voulait même plus lire les journaux,
et poussait des rugissements au seul nom de l'Angleterre [387].
Il s'écria une fois, à propos d'un garçon qui le servait mal :

— « Est-ce que nous n'avons pas assez des affronts de
l'Étranger ! »

En dehors de ces crises, il se tenait taciturne, méditant
« un coup infaillible pour faire péter toute la boutique ».

Tandis qu'il était perdu dans ses réflexions. Arnoux,
d'une voix monotone et avec un regard un peu ivre, contait
d'incroyables anecdotes où il avait toujours brillé, grâce

à son aplomb ; et Frédéric (cela tenait sans doute à des ressemblances profondes) éprouvait un certain entraînement pour sa personne. Il se reprochait [388] cette faiblesse, trouvant qu'il aurait dû le haïr, au contraire.

Arnoux se lamentait devant lui sur l'humeur de sa femme, son entêtement, ses préventions injustes. Elle n'était pas comme cela autrefois.

— « A votre place, » disait Frédéric, « je lui ferais une pension, et je vivrais seul. »

Arnoux ne répondait rien ; et, un moment après, entamait son éloge. Elle était bonne, dévouée, intelligente, vertueuse ; et, passant à ses qualités corporelles, il prodiguait les révélations, avec l'étourderie de ces gens qui étalent leurs trésors dans les auberges.

Une catastrophe dérangea son équilibre.

Il était entré, comme membre du Conseil de surveillance, dans une compagnie de kaolin. Mais, se fiant à tout ce qu'on lui disait, il avait signé des rapports inexacts et approuvé, sans vérification, les inventaires annuels frauduleusement dressés par le gérant. Or, la compagnie avait croulé, et Arnoux, civilement responsable, venait d'être condamné, avec les autres, à la garantie des dommages-intérêts, ce qui lui faisait une perte d'environ trente mille francs, aggravée par les motifs du jugement.

Frédéric apprit cela dans un journal, et se précipita vers la rue de Paradis.

On le reçut dans la chambre de Madame. C'était l'heure du premier déjeuner. Des bols de café au lait encombraient un guéridon auprès du feu. Des savates traînaient sur le tapis, des vêtements sur les fauteuils. Arnoux, en caleçon et en veste de tricot, avait les yeux rouges et la chevelure ébouriffée ; le petit Eugène, à cause de ses oreillons, pleurait, tout en grignotant sa tartine ; sa sœur mangeait tranquillement ; Mme Arnoux, un peu plus pâle que d'habitude, les servait tous les trois.

— « Eh bien, » dit Arnoux, en poussant un gros soupir, « vous savez ! » Et Frédéric ayant fait un geste de compassion : « Voilà ! J'ai été victime de ma confiance ! »

Puis il se tut ; et son abattement était si fort qu'il repoussa le déjeuner. Mme Arnoux leva les yeux avec un haussement d'épaules. Il se passa les mains sur le front.

— « Après tout, je ne suis pas coupable. Je n'ai rien

à me reprocher. C'est un malheur! On s'en tirera! Ah!
ma foi, tant pis! »

Et il entama une brioche, obéissant, du reste, aux solli-
citations de sa femme.

Le soir, il voulut dîner seul, avec elle, dans un cabinet
particulier, à la Maison d'or. Mme Arnoux ne comprit
rien à ce mouvement de cœur, s'offensant même d'être
traitée en lorette ; — ce qui, de la part d'Arnoux, au contraire,
était une preuve d'affection. Puis, comme il s'ennuyait, il
alla se distraire chez la Maréchale.

Jusqu'à présent, on lui avait passé beaucoup de choses,
grâce à son caractère bonhomme. Son procès [389] le classa
parmi les gens tarés. Une solitude se fit autour de sa maison.

Frédéric, par point d'honneur, crut devoir les fréquenter
plus que jamais. Il loua une baignoire aux Italiens et les y
conduisit chaque semaine. Cependant, ils en étaient à cette
période où, dans les unions disparates, une invincible
lassitude ressort des concessions que l'on s'est faites et rend
l'existence intolérable. Mme Arnoux se retenait pour ne
pas éclater, Arnoux s'assombrissait ; et le spectacle de ces
deux êtres malheureux attristait Frédéric.

Elle l'avait chargé, puisqu'il possédait sa confiance, de
s'enquérir de ses affaires. Mais il avait honte, il souffrait de
prendre ses dîners en ambitionnant sa femme. Il continuait
néanmoins, se donnant pour excuse qu'il devait la défendre,
et qu'une occasion pouvait se présenter de lui être utile.

Huit jours après le bal, il avait fait une visite à M. Dambreuse. Le financier lui avait offert une vingtaine d'actions dans son entreprise de houilles ; Frédéric n'y était
pas retourné. Deslauriers lui écrivait des lettres ; il les laissait sans réponse. Pellerin l'avait engagé à venir voir le portrait ; il l'éconduisait toujours. Il céda cependant à Cisy,
qui l'obsédait pour faire la connaissance de Rosanette.

Elle le reçut fort gentiment, mais sans lui sauter au cou,
comme autrefois. Son compagnon fut heureux d'être admis
chez une impure, et surtout de causer avec un acteur ;
Delmar se trouvait là.

Un drame [390], où il avait représenté un manant qui fait
la leçon à Louis XIV et prophétise 89, l'avait mis en telle
évidence qu'on lui fabriquait sans cesse le même rôle ; et
sa fonction, maintenant, consistait à bafouer les monarques
de tous les pays. Brasseur anglais, il invectivait Charles Ier ;

étudiant de Salamanque, maudissait Philippe II ; ou, père
sensible, s'indignait contre la Pompadour, c'était le plus
beau ! Les gamins, pour le voir, l'attendaient à la porte des
coulisses ; et sa biographie, vendue dans les entr'actes, le
dépeignait comme soignant sa vieille mère, lisant l'Évangile,
assistant les pauvres, enfin sous les couleurs d'un saint Vincent
de Paul mélangé de Brutus et de Mirabeau. On disait : « Notre
Delmar. » Il avait une mission, il devenait Christ.

Tout cela avait fasciné Rosanette ; et elle s'était débarrassée
du père Oudry, sans se soucier de rien, n'étant pas cupide.

Arnoux, qui la connaissait, en avait profité pendant
longtemps pour l'entretenir à peu de frais ; le bonhomme
était venu, et ils avaient eu soin, tous les trois, de ne point
s'expliquer franchement. Puis, s'imaginant qu'elle congé-
diait l'autre pour lui seul, Arnoux avait augmenté sa pension.
Mais ses demandes se renouvelaient avec une fréquence
inexplicable, car elle menait un train moins dispendieux ;
elle avait même vendu jusqu'au cachemire, tenant à s'acquitter de ses vieilles dettes, disait-elle ; et il donnait toujours,
elle l'ensorcelait, elle abusait de lui, sans pitié. Aussi les
factures, les papiers timbrés pleuvaient dans la maison.
Frédéric sentait une crise prochaine.

Un jour, il se présenta pour voir Mme Arnoux. Elle
était sortie. Monsieur travaillait [391] en bas, dans le magasin.

En effet, Arnoux, au milieu de ses potiches, tâchait d'*en-
foncer* de jeunes mariés, des bourgeois de la province. Il
parlait du tournage et du tournassage, du truité et du glacé ;
les autres, ne voulant pas avoir l'air de n'y rien comprendre,
faisaient des signes d'approbation et achetaient.

Quand les chalands furent dehors, il conta qu'il avait
eu, le matin, avec sa femme, une petite altercation. Pour
prévenir les observations sur la dépense, il avait affirmé que
la Maréchale n'était plus sa maîtresse.

— « Je lui ai même dit que c'était la vôtre. »

Frédéric fut indigné ; mais des reproches pouvaient
le trahir ; il balbutia :

— « Ah ! vous avez eu tort, grand tort ! »

— Qu'est-ce que ça fait ? » dit Arnoux. « Où est le déshonneur de passer pour son amant ? Je le suis bien, moi !
Ne seriez-vous pas flatté de l'être ? »

Avait-elle parlé ? Était-ce une allusion ? Frédéric se hâta
de répondre :

— « Non! pas du tout! au contraire! »

— « Eh bien, alors? »

— « Oui, c'est vrai! cela n'y fait rien. »

Arnoux reprit :

— « Pourquoi ne venez-vous plus là-bas? »

Frédéric promit d'y retourner.

— « Ah! j'oubliais! vous devriez..., en causant de Rosanette..., lâcher à ma femme quelque chose... je ne sais quoi, mais vous trouverez... quelque chose qui la persuade que vous êtes son amant. Je vous demande cela comme un service, hein? »

Le jeune homme, pour toute réponse, fit une grimace ambiguë. Cette calomnie le perdait. Il alla le soir même chez elle, et jura que l'allégation d'Arnoux était fausse.

— « Bien vrai? »

Il paraissait sincère ; et, quand elle eut respiré largement, elle lui dit : « Je vous crois, » avec un beau sourire ; puis elle baissa la tête, et, sans le regarder :

— « Au reste, personne n'a de droit sur vous! »

Elle ne devinait donc rien, et elle le méprisait, puisqu'elle ne pensait pas qu'il pût assez l'aimer pour lui être fidèle! Frédéric, oubliant ses tentatives près de l'autre, trouvait la permission outrageante.

Ensuite, elle le pria d'aller quelquefois « chez cette femme », pour voir un peu ce qui en était.

Arnoux survint, et, cinq minutes après, voulut l'entraîner chez Rosanette.

La situation devenait intolérable.

Il en fut distrait par une lettre du notaire qui devait lui envoyer le lendemain quinze mille francs ; et, pour réparer sa négligence envers Deslauriers, il alla lui apprendre tout de suite cette bonne nouvelle.

L'avocat logeait rue des Trois-Maries [392], au cinquième [393] étage, sur une cour. Son cabinet, petite pièce carrelée, froide, et tendue d'un papier grisâtre, avait pour principale décoration une médaille en or, son prix de doctorat, insérée dans un cadre d'ébène contre la glace. Une bibliothèque d'acajou enfermait sous vitres cent volumes, à peu près. Le bureau, couvert de basane, tenait le milieu de l'appartement. Quatre vieux fauteuils de velours vert en occupaient les coins ; et des copeaux flambaient dans la cheminée, où il y avait toujours un fagot prêt à allumer au coup de sonnette. C'était l'heure de ses consultations ; l'avocat portait une cravate blanche.

L'annonce des quinze mille francs (il n'y comptait plus, sans doute) lui causa un ricanement de plaisir.

— « C'est bien, mon brave, c'est bien, c'est très bien ! »

Il jeta du bois dans le feu, se rassit, et parla immédiatement du Journal. La première chose à faire était de se débarrasser d'Hussonnet.

— « Ce crétin-là me fatigue ! Quant à desservir une opinion, le plus équitable, selon moi, et le plus fort, c'est de n'en avoir aucune. »

Frédéric parut étonné.

— « Mais sans doute ! Il serait temps de traiter la Politique scientifiquement. Les vieux du XVIIIᵉ siècle commençaient, quand Rousseau, les littérateurs y ont introduit la philanthropie, la poésie, et autres blagues, pour la plus grande joie des catholiques ; alliance naturelle, du reste, puisque les réformateurs modernes (je peux le prouver) croient tous à la Révélation. Mais, si vous chantez des messes pour la Pologne, si à la place du Dieu des dominicains, qui était un bourreau, vous prenez le dieu des romantiques, qui est un tapissier ; si, enfin, vous n'avez pas de l'Absolu une conception plus large que vos aïeux, la monarchie percera sous vos formes républicaines, et votre bonnet rouge ne sera jamais qu'une calotte sacerdotale ! Seulement, le régime cellulaire aura remplacé la torture, l'outrage à la Religion le sacrilège, le concert européen la Sainte-Alliance ; et, dans ce bel ordre qu'on admire, fait de débris louis-quatorziens, de ruines voltairiennes, avec du badigeon impérial par-dessus et des fragments de constitution anglaise, on verra les conseils municipaux tâchant de vexer le maire, les conseils généraux leur préfet, les chambres le roi, la presse le pouvoir, l'administration tout le monde ! Mais les bonnes âmes s'extasient sur le Code civil, œuvre fabriquée, quoi qu'on dise, dans un esprit mesquin, tyrannique ; car le législateur, au lieu de faire son état, qui est de régulariser la coutume, a prétendu modeler la société comme un Lycurgue ! Pourquoi la loi gêne-t-elle le père de famille en matière de testament ? Pourquoi entrave-t-elle la vente forcée des immeubles ? Pourquoi punit-elle comme délit le vagabondage, lequel ne devrait pas être même une contravention ! Et il y en a d'autres ! Je les connais ! aussi je vais écrire un petit

roman intitulé *Histoire de l'idée de justice*, qui sera drôle!
Mais j'ai une soif abominable! et toi? »

Il se pencha par la fenêtre, et cria au portier d'aller chercher des grogs au cabaret.

— « En résumé, je vois trois partis..., non! trois groupes,
— et dont aucun ne m'intéresse : ceux qui ont, ceux qui
n'ont plus, et ceux qui tâchent d'avoir. Mais tous s'accordent
dans l'idolâtrie imbécile de l'Autorité! Exemples : Mably
recommande qu'on empêche les philosophes de publier
leurs doctrines ; M. Wronski, géomètre, appelle en son
langage la censure « répression critique de la spontanéité
spéculative »; le père Enfantin [394] bénit les Habsbourg
« d'avoir passé par-dessus les Alpes une main pesante
pour comprimer l'Italie » ; Pierre Leroux [395] veut qu'on
vous force à entendre un orateur, et Louis Blanc incline
à une religion d'État, tant ce peuple de vassaux a la rage
du gouvernement! Pas un cependant n'est légitime, malgré
leurs sempiternels principes. Mais, *principe* signifiant *origine*,
il faut se reporter toujours à une révolution, à un acte de
violence, à un fait transitoire. Ainsi, le principe du nôtre
est la souveraineté nationale, comprise dans la forme parlementaire, quoique le parlement n'en convienne pas! Mais
en quoi la souveraineté du peuple serait-elle plus sacrée
que le droit divin? L'un et l'autre sont deux fictions! Assez
de métaphysique, plus de fantômes! Pas n'est besoin de
dogmes pour faire balayer les rues! On dira que je renverse
la société! Eh bien, après? où serait le mal? Elle est propre,
en effet, ta société. »

Frédéric aurait eu beaucoup de choses à lui répondre.
Mais, le voyant loin des théories de Sénécal, il était plein
d'indulgence. Il se contenta d'objecter qu'un pareil système
les ferait haïr généralement.

— « Au contraire, comme nous aurons donné à chaque
parti un gage de haine contre son voisin, tous compteront
sur nous. Tu vas t'y mettre aussi, toi, et nous faire de la
critique transcendante! »

Il fallait attaquer les idées reçues, l'Académie, l'École
normale, le Conservatoire, la Comédie-Française, tout ce
qui ressemblait à une institution. C'est par là qu'ils donneraient un ensemble de doctrine à leur Revue. Puis, quand
elle serait bien posée, le journal tout à coup deviendrait
quotidien ; alors ils s'en prendraient aux personnes.

— « Et on nous respectera, sois-en sûr ! »

Deslauriers touchait à son vieux rêve : une rédaction en chef, c'est-à-dire au bonheur inexprimable de diriger les autres, de tailler en plein dans leurs articles, d'en commander, d'en refuser. Ses yeux pétillaient sous ses lunettes, il s'exaltait et buvait des petits verres, coup sur coup, machinalement.

— « Il faudra que tu donnes un dîner une fois la semaine. C'est indispensable, quand même la moitié de ton revenu y passerait ! On voudra y venir, ce sera un centre pour les autres, un levier pour toi ; et, maniant l'opinion par les deux bouts, littérature et politique, avant six mois, tu verras, nous tiendrons le haut du pavé dans Paris. »

Frédéric, en l'écoutant, éprouvait une sensation de rajeunissement, comme un homme qui, après un long séjour dans une chambre, est transporté au grand air. Cet enthousiasme le gagnait.

— « Oui, j'ai été un paresseux, un imbécile, tu as raison ! »

— « A la bonne heure ! » s'écria Deslauriers ; « je retrouve mon Frédéric ! »

Et, lui mettant le poing sous la mâchoire :

— « Ah ! tu m'as fait souffrir. N'importe ! je t'aime tout de même. »

Ils étaient debout et se regardaient, attendris l'un et l'autre, et près de s'embrasser [396].

Un bonnet de femme parut au seuil de l'antichambre.

— « Qui t'amène ? » dit Deslauriers.

C'était Mlle Clémence, sa maîtresse.

Elle répondit que, passant devant sa maison par hasard, elle n'avait pu résister au désir de le voir ; et, pour faire une petite collation ensemble, elle lui apportait des gâteaux, qu'elle déposa sur la table.

— « Prends garde à mes papiers ! » reprit aigrement l'avocat. « D'ailleurs, c'est la troisième fois que je te défends de venir pendant mes consultations. »

Elle voulut l'embrasser.

— « Bien ! va-t'en ! file ton nœud ! »

Il la repoussait, elle eut un grand sanglot.

— « Ah ! tu m'ennuies, à la fin ! »

— « C'est que je t'aime ! »

— « Je ne demande pas qu'on m'aime, mais qu'on m'oblige ! »

Ce mot, si dur, arrêta les larmes de Clémence. Elle se planta devant la fenêtre, et y restait immobile, le front posé contre le carreau.

Son attitude [397] et son mutisme agaçaient Deslauriers.

— « Quand tu auras fini, tu commanderas ton carrosse, n'est-ce pas ! »

Elle se retourna en sursaut.

— « Tu me renvoies ! »

— « Parfaitement ! »

Elle fixa sur lui [398] ses grands yeux bleus, pour une dernière prière sans doute, puis croisa les deux bouts de son tartan, attendit une minute encore et s'en alla.

— « Tu devrais la rappeler, » dit Frédéric.

— « Allons donc ! »

Et, comme il avait besoin de sortir. Deslauriers passa dans sa cuisine, qui était son cabinet de toilette. Il y avait sur la dalle, près d'une paire de bottes, les débris d'un maigre déjeuner, et un matelas avec une couverture était roulé par terre dans un coin.

— « Ceci te démontre, » dit-il, « que je reçois peu de marquises ! On s'en passe aisément, va ! et des autres aussi. Celles qui ne coûtent rien prennent votre temps ; c'est de l'argent sous une autre forme ; or, je ne suis pas riche ! Et puis elles sont toutes si bêtes ! si bêtes ! Est-ce que tu peux causer avec une femme, toi ? »

Ils se séparèrent à l'angle du pont Neuf [399].

— « Ainsi, c'est convenu ! tu m'apporteras la chose demain, dès que tu l'auras. »

— « Convenu ! » dit Frédéric.

Le lendemain, à son réveil [400], il reçut par la poste un bon de quinze mille francs sur la Banque.

Ce chiffon de papier lui représenta quinze gros sacs d'argent ; et il se dit qu'avec une somme pareille il pourrait : d'abord garder sa voiture pendant trois ans, au lieu de la vendre comme il y serait forcé prochainement, ou s'acheter deux belles armures damasquinées qu'il avait vues sur le quai Voltaire, puis quantité de choses encore, des peintures, des livres et combien de bouquets de fleurs, de cadeaux pour Mme Arnoux ! Tout, enfin, aurait mieux valu que de risquer, que de perdre tant d'argent dans ce journal ! Deslauriers lui semblait présomptueux, son insensibilité de la veille le refroidissant à son endroit, et Frédéric s'abandonnait

à ces regrets quand il fut tout surpris de voir entrer Arnoux,
— lequel s'assit sur le bord de sa couche, pesamment, comme
un homme accablé.

— « Qu'y a-t-il donc? »

— « Je suis perdu! »

Il avait à verser, le jour même, en l'étude de Me Beauminet,
notaire rue Sainte-Anne, dix-huit mille francs, prêtés par
un certain Vanneroy.

— « C'est un désastre inexplicable! Je lui ai donné une
hypothèque qui devait le tranquilliser, pourtant! Mais il
me menace d'un commandement, s'il n'est pas payé cette
après-midi, tantôt! »

— « Et alors? »

— « Alors, c'est bien simple! Il va faire exproprier mon
immeuble. La première affiche me ruine, voilà tout! Ah!
si je trouvais quelqu'un pour m'avancer cette maudite
somme-là, il prendrait la place de Vanneroy et je serais sauvé!
Vous ne l'auriez pas, par hasard? »

Le mandat était resté sur la table de nuit, près d'un livre.
Frédéric souleva le volume et le posa par-dessus, en
répondant :

— « Mon Dieu, non, cher ami! »

Mais il lui coûtait de refuser à Arnoux.

— « Comment, vous ne trouvez personne qui veuille?... »

— « Personne? et songer que, d'ici à huit jours, j'aurai
des rentrées! On me doit peut-être... cinquante mille francs
pour la fin du mois! »

— « Est-ce que vous ne pourriez pas prier les individus
qui vous doivent d'avancer?... »

— « Ah! bien oui! »

— « Mais vous avez des valeurs quelconques, des billets? »

— « Rien! »

— « Que faire? » dit Frédéric.

— « C'est ce que je me demande, » reprit Arnoux.

Il se tut, et il marchait dans la chambre de long en large.

— « Ce n'est pas pour moi, mon Dieu! mais pour mes
enfants, pour ma pauvre femme! »

Puis, en détachant chaque mot :

— « Enfin... je serai fort..., j'emballerai tout cela..., et
j'irai chercher fortune... je ne sais où! »

— « Impossible! » s'écria Frédéric.

Arnoux répliqua d'un air calme :

— « Comment voulez-vous que je vive à Paris, maintenant? »

Il y eut un long silence.

Frédéric se mit à dire :

— « Quand le rendriez-vous, cet argent ? »

Non pas qu'il l'eût ; au contraire! Mais rien ne l'empêchait de voir des amis, de faire des démarches. Et il sonna son domestique pour s'habiller. Arnoux le remerciait.

— « C'est dix-huit mille francs qu'il vous faut, n'est-ce pas? »

— « Oh! je me contenterais bien de seize mille! Car j'en ferai bien deux mille cinq cents, trois mille avec mon argenterie, si Vanneroy, toutefois, m'accorde jusqu'à demain ; et, je vous le répète, vous pouvez affirmer, jurer au prêteur que, dans huit jours, peut-être même dans cinq ou six, l'argent sera remboursé. D'ailleurs, l'hypothèque en répond. Ainsi, pas de danger, vous comprenez ? »

Frédéric assura qu'il comprenait et qu'il allait sortir immédiatement.

Il resta chez lui, maudissant Deslauriers, car il voulait tenir sa parole, et cependant obliger Arnoux.

— « Si je m'adressais à M. Dambreuse? Mais sous quel prétexte demander de l'argent? C'est à moi, au contraire, d'en porter chez lui pour ses actions de houille! Ah! qu'il aille se promener avec ses actions! Je ne les dois pas! »

Et Frédéric s'applaudissait de son indépendance, comme s'il eût refusé un service à M. Dambreuse.

— « Eh bien, » se dit-il ensuite, « puisque je fais une perte de ce côté-là car je pourrais, avec quinze mille francs, en gagner cent mille! A la Bourse, ça se voit quelquefois... Donc, puisque je manque à l'un, ne suis-je libre [401]?... D'ailleurs, quand Deslauriers attendrait! — Non, non, c'est mal, allons-y! »

Il regarda sa pendule.

— « Ah! rien ne presse! la Banque ne ferme qu'à cinq heures. »

Et, à quatre heures et demie, quand il eut touché son argent :

— « C'est inutile, maintenant! Je ne le trouverais pas; j'irai ce soir! » se donnant ainsi le moyen de revenir sur sa décision, car il reste toujours dans la conscience quelque chose des sophismes qu'on y a versés ; elle en garde l'arrière-goût, comme d'une liqueur mauvaise.

Il se promena sur les boulevards, et dîna seul au restaurant. Puis il entendit un acte au Vaudeville, pour se distraire. Mais ses billets de banque le gênaient, comme s'il les eût volés. Il n'aurait pas été chagrin de les perdre.

En rentrant chez lui, il trouva une lettre contenant ces mots :

« Quoi de neuf ?

« Ma femme se joint à moi, cher ami, dans l'espérance, etc.

« A vous, »

Et un parafe.

— « Sa femme ! elle me prie ! »

Au même moment parut Arnoux pour savoir s'il avait trouvé la somme urgente.

— « Tenez, la voilà ! » dit Frédéric.

Et, vingt-quatre heures après, il répondit à Deslauriers :

— « Je n'ai rien reçu. »

L'Avocat [402] revint trois jours de suite. Il le pressait d'écrire au notaire. Il offrit même de faire le voyage du Havre.

— « Non ! c'est inutile ! je vais y aller ! »

La semaine finie, Frédéric demanda timidement au sieur Arnoux ses quinze mille francs.

Arnoux le remit au lendemain, puis au surlendemain. Frédéric se risquait dehors à la nuit close, craignant d'être surpris par Deslauriers.

Un soir, quelqu'un le heurta au coin de la Madeleine. C'était lui.

— « Je vais les chercher, » dit-il.

Et Deslauriers l'accompagna jusqu'à la porte d'une maison, dans le faubourg Poissonnière.

— « Attends-moi ! »

Il attendit. Enfin, après quarante-trois minutes, Frédéric sortit avec Arnoux, et lui fit signe de patienter encore un peu. Le marchand de faïences et son compagnon montèrent, bras dessus bras dessous, la rue Hauteville, prirent ensuite la rue de Chabrol.

La nuit était sombre, avec des rafales de vent tiède. Arnoux marchait doucement, tout en parlant des Galeries du Commerce : une suite de passages couverts qui auraient mené du boulevard Saint-Denis au Châtelet, spéculation merveilleuse, où il avait grande envie d'entrer ; et il s'arrêtait de temps à autre pour voir aux carreaux des boutiques la figure des grisettes, puis reprenait son discours.

Frédéric entendait les pas de Deslauriers derrière lui, comme des reproches, comme des coups frappant sur sa conscience. Mais il n'osait faire sa réclamation, par mauvaise honte, et dans la crainte qu'elle ne fût inutile. L'autre se rapprochait. Il se décida.

Arnoux, d'un ton fort dégagé, dit que, ses recouvrements n'ayant pas eu lieu, il ne pouvait rendre actuellement les quinze mille francs.

— « Vous n'en avez pas besoin, j'imagine? »

A ce moment, Deslauriers accosta Frédéric, et, le tirant à l'écart :

— « Sois franc, les as-tu, oui ou non? »

— « Eh bien, non! » dit Frédéric, « je les ai perdus! »

— « Ah! et à quoi? »

— « Au jeu! »

Deslauriers ne répondit pas un mot, salua très bas, et partit. Arnoux avait profité de l'occasion pour allumer un cigare dans un débit de tabac. Il revint en demandant quel était ce jeune homme.

— « Rien! un ami! »

Puis, trois minutes après, devant la porte de Rosanette :

— « Montez donc, » dit Arnoux, « elle sera contente de vous voir. Quel sauvage vous êtes, maintenant ! »

Un réverbère, en face, l'éclairait ; et avec son cigare entre ses dents blanches et son air heureux, il avait quelque chose d'intolérable.

— « Ah! à propos, mon notaire a été ce matin chez le vôtre, pour cette inscription d'hypothèque. C'est ma femme qui me l'a rappelé. »

— « Une femme de tête! » reprit machinalement Frédéric.

— « Je crois bien! »

Et Arnoux recommença son éloge. Elle n'avait pas sa pareille pour l'esprit, le cœur, l'économie ; il ajouta d'une voix basse, en roulant des yeux :

— « Et comme corps de femme! »

— « Adieu! » dit Frédéric.

Arnoux fit un mouvement.

— « Tiens! pourquoi? »

Et, la main à demi tendue vers lui, il l'examinait, tout décontenancé par la colère de son visage.

Frédéric répliqua sèchement :
— « Adieu ! »

Il descendit la rue de Bréda comme une pierre qui déroule, furieux contre Arnoux, se faisant le serment de ne jamais plus le revoir, ni elle non plus, navré, désolé. Au lieu de la rupture qu'il attendait, voilà que l'autre, au contraire, se mettait à la chérir et complètement, depuis le bout des cheveux jusqu'au fond de l'âme. La vulgarité de cet homme exaspérait Frédéric. Tout lui appartenait donc, à celui-là ! Il le retrouvait sur le seuil de la lorette ; et la mortification d'une rupture s'ajoutait à la rage de son impuissance [403]. D'ailleurs, l'honnêteté d'Arnoux offrant des garanties pour son argent l'humiliait ; il aurait voulu l'étrangler ; et par-dessus son chagrin planait dans sa conscience, comme un brouillard, le sentiment de sa lâcheté envers son ami. Des larmes l'étouffaient.

Deslauriers dévalait la rue des Martyrs, en jurant tout haut d'indignation ; car son projet, tel qu'un obélisque abattu, lui paraissait maintenant d'une hauteur extraordinaire. Il s'estimait volé, comme s'il avait subi un grand dommage. Son amitié pour Frédéric était morte, et il en éprouvait [404] de la joie ; c'était une compensation ! Une haine l'envahit [405] contre les riches. Il pencha vers les opinions de Sénécal et se promettait de les servir.

Arnoux, pendant ce temps-là, commodément assis dans une bergère, auprès du feu, humait sa tasse de thé, en tenant la Maréchale sur ses genoux.

Frédéric ne retourna point chez eux ; et, pour se distraire de sa passion calamiteuse, adoptant le premier sujet qui se présenta, il résolut de composer une *Histoire de la Renaissance*. Il entassa pêle-mêle sur sa table les humanistes, les philosophes et les poètes ; il allait au cabinet des estampes, voir les gravures de Marc-Antoine ; il tâchait d'entendre Machiavel. Peu à peu, la sérénité du travail l'apaisa. En plongeant dans la personnalité des autres, il oublia la sienne, ce qui est la seule manière peut-être de n'en pas souffrir.

Un jour qu'il prenait des notes, tranquillement, la porte s'ouvrit et le domestique annonça Mme Arnoux [406].

C'était bien elle ! seule ? Mais non ! car elle tenait par la main le petit Eugène, suivi de sa bonne en tablier blanc. Elle s'assit ; et, quand elle eut toussé :
— « Il y a longtemps que vous n'êtes venu à la maison. »

Frédéric ne trouvant pas d'excuse, elle ajouta :

— « C'est une délicatesse de votre part! »

Il reprit :

— « Quelle délicatesse? »

— « Ce que vous avez fait pour Arnoux! » dit-elle.

Frédéric eut un geste signifiant : « Je m'en moque bien! c'était pour vous! »

Elle envoya son enfant jouer avec la bonne dans le salon. Ils échangèrent deux ou trois mots sur leur santé, puis l'entretien tomba.

Elle portait une robe de soie brune, de la couleur d'un vin d'Espagne, avec un paletot de velours noir, bordé de martre ; cette fourrure donnait envie de passer les mains dessus, et ses longs bandeaux, bien lissés, attiraient les lèvres. Mais une émotion la troublait, et, tournant les yeux du côté de la porte :

— « Il fait un peu chaud, ici! »

Frédéric devina l'intention prudente de son regard.

— « Pardon! les deux battants ne sont que poussés. »

— « Ah! c'est vrai! »

Et elle sourit, comme pour dire : « Je ne crains rien. »

Il lui demanda immédiatement ce qui l'amenait.

— « Mon mari, » reprit-elle avec effort, « m'a engagée à venir chez vous, n'osant faire cette démarche lui-même. »

— « Et pourquoi? »

— « Vous connaissez M. Dambreuse, n'est-ce pas? »

— « Oui, un peu! »

— « Ah! un peu. »

Elle se taisait.

— « N'importe! achevez. »

Alors, elle conta que l'avant-veille Arnoux n'avait pu payer quatre billets de mille francs souscrits à l'ordre du banquier, et sur lesquels il lui avait fait mettre sa signature. Elle se repentait d'avoir compromis la fortune de ses enfants. Mais tout valait mieux que le déshonneur ; et, si M. Dambreuse arrêtait les poursuites, on le payerait bientôt, certainement ; car elle allait vendre, à Chartres, une petite maison qu'elle avait.

— « Pauvre femme! » murmura Frédéric. — « J'irai! comptez sur moi. »

— « Merci! »

Et elle se leva pour partir.

— « Oh ! rien ne vous presse encore ! »

Elle resta debout, examinant le trophée de flèches mongoles suspendu au plafond, la bibliothèque, les reliures, tous les ustensiles pour écrire ; elle souleva la cuvette de bronze qui contenait les plumes ; ses talons se posèrent à des places différentes sur le tapis. Elle était venue plusieurs fois chez Frédéric, mais toujours avec Arnoux. Ils se trouvaient seuls, maintenant, — seuls, dans sa propre maison ; — c'était un événement extraordinaire, presque une bonne fortune.

Elle voulut voir son jardinet ; il lui offrit le bras pour lui montrer ses domaines, trente pieds de terrain, enclos par des maisons, ornés d'arbustes dans les angles et d'une plate-bande au milieu.

On était aux premiers jours d'avril. Les feuilles des lilas verdoyaient déjà, un souffle pur se roulait dans l'air, et de petits oiseaux pépiaient, alternant leur chanson avec le bruit lointain que faisait la forge d'un carrossier.

Frédéric alla chercher une pelle à feu ; et, tandis qu'ils se promenaient côte à côte, l'enfant élevait des tas de sable dans l'allée.

Mme Arnoux ne croyait pas qu'il eût plus tard une grande imagination, mais il était d'humeur caressante. Sa sœur, au contraire, avait une sécheresse naturelle qui la blessait quelquefois.

— « Cela changera, » dit Frédéric. « Il ne faut jamais désespérer. »

Elle répliqua :

— « Il ne faut jamais désespérer ! »

Cette répétition machinale de sa phrase lui parut une sorte d'encouragement ; il cueillit une rose, la seule du jardin.

— « Vous rappelez-vous... un certain bouquet de roses, un soir, en voiture ? »

Elle rougit quelque peu ; et, avec un air de compassion railleuse :

— « Ah ! j'étais bien jeune ! »

— « Et celle-là, reprit à voix basse Frédéric, « en sera-t-il de même ? »

Elle répondit, tout en faisant tourner la tige entre ses doigts, comme le fil d'un fuseau :

— « Non ! je la garderai ! »

Elle appela d'un geste la bonne, qui prit l'enfant sur son bras: puis, au seuil de la porte, dans la rue, Mme Arnoux aspira la fleur, en inclinant la tête sur son épaule, et avec un regard aussi doux qu'un baiser.

Quand il fut remonté dans son cabinet, il contempla le fauteuil où elle s'était assise et tous les objets qu'elle avait touchés. Quelque chose d'elle circulait autour de lui. La caresse de sa présence durait encore.

— « Elle est donc venue là ! » se disait-il.

Et les flots d'une tendresse infinie le submergeaient.

Le lendemain, à onze heures, il se présenta chez M. Dambreuse. On le reçut dans la salle à manger. Le banquier déjeunait en face de sa femme. Sa nièce était près d'elle, et de l'autre côté l'institutrice, une Anglaise, fortement marquée de petite vérole.

M. Dambreuse invita son jeune ami à prendre place au milieu d'eux, et, sur son refus :

— « A quoi puis-je vous être bon ? Je vous écoute. »

Frédéric avoua, en affectant de l'indifférence, qu'il venait faire une requête pour un certain Arnoux.

— « Ah ! ah ! l'ancien marchand de tableaux, » dit le banquier, avec un rire muet découvrant ses gencives, « Oudry le garantissait, autrefois ; on s'est fâché. »

Et il se mit à parcourir les lettres et les journaux posés près de son couvert.

Deux domestiques servaient, sans faire de bruit sur le parquet ; et la hauteur de la salle, qui avait trois portières en tapisserie et deux fontaines de marbre blanc, le poli des réchauds, la disposition des hors-d'œuvre, et jusqu'aux plis raides des serviettes, tout ce bien-être luxueux établissait dans la pensée de Frédéric un contraste avec un autre déjeuner chez Arnoux. Il n'osait interrompre M. Dambreuse.

Madame remarqua son embarras.

— « Voyez-vous quelquefois notre ami Martinon ? »

— « Il viendra ce soir, » dit vivement la jeune fille.

— « Ah ! tu le sais ? » répliqua sa tante, en arrêtant sur elle un regard froid.

Puis, un des valets s'étant penché à son oreille :

— « Ta couturière, mon enfant !... miss John ! »

Et l'institutrice, obéissante, disparut avec son élève.

M. Dambreuse, troublé par le dérangement des chaises, demanda ce qu'il y avait.

— « C'est Mme Regimbart. »

— « Tiens ! Regimbart ! Je connais ce nom-là. J'ai rencontré sa signature. »

Frédéric aborda enfin la question ; Arnoux méritait de l'intérêt ; il allait même, dans le seul but de remplir ses engagements, vendre une maison à sa femme.

— « Elle passe pour très jolie, » dit Mme Dambreuse.

Le banquier ajouta d'un air bonhomme.

— « Êtes-vous leur ami... intime ? »

Frédéric, sans répondre nettement, dit qu'il lui serait fort obligé de prendre en considération...

— « Eh bien, puisque cela vous fait plaisir, soit ! on attendra ! J'ai du temps encore. Si nous descendions dans mon bureau, voulez-vous ? »

Le déjeuner était fini ; Mme Dambreuse s'inclina légèrement, tout en souriant d'un rire singulier, plein à la fois de politesse et d'ironie. Frédéric n'eut pas le temps d'y réfléchir ; car M. Dambreuse, dès qu'ils furent seuls :

— « Vous n'êtes pas venu chercher vos actions. »

Et, sans lui permettre de s'excuser :

— « Bien ! bien ! il est juste que vous connaissiez l'affaire un peu mieux. »

Il lui offrit une cigarette et commença.

L'*Union générale des Houilles françaises* était constituée ; on n'attendait plus que l'ordonnance. Le fait seul de la fusion diminuait les frais de surveillance et de main-d'œuvre, augmentait les bénéfices. De plus, la Société imaginait une chose nouvelle, qui était d'intéresser les ouvriers à son entreprise. Elle leur bâtirait des maisons, des logements salubres ; enfin elle se constituait le fournisseur de ses employés, leur livrait tout à prix de revient.

— « Et ils gagneront, monsieur ; voilà du véritable progrès ; c'est répondre victorieusement à certaines criailleries républicaines ! Nous avons dans notre conseil, » — il exhiba le prospectus, — « un pair de France, un savant de l'Institut, un officier supérieur du génie en retraite, des noms connus ! De pareils éléments rassurent les capitaux craintifs et appellent les capitaux intelligents ! » La Compagnie aurait pour elle les commandes de l'État, puis les chemins de fer, la marine à vapeur, les établissements métallurgiques, le gaz, les cuisines bourgeoises. « Ainsi, nous chauffons, nous éclairons, nous pénétrons jusqu'au foyer des plus humbles ménages. Mais comment, me direz-vous, pourrons-nous assurer la vente? Grâce à des droits protecteurs, cher monsieur, et nous les obtiendrons ; cela nous regarde! Moi, du reste, je suis franchement prohibitionniste! le Pays avant tout! » On l'avait nommé directeur ; mais le temps lui manquait pour s'occuper de certains détails, de la rédaction entre autres. « Je suis un peu brouillé avec mes auteurs, j'ai oublié mon grec! J'aurais besoin de quelqu'un... qui pût traduire mes idées. » Et tout à coup : « Voulez-vous être cet homme-là, avec le titre de secrétaire général ? »

Frédéric ne sut que répondre.

— « Eh bien, qui vous empêche ? »

Ses fonctions se borneraient à écrire, tous les ans, un rapport pour les actionnaires. Il se trouverait en relations quotidiennes avec les hommes les plus considérables de Paris. Représentant la Compagnie près les ouvriers, il s'en ferait adorer, naturellement, ce qui lui permettrait, plus tard, de se pousser au Conseil général, à la députation.

Les oreilles de Frédéric tintaient. D'où provenait cette bienveillance? Il se confondit en remercîments.

Mais il ne fallait point, dit le banquier, qu'il fût dépendant de personne. Le meilleur moyen, c'était de prendre des actions, « placement superbe d'ailleurs, car votre capital garantit votre position, comme votre position votre capital. »

— « A combien, environ, doit-il se monter ? » dit Frédéric.

— « Mon Dieu! ce qui vous plaira ; de quarante à soixante mille francs, je suppose. »

Cette somme était si minime pour M. Dambreuse et son autorité si grande que le jeune homme se décida immédiatement à vendre une ferme. Il acceptait. M. Dambreuse fixerait un de ces jours un rendez-vous pour terminer leurs arrangements.

— « Ainsi, je puis dire à Jacques Arnoux...? »

— « Tout ce que vous voudrez! le pauvre garçon! Tout ce que vous voudrez! »

Frédéric écrivit aux Arnoux de se tranquilliser, et il fit porter la lettre par son domestique, auquel on répondit :

— « Très bien! »

Sa démarche, cependant, méritait mieux. Il s'attendait à une visite, à une lettre tout au moins. Il ne reçut pas de visite. Aucune lettre n'arriva.

Y avait-il oubli de leur part ou intention? Puisque Mme Arnoux était venue une fois, qui l'empêchait de revenir?

L'espèce de sous-entendu, d'aveu qu'elle lui avait fait n'était donc qu'une manœuvre exécutée par intérêt? « Se sont-ils joués de moi? est-elle complice? » Une sorte de pudeur, malgré son envie, l'empêchait de retourner chez eux.

Un matin (trois semaines après leur entrevue), M. Dambreuse lui écrivit qu'il l'attendait le jour même, dans une heure.

En route, l'idée des Arnoux l'assaillit de nouveau ; et, ne découvrant point de raison à leur conduite, il fut pris par une angoisse, un pressentiment funèbre. Pour s'en débarrasser, il appela un cabriolet et se fit conduire rue Paradis.

Arnoux était en voyage.

— « Et Madame? »

— « A la campagne, à la fabrique! »

— « Quand revient Monsieur? »

— « Demain, sans faute! »

Il la trouverait seule ; c'était le moment. Quelque chose d'impérieux criait dans sa conscience : « Vas-y donc! »

Mais M. Dambreuse? « Eh bien, tant pis! Je dirai que j'étais malade. » Il courut à la gare ; puis, dans le wagon : « J'ai eu tort, peut-être? Ah! bah! qu'importe! »

A droite et à gauche, des plaines vertes s'étendaient ; le convoi roulait ; les maisonnettes des stations glissaient comme les décors, et la fumée de la locomotive versait toujours du même côté ses gros flocons qui dansaient sur l'herbe quelque temps, puis se dispersaient.

Frédéric, seul sur sa banquette, regardait cela, par ennui, perdu dans cette langueur que donne l'excès même de l'impatience. Mais des grues, des magasins parurent. C'était Creil.

La ville, construite au versant de deux collines basses (dont la première est nue et la seconde couronnée par un bois), avec la tour de son église, ses maisons inégales et son pont de pierre, lui semblait avoir quelque chose de gai, de discret et de bon. Un grand bateau plat descendait au fil de l'eau, qui clapotait fouettée par le vent ; des poules, au pied du calvaire, picoraient dans la paille [407] ; une femme passa portant du linge mouillé sur la tête.

Après le pont, il se trouva dans une île, où l'on voit sur la droite les ruines d'une abbaye. Un moulin tournait, barrant dans toute sa largeur le second bras de l'Oise, que surplombe la manufacture. L'importance de cette construction étonna grandement Frédéric. Il en conçut plus de respect pour Arnoux. Trois pas plus loin, il prit une ruelle, terminée au fond par une grille.

Il était entré. La concierge le rappela en lui criant :
— « Avez-vous une permission ? »
— « Pourquoi ? »
— « Pour visiter l'établissement ! »
Frédéric, d'un ton brutal, dit qu'il venait voir M. Arnoux.
— « Qu'est-ce que c'est que M. Arnoux ? »
— « Mais le chef, le maître, le propriétaire, enfin ! »
— « Non, monsieur, c'est ici la fabrique de MM. Lebœuf et Milliet ! »
La bonne femme plaisantait sans doute. Des ouvriers arrivaient ; il en aborda deux ou trois ; leur réponse fut la même.

Frédéric sortit de la cour, en chancelant comme un homme ivre ; et il avait l'air tellement ahuri que, sur le pont de la Boucherie, un bourgeois en train de fumer sa pipe lui demanda s'il cherchait quelque chose. Celui-là connaissait la manufacture d'Arnoux. Elle était située à Montataire.

Frédéric s'enquit d'une voiture, on n'en trouvait qu'à la gare. Il y retourna. Une calèche disloquée, attelée d'un vieux cheval dont les harnais décousus pendaient dans les brancards, stationnait devant le bureau des bagages, solitairement.

Un gamin s'offrit à découvrir « le père Pilon ». Il revint au bout de dix minutes ; le père Pilon déjeunait. Frédéric, n'y tenant plus, partit. Mais la barrière du passage était close. Il fallut attendre que deux convois eussent défilé. Enfin il se précipita dans la campagne.

La verdure monotone la faisait ressembler à un immense tapis de billard. Des scories de fer étaient rangées, sur les deux bords [408] de la route, comme des mètres de cailloux. Un peu plus loin, des cheminées d'usine fumaient les unes près des autres. En face de lui se dressait, sur une colline ronde, un petit château à tourelles, avec le clocher quadrangulaire d'une église. De longs murs, en dessous, formaient des lignes irrégulières parmi les arbres ; et, tout en bas, les maisons du village s'étendaient.

Elles sont à un seul étage, avec des escaliers de trois marches, faites de blocs sans ciment. On entendait, par intervalles, la sonnette d'un épicier. Des pas lourds s'enfonçaient dans la boue noire, et une pluie fine tombait, coupant de mille hachures le ciel pâle.

Frédéric suivit le milieu du pavé ; puis il rencontra sur sa gauche, à l'entrée d'un chemin, un grand arc de bois qui portait écrit en lettres d'or : FAIENCES [409].

Ce n'était pas sans but que Jacques Arnoux avait choisi le voisinage de Creil ; en plaçant sa manufacture le plus près possible de l'autre (accréditée depuis longtemps), il provoquait dans le public une confusion favorable à ses intérêts.

Le principal corps de bâtiment s'appuyait sur le bord même d'une rivière qui traverse la prairie. La maison de maître, entourée d'un jardin, se distinguait par son perron, orné de quatre vases où se hérissaient des cactus. Des amas de terre blanche séchaient sous des hangars ; il y en avait d'autres à l'air libre ; et au milieu de la cour se tenait Sénécal, avec son éternel paletot bleu, doublé de rouge.

L'ancien répétiteur tendit sa main froide.

— « Vous venez pour le patron? Il n'est pas là. »

Frédéric, décontenancé, répondit bêtement :

— « Je le savais. » Mais, se reprenant aussitôt : « C'est pour une affaire qui concerne Mme Arnoux. Peut-elle me recevoir? ».

— « Ah! je ne l'ai vue depuis trois jours, » dit Sénécal.

Et il entama une kyrielle de plaintes. En acceptant les conditions du fabricant, il avait entendu demeurer à Paris, et non s'enfouir dans cette campagne, loin de ses amis, privé de journaux. N'importe! il avait passé par là-dessus! Mais Arnoux ne paraissait faire nulle attention à son mérite. Il était borné d'ailleurs, et rétrograde, ignorant comme pas un. Au lieu de chercher des perfectionnements artistiques, mieux aurait valu introduire des chauffages à la houille et au gaz. Le bourgeois *s'enfonçait;* Sénécal appuya sur le mot. Bref, ses occupations lui déplaisaient ; et il somma presque Frédéric de parler en sa faveur, afin qu'on augmentât ses émoluments.

— « Soyez tranquille! » dit l'autre.

Il ne rencontra personne dans l'escalier. Au premier

étage, il avança la tête dans une pièce vide ; c'était le
salon. Il appela très haut. On ne répondit pas ; sans doute,
la cuisinière était sortie, la bonne aussi ; enfin, parvenu
au second étage, il poussa une porte. Mme Arnoux était
seule, devant une armoire à glace. La ceinture de sa robe
de chambre entr'ouverte pendait le long de ses hanches.
Tout un côté de ses cheveux lui faisait un flot noir [410]
sur l'épaule droite ; et elle avait les deux bras levés, retenant
d'une main son chignon, tandis que l'autre y enfonçait
une épingle. Elle jeta un cri, et disparut.

Puis elle revint correctement habillée. Sa taille, ses
yeux, le bruit de sa robe, tout l'enchanta [411]. Frédéric
se retenait pour ne pas la couvrir de baisers.

— « Je vous demande pardon, » dit-elle, « mais je ne
pouvais... »

Il eut la hardiesse de l'interrompre :

— « Cependant..., vous étiez très bien... tout à l'heure. »

Elle trouva sans doute le compliment un peu grossier,
car ses pommettes se colorèrent. Il craignait de l'avoir
offensée. Elle reprit :

— « Par quel bon hasard êtes-vous venu? »

Il ne sut que répondre ; et, après un petit ricanement
qui lui donna le temps de réfléchir :

— « Si je vous le disais, me croiriez-vous? »

— « Pourquoi pas? »

Frédéric conta [412] qu'il avait eu, l'autre nuit, un songe
affreux :

— « J'ai rêvé que vous étiez gravement malade, près
de mourir. »

— « Oh! ni moi ni mon mari ne sommes jamais
malades ! »

— « Je n'ai rêvé que de vous, » dit-il.

Elle le regarda d'un air calme.

— « Les rêves ne se réalisent pas toujours. »

Frédéric balbutia, chercha ses mots, et se lança enfin
dans une longue période sur l'affinité des âmes. Une
force existait qui peut, à travers les espaces, mettre
en rapport deux personnes, les avertir de ce qu'elles
éprouvent et les faire se rejoindre.

Elle l'écoutait la tête basse, tout en souriant de son
beau sourire. Il l'observait du coin de l'œil, avec joie,
et épanchait son amour plus librement sous la facilité

d'un lieu commun. Elle proposa [413] de lui montrer la fabrique ; et, comme elle insistait, il accepta.

Pour le distraire d'abord par quelque chose d'amusant, elle lui fit voir l'espèce de musée qui décorait l'escalier. Les spécimens accrochés contre les murs ou posés sur des planchettes attestaient les efforts et les engouements successifs d'Arnoux. Après avoir cherché le rouge des cuivres des Chinois, il avait voulu faire des majoliques, des faënza, de l'étrusque, de l'oriental, tenté enfin quelques-uns des perfectionnements réalisés plus tard. Aussi remarquait-on, dans la série, de gros vases couverts de mandarins, des écuelles d'un mordoré chatoyant, des pots rehaussés d'écritures arabes, des buires dans le goût de la Renaissance, et de larges assiettes avec deux personnages, qui étaient comme dessinés à la sanguine, d'une façon mignarde et vaporeuse. Il fabriquait maintenant des lettres d'enseigne, des étiquettes à vin ; mais son intelligence n'était pas assez haute pour atteindre jusqu'à l'Art, ni assez bourgeoise non plus pour viser exclusivement au profit, si bien que, sans contenter personne, il se ruinait. Tous deux considéraient ces choses, quand Mlle Marthe passa.

— « Tu ne le reconnais donc pas ? » lui dit sa mère.

— « Si fait ! » reprit-elle en le saluant, tandis que son regard limpide et soupçonneux, son regard de vierge semblait murmurer : « Que viens-tu faire ici, toi ? » et elle montait les marches, la tête un peu tournée sur l'épaule.

Mme Arnoux emmena Frédéric dans la cour, puis elle expliqua d'un ton sérieux comment on broie les terres, on les nettoie, on les tamise.

— « L'important, c'est la préparation des pâtes. »

Et elle l'introduisit dans une salle que remplissaient des cuves, où virait sur lui-même un axe vertical armé de bras horizontaux. Frédéric s'en voulait de n'avoir pas refusé nettement sa proposition, tout à l'heure.

— « Ce sont les patouillards, » dit-elle.

Il trouva le mot grotesque, et comme inconvenant dans sa bouche.

De larges courroies filaient d'un bout à l'autre du plafond pour s'enrouler sur des tambours, et tout s'agitait d'une façon continue, mathématique, agaçante.

Ils sortirent de là, et passèrent près d'une cabane en

ruine qui avait autrefois servi à mettre des instruments de jardinage.

— « Elle n'est plus utile, » dit Mme Arnoux.

Il répliqua d'une voix tremblante :

— « Le bonheur peut y tenir! »

Le tintamarre de la pompe à feu couvrit ses paroles, et ils entrèrent dans l'atelier des ébauchages.

Des hommes, assis à une table étroite, posaient devant eux, sur un disque tournant, une masse de pâte, leur main gauche en raclait l'intérieur, leur droite en caressait la surface, et l'on voyait s'élever des vases, comme des fleurs qui s'épanouissent.

Mme Arnoux fit exhiber les moules pour les ouvrages plus difficiles.

Dans une autre pièce, on pratiquait les filets, les gorges, les lignes saillantes. A l'étage supérieur, on enlevait les coutures, et l'on bouchait avec du plâtre les petits trous que les opérations précédentes avaient laissés.

Sur des claires-voies, dans des coins, au milieu des corridors, partout s'alignaient des poteries.

Frédéric commençait à s'ennuyer.

— « Cela vous fatigue peut-être? » dit-elle.

Craignant [414] qu'il ne fallût borner là sa visite, il affecta, au contraire, beaucoup d'enthousiasme. Il regrettait même de ne s'être pas voué à cette industrie.

Elle parut surprise.

— « Certainement! j'aurais pu vivre près de vous! »

Et, comme il cherchait son regard, Mme Arnoux, afin de l'éviter, prit sur une console des boulettes de pâte, provenant des rajustages manqués, les aplatit en une galette, et imprima dessus sa main.

— « Puis-je emporter cela? » dit Frédéric.

— « Êtes-vous assez enfant, mon Dieu! »

Il allait répondre, Sénécal entra.

M. le sous-directeur, dès le seuil, s'aperçut d'une infraction au règlement. Les ateliers devaient être balayés toutes les semaines ; on était au samedi, et, comme les ouvriers n'en avaient rien fait, Sénécal leur déclara qu'ils auraient à rester une heure de plus. « Tant pis pour vous! »

Ils se penchèrent sur les pièces, sans murmurer ; mais on devinait leur colère au souffle rauque de leur poitrine. Ils étaient, d'ailleurs, peu faciles à conduire, tous ayant

été chassés de la grande fabrique. Le républicain les gou-
vernait durement. Homme de théories, il ne considérait
que les masses et se montrait impitoyable pour les individus.

Frédéric, gêné par sa présence, demanda bas à Mme
Arnoux s'il n'y avait pas moyen de voir les fours. Ils descendirent au rez-de-chaussée ; et elle était en train d'expliquer l'usage des cassettes, quand Sénécal, qui les avait
suivis, s'interposa entre eux.

Il continua de lui-même la démonstration, s'étendit
sur les différentes sortes de combustibles, l'enfournement,
les pyroscopes, les alandiers, les englobes [415], les lustres
et les métaux, prodiguant les termes de chimie, chlorure,
sulfure, borax, carbonate. Frédéric n'y comprenait rien,
et à chaque minute se retournait vers Mme Arnoux.

— « Vous n'écoutez pas, » dit-elle. « M. Sénécal pourtant est très clair. Il sait toutes ces choses beaucoup mieux
que moi. »

Le mathématicien, flatté de cet éloge, proposa de faire
voir le posage des couleurs. Frédéric interrogea d'un regard
anxieux Mme Arnoux. Elle demeura impassible, ne voulant
sans doute ni être seule avec lui, ni le quitter cependant.
Il lui offrit son bras.

— « Non ! merci bien ! l'escalier est trop étroit ! »

Et, quand ils furent en haut, Sénécal ouvrit la porte
d'un appartement rempli de femmes.

Elles maniaient des pinceaux, des fioles, des coquilles,
des plaques de verre. Le long de la corniche, contre le mur,
s'alignaient des planches gravées ; des bribes de papier
fin voltigeaient ; et un poêle de fonte exhalait une température écœurante, où se mêlait l'odeur de la térébenthine.

Les ouvrières, presque toutes, avaient des costumes
sordides. On en remarquait une, cependant, qui portait
un madras et de longues boucles d'oreilles. Tout à la fois
mince et potelée, elle avait de gros yeux noirs et les lèvres
charnues d'une négresse. Sa poitrine abondante saillissait
sous sa chemise, tenue autour de sa taille par le cordon
de sa jupe ; et, un coude sur l'établi, tandis que l'autre
bras pendait, elle regardait vaguement, au loin dans la
campagne. A côté d'elle traînaient une bouteille de vin
et de la charcuterie.

Le règlement interdisait de manger dans les ateliers,

mesure de propreté pour la besogne et d'hygiène pour les travailleurs.

Sénécal, par sentiment du devoir ou besoin de despotisme, s'écria de loin, en indiquant une affiche dans un cadre :

— « Hé! là-bas, la Bordelaise! lisez-moi tout haut l'article 9. »

— « Eh bien, après? »

— « Après, mademoiselle? C'est trois francs d'amende que vous payerez! »

Elle le regarda en face, impudemment.

— « Qu'est-ce que ça me fait? Le patron, à son retour, la lèvera, votre amende! Je me fiche de vous, mon bonhomme! »

Sénécal, qui se promenait les mains derrière le dos, comme un pion dans une salle d'études, se contenta de sourire.

— « Article 13, insubordination, dix francs! »

La Bordelaise se remit à sa besogne. Mme Arnoux par convenance ne disait rien, mais ses sourcils se froncèrent. Frédéric murmura :

— « Ah! pour un démocrate, vous êtes bien dur! »

L'autre répondit magistralement :

— « La Démocratie n'est pas le dévergondage de l'individualisme. C'est le niveau commun sous la loi, la répartition du travail, l'ordre! »

— « Vous oubliez l'humanité! » dit Frédéric.

Mme Arnoux prit son bras ; Sénécal, offensé peut-être de cette approbation silencieuse, s'en alla.

Frédéric en ressentit un immense soulagement. Depuis le matin, il cherchait l'occasion de se déclarer ; elle était venue. D'ailleurs le mouvement spontané de Mme Arnoux lui semblait contenir des promesses ; et il demanda, comme pour se réchauffer les pieds, à monter dans sa chambre. Mais, quand il fut assis près d'elle, son embarras commença ; le point de départ lui manquait. Sénécal, heureusement, vint à sa pensée.

— « Rien de plus sot, » dit-il, « que cette punition! »

Mme Arnoux reprit :

— « Il y a des sévérités indispensables. »

— « Comment, vous qui êtes si bonne! Oh! je me trompe! car vous vous plaisez quelquefois à faire souffrir! »

— « Je ne comprends pas les énigmes, mon ami. »

Et son regard austère, plus encore que le mot, l'arrêta. Frédéric était déterminé à poursuivre. Un volume de Musset se trouvait par hasard sur la commode. Il en tourna quelques pages, puis se mit à parler de l'amour, de ses désespoirs et de ses emportements.

Tout cela, suivant Mme Arnoux, était criminel ou factice.

Le jeune homme se sentit blessé par cette négation ; et, pour la combattre, il cita en preuve les suicides qu'on voit dans les journaux, exalta les grands types littéraires, Phèdre, Didon, Roméo, Desgrieux. Il s'enferrait.

Le feu dans la cheminée ne brûlait plus, la pluie fouettait contre les vitres. Mme Arnoux, sans bouger, restait les deux mains sur les bras de son fauteuil ; les pattes de son bonnet tombaient comme les bandelettes d'un sphinx ; son profil pur se découpait en pâleur au milieu de l'ombre.

Il avait envie de se jeter à ses genoux. Un craquement se fit dans le couloir, il n'osa.

Il était empêché, d'ailleurs, par une sorte de crainte religieuse. Cette robe, se confondant avec les ténèbres, lui paraissait démesurée, infinie, insoulevable ; et précisément à cause de cela son désir redoublait. Mais la peur de faire trop et de ne pas faire assez lui ôtait tout discernement.

— « Si je lui déplais, » pensait-il, « qu'elle me chasse ! Si elle veut de moi, qu'elle m'encourage ! »

Il dit en soupirant :

— « Donc, vous n'admettez pas qu'on puisse aimer... une femme ? »

Mme Arnoux répliqua :

— « Quand elle est à marier, on l'épouse ; lorsqu'elle appartient à un autre, on s'éloigne. »

— « Ainsi le bonheur est impossible ? »

— « Non ! Mais on ne le trouve jamais dans le mensonge, les inquiétudes et le remords. »

— « Qu'importe ! s'il est payé par des joies sublimes. »

— « L'expérience est trop coûteuse ! »

Il voulut l'attaquer par l'ironie.

— « La vertu ne serait donc que de la lâcheté ? »

— « Dites de la clairvoyance, plutôt. Pour celles mêmes qui oublieraient le devoir ou la religion, le simple bon sens peut suffire. L'égoïsme fait une base solide à la sagesse. »

— « Ah! quelles maximes bourgeoises vous avez! »
— « Mais je ne me vante pas d'être une grande dame! »
A ce moment-là, le petit garçon accourut.
— « Maman, viens-tu dîner? »
— « Oui, tout à l'heure! »
Frédéric se leva ; en même temps Marthe parut.

Il ne pouvait se résoudre à s'en aller ; et, avec un regard
tout plein de supplications :
— « Ces femmes dont vous parlez sont donc bien
insensibles? »
— « Non! mais sourdes quand il le faut. »

Et elle se tenait debout, sur le seuil de sa chambre,
avec ses deux enfants à ses côtés. Il s'inclina sans dire
un mot. Elle répondit silencieusement à son salut.

Ce qu'il éprouva d'abord, ce fut une stupéfaction
infinie. Cette manière de lui faire comprendre l'inanité
de son espoir l'écrasait. Il se sentait perdu comme un homme
tombé au fond d'un abîme, qui sait qu'on ne le secourra
pas et qu'il doit mourir.

Il marchait cependant, mais sans rien voir, au hasard ;
il se heurtait contre les pierres ; il se trompa de chemin.
Un bruit de sabots retentit près de son oreille ; c'étaient
les ouvriers qui sortaient de la fonderie. Alors il se reconnut.

A l'horizon les lanternes du chemin de fer traçaient
une ligne de feux. Il arriva comme un convoi partait,
se laissa pousser dans un wagon, et s'endormit.

Une heure après, sur les boulevards, la gaieté de Paris
le soir recula tout à coup son voyage dans un passé déjà
très loin. Il voulut être fort, et allégea son cœur en dénigrant Mme Arnoux par des épithètes injurieuses :
— « C'est une imbécile, une dinde, une brute, n'y
pensons plus! »

Rentré chez lui, il trouva dans son cabinet une lettre
de huit pages sur papier à glaçure bleue et initiales R. A.

Cela commençait par des reproches amicaux :

« Que devenez-vous, mon cher? je m'ennuie. »

Mais l'écriture était si abominable que Frédéric allait
rejeter tout le paquet quand il aperçut, en post-scriptum :

« Je compte sur vous demain pour me conduire aux
courses. »

Que signifiait cette invitation? était-ce encore un tour
de la Maréchale? Mais on ne se moque pas deux fois du

même homme à propos de rien ; et pris de curiosité, il relut la lettre attentivement.

Frédéric distingua : « Malentendu... avoir fait fausse route... désillusions... Pauvres enfants que nous sommes !... Pareils à deux fleuves qui se rejoignent ! etc. »

Ce style contrastait avec le langage ordinaire de la lorette. Quel changement était donc survenu ?

Il garda longtemps les feuilles entre ses doigts. Elles sentaient l'iris ; et il y avait, dans la forme des caractères et l'espacement irrégulier des lignes, comme un désordre de toilette qui le troubla.

— « Pourquoi n'irais-je pas ? » se dit-il enfin. « Mais si Mme Arnoux le savait ? Ah ! qu'elle le sache ! Tant mieux ! et qu'elle en soit jalouse ! ça me vengera ! »

IV

La Maréchale était prête et l'attendait.

— « C'est gentil, cela ! » dit-elle, en fixant sur lui ses jolis yeux, à la fois tendres et gais.

Quand elle eut fait le nœud de sa capote, elle s'assit sur le divan et resta silencieuse.

— « Partons-nous ? » dit Frédéric.

Elle regarda la pendule.

— « Oh ! non ! pas avant une heure et demie, » comme si elle eût posé en elle-même cette limite à son incertitude.

Enfin, l'heure ayant sonné :

— « Eh bien, *andiamo, caro mio !* »

Et elle donna un dernier tour à ses bandeaux, fit des recommandations à Delphine.

— « Madame revient dîner ? »

— « Pourquoi donc ? Nous dînerons ensemble quelque part, au Café Anglais, où vous voudrez ! »

— « Soit ! »

Ses petits chiens jappaient autour d'elle.

— « On peut les emmener, n'est-ce pas ? »

Frédéric les porta, lui-même, jusqu'à la voiture. C'était une berline de louage avec deux chevaux de poste et un postillon ; il avait mis sur le siège de derrière son domestique. La Maréchale parut satisfaite de ses prévenances ; puis, dès qu'elle fut assise, lui demanda [416] s'il avait été chez Arnoux, dernièrement.

— « Pas depuis un mois, » dit Frédéric.

— « Moi, je l'ai rencontré avant-hier [417], il serait même venu aujourd'hui. Mais il a toutes sortes d'embarras, encore un procès, je ne sais quoi. Quel drôle d'homme ! »

— « Oui ! très drôle ! »

Frédéric ajouta d'un air indifférent :

— « A propos, voyez-vous toujours... comment donc l'appelez-vous?... cet ancien chanteur..., Delmar? »

Elle répliqua sèchement :

— « Non! c'est fini. »

Ainsi, leur rupture était certaine. Frédéric en conçut de l'espoir.

Ils descendirent au pas le quartier Bréda ; les rues, à cause du dimanche, étaient désertes, et des figures de bourgeois apparaissaient derrière des fenêtres. La voiture [418] prit un train plus rapide ; le bruit des roues faisait se retourner les passants, le cuir de la capote rabattue brillait, le domestique se cambrait la taille, et les deux havanais l'un près de l'autre semblaient deux manchons d'hermine, posés sur les coussins. Frédéric se laissait aller au bercement des soupentes. La Maréchale tournait la tête, à droite et à gauche, en souriant.

Son chapeau de paille nacrée avait une garniture de dentelle noire. Le capuchon de son burnous flottait au vent ; et elle s'abritait du soleil, sous une ombrelle de satin lilas, pointue par le haut comme une pagode.

— « Quels amours de petits doigts! » dit Frédéric, en lui prenant doucement l'autre main, la gauche ornée d'un bracelet d'or, en forme de gourmette. « Tiens, c'est mignon ; d'où cela vient-il? »

— « Oh! il y a longtemps que je l'ai, » dit la Maréchale.

Le jeune homme n'objecta rien à cette réponse hypocrite. Il aima mieux « profiter de la circonstance ». Et, lui tenant toujours le poignet, il appuya dessus ses lèvres, entre le gant et la manchette.

— « Finissez, on va nous voir! »

— « Bah! qu'est-ce que cela fait! »

Après la place de la Concorde, ils prirent par le quai de la Conférence et le quai de Billy, où l'on remarque un cèdre dans un jardin. Rosanette croyait le Liban situé en Chine ; elle rit elle-même de son ignorance et pria Frédéric de lui donner des leçons de géographie. Puis, laissant à droite le Trocadéro, ils traversèrent le pont d'Iéna, et s'arrêtèrent enfin, au milieu du Champ de Mars, près des autres voitures, déjà rangées dans l'Hippodrome [419].

Les tertres de gazon étaient couverts de menu peuple. On apercevait des curieux sur le balcon de l'École militaire [420]; et les deux pavillons en dehors du pesage, les deux tribunes comprises dans son enceinte, et une troisième devant celle du Roi se trouvaient remplies d'une foule en toilette qui témoignait, par son maintien, de la déférence pour ce divertissement encore nouveau. Le public des courses, plus spécial dans ce temps-là, avait un aspect moins vulgaire ; c'était l'époque des sous-pieds, des collets de velours et des gants blancs. Les femmes, vêtues de couleurs brillantes, portaient des robes à taille longue, et assises sur les gradins des estrades, elles faisaient comme de grands massifs de fleurs, tachetées de noir, çà et là, par les sombres costumes des hommes. Mais tous les regards se tournaient vers le célèbre Algérien Bou-Maza [421], qui se tenait impassible, entre deux officiers d'état-major, dans une des tribunes particulières. Celle du Jockey-Club contenait exclusivement des messieurs graves.

Les plus enthousiastes [422] s'étaient placés, en bas, contre la piste, défendue par deux lignes de bâtons supportant des cordes ; dans l'ovale immense [423] que décrivait cette allée, des marchands de coco agitaient leur crécelle, d'autres vendaient le programme des courses, d'autres criaient des cigares, un vaste bourdonnement s'élevait ; les gardes municipaux passaient et repassaient [424] ; une cloche, suspendue à un poteau couvert de chiffres, tinta. Cinq chevaux parurent, et on rentra dans les tribunes.

Cependant, de gros nuages effleuraient de leurs volutes la cime des ormes, en face. Rosanette avait peur de la pluie.

— « J'ai des riflards, » dit Frédéric, « et tout ce qu'il faut pour se distraire, » ajouta-t-il en soulevant le coffre, où il y avait des provisions de bouche dans un panier.

— « Bravo [425] ! nous nous comprenons ! »

— « Et on se comprendra encore mieux, n'est-ce pas ? »

— « Cela se pourrait ! » fit-elle en rougissant.

Les jockeys, en casaque de soie, tâchaient d'aligner leurs chevaux et les retenaient à deux mains. Quelqu'un abaissa un drapeau rouge. Alors, tous les cinq, se penchant sur les crinières, partirent. Ils restèrent d'abord serrés en une seule masse ; bientôt elle s'allongea, se coupa ; celui qui portait la casaque jaune, au milieu du premier tour, faillit tomber ; longtemps il y eut de l'incertitude entre Filly et Tibi ; puis Tom Pouce parut en tête ; mais Clubstick, en arrière depuis le départ, les rejoignit [426] et arriva premier, battant Sir Charles de deux

longueurs ; ce fut une surprise ; on criait ; les baraques
de planches vibraient sous les trépignements.

— « Nous nous amusons ! » dit la Maréchale. « Je
t'aime, mon chéri ! »

Frédéric ne douta plus de son bonheur ; ce dernier
mot de Rosanette le confirmait.

A cent pas de lui [427], dans un cabriolet milord, une
dame parut. Elle se penchait en dehors de la portière [428],
puis se renfonçait vivement ; cela recommença plusieurs
fois, Frédéric ne pouvait distinguer sa figure. Un soupçon
le saisit, il lui sembla que c'était Mme Arnoux. Impossible,
cependant ! Pourquoi serait-elle venue ? Il descendit [429]
de voiture, sous prétexte de flâner au pesage.

— « Vous n'êtes guère galant ! » dit Rosanette.

Il n'écouta rien et s'avança. Le milord, tournant bride,
se mit au trot.

Frédéric, au même moment, fut happé par Cisy.

— « Bonjour, cher ! comment allez-vous ? Hussonnet
est là-bas ! Écoutez donc ? »

Frédéric tâchait de se dégager pour rejoindre le milord.
La Maréchale [430] lui faisait signe de retourner près d'elle.
Cisy l'aperçut, et voulait obstinément lui dire bonjour.

Depuis que le deuil de sa grand'mère était fini, il réalisait
son idéal, parvenait *à avoir du cachet*. Gilet écossais, habit
court, larges bouffettes sur l'escarpin et carte d'entrée
dans la ganse du chapeau, rien ne manquait effectivement
à ce qu'il appelait lui-même son « chic », un chic anglomane
et mousquetaire. Il commença par se plaindre du Champ
de Mars, turf exécrable, parla ensuite des courses de
Chantilly et des farces qu'on y faisait, jura qu'il pouvait
boire douze verres de vin de Champagne [431] pendant les
douze coups de minuit, proposa à la Maréchale de parier [432],
caressait doucement ses deux bichons ; et de l'autre coude
s'appuyant sur la portière, il continuait à débiter des
sottises, le pommeau de son stick dans la bouche, les jambes écartées, les reins tendus. Frédéric, à côté de lui, fumait,
tout en cherchant à découvrir ce que le milord était
devenu.

La cloche ayant tinté [433], Cisy s'en alla, au grand plaisir
de Rosanette, qu'il ennuyait beaucoup, disait-elle.

La seconde épreuve n'eut rien de particulier, la troisième
non plus, sauf un homme qu'on emporta sur un bran-

card. La quatrième, où huit chevaux disputèrent le prix
de la Ville, fut plus intéressante.

Les spectateurs des tribunes avaient grimpé sur les
bancs. Les autres, debout dans les voitures, suivaient
avec des lorgnettes à la main l'évolution des jockeys ;
on les voyait filer comme des taches rouges, jaunes, blanches et bleues sur toute la longueur de la foule, qui bordait
le tour de l'Hippodrome. De loin, leur vitesse n'avait
pas l'air excessive ; à l'autre bout du Champ de Mars,
ils semblaient même se ralentir et ne plus avancer que par
une sorte de glissement, où les ventres des chevaux touchaient la terre sans que leurs jambes étendues pliassent.
Mais, revenant bien vite, ils grandissaient ; leur passage
coupait le vent, le sol tremblait, les cailloux volaient ;
l'air, s'engouffrant dans les casaques des jockeys, les
faisait palpiter comme des voiles ; à grands coups de
cravache, ils fouaillaient leurs bêtes pour atteindre le
poteau, c'était le but. On enlevait les chiffres, un autre
était hissé ; et, au milieu des applaudissements, le cheval
victorieux se traînait jusqu'au pesage, tout couvert de
sueur, les genoux raidis, l'encolure basse, tandis que son
cavalier, comme agonisant sur sa selle [434], se tenait les
côtes.

Une contestation retarda le dernier départ. La foule,
qui s'ennuyait, se répandit. Des groupes d'hommes causaient au bas des tribunes. Les propos étaient libres ;
des femmes du monde partirent, scandalisées par le
voisinage des lorettes.

Il y avait aussi des illustrations de bals publics, des
comédiennes du boulevard ; — et ce n'était pas les plus
belles [435] qui recevaient le plus d'hommages. La vieille
Georgine Aubert, celle qu'un vaudevilliste appelait
« le Louis XI de la prostitution », horriblement maquillée
et poussant de temps à autre une espèce de rire pareil à
un grognement, restait tout étendue dans sa longue
calèche, sous une palatine de martre comme en plein hiver.
Mme de Remoussot, mise à la mode par son procès, trô-
nait sur le siège d'un break en compagnie d'Américains ;
et Thérèse Bachelu, avec son air de vierge gothique,
emplissait de ses douze falbalas l'intérieur d'un escargot
qui avait, à la place du tablier, une jardinière pleine de
roses. La Maréchale fut jalouse de ces gloires ; pour

qu'on la remarquât, elle se mit à faire de grands gestes et à parler très haut.

Des gentlemen la reconnurent, lui envoyèrent des saluts. Elle y répondait en disant leurs noms à Frédéric. C'étaient tous comtes, vicomtes, ducs et marquis ; et il se rengorgeait, car tous les yeux exprimaient un certain respect pour sa bonne fortune.

Cisy n'avait pas l'air moins heureux dans le cercle d'hommes mûrs qui l'entourait. Ils souriaient du haut de leurs cravates, comme se moquant de lui ; enfin il tapa dans la main du plus vieux et s'avança vers la Maréchale.

Elle mangeait avec une gloutonnerie affectée une tranche de foie gras ; Frédéric, par obéissance, l'imitait, en tenant une bouteille de vin sur ses genoux.

Le milord reparut, c'était Mme Arnoux. Elle pâlit extraordinairement.

— « Donne-moi du champagne ! » dit Rosanette.

Et, levant le plus possible son verre rempli, elle s'écria :

— « Ohé là-bas ! les femmes honnêtes, l'épouse de mon protecteur, ohé ! »

Des rires éclatèrent autour d'elle, le milord disparut. Frédéric la tirait par sa robe, il allait s'emporter. Mais Cisy était là, dans la même attitude que tout à l'heure ; et, avec un surcroît d'aplomb, il invita Rosanette à dîner pour le soir même.

— « Impossible ! » répondit-elle. « Nous allons ensemble au Café Anglais [436]. »

Frédéric, comme s'il n'eût rien entendu, demeura muet ; et Cisy quitta la Maréchale d'un air désappointé.

Tandis qu'il lui parlait, debout contre la portière de droite, Hussonnet était survenu du côté gauche, et, relevant ce mot de Café Anglais :

— « C'est un joli établissement ! si l'on y cassait une croûte, hein ? »

— « Comme vous voudrez, » dit Frédéric [437] qui, affaissé dans le coin de la berline, regardait à l'horizon le milord disparaître, sentant qu'une chose irréparable venait de se faire et qu'il avait perdu son grand amour. Et l'autre était là, près de lui, l'amour joyeux et facile ! Mais, lassé, plein de désirs contradictoires et ne sachant même plus ce qu'il voulait, il éprouvait une tristesse démesurée, une envie de mourir.

Un grand bruit de pas et de voix lui fit relever la tête ;
les gamins, enjambant les cordes de la piste, venaient
regarder les tribunes ; on s'en allait. Quelques gouttes
de pluie tombèrent. L'embarras des voitures augmenta.
Hussonnet était perdu.

— « Eh bien, tant mieux ! » dit Frédéric.

— « On préfère être seul ? » reprit la Maréchale, en posant la main sur la sienne.

Alors passa devant eux, avec des miroitements de cuivre
et d'acier, un splendide landau attelé de quatre chevaux,
conduits à la Daumont par deux jockeys en veste de
velours, à crépines d'or. Mme Dambreuse était près de
son mari, Martinon sur l'autre banquette en face ; tous les
trois avaient des figures étonnées.

— « Ils m'ont reconnu ! » se dit Frédéric.

Rosanette voulut qu'on arrêtât, pour mieux voir le
défilé. Mme Arnoux pouvait reparaître. Il cria au postillon :

— « Va donc ! va donc ! en avant ! »

Et la berline se lança vers les Champs-Élysées au milieu
des autres voitures, calèches, briskas, wurts, tandems,
tilburys, dog-carts, tapissières à rideaux de cuir où chantaient des ouvriers en goguette, demi-fortunes que dirigeaient avec prudence des pères de famille eux-mêmes.
Dans des victorias bourrées de monde, quelque garçon,
assis sur les pieds des autres, laissait pendre en dehors
ses deux jambes. De grands coupés à siège de drap promenaient des douairières qui sommeillaient ; ou bien un
stopper magnifique passait, emportant une chaise, simple
et coquette comme l'habit noir d'un dandy. L'averse cependant redoublait. On tirait les parapluies, les parasols,
les mackintosh ; on se criait de loin : « Bonjour ! — Ça
va bien ? — Oui ! — Non ! — A tantôt ! » et les figures
se succédaient avec une vitesse d'ombres chinoises. Frédéric et Rosanette ne se parlaient pas, éprouvant une sorte
d'hébétude à voir auprès d'eux, continuellement, toutes
ces roues tourner.

Par moments [438], les files de voitures, trop pressées,
s'arrêtaient toutes à la fois sur plusieurs lignes. Alors,
on restait les uns près des autres, et l'on s'examinait. Du
bord des panneaux armoriés, des regards indifférents
tombaient sur la foule ; des yeux pleins d'envie brillaient
au fond des fiacres ; des sourires de dénigrement répon-

daient aux ports de tête orgueilleux ; des bouches grandes
ouvertes exprimaient des admirations imbéciles ; et, çà
et là, quelque flâneur, au milieu de la voie, se rejetait
en arrière d'un bond pour éviter un cavalier qui galopait
entre les voitures et parvenait à en sortir. Puis tout se
remettait en mouvement ; les cochers lâchaient les rênes,
abaissaient leurs longs fouets ; les chevaux, animés, secouant
leur gourmette, jetaient de l'écume autour d'eux ; et les
croupes et les harnais humides fumaient, dans la vapeur
d'eau que le soleil couchant traversait. Passant sous l'Arc
de triomphe, il allongeait à hauteur d'homme une lumière
roussâtre, qui faisait étinceler les moyeux des roues, les
poignées des portières, le bout des timons, les anneaux
des sellettes ; et, sur les deux côtés de la grande avenue, —
pareille à un fleuve où ondulaient des crinières, des vêtements, des têtes humaines, — les arbres tout reluisants
de pluie se dressaient, comme deux murailles vertes.
Le bleu du ciel, au-dessus, reparaissant à de certaines
places, avait des douceurs de satin.

Alors, Frédéric se rappela les jours déjà loin où il enviait
l'inexprimable bonheur de se trouver dans une de ces
voitures, à côté d'une de ces femmes. Il le possédait, ce
bonheur-là, et n'en était pas plus joyeux [439].

La pluie avait fini de tomber. Les passants, réfugiés
entre les colonnes du Garde-Meubles, s'en allaient. Des
promeneurs, dans la rue Royale, remontaient vers le
boulevard. Devant l'hôtel des Affaires Étrangères, une
file de badauds stationnait sur les marches.

A la hauteur des Bains-Chinois, comme il y avait des
trous dans le pavé, la berline se ralentit. Un homme en
paletot noisette marchait au bord du trottoir. Une écla-
boussure, jaillissant de dessous les ressorts, s'étala dans
son dos. L'homme se retourna, furieux. Frédéric devint
pâle ; il avait reconnu Deslauriers.

A la porte du Café Anglais, il renvoya la voiture.
Rosanette était montée devant lui, pendant qu'il payait
le postillon.

Il la retrouva dans l'escalier, causant avec un monsieur.
Frédéric prit son bras. Mais, au milieu du corridor, un
deuxième seigneur l'arrêta.

— « Va toujours ! » dit-elle, « je suis à toi ! »

Et il entra seul dans le cabinet. Par les deux fenêtres

ouvertes, on apercevait du monde aux croisées des autres
maisons, vis-à-vis. De larges moires frissonnaient sur
l'asphalte qui séchait, et un magnolia posé au bord du
balcon embaumait l'appartement. Ce parfum et cette fraîcheur détendirent ses nerfs ; il s'affaissa sur le divan rouge,
au-dessous de la glace.

La Maréchale revint ; et, le baisant au front :

— « On a des chagrins, pauvre mimi ? »

— « Peut-être ! » répliqua-t-il.

— « Tu n'es pas le seul, va ! » ce qui voulait dire ;
« Oublions chacun les nôtres dans une félicité commune ! »

Puis elle posa un pétale de fleur entre ses lèvres, et le
lui tendit à becqueter. Ce mouvement, d'une grâce et
presque d'une mansuétude lascive, attendrit Frédéric.

— « Pourquoi me fais-tu de la peine ? » dit-il, en songeant
à Mme Arnoux.

— « Moi, de la peine ? »

Et, debout, devant lui, elle le regardait, les cils rapprochés et les deux mains sur les épaules.

Toute sa vertu [440], toute sa rancune sombra dans une
lâcheté sans fond.

Il reprit :

— « Puisque tu ne veux pas m'aimer ! » en l'attirant
sur ses genoux.

Elle se laissait faire ; il lui entourait la taille à deux
bras ; le pétillement de sa robe de soie l'enflammait.

— « Où sont-ils ? » dit la voix d'Hussonnet dans le
corridor.

La Maréchale se leva brusquement, et alla se mettre
à l'autre bout du cabinet, tournant le dos à la porte.

Elle demanda des huîtres ; et ils s'attablèrent.

Hussonnet ne fut pas drôle. A force d'écrire quotidiennement sur toute sorte de sujets, de lire beaucoup
de journaux, d'entendre beaucoup de discussions et
d'émettre des paradoxes pour éblouir, il avait fini par
perdre la notion exacte des choses, s'aveuglant lui-même
avec ses faibles pétards. Les embarras d'une vie légère
autrefois, mais à présent difficile, l'entretenaient dans une
agitation perpétuelle ; et son impuissance, qu'il ne voulait
pas s'avouer, le rendait hargneux, sarcastique. A propos
d'*Ozaï*, un ballet nouveau, il fit une sortie à fond contre
la danse, et, à propos de la danse, contre l'Opéra ; puis,

à propos de l'Opéra, contre les Italiens, remplacés, maintenant, par une troupe d'acteurs espagnols, « comme si l'on n'était pas rassasié des Castilles! » Frédéric fut choqué dans son amour romantique de l'Espagne ; et, afin de rompre la conversation, il s'informa du Collège de France, d'où l'on venait d'exclure Edgar Quinet et Mickiewicz [441]. Mais Hussonnet, admirateur de M. de Maistre, se déclara pour l'Autorité et le Spiritualisme. Il doutait, cependant, des faits les mieux prouvés, niait l'histoire, et contestait les choses les plus positives, jusqu'à s'écrier au mot géométrie : « Quelle blague que la géométrie! » Le tout entremêlé d'imitations d'acteurs. Sainville était particulièrement son modèle.

Ces calembredaines assommaient Frédéric. Dans un mouvement d'impatience, il attrapa, avec sa botte, un des bichons sous la table.

Tous deux se mirent à aboyer d'une façon odieuse.

— « Vous devriez les faire reconduire! » dit-il brusquement.

Rosanette n'avait confiance [442] en personne.

Alors, il se tourna vers le bohème.

— « Voyons, Hussonnet, dévouez-vous! »

— « Oh! oui, mon petit! Ce serait bien aimable! » Hussonnet s'en alla [443], sans se faire prier.

De quelle manière payait-on sa complaisance? Frédéric n'y pensa pas. Il commençait même à se réjouir du tête-à-tête, lorsqu'un garçon entra.

— « Madame, quelqu'un vous demande! »

— « Comment! encore? »

— « Il faut pourtant que je voie! » dit Rosanette.

Il en avait soif [444], besoin. Cette disparition lui semblait une forfaiture, presque une grossièreté. Que voulait-elle donc? n'était-ce pas assez d'avoir outragé Mme Arnoux? Tant pis pour celle-là, du reste! Maintenant, il haïssait toutes les femmes ; et des pleurs l'étouffaient, car son amour était méconnu et sa concupiscence trompée.

La Maréchale rentra, et, lui présentant Cisy :

— « J'ai invité monsieur. J'ai bien fait, n'est-ce pas? »

— « Comment donc! certainement! » Frédéric, avec un sourire de supplicié, fit signe au gentilhomme de s'asseoir.

La Maréchale se mit à parcourir la carte, en s'arrêtant aux noms bizarres.

— « Si nous mangions, je suppose, un turban de lapins à la Richelieu et un pudding à la d'Orléans ? »

— « Oh ! pas d'Orléans ! » s'écria Cisy, lequel était légitimiste et crut faire un mot.

— « Aimez-vous mieux un turbot à la Chambord ? » reprit-elle.

Cette politesse choqua Frédéric.

La Maréchale se décida [445] pour un simple tourne-dos, des écrevisses, des truffes, une salade d'ananas, des sorbets à la vanille.

— « Nous verrons ensuite. Allez toujours. Ah ! j'oubliais ! Apportez-moi un saucisson ! pas à l'ail ! »

Et elle appelait le garçon « jeune homme », frappait son verre avec son couteau, jetait au plafond la mie de son pain. Elle voulut boire tout de suite du vin de Bourgogne.

— « On n'en prend pas dès le commencement », dit Frédéric.

Cela se faisait quelquefois, suivant le vicomte [446].

— « Eh non ! jamais ! »

— « Si fait, je vous assure ! »

— « Ah ! tu vois ! »

Le regard [447] dont elle accompagna cette phrase signi-fiait : « C'est un homme riche, celui-là, écoute-le ! »

Cependant, la porte s'ouvrait à chaque minute, les gar-çons glapissaient, et, sur un infernal piano, dans le cabinet à côté, quelqu'un tapait une valse. Puis les courses amenè-rent à parler d'équitation et des deux systèmes rivaux. Cisy défendait Baucher, Frédéric le comte d'Aure, quand Rosanette haussa les épaules.

— « Assez, mon Dieu ! il s'y connaît mieux que toi, va ! »

Elle mordait dans une grenade, le coude posé sur la table ; les bougies du candélabre devant elle tremblaient au vent ; cette lumière blanche pénétrait sa peau de tons nacrés, mettait du rose à ses paupières, faisait briller les globes de ses yeux ; la rougeur du fruit se confondait avec la pourpre de ses lèvres, ses narines minces battaient ; et toute sa personne avait quelque chose d'insolent, d'ivre et de noyé qui exaspérait Frédéric, et pourtant lui jetait au cœur des désirs fous.

Puis elle demanda, d'une voix calme, à qui appartenait ce grand landau avec une livrée marron.

— « A la comtesse Dambreuse », répliqua Cisy.

— « Ils sont très riches, n'est-ce pas ? »

— « Oh ! très riches ! bien que Mme Dambreuse, qui est, tout simplement, une demoiselle Boutron, la fille d'un préfet, ait une fortune médiocre. »

Son mari, au contraire, devait recueillir plusieurs héritages ; Cisy les énuméra [448] ; fréquentant les Dambreuse, il savait leur histoire.

Frédéric, pour lui être désagréable, s'entêta à le contredire. Il soutint que Mme Dambreuse s'appelait de Boutron, certifiait sa noblesse.

— « N'importe ! je voudrais bien avoir son équipage ! » dit la Maréchale, en se renversant sur le fauteuil.

Et la manche de sa robe, glissant un peu, découvrit, à son poignet gauche, un bracelet orné de trois opales.

Frédéric l'aperçut.

— « Tiens ! mais... »

Ils se considérèrent tous les trois, et rougirent.

La porte s'entre-bâilla discrètement, le bord d'un chapeau parut, puis le profil d'Hussonnet.

— « Excusez, si je vous dérange, les amoureux ! »

Mais il s'arrêta, étonné de voir Cisy et de ce que Cisy avait pris sa place.

On apporta un autre couvert ; et, comme il avait grand'faim, il empoignait au hasard, parmi les restes du dîner, de la viande dans un plat, un fruit dans une corbeille, buvait d'une main, se servait de l'autre, tout en racontant sa mission. Les deux toutous étaient reconduits. Rien de neuf au domicile. Il avait trouvé la cuisinière avec un soldat, histoire fausse, uniquement inventée pour produire de l'effet.

La Maréchale décrocha de la patère sa capote. Frédéric se précipita sur la sonnette en criant de loin au garçon :

— « Une voiture ! »

— « J'ai la mienne », dit le vicomte.

— « Mais, monsieur ! »

— « Cependant, monsieur ! »

Et ils se regardaient dans les prunelles, pâles tous les deux et les mains tremblantes.

Enfin, la Maréchale prit le bras de Cisy, et, en montrant le bohème attablé :

— « Soignez-le donc ! il s'étouffe. Je ne voudrais pas que son dévouement pour mes roquets le fît mourir ! »

La porte retomba.

— « Eh bien? » dit Hussonnet.

— « Eh bien, quoi? »

— « Je croyais... »

— « Qu'est-ce que vous croyiez? »

— « Est-ce que vous ne...? »

Il compléta sa phrase par un geste.

— « Eh non! jamais de la vie! »

Hussonnet n'insista pas davantage.

Il avait eu un but en s'invitant à dîner. Son journal, qui ne s'appelait plus *l'Art*, mais *le Flambard*, avec cette épigraphe: « Canonniers, à vos pièces! » ne prospérant nullement, il avait envie de le transformer en une revue hebdomadaire, seul, sans le secours de Deslauriers. Il reparla de l'ancien projet, et exposa son plan nouveau.

Frédéric, ne comprenant pas sans doute, répondit par des choses vagues. Hussonnet empoigna plusieurs cigares sur la table, dit : « Adieu, mon bon, » et disparut.

Frédéric demanda la note. Elle était longue ; et le garçon, la serviette sous le bras, attendait son argent, quand un autre, un individu blafard qui ressemblait à Martinon, vint lui dire :

— « Faites excuse, on a oublié au comptoir de porter le fiacre. »

— « Quel fiacre? »

— « Celui que ce monsieur a pris tantôt, pour les petits chiens. »

Et la figure du garçon s'allongea, comme s'il eût plaint le pauvre jeune homme. Frédéric eut envie de le gifler. Il donna de pourboire les vingt francs qu'on lui rendait.

— « Merci, Monseigneur! » dit l'homme à la serviette, avec un grand salut.

Frédéric passa la journée du lendemain à ruminer sa colère et son humiliation. Il se reprochait de n'avoir pas souffleté Cisy. Quant à la Maréchale, il se jura de ne plus la revoir ; d'autres aussi belles ne manquaient pas ; et, puisqu'il fallait de l'argent pour posséder ces femmes-là, il jouerait à la Bourse le prix de sa ferme, il serait riche, il écraserait de son luxe la Maréchale et tout le monde. Le soir venu, il s'étonna de n'avoir pas songé à Mme Arnoux.

— « Tant mieux! à quoi bon? »

Le surlendemain, dès huit heures, Pellerin vint lui faire visite. Il commença par des admirations sur le mobilier, des cajoleries. Puis, brusquement :

— « Vous étiez aux courses, dimanche ? »

— « Oui, hélas ! »

Alors, le peintre déclama contre l'anatomie des chevaux anglais, vanta les chevaux de Géricault, les chevaux du Parthénon. « Rosanette était avec vous ? » Et il entama son éloge, adroitement.

La froideur de Frédéric le décontenança. Il ne savait comment en venir au portrait.

Sa première intention avait été de faire un Titien. Mais, peu à peu, la coloration variée de son modèle l'avait séduit ; et il avait travaillé franchement, accumulant pâte sur pâte et lumière sur lumière. Rosanette fut enchantée d'abord ; ses rendez-vous avec Delmar avaient interrompu les séances et laissé à Pellerin tout le temps de s'éblouir. Puis, l'admiration s'apaisant, il s'était demandé si sa peinture ne manquait point de grandeur. Il avait été revoir les Titien, avait compris la distance, reconnu sa faute ; et il s'était mis à repasser ses contours simplement. Ensuite il avait cherché, en les rongeant, à y perdre, à y mêler les tons de la tête et ceux des fonds ; et la figure avait pris de la consistance, les ombres de la vigueur ; tout paraissait plus ferme. Enfin la Maréchale était revenue [449]. Elle s'était même permis des objections ; l'artiste, naturellement, avait persévéré. Après de grandes fureurs contre sa sottise, il s'était dit qu'elle pouvait avoir raison [450]. Alors avait commencé l'ère des doutes, tiraillements de la pensée qui provoquent les crampes d'estomac, les insomnies, la fièvre, le dégoût de soi-même ; il avait eu le courage de faire des retouches, mais sans cœur et sentant que sa besogne était mauvaise.

Il se plaignit seulement d'avoir été refusé au Salon, puis reprocha à Frédéric de ne pas être venu voir le portrait de la Maréchale.

— « Je me moque bien de la Maréchale ! »

Une déclaration pareille l'enhardit.

— « Croiriez-vous que cette bête-là n'en veut plus, maintenant ? »

Ce qu'il ne disait point, c'est qu'il avait réclamé d'elle mille écus. Or, la Maréchale s'était peu souciée de savoir qui payerait, et, préférant tirer d'Arnoux des choses plus urgentes, ne lui en avait même pas parlé.

— « Eh bien, et Arnoux? » dit Frédéric.

Elle l'avait relancé vers lui. L'ancien marchand de tableaux n'avait que faire du portrait.

— « Il soutient que ça appartient à Rosanette. »

— « En effet, c'est à elle. »

— « Comment! c'est elle qui m'envoie vers vous! » répliqua Pellerin.

S'il eût cru à l'excellence de son œuvre, il n'eût pas songé, peut-être, à l'exploiter. Mais une somme (et une somme considérable) serait un démenti à la critique, un raffermissement pour lui-même [451]. Frédéric, afin de s'en délivrer, s'enquit de ses conditions, courtoisement.

L'extravagance du chiffre le révolta, il répondit :

— « Non, ah! non! »

— « Vous êtes pourtant son amant, c'est vous qui m'avez fait la commande! »

— « J'ai été l'intermédiaire, permettez! »

— « Mais je ne peux pas rester avec ça sur les bras! » L'artiste s'emportait.

— « Ah! je ne vous croyais pas si cupide. »

— « Ni vous si avare! Serviteur! »

Il venait de partir que Sénécal se présenta.

Frédéric, troublé, eut un mouvement d'inquiétude.

— « Qu'y a-t-il? »

Sénécal conta son histoire.

— « Samedi, vers neuf heures, Mme Arnoux a reçu une lettre qui l'appelait à Paris ; comme personne, par hasard, ne se trouvait là pour aller à Creil chercher une voiture, elle avait envie de m'y faire aller moi-même. J'ai refusé, car ça ne rentre pas dans mes fonctions. Elle est partie, et revenue dimanche soir. Hier matin, Arnoux tombe à la fabrique. La Bordelaise s'est plainte. Je ne sais pas ce qui se passe entre eux, mais il a levé son amende devant tout le monde. Nous avons échangé des paroles vives. Bref, il m'a donné mon compte, et me voilà! »

Puis, détachant ses paroles :

— « Au reste, je ne me repens pas, j'ai fait mon devoir. N'importe c'est à cause de vous. »

— « Comment? » s'écria Frédéric, ayant peur que Sénécal ne l'eût deviné.

Sénécal n'avait rien deviné, car il reprit.

— « C'est-à-dire que, sans vous, j'aurais peut-être trouvé mieux. »

Frédéric fut saisi d'une espèce de remords.

— « En quoi puis-je vous servir, maintenant? »

Sénécal demandait un emploi quelconque, une place.

— « Cela vous est facile. Vous connaissez tant de monde, M. Dambreuse entre autres, à ce que m'a dit Deslauriers. »

Ce rappel de Deslauriers fut désagréable à son ami. Il ne se souciait guère de retourner chez les Dambreuse depuis la rencontre du Champ de Mars.

— « Je ne suis pas suffisamment intime dans la maison pour recommander quelqu'un. »

Le démocrate essuya ce refus stoïquement, et, après une minute de silence :

— « Tout cela, j'en suis sûr, vient de la Bordelaise et aussi de votre Mme Arnoux. »

Ce *votre* ôta du cœur de Frédéric le peu de bon vouloir qu'il gardait. Par délicatesse, cependant, il atteignit la clef de son secrétaire.

Sénécal le prévint.

— « Merci! »

Puis, oubliant ses misères, il parla des choses de la patrie, les croix d'honneur prodiguées à la fête du Roi, un changement de cabinet, les affaires Drouillard et Bénier [452], scandales de l'époque, déclama contre les bourgeois et prédit une révolution.

Un crid japonais [453] suspendu contre le mur arrêta ses yeux. Il le prit, en essaya le manche, puis le rejeta sur le canapé, avec un air de dégoût.

— « Allons, adieu! Il faut que j'aille à Notre-Dame de Lorette.

— « Tiens! pourquoi? »

— « C'est aujourd'hui le service anniversaire de Godefroy Cavaignac [454]. Il est mort à l'œuvre, celui-là! Mais tout n'est pas fini!... Qui sait? »

Et Sénécal tendit sa main, bravement.

— « Nous ne nous reverrons peut-être jamais! adieu! »

Cet adieu, répété deux fois, son froncement de sourcils en contemplant le poignard, sa résignation et son air solennel, surtout, firent rêver Frédéric, qui bientôt n'y pensa plus.

Dans la même semaine, son notaire du Havre lui envoya le prix de sa ferme, cent soixante-quatorze mille francs. Il en fit deux parts, plaça la première sur l'État, et alla porter la seconde chez un agent de change pour la risquer à la Bourse.

Il mangeait dans les cabarets à la mode, fréquentait les théâtres et tâchait de se distraire, quand Hussonnet lui adressa une lettre, où il narrait gaiement que la Maréchale, dès le lendemain des courses, avait congédié Cisy. Frédéric en fut heureux, sans chercher pourquoi le bohème lui apprenait cette aventure.

Le hasard voulut qu'il rencontrât Cisy, trois jours après. Le gentilhomme fit bonne contenance, et l'invita même à dîner pour le mercredi suivant.

Frédéric, le matin de ce jour-là, reçut une notification d'huissier, où M. Charles-Jean-Baptiste Oudry lui apprenait qu'aux termes d'un jugement du tribunal il s'était rendu acquéreur d'une propriété sise à Belleville appartenant au sieur Jacques Arnoux, et qu'il était prêt à payer les deux cent vingt-trois mille francs, montant du prix de la vente. Mais il résultait du même acte que, la somme des hypothèques dont l'immeuble était grevé dépassant le prix de l'acquisition, la créance de Frédéric se trouvait complètement perdue.

Tout le mal venait de n'avoir pas renouvelé en temps utile une inscription hypothécaire. Arnoux s'était chargé de cette démarche, et l'avait ensuite oubliée. Frédéric s'emporta contre lui, et, quand sa colère fut passée :

— « Eh bien, après..., quoi ? si cela peut le sauver, tant mieux ! je n'en mourrai pas ! n'y pensons plus ! »

Mais en remuant ses paperasses sur sa table, il rencontra la lettre d'Hussonnet, et aperçut le post-scriptum, qu'il n'avait point remarqué la première fois. Le bohème demandait cinq mille francs, tout juste, pour mettre l'affaire du journal en train.

— « Ah ! celui-là m'embête ! »

Et il refusa brutalement dans un billet laconique. Après quoi, il s'habilla pour se rendre à la Maison-d'Or.

Cisy présenta ses convives, en commençant par le plus respectable, un gros monsieur à cheveux blancs :

— « Le marquis Gilbert des Aulnays, mon parrain. M. Anselme de Forchambeaux, » dit-il ensuite (c'était un jeune homme blond et fluet, déjà chauve) ; puis, désignant un quadragénaire d'allures simples : « Joseph Boffreu, mon cousin ; et voici mon ancien professeur M. Vezou, » personnage moitié charretier, moitié sémina- riste, avec de gros favoris et une longue redingote bouton- née dans le bas par un seul bouton, de manière à faire châle sur la poitrine.

Cisy attendait encore quelqu'un, le baron de Comaing, « qui peut-être viendra, ce n'est pas sûr ». Il sortait à chaque minute, paraissait inquiet ; enfin, à huit heures, on passa dans une salle éclairée magnifiquement et trop spacieuse pour le nombre des convives. Cisy l'avait choisie par pompe, tout exprès.

Un surtout de vermeil, chargé de fleurs et de fruits, occupait le milieu de la table, couverte de plats d'argent, suivant la vieille mode française ; des raviers, pleins de salaisons et d'épices, formaient bordure tout autour ; des cruches de vin rosat frappé de glace se dressaient de distance en distance ; cinq verres de hauteur différente étaient alignés devant chaque assiette avec des choses dont on ne savait pas l'usage, mille ustensiles de bouche ingénieux ; — et il y avait, rien que pour le premier ser- vice, — une hure d'esturgeon mouillée de champagne, un jambon d'York au tokai, des grives au gratin, des cailles rôties, un vol-au-vent Béchamel, un sauté de perdrix rouges, et, aux deux bouts de tout cela, des effilés de pommes de terre qui étaient mêlés à des truffes. Un lustre et des girandoles illuminaient l'appartement, tendu de damas rouge. Quatre domestiques en habit noir se tenaient derrière les fauteuils de maroquin. A ce spectacle, les convives se récrièrent, le précepteur surtout.

— « Notre amphitryon, ma parole [455], a fait de véri- tables folies ! C'est trop beau ! »

— « Ça ? » dit le vicomte de Cisy, « allons donc ! »

Et, dès la première cuillerée :

— « Eh bien, mon vieux des Aulnays, avez-vous été au Palais-Royal, voir *Père et Portier* ? » [456]

— « Tu sais bien que je n'ai pas le temps ! » répliqua le marquis.

Ses matinées étaient prises par un cours d'arboriculture, ses soirées par le Cercle agricole, et toutes ses après-midi par des études dans les fabriques d'instruments aratoires.

Habitant la Saintonge les trois quarts de l'année, il profitait de ses voyages dans la capitale pour s'instruire ; et son chapeau à larges bords, posé sur une console, était plein de brochures.

Mais Cisy, s'apercevant que M. de Forchambeaux refusait du vin :

— « Buvez donc, saprelotte ! Vous n'êtes pas crâne pour votre dernier repas de garçon ! »

A ce mot, tous s'inclinèrent, on le congratulait.

— « Et la jeune personne, » dit le précepteur, « est charmante, j'en suis sûr ? »

— « Parbleu ! » s'écria Cisy. « N'importe, il a tort ; c'est si bête, le mariage ! »

— « Tu parles légèrement, mon ami ! » répliqua M. des Aulnays, tandis qu'une larme roulait dans ses yeux, au souvenir de sa défunte.

Et Forchambeaux répéta plusieurs fois de suite, en ricanant :

— « Vous y viendrez vous-même, vous y viendrez ! »

Cisy protesta. Il aimait mieux se divertir, « être régence ». Il voulait apprendre la savate, pour visiter les tapis-francs de la Cité, comme le prince Rodolphe des *Mystères de Paris* [457], tira de sa poche un brûle-gueule, rudoyait les les domestiques, buvait extrêmement ; et, afin de donner de lui bonne opinion, dénigrait tous les plats. Il renvoya même les truffes, et le précepteur, qui s'en délectait, dit par bassesse :

— « Cela ne vaut pas les œufs à la neige de madame votre grand'mère ! »

Puis il se remit à causer avec son voisin l'agronome, lequel trouvait au séjour de la campagne beaucoup d'avantages, ne serait-ce que de pouvoir élever ses filles dans des goûts simples. Le précepteur applaudissait à ses idées et le flagornait, lui supposant de l'influence sur son élève, dont il désirait secrètement être l'homme d'affaires.

Frédéric était venu plein d'humeur contre Cisy ; sa sottise l'avait désarmé. Mais ses gestes, sa figure, toute sa personne, lui rappelant le dîner du Café Anglais, l'agaçait de plus en plus ; et il écoutait les remarques désobligeantes que faisait à demi-voix le cousin Joseph, un brave garçon sans fortune, amateur de chasse, et boursier. Cisy, par manière de rire, l'appela « voleur » plusieurs fois ; puis, tout à coup :

— « Ah! le baron! »

Alors entra un gaillard de trente ans, qui avait quelque
chose de rude dans la physionomie, de souple dans les
membres, le chapeau sur l'oreille, et une fleur à la boutonnière. C'était l'idéal du vicomte. Il fut ravi de le posséder ;
et, sa présence l'excitant, il tenta même un calembour,
car il dit, comme on passait un coq de bruyère :

— « Voilà le meilleur des caractères de La Bruyère! »

Ensuite, il adressa à M. de Comaing une foule de questions sur des personnes inconnues à la société ; puis,
comme saisi d'une idée :

— « Dites donc! avez-vous pensé à moi? »

L'autre haussa les épaules.

— « Vous n'avez pas l'âge, mon petiot! Impossible! »

Cisy l'avait prié de le faire admettre à son club. Mais
le baron, ayant sans doute pitié de son amour-propre :

— « Ah! j'oubliais! Mille félicitations pour votre
pari, mon cher! »

— « Quel pari? »

— « Celui que vous avez fait, aux courses, d'aller le
soir même chez cette dame. »

Frédéric éprouva comme la sensation d'un coup de
fouet. Il fut calmé tout de suite, par la figure décontenancée
de Cisy.

En effet, la Maréchale, dès le lendemain, en était aux
regrets, quand Arnoux, son premier amant, son homme,
s'était présenté ce jour-là même. Tous deux avaient fait
comprendre au vicomte qu'il « gênait », et on l'avait
flanqué dehors, avec peu de cérémonie.

Il eut l'air de ne pas entendre. Le baron ajouta :

— « Que devient-elle, cette brave Rose?... a-t-elle
toujours d'aussi jolies jambes? » prouvant par ce mot qu'il
la connaissait intimement.

Frédéric fut contrarié de la découverte.

— « Il n'y a pas de quoi rougir, » reprit le baron ;
« c'est une bonne affaire! »

Cisy claqua de la langue.

— « Peuh! pas si bonne! »

— « Ah! »

— « Mon Dieu, oui! D'abord, moi, je ne lui trouve
rien d'extraordinaire, et puis on en récolte de pareilles
tant qu'on veut, car enfin... elle est à vendre! »

— « Pas pour tout le monde ! » reprit aigrement Frédéric.

— « Il se croit différent des autres ! » répliqua Cisy, « quelle farce ! »

Et un rire parcourut la table.

Frédéric sentait les battements de son cœur l'étouffer. Il avala deux verres d'eau, coup sur coup.

Mais le baron avait gardé bon souvenir de Rosanette.

— « Est-ce qu'elle est toujours avec un certain Arnoux ? »

— « Je n'en sais rien, » dit Cisy. « Je ne connais pas ce monsieur ! »

Il avança, néanmoins, que c'était une manière d'escroc.

— « Un moment ! » s'écria Frédéric.

— « Cependant, la chose est certaine ! Il a même eu un procès. »

— « Ce n'est pas vrai ! »

Frédéric se mit [458] à défendre Arnoux. Il garantissait sa probité, finissait par y croire, inventait des chiffres, des preuves. Le vicomte [459], plein de rancune, et qui était gris d'ailleurs, s'entêta dans ses assertions, si bien que Frédéric lui dit gravement :

— « Est-ce pour m'offenser, monsieur ? »

Et il le regardait, avec des prunelles ardentes comme son cigare.

— « Oh ! pas du tout ! Je vous accorde même qu'il a quelque chose de très bien : sa femme. »

— « Vous la connaissez ? »

— « Parbleu ! Sophie Arnoux, tout le monde connaît ça ! »

— « Vous dites ? »

Cisy, qui s'était levé, répéta en balbutiant :

— « Tout le monde connaît ça ! »

— « Taisez-vous ! Ce ne sont pas celles-là que vous fréquentez ! »

— « Je m'en flatte ! »

Frédéric lui lança son assiette au visage.

Elle passa comme un éclair par-dessus la table, renversa deux bouteilles, démolit un compotier, et se brisant contre le surtout en trois morceaux, frappa le ventre du vicomte.

Tous se levèrent pour le retenir. Il se débattait, en criant, pris d'une sorte de frénésie ; M. des Aulnays répétait :

— « Calmez-vous ! voyons ! cher enfant ! »

— « Mais c'est épouvantable ! » vociférait le précepteur.

Forchambeaux, livide comme les prunes, tremblait ;

Joseph riait aux éclats ; les garçons épongeaient le vin, ramassaient par terre les débris ; et le baron alla fermer la fenêtre, car le tapage, malgré le bruit des voitures, aurait pu s'entendre du boulevard.

Comme tout le monde, au moment où l'assiette avait été lancée, parlait à la fois, il fut impossible de découvrir la raison de cette offense, si c'était à cause d'Arnoux, de Mme Arnoux, de Rosanette ou d'un autre. Ce qu'il y avait de certain, c'était la brutalité inqualifiable de Frédéric ; il se refusa positivement à en témoigner le moindre regret.

M. des Aulnays tâcha de l'adoucir, le cousin Joseph, le précepteur, Forchambeaux lui-même. Le baron, pendant ce temps-là, réconfortait Cisy, qui, cédant à une faiblesse nerveuse, versait des larmes. Frédéric, au contraire, s'irritait de plus en plus ; et l'on serait resté là jusqu'au jour si le baron n'avait dit pour en finir :

— « Le vicomte, Monsieur, enverra demain chez vous ses témoins. »

— « Votre heure ? »

— « A midi, s'il vous plaît. »

— « Parfaitement, Monsieur. »

Frédéric, une fois dehors, respira à pleins poumons. Depuis trop longtemps, il contenait son cœur. Il venait de le satisfaire enfin ; il éprouvait comme un orgueil de virilité, une surabondance de forces intimes qui l'enivraient. Il avait besoin de deux témoins. Le premier auquel il songea fut Regimbart ; et il se dirigea tout de suite vers un estaminet de la rue Saint-Denis. La devanture était close. Mais de la lumière brillait à un carreau, au-dessus de la porte. Elle s'ouvrit, et il entra, en se courbant très bas sous l'auvent.

Une chandelle, au bord du comptoir, éclairait la salle déserte. Tous les tabourets, les pieds en l'air, étaient posés sur les tables. Le maître et la maîtresse avec leur garçon soupaient dans l'angle près de la cuisine ; — et Regimbart, le chapeau sur la tête, partageait leur repas, et même gênait le garçon, qui était contraint à chaque bouchée de se tourner de côté, quelque peu. Frédéric, lui ayant conté la chose brièvement, réclama son assistance. Le Citoyen commença par ne rien répondre ; il roulait des yeux, avait l'air de réfléchir, fit plusieurs tours dans la salle, et dit enfin :

— « Oui, volontiers ! »

Et un sourire homicide le dérida, en apprenant que
l'adversaire était un noble.

— « Nous le ferons marcher tambour battant, soyez
tranquille ! D'abord... avec l'épée... »

— « Mais peut-être », objecta Frédéric, « que je n'ai
pas le droit... »

— « Je vous dis qu'il faut prendre l'épée ! » répliqua
brutalement le Citoyen. « Savez-vous tirer ? »

— « Un peu ! »

— « Ah ! un peu ! voilà comme ils sont tous ! Et ils
ont la rage de faire assaut ! Qu'est-ce que ça prouve, la
salle d'armes ! Écoutez-moi : tenez-vous bien à distance
en vous enfermant toujours dans des cercles, et rompez !
rompez ! C'est permis. Fatiguez-le ! Puis fendez-vous
dessus, franchement ! Et surtout pas de malice, pas de coups
à la Fougère ! non ! de simples une-deux, des dégagements.
Tenez, voyez-vous ? en tournant le poignet comme pour
ouvrir une serrure.

— Père Vauthier, donnez-moi votre canne ! Ah ! cela
suffit. »

Il empoigna la baguette qui servait à allumer le gaz,
arrondit le bras gauche, plia le droit, et se mit à pousser
des bottes contre la cloison. Il frappait du pied, s'animait,
feignait même de rencontrer des difficultés, tout en criant :
« Y es-tu, là ? y es-tu ? » et sa silhouette énorme se projetait
sur la muraille, avec son chapeau qui semblait toucher au
plafond. Le limonadier disait de temps en temps : « Bravo !
très bien ! » Son épouse également l'admirait, quoique
émue ; et Théodore, un ancien soldat, en restait cloué
d'ébahissement, étant, du reste, fanatique de M. Regimbart.

Le lendemain, de bonne heure, Frédéric courut au
magasin de Dussardier. Après une suite de pièces, toutes
remplies d'étoffes garnissant des rayons, ou étendues en
travers sur des tables, tandis que, çà et là, des champignons
de bois supportaient des châles, il l'aperçut dans une espèce
de cage grillée, au milieu de registres, et écrivant debout
sur un pupitre. Le brave garçon lâcha immédiatement
sa besogne.

Les témoins arrivèrent avant midi. Frédéric, par bon
goût, crut devoir ne pas assister à la conférence.

Le baron et M. Joseph déclarèrent qu'ils se contenteraient
des excuses les plus simples. Mais Regimbart, ayant pour

principe de ne céder jamais, et qui tenait à défendre l'honneur d'Arnoux (Frédéric ne lui avait point parlé d'autre
chose), demanda que le vicomte fît des excuses. M. de
Comaing fut révolté de l'outrecuidance. Le Citoyen
n'en voulut pas démordre. Toute conciliation devenant
impossible, on se battrait.

D'autres difficultés surgirent ; car le choix des armes,
légalement, appartenait à Cisy, l'offensé. Mais Regimbart
soutint que, par l'envoi du cartel, il se constituait l'offenseur.
Ses témoins se récrièrent qu'un soufflet, cependant, était
la plus cruelle des offenses. Le Citoyen épilogua sur les
mots, un coup n'étant pas un soufflet. Enfin, on décida
qu'on s'en rapporterait à des militaires ; et les quatre
témoins sortirent pour aller consulter des officiers dans
une caserne quelconque.

Ils s'arrêtèrent à celle du quai d'Orsay. M. de Comaing,
ayant abordé deux capitaines, leur exposa la contestation.

Les capitaines n'y comprirent goutte, embrouillée
qu'elle fut par les phrases incidentes du Citoyen. Bref,
ils conseillèrent à ces messieurs d'écrire un procès-verbal ;
après quoi, ils décideraient. Alors, on se transporta dans
un café ; et même, pour faire les choses plus discrètement,
on désigna Cisy par un H et Frédéric par un K.

Puis on retourna à la caserne. Les officiers étaient sortis.
Ils reparurent, et déclarèrent qu'évidemment le choix
des armes appartenait à M. H. Tous s'en revinrent chez
Cisy. Regimbart et Dussardier restèrent sur le trottoir.

Le vicomte, en apprenant la solution, fut pris d'un
si grand trouble qu'il se la fit répéter plusieurs fois ;
et, quand M. de Comaing en vint aux prétentions de
Regimbart, il murmura « cependant », n'étant pas loin,
en lui-même, d'y obtempérer. Puis il se laissa choir dans
un fauteuil, et déclara qu'il ne se battrait pas.

— « Hein ? Comment ? » dit le baron.

Alors, Cisy s'abandonna à un flux labial désordonné.
Il voulait se battre au tromblon, à bout portant, avec un
seul pistolet.

— « Ou bien on mettra de l'arsenic dans un verre,
qui sera tiré au sort. Ça se fait quelquefois ; je l'ai lu ! »

Le baron, peu endurant naturellement, le rudoya.

— « Ces messieurs attendent votre réponse. C'est

indécent, à la fin! Que prenez-vous? voyons! Est-ce l'épée? »

Le vicomte répliqua « oui » par un signe de tête ; et le rendez-vous fut fixé pour le lendemain, à la porte Maillot, à sept heures juste.

Dussardier étant contraint de s'en retourner à ses affaires, Regimbart alla prévenir Frédéric.

On l'avait laissé toute la journée sans nouvelles ; son impatience était devenue intolérable.

— « Tant mieux! » s'écria-t-il.

Le Citoyen fut satisfait de sa contenance.

— « On réclamait de nous des excuses, croiriez-vous? Ce n'était rien, un simple mot! Mais je les ai envoyés joliment bouler! Comme je le devais, n'est-ce pas? »

— « Sans doute, » dit Frédéric tout en songeant qu'il eût mieux fait [460] de choisir un autre témoin.

Puis, quand il fut seul, il se répéta tout haut, plusieurs fois :

— « Je vais me battre. Tiens, je vais me battre! C'est drôle! »

Et, comme il marchait dans sa chambre, en passant devant sa glace il s'aperçut qu'il était pâle.

— « Est-ce que j'aurais peur? »

Une angoisse abominable le saisit à l'idée d'avoir peur sur le terrain.

— « Si j'étais tué, cependant? Mon père est mort de la même façon. Oui, je serai tué! »

Et, tout à coup, il aperçut sa mère [461], en robe noire ; des images incohérentes se déroulèrent dans sa tête. Sa propre lâcheté [462] l'exaspéra. Il fut pris d'un paroxysme de bravoure, d'une soif carnassière. Un bataillon ne l'eût pas fait reculer. Cette fièvre calmée, il se sentit, avec joie, inébranlable. Pour se distraire, il se rendit à l'Opéra, où l'on donnait un ballet. Il écouta la musique, lorgna les danseuses, et but un verre de punch, pendant l'entr'acte. Mais, en rentrant chez lui, la vue de son cabinet, de ses meubles, où il se retrouvait peut-être pour la dernière fois, lui causa une faiblesse.

Il descendit [463] dans son jardin. Les étoiles brillaient ; il les contempla. L'idée de se battre pour une femme le grandissait à ses yeux, l'ennoblissait. Puis il alla se coucher tranquillement.

Il n'en fut pas de même de Cisy. Après le départ du baron, Joseph avait tâché de remonter son moral, et, comme le vicomte demeurait froid :

— « Pourtant, mon brave, si tu préfères en rester là, j'irai le dire. »

Cisy n'osa répondre « certainement », mais il en voulut à son cousin de ne pas lui rendre ce service sans en parler.

Il souhaita que Frédéric, pendant la nuit, mourût d'une attaque d'apoplexie, ou qu'une émeute survenant, il y eût le lendemain assez de barricades pour fermer tous les abords du bois de Boulogne, ou qu'un événement empêchât un des témoins de s'y rendre ; car le duel faute de témoins manquerait. Il avait envie de se sauver par un train express n'importe où. Il regretta de ne pas savoir la médecine pour prendre quelque chose qui, sans exposer ses jours, ferait croire à sa mort. Il arriva jusqu'à désirer être malade, gravement.

Afin d'avoir un conseil, un secours, il envoya chercher M. des Aulnays. L'excellent homme était retourné en Saintonge, sur une dépêche lui apprenant l'indisposition d'une de ses filles. Cela parut de mauvais augure à Cisy. Heureusement que M. Vezou, son précepteur, vint le voir. Alors il s'épancha.

— « Comment faire, mon Dieu ! comment faire ? »

— « Moi, à votre place, monsieur le comte, je payerais un fort de la halle pour lui flanquer une raclée. »

— « Il saurait toujours de qui ça vient ! » reprit Cisy.

Et, de temps à autre, il poussait un gémissement ; puis :

— « Mais est-ce qu'on a le droit de se battre en duel ? »

— « C'est un reste de barbarie ! Que voulez-vous ! »

Par complaisance, le pédagogue s'invita lui-même à dîner. Son élève ne mangea rien, et, après le repas, sentit le besoin de faire un tour.

Il dit en passant devant une église :

— « Si nous entrions un peu... pour voir ? »

M. Vezou ne demanda pas mieux, et même lui présenta de l'eau bénite.

C'était le mois de Marie, des fleurs couvraient l'autel, des voix chantaient, l'orgue résonnait. Mais il lui fut impossible de prier, les pompes de la religion lui inspirant des idées de funérailles ; il entendait comme des bourdonnements de *De profundis*.

— « Allons-nous-en ! Je ne me sens pas bien ! »

Ils employèrent toute la nuit à jouer aux cartes. Le vicomte s'efforça de perdre, afin de conjurer la mauvaise chance, ce dont M. Vezou profita. Enfin, au petit jour, Cisy, qui n'en pouvait plus, s'affaissa sur le tapis vert et eut un sommeil plein de songes désagréables.

Si le courage, pourtant, consiste à vouloir dominer sa faiblesse, le vicomte fut courageux, car, à la vue de ses témoins qui venaient le chercher, il se roidit de toutes ses forces, la vanité lui faisant comprendre qu'une reculade le perdrait. M. de Comaing le complimenta sur sa bonne mine.

Mais, en route, le bercement du fiacre et la chaleur du soleil matinal l'énervèrent. Son énergie était retombée. Il ne distinguait même plus où l'on était.

Le baron se divertit [464] à augmenter sa frayeur, en parlant du « cadavre » et de la manière de le rentrer en ville, clandestinement. Joseph donnait la réplique ; tous deux, jugeant l'affaire ridicule, étaient persuadés qu'elle s'arrangerait.

Cisy gardait sa tête sur sa poitrine ; il la releva doucement et fit observer qu'on n'avait pas pris de médecin.

— « C'est inutile, » dit le baron.

— « Il n'y a pas de danger, alors ? »

Joseph répliqua d'un ton grave :

— « Espérons-le ! »

Et personne dans la voiture ne parla plus.

A sept heures dix minutes, on arriva devant la porte Maillot. Frédéric et ses témoins s'y trouvaient habillés de noir tous les trois. Regimbart, au lieu de cravate, avait un col de crin comme un troupier ; et il portait une espèce de longue boîte à violon, spéciale pour ce genre d'aventures. On échangea froidement un salut. Puis tous s'enfoncèrent dans le bois de Boulogne, par la route de Madrid, afin d'y trouver une place convenable.

Regimbart dit à Frédéric, qui marchait entre lui et Dussardier :

— « Eh bien, et cette venette, qu'en fait-on ? Si vous avez besoin de quelque chose, ne vous gênez pas, je connais ça ! La crainte est naturelle à l'homme. »

Puis, à voix basse :

« Ne fumez plus, ça amollit ! »

Frédéric jeta son cigare, qui le gênait, continua d'un pied ferme. Le vicomte avançait par derrière, appuyé sur le bras de ses deux témoins.

De rares passants les croisaient. Le ciel était bleu, et on entendait, par moments, des lapins bondir. Au détour d'un sentier, une femme en madras causait avec un homme en blouse, et, dans la grande avenue, sous les marronniers, des domestiques en veste de toile promenaient leurs chevaux. Cisy se rappelait les jours heureux où, monté sur son alezan et le lorgnon dans l'œil, il chevauchait à la portière des calèches ; ces souvenirs renforçaient son angoisse ; une soif intolérable le brûlait ; la susurration des mouches se confondait avec le battement de ses artères ; ses pieds enfonçaient dans le sable ; il lui semblait qu'il était en train de marcher depuis un temps infini.

Les témoins, sans s'arrêter, fouillaient de l'œil les deux bords de la route. On délibéra si l'on irait à la croix Catelan ou sous les murs de Bagatelle. Enfin, on prit à droite ; et on s'arrêta dans une espèce de quinconce, entre des pins.

L'endroit fut choisi de manière à répartir également le niveau du terrain. On marqua les deux places où les adversaires devaient se poser. Puis Regimbart ouvrit sa boîte. Elle contenait, sur un capitonnage de basane rouge, quatre épées charmantes, creuses au milieu, avec des poignées garnies de filigrane. Un rayon lumineux, traversant les feuilles, tomba dessus : et elles parurent à Cisy briller comme des vipères d'argent sur une mare de sang.

Le Citoyen fit voir qu'elles étaient de longueur pareille ; il prit la troisième pour lui-même, afin de séparer les combattants, en cas de besoin. M. de Comaing tenait une canne. Il y eut un silence. On se regarda. Toutes les figures avaient quelque chose d'effaré ou de cruel.

Frédéric avait mis bas sa redingote et son gilet. Joseph aida Cisy à faire de même ; sa cravate étant retirée, on aperçut à son cou une médaille bénite. Cela fit sourire de pitié Regimbart.

Alors, M. de Comaing (pour laisser à Frédéric encore un moment de réflexion) tâcha d'élever des chicanes. Il réclama le droit de mettre un gant, celui de saisir l'épée de son adversaire avec la main gauche ; Regimbart, qui était pressé, ne s'y refusa pas. Enfin le baron, s'adressant à Frédéric :

— « Tout dépend de vous, Monsieur ! Il n'y a jamais de déshonneur à reconnaître ses fautes. »

Dussardier l'approuvait du geste. Le Citoyen s'indigna.

— « Croyez-vous que nous sommes ici pour plumer les canards, fichtre?... En garde ! »

Les adversaires étaient l'un devant l'autre, leurs témoins de chaque côté. Il cria le signal :

— « Allons ! »

Cisy devint [465] effroyablement pâle. Sa lame tremblait par le bout, comme une cravache. Sa tête se renversait, ses bras s'écartèrent, il tomba sur le dos, évanoui. Joseph le releva ; et, tout en lui poussant sous les narines un flacon, il le secouait fortement. Le vicomte rouvrit les yeux, puis tout à coup, bondit comme un furieux sur son épée. Frédéric avait gardé la sienne ; et il l'attendait, l'œil fixe, la main haute.

— « Arrêtez, arrêtez ! » cria une voix qui venait de la route, en même temps que le bruit d'un cheval au galop ; et la capote d'un cabriolet cassait les branches ! Un homme penché en dehors agitait un mouchoir, et criait toujours : « Arrêtez, arrêtez ! »

M. de Comaing, croyant à une intervention de la police, leva sa canne.

— « Finissez donc ! le vicomte saigne ! »

— « Moi ? » dit Cisy.

En effet, il s'était, dans sa chute, écorché le pouce de la main gauche.

— « Mais c'est en tombant, » ajouta le Citoyen.

Le baron feignit de ne pas entendre.

Arnoux avait sauté du cabriolet [466].

— « J'arrive trop tard ! Non ! Dieu soit loué ! »

Il tenait Frédéric à pleins bras, le palpait, lui couvrait le visage de baisers.

— « Je sais le motif ; vous avez voulu défendre votre vieil ami ! C'est bien, cela, c'est bien ! Jamais je ne l'oublierai ! Comme vous êtes bon ! Ah ! cher enfant ! »

Il le contemplait et versait des larmes, tout en ricanant de bonheur. Le baron se tourna [467] vers Joseph.

— « Je crois que nous sommes de trop dans cette petite fête de famille. C'est fini, n'est-ce pas, messieurs ? —

Vicomte, mettez votre bras en écharpe ; tenez, voilà
mon foulard. » Puis, avec un geste impérieux : « Allons !
pas de rancune ! Cela se doit ! »

Les deux combattants se serrèrent la main, mollement.
Le vicomte, M. de Comaing et Joseph disparurent d'un
côté, et Frédéric s'en alla de l'autre avec ses amis.

Comme le restaurant de Madrid n'était pas loin, Arnoux
proposa de s'y rendre pour boire un verre de bière.

— « On pourrait même déjeuner, » dit Regimbart.

Mais, Dussardier n'en ayant pas le loisir, ils se bor-
nèrent à un rafraîchissement, dans le jardin. Tous éprou-
vaient cette béatitude qui suit les dénouements heureux.
Le Citoyen, cependant, était fâché qu'on eût interrompu
le duel au bon moment.

Arnoux en avait eu connaissance par un nommé Compain,
ami de Regimbart ; et dans un élan de cœur, il était accouru
pour l'empêcher, croyant, du reste, en être la cause. Il
pria Frédéric de lui fournir là-dessus quelques détails.
Frédéric, ému [468] par les preuves de sa tendresse, se fit
scrupule d'augmenter son illusion :

— « De grâce, n'en parlons plus ! »

Arnoux trouva cette réserve fort délicate. Puis, avec
sa légèreté ordinaire, passant à une autre idée :

— « Quoi de neuf, Citoyen ? »

Et ils se mirent à causer traites, échéances. Afin d'être
plus commodément, ils allèrent même chuchoter à l'écart
sur une autre table.

Frédéric distingua ces mots : « Vous allez me souscrire. — Oui ! mais, vous, bien entendu... — Je l'ai négocié
enfin pour trois cents ! — Jolie commission, ma foi ! »
Bref, il était clair qu'Arnoux tripotait avec le Citoyen
beaucoup de choses.

Frédéric songea à lui rappeler ses quinze mille francs.
Mais sa démarche récente interdisait les reproches, même
les plus doux. D'ailleurs, il se sentait fatigué. L'endroit
n'était pas convenable. Il remit cela à un autre jour.

Arnoux, assis à l'ombre d'un troène, fumait d'un air
hilare. Il leva les yeux vers les portes des cabinets donnant
toutes sur le jardin, et dit qu'il était venu là, autrefois,
bien souvent.

— « Pas seul, sans doute ? » répliqua le Citoyen.

— « Parbleu ! »

— « Quel polisson vous faites! un homme marié! »

— « Eh bien, et vous donc! » reprit Arnoux ; et, avec un sourire indulgent : « Je suis même sûr que ce gredin-là possède quelque part une chambre où il reçoit des petites filles! »

Le Citoyen confessa que c'était vrai, par un simple haussement de sourcils. Alors, ces deux messieurs exposèrent leurs goûts : Arnoux préférait maintenant la jeunesse, les ouvrières ; Regimbart détestait « les mijaurées » et tenait avant tout au positif. La conclusion, fournie par le marchand de faïences, fut qu'on ne devait pas traiter les femmes sérieusement.

— « Cependant, il aime la sienne! » songeait Frédéric, en s'en retournant ; et il le trouvait un malhonnête homme. Il lui en voulait de ce duel, comme si c'eût été pour lui qu'il avait, tout à l'heure, risqué sa vie.

Mais il était reconnaissant à Dussardier de son dévouement ; le commis, sur ses instances, arriva bientôt à lui faire une visite tous les jours.

Frédéric lui prêtait des livres : Thiers, Dulaure, Barante, les *Girondins* de Lamartine [469]. Le brave garçon l'écoutait avec recueillement et acceptait ses opinions comme celles d'un maître.

Il arriva un soir tout effaré.

Le matin, sur le boulevard, un homme qui courait à perdre haleine s'était heurté contre lui ; et, l'ayant reconnu pour un ami de Sénécal, lui avait dit :

— « On vient de le prendre, je me sauve! »

Rien de plus vrai. Dussardier avait passé la journée aux informations. Sénécal était sous les verrous, comme prévenu d'attentat politique.

Fils d'un contremaître, né à Lyon et ayant eu pour professeur un ancien disciple de Chalier, dès son arrivée à Paris, il s'était fait recevoir de la Société des Familles [470] ; ses habitudes étaient connues ; la police le surveillait. Il s'était battu dans l'affaire de mai 1839 [471] et, depuis lors se tenait à l'ombre, mais s'exaltant de plus en plus, fanatique d'Alibaud [472], mêlant ses griefs contre la société à ceux du peuple contre la monarchie, et s'éveillant chaque matin avec l'espoir d'une révolution qui, en quinze jours ou un mois, changerait le monde. Enfin, écœuré par la mollesse de ses frères, furieux des retards qu'on opposait

à ses rêves et désespérant de la patrie, il était entré comme
chimiste dans le complot des bombes incendiaires ; et on
l'avait surpris portant de la poudre [473] qu'il allait essayer
à Montmartre, tentative suprême pour établir la République.

Dussardier ne la chérissait pas moins, car elle signifiait,
croyait-il, affranchissement et bonheur universel. Un jour,
— à quinze ans, — dans la rue Transnonain, [474] devant la
boutique d'un épicier, il avait vu des soldats la baïonnette
rouge de sang, avec des cheveux collés à la crosse de leur
fusil ; depuis ce temps-là, le Gouvernement l'exaspérait
comme l'incarnation même de l'Injustice. Il confondait
un peu les assassins et les gendarmes ; un mouchard valait
à ses yeux un parricide. Tout le mal répandu sur la terre,
il l'attribuait naïvement au Pouvoir, et il le haïssait d'une
haine essentielle, permanente, qui lui tenait tout le cœur
et raffinait sa sensibilité. Les déclamations de Sénécal
l'avaient ébloui. Qu'il fût coupable ou non, et sa tentative
odieuse, peu importait! Du moment qu'il était la victime
de l'Autorité, on devait le servir.

— « Les Pairs le condamneront, certainement! Puis il
sera emmené dans une voiture cellulaire, comme un
galérien et on l'enfermera au Mont-Saint-Michel, où le
Gouvernement les fait mourir! Austen est devenu fou!
Steuben s'est tué! Pour transférer Barbès dans un cachot,
on l'a tiré par les jambes, par les cheveux! On lui piétinait
le corps, et sa tête rebondissait à chaque marche tout
le long de l'escalier. Quelle abomination! les misérables! »

Des sanglots de colère l'étouffaient, et il tournait dans
la chambre, comme pris d'une grande angoisse.

— « Il faudrait faire quelque chose, cependant! Voyons!
moi, je ne sais pas! Si nous tâchions de le délivrer, hein?
Pendant qu'on le mènera au Luxembourg, on peut se jeter
sur l'escorte dans le couloir! Une douzaine d'hommes
déterminés, ça passe partout. »

Il y avait tant de flamme dans ses yeux que Frédéric
en tressaillit.

Sénécal lui apparut plus grand qu'il ne croyait. Il se
rappela ses souffrances, sa vie austère ; sans avoir pour
lui l'enthousiasme de Dussardier, il éprouvait néanmoins
cette admiration qu'inspire tout homme se sacrifiant à

une idée. Il se disait que [475], s'il l'eût secouru, Sénécal n'en serait pas là ; et les deux amis cherchèrent laborieusement quelque combinaison pour le sauver.

Il leur fut impossible de parvenir jusqu'à lui.

Frédéric s'enquérait de son sort dans les journaux, et pendant trois semaines fréquenta les cabinets de lecture.

Un jour, plusieurs numéros du *Flambard* lui tombèrent sous la main. L'article de fond, invariablement, était consacré à démolir un homme illustre. Venaient ensuite les nouvelles du monde, les cancans. Puis, on blaguait l'Odéon, Carpentras, la pisciculture, et les condamnés à mort quand il y en avait. La disparition d'un paquebot fournit matière à plaisanteries pendant un an. Dans la troisième colonne, un courrier des arts donnait, sous forme d'anecdote ou de conseil, des réclames de tailleurs, avec des comptes rendus de soirées, des annonces de ventes, des analyses d'ouvrages, traitant de la même encre un volume de vers et une paire de bottes. La seule partie sérieuse était la critique des petits théâtres, où l'on s'acharnait sur deux ou trois directeurs ; et les intérêts de l'Art étaient invoqués à propos des décors [476] des Funambules ou d'une amoureuse des Délassements.

Frédéric allait rejeter tout cela quand ses yeux rencontrèrent un article intitulé : *Une poulette entre trois cocos.* C'était l'histoire de son duel, narrée en style sémillant, gaulois. Il se reconnut sans peine, car il était désigné par cette plaisanterie, laquelle revenait souvent : « Un jeune homme du collège de Sens et qui *en* manque. » On le représentait même comme un pauvre diable de provincial, un obscur nigaud tâchant de frayer avec les grands seigneurs. Quant au vicomte, il avait le beau rôle, d'abord dans le souper, où il s'introduisait de force, ensuite dans le pari, puisqu'il emmenait la demoiselle, et finalement sur le terrain, où il se comportait en gentilhomme. La bravoure de Frédéric n'était pas niée précisément, mais on faisait comprendre qu'un intermédiaire, le *protecteur* lui-même, était survenu juste à temps. Le tout se terminait par cette phrase, grosse peut-être de perfidies :

« D'où vient leur tendresse ? Problème ! et, comme dit Bazile, qui diable est-ce qu'on trompe ici ? »

C'était sans le moindre doute une vengeance d'Hussonnet contre Frédéric, pour son refus des cinq mille francs.

Que faire? S'il lui en demandait raison, le bohème protesterait de son innocence, et il n'y gagnerait rien. Le mieux était d'avaler la chose silencieusement. Personne, après tout, ne lisait le *Flambard*.

En sortant du cabinet de lecture, il aperçut du monde devant la boutique d'un marchand de tableaux. On regardait un portrait de femme, avec cette ligne écrite au bas en lettres noires : « Mlle Rose-Annette Bron, appartenant à M. Frédéric Moreau, de Nogent. »

C'était bien elle, — ou à peu près, — vue de face, les seins découverts, les cheveux dénoués, et tenant dans ses mains une bourse de velours rouge, tandis que, par derrière, un paon avançait son bec sur son épaule, en couvrant la muraille de ses grandes plumes en éventail.

Pellerin avait fait cette exhibition pour contraindre Frédéric au payement, persuadé qu'il était célèbre et que tout Paris, s'animant en sa faveur, allait s'occuper de cette misère.

Était-ce une conjuration? Le peintre et le journaliste avaient-ils monté leur coup ensemble?

Son duel n'avait rien empêché. Il devenait ridicule, tout le monde se moquait de lui.

Trois jours après [477], à la fin de juin, les actions du Nord ayant fait quinze francs de hausse, comme il en avait acheté deux mille l'autre mois, il se trouva gagner trente mille francs [478]. Cette caresse de la fortune lui redonna confiance. Il se dit qu'il n'avait besoin de personne, que tous ses embarras venaient de sa timidité, de ses hésitations. Il aurait dû commencer avec la Maréchale brutalement, refuser Hussonnet dès le premier jour, ne pas se compromettre avec Pellerin [479] ; et, pour montrer que rien ne le gênait, il se rendit chez Mme Dambreuse, à une de ses soirées ordinaires.

Au milieu de l'antichambre, Martinon, qui arrivait en même temps que lui, se retourna.

— « Comment, tu viens ici, toi? » avec l'air surpris et même contrarié de le voir.

— « Pourquoi pas? »

Et, tout en cherchant la cause d'un tel abord, Frédéric s'avança dans le salon.

La lumière était faible, malgré les lampes posées dans les coins ; car les trois fenêtres, grandes ouvertes, dres-

saient parallèlement trois larges carrés d'ombre noire.
Des jardinières, sous les tableaux [480], occupaient jusqu'à
hauteur d'homme les intervalles de la muraille ; et une
théière d'argent avec un samovar se mirait au fond, dans
une glace. Un murmure de voix discrètes s'élevait. On
entendait des escarpins craquer sur le tapis.

Il distingua des habits noirs, puis une table ronde
éclairée par un grand abat-jour, sept ou huit femmes
en toilettes d'été, et, un peu plus loin, Mme Dambreuse
dans un fauteuil à bascule. Sa robe de taffetas lilas avait
des manches à crevés, d'où s'échappaient des bouillons de
mousseline, le ton doux de l'étoffe se mariant à la nuance
de ses cheveux ; et elle se tenait quelque peu renversée en
arrière, avec le bout de son pied sur un coussin, — tranquille comme une œuvre d'art pleine de délicatesse, une
fleur de haute culture.

M. Dambreuse et un vieillard à chevelure blanche
se promenaient dans toute la longueur du salon. Quelques-
uns s'entretenaient au bord des petits divans, çà et là ;
les autres, debout, formaient un cercle au milieu.

Ils causaient de votes, d'amendements, de sous-amen-
dements, du discours de M. Grandin, de la réplique de
M. Benoist [481]. Le tiers parti décidément allait trop loin !
Le centre gauche aurait dû se souvenir un peu mieux de
ses origines ! Le ministère avait reçu de graves atteintes !
Ce qui devait rassurer pourtant, c'est qu'on ne lui voyait
point de successeur. Bref, la situation était complètement
analogue à celle de 1834.

Comme ces choses ennuyaient Frédéric, il se rapprocha
des femmes. Martinon était près d'elles, debout, le chapeau
sous le bras, la figure de trois quarts, et si convenable
qu'il ressemblait à de la porcelaine de Sèvres. Il prit une
Revue des Deux-Mondes traînant sur la table, entre une *Imitation et un Annuaire de Gotha*, et jugea de haut un poète
illustre, dit qu'il allait aux conférences de Saint-François,
se plaignit de son larynx, avalait de temps à autre une boule
de gomme ; et cependant, parlait musique, faisait le léger.
Mlle Cécile, la nièce de M. Dambreuse, qui se brodait
une paire de manchettes, le regardait, en dessous, avec
ses prunelles d'un bleu pâle ; et miss John, l'institutrice
à nez camus, en avait lâché sa tapisserie ; toutes deux
paraissaient s'écrier intérieurement :

— « Qu'il est beau ! »

Mme Dambreuse se tourna vers lui.

— « Donnez-moi donc mon éventail, qui est sur cette console, là-bas. Vous vous trompez ! l'autre ! »

Elle se leva ; et, comme il revenait, ils se rencontrèrent au milieu du salon, face à face ; elle lui adressa quelques mots, vivement, des reproches sans doute, à en juger par l'expression altière de sa figure ; Martinon tâchait de sourire ; puis il alla se mêler au conciliabule des hommes sérieux. Mme Dambreuse reprit sa place, et, se penchant sur le bras de son fauteuil, elle dit à Frédéric :

— « J'ai vu quelqu'un, avant-hier, qui m'a parlé de vous, M. de Cisy ; vous le connaissez, n'est-ce pas ? »

— « Oui... un peu. »

Tout à coup Mme Dambreuse s'écria :

— « Duchesse, ah ! quel bonheur ! »

Et elle s'avança jusqu'à la porte, au devant d'une vieille petite dame, qui avait une robe de taffetas carmélite et un bonnet de guipure, à longues pattes. Fille d'un compagnon d'exil du comte d'Artois et veuve d'un maréchal de l'Empire, créé pair de France en 1830, elle tenait à l'ancienne cour comme à la nouvelle et pouvait obtenir beaucoup de choses. Ceux qui causaient debout s'écartèrent, puis reprirent leur discussion.

Maintenant, elle roulait sur le paupérisme [482], dont toutes les peintures, d'après ces messieurs, étaient fort exagérées.

— « Cependant, » objecta Martinon, « la misère existe, avouons-le ! Mais le remède ne dépend ni de la Science ni du Pouvoir. C'est une question purement individuelle. Quand les basses classes voudront se débarrasser de leurs vices, elles s'affranchiront de leurs besoins. Que le peuple soit plus moral, et il sera moins pauvre ! »

Suivant M. Dambreuse, on n'arriverait à rien de bien sans une surabondance du capital. Donc, le seul moyen possible était de confier, « comme le voulaient, du reste, les saint-simoniens (mon Dieu, ils avaient du bon !) soyons justes envers tout le monde, de confier, dis-je, la cause du Progrès à ceux qui peuvent accroître la fortune publique ». Insensiblement on aborda les grandes exploitations industrielles, les chemins de fer, la houille. Et M. Dambreuse, s'adressant à Frédéric, lui dit tout bas :

— « Vous n'êtes pas venu pour notre affaire. »

Frédéric allégua une maladie ; mais sentant que l'excuse était trop bête :

— « D'ailleurs, j'ai eu besoin de mes fonds. »

— « Pour acheter une voiture ? » reprit Mme Dambreuse, qui passait près de lui, une tasse de thé à la main ; et elle le considéra pendant une minute, la tête un peu tournée sur son épaule.

Elle le croyait [483] l'amant de Rosanette ; l'allusion était claire. Il sembla même à Frédéric que toutes les dames le regardaient de loin, en chuchotant. Pour mieux [484] voir ce qu'elles pensaient, il se rapprocha d'elles, encore une fois.

De l'autre côté de la table, Martinon, auprès de Mlle Cécile, feuilletait un album. C'étaient des lithographies représentant des costumes espagnols. Il lisait tout haut les légendes : « Femme de Séville. — Jardinier de Valence. — Picador andalou ; » et, descendant une fois jusqu'au bas de la page, il continua d'une haleine :

— « Jacques Arnoux, éditeur. — Un de tes amis, hein ? »

— « C'est vrai, » dit Frédéric, blessé par son air. Mme Dambreuse reprit [485] :

— « En effet, vous êtes venu, un matin... pour... une maison, je crois ? oui, une maison appartenant à sa femme. » (Cela signifiait : « C'est votre maîtresse. »)

Il rougit jusqu'aux oreilles ; et M. Dambreuse, qui arrivait au même moment, ajouta :

— « Vous paraissiez même vous intéresser beaucoup à eux. »

Ces derniers mots achevèrent de décontenancer Frédéric. Son trouble, que l'on voyait, pensait-il, allait confirmer les soupçons quand M. Dambreuse lui dit de plus près, d'un ton grave :

— « Vous ne faites pas d'affaires ensemble, je suppose ? »

Il protesta par des secousses de tête multipliées, sans comprendre l'intention du capitaliste, qui voulait lui donner un conseil.

Il avait envie de partir. La peur de sembler lâche le retint. Un domestique enlevait les tasses de thé ; Mme Dambreuse causait avec un diplomate en habit bleu ; deux jeunes filles, rapprochant leurs fronts, se faisaient voir une bague ; les autres, assises en demi-cercle sur des fauteuils, remuaient doucement leurs blancs visages, bordés de chevelures noires ou blondes ; personne enfin ne s'occupait de lui. Frédéric tourna les talons ; et, par une suite de longs zigzags, il avait presque gagné la porte, quand, passant près d'une console, il remarqua dessus, entre un vase de Chine et la boiserie, un journal [486] plié en deux. Il le tira quelque peu, et lut ces mots : *le Flambard*.

Qui l'avait apporté? Cisy! Pas un autre évidemment. Qu'importait, du reste! Ils allaient croire, tous déjà croyaient peut-être à l'article. Pourquoi cet acharnement? Une ironie silencieuse l'enveloppait. Il se sentait comme perdu dans un désert. Mais la voix de Martinon s'éleva :

— « A propos d'Arnoux, j'ai lu parmi les prévenus des bombes incendiaires le nom d'un de ses employés, Sénécal. Est-ce le nôtre?

— « Lui-même, » dit Frédéric.

Martinon répéta, en criant très haut [487] :

— « Comment, notre Sénécal! notre Sénécal! »

Alors, on le questionna sur le complot ; sa place d'attaché au parquet devait lui fournir des renseignements.

Il confessa n'en pas avoir. Du reste, il connaissait fort peu le personnage, l'ayant vu deux ou trois fois seulement, il le tenait [488] en définitive pour un assez mauvais drôle. Frédéric, indigné, s'écria :

— « Pas du tout! c'est un très honnête garçon! »

— « Cependant, monsieur, » dit un propriétaire, on n'est pas honnête quand on conspire! »

La plupart des hommes qui étaient là avaient servi, au moins, quatre gouvernements ; et ils auraient vendu la France ou le genre humain, pour garantir leur fortune, s'épargner un malaise, un embarras, ou même par simple bassesse, adoration instinctive de la force. Tous déclarèrent les crimes politiques inexcusables. Il fallait plutôt pardonner à ceux qui provenaient du besoin! Et on ne manqua pas de mettre en avant l'éternel exemple du père de famille, volant l'éternel morceau de pain chez l'éternel boulanger.

Un administrateur s'écria lui-même :

— « Moi, monsieur, si j'apprenais que mon frère conspire, je le dénoncerais! »

Frédéric invoqua le droit de résistance ; et, se rappelant quelques phrases que lui avait dites Deslauriers, il cita

Desolmes, Blackstone, le bill des droits en Angleterre, et l'article 2 de la Constitution de 91. C'était même en vertu de ce droit-là qu'on avait proclamé la déchéance de Napoléon ; il avait été reconnu en 1830, inscrit en tête de la Charte.

— « D'ailleurs, quand le souverain manque au contrat, la justice veut qu'on le renverse. »

— « Mais c'est abominable ! » exclama la femme d'un préfet.

Toutes les autres [489] se taisaient, vaguement épouvantées, comme si elles eussent entendu le bruit des balles. Mme Dambreuse se balançait dans son fauteuil, et l'écoutait parler en souriant.

Un industriel, ancien carbonaro [490], tâcha de lui démontrer que les d'Orléans étaient une belle famille ; sans doute, il y avait des abus...

— « Eh bien, alors ? »

— « Mais on ne doit pas les dire, cher monsieur ! Si vous saviez comme toutes ces criailleries de l'opposition nuisent aux affaires ! »

— « Je me moque des affaires ! » reprit Frédéric.

La pourriture de ces vieux l'exaspérait ; et, emporté par la bravoure qui saisit quelquefois les plus timides, il attaqua les financiers, les députés, le Gouvernement, le Roi, prit la défense des Arabes, débitait beaucoup de sottises. Quelques-uns l'encourageaient ironiquement : « Allez donc ! continuez ! » tandis que d'autres murmuraient: « Diable ! quelle exaltation ! » Enfin, il jugea convenable de se retirer ; et, comme il s'en allait, M. Dambreuse lui dit, faisant allusion à la place de secrétaire :

— « Rien n'est terminé encore ! Mais dépêchez-vous ! »

Et Mme Dambreuse :

— « A bientôt, n'est-ce pas ? »

Frédéric jugea leur adieu une dernière moquerie. Il était déterminé à ne jamais revenir dans cette maison, à ne plus fréquenter tous ces gens-là. Il croyait [491] les avoir blessés, ne sachant pas quel large fonds d'indifférence le monde possède ! Ces femmes surtout l'indignaient. Pas une qui l'eût soutenu, même du regard. Il leur en voulait de ne pas les avoir émues [492]. Quant à Mme Dambreuse, il lui trouvait quelque chose à la fois de langoureux et de sec, qui empêchait de la définir par une formule. Avait-

elle un amant? Quel amant? Était-ce le diplomate ou un
autre? Martinon, peut-être? Impossible! Cependant, il
éprouvait une espèce de jalousie contre lui, et envers elle
une malveillance inexplicable.

Dussardier, venu ce soir-là comme d'habitude, l'attendait. Frédéric avait le cœur gonflé ; il le dégorgea et
ses griefs, bien que vagues et difficiles à comprendre,
attristèrent le brave commis ; il se plaignait même de son
isolement. Dussardier [493], en hésitant un peu, proposa
de se rendre chez Deslauriers.

Frédéric, au nom de l'avocat, fut pris par un besoin
extrême de le revoir. Sa solitude intellectuelle était profonde,
et la compagnie de Dussardier insuffisante. Il lui répondit
d'arranger les choses comme il voudrait.

Deslauriers, également, sentait depuis leur brouille
une privation dans sa vie. Il céda sans peine à des avances
cordiales.

Tous deux s'embrassèrent, puis se mirent à causer de
choses indifférentes.

La réserve de Deslauriers attendrit Frédéric ; et, pour
lui faire une sorte de réparation, il lui conta le lendemain
sa perte de quinze mille francs, sans dire que ces quinze
mille francs lui étaient primitivement destinés. L'avocat
n'en douta pas, néanmoins. Cette mésaventure [494], qui lui
donnait raison dans ses préjugés contre Arnoux, désarma
tout à fait sa rancune, et il ne parla point de l'ancienne
promesse.

Frédéric, trompé par son silence, crut qu'il l'avait
oubliée. Quelques jours après, il lui demanda s'il n'existait
pas de moyens de rentrer dans ses fonds.

On pouvait discuter les hypothèques précédentes,
attaquer Arnoux comme stellionataire [495], faire des poursuites au domicile contre la femme.

— « Non! non! pas contre elle! » s'écria Frédéric ;
et, cédant aux questions de l'ancien clerc, il avoua la
vérité. Deslauriers fut convaincu qu'il ne la disait pas
complètement, par délicatesse sans doute... Ce défaut
de confiance le blessa.

Ils étaient, cependant, aussi liés qu'autrefois, et même
ils avaient tant de plaisir à se trouver ensemble que la
présence de Dussardier les gênait. Sous prétexte de rendez-
vous, ils arrivèrent à s'en débarrasser peu à peu. Il y a des

hommes n'ayant pour mission parmi les autres que de servir d'intermédiaires ; on les franchit comme des ponts, et l'on va plus loin.

Frédéric ne cachait rien à son ancien ami. Il lui dit l'affaire des houilles, avec la proposition de M. Dambreuse. L'avocat devint [496] rêveur.

— « C'est drôle ! il faudrait pour cette place quelqu'un d'assez fort en droit ! »

— « Mais tu pourras m'aider », reprit Frédéric.

— « Oui..., tiens..., parbleu ! certainement. »

Dans la même semaine, il lui montra une lettre de sa mère.

Mme Moreau s'accusait d'avoir mal jugé M. Roque, lequel avait donné de sa conduite des explications satisfaisantes. Puis elle parlait de sa fortune, et de la possibilité, pour plus tard, d'un mariage avec Louise.

— « Ce ne serait peut-être pas bête ! » dit Deslauriers.

Frédéric s'en rejeta loin ; le père Roque, d'ailleurs, était un vieux filou. Cela n'y faisait rien, selon l'avocat.

A la fin de juillet, une baisse inexplicable fit tomber les actions du Nord. Frédéric n'avait pas vendu les siennes ; il perdit d'un seul coup soixante mille francs. Ses revenus se trouvaient sensiblement diminués. Il devait ou restreindre sa dépense, ou prendre un état, ou faire un beau mariage.

Alors, Deslauriers lui parla de Mlle Roque. Rien ne l'empêchait d'aller voir un peu les choses par lui-même. Frédéric était un peu fatigué [497] ; la province et la maison maternelle le délasseraient. Il partit.

L'aspect des rues de Nogent, qu'il monta sous le clair de la lune, le reporta dans de vieux souvenirs ; et il éprouvait une sorte d'angoisse, comme ceux qui reviennent après de longs voyages.

Il y avait chez sa mère tous les habitués d'autrefois : MM. Gamblin, Heudras et Chambrion, la famille Lebrun, « ces demoiselles Auger » ; de plus, le père Roque, et, en face de Mme Moreau, devant une table de jeu, Mlle Louise. C'était une femme, à présent. Elle se leva, en poussant un cri. Tous s'agitèrent. Elle était restée immobile, debout ; et les quatre flambeaux d'argent posés sur la table augmentaient sa pâleur. Quand elle se remit à jouer, sa main tremblait. Cette émotion flatta démesurément Frédéric, dont l'orgueil était malade ; il se dit : « Tu m'aimeras, toi! » et, prenant sa revanche des déboires qu'il avait essuyés là-bas, il se mit à faire le Parisien, le lion, donna des nouvelles des théâtres, rapporta des anecdotes du monde, puisées dans les petits journaux, enfin éblouit ses compatriotes.

Le lendemain, Mme Moreau s'étendit sur les qualités de Louise ; puis énuméra [498] les bois, les fermes qu'elle posséderait. La fortune de M. Roque était considérable.

Il l'avait acquise en faisant des placements pour M. Dambreuse ; car il prêtait à des personnes pouvant offrir de bonnes garanties hypothécaires, ce qui lui permettait de demander des suppléments [499] ou des commissions. Le capital, grâce à une surveillance active, ne risquait rien. D'ailleurs, le père Roque n'hésitait jamais devant une saisie ; puis il rachetait à bas prix les biens hypothéqués, et M. Dambreuse, voyant ainsi rentrer ses fonds, trouvait ses affaires très bien faites.

Mais cette manipulation extra-légale le compromettait vis-à-vis de son régisseur. Il n'avait rien à lui refuser. C'était sur ses instances qu'il avait si bien accueilli Frédéric.

En effet, le père Roque couvait au fond de son âme une ambition. Il voulait que sa fille fût comtesse ; et, pour y parvenir, sans mettre en jeu le bonheur de son enfant, il ne connaissait pas d'autre jeune homme que celui-là.

Par la protection de M. Dambreuse, on lui ferait avoir le titre de son aïeul, Mme Moreau étant la fille d'un comte de Fouvens, apparentée, d'ailleurs, aux plus vieilles familles champenoises, les Lavernade, les d'Étrigny. Quant aux Moreau, une inscription gothique, près des moulins de Villeneuve-l'Archevêque, parlait d'un Jacob Moreau qui les avait réédifiés en 1596 ; et la tombe de son fils, Pierre Moreau, premier écuyer [500] du roi sous Louis XIV, se voyait dans la chapelle Saint-Nicolas.

Tant d'honorabilité fascinait M. Roque, fils d'un ancien domestique. Si la couronne comtale ne venait pas, il s'en consolerait sur autre chose ; car Frédéric pouvait parvenir à la députation quand M. Dambreuse serait élevé à la pairie, et alors l'aider dans ses affaires, lui obtenir des fournitures, des concessions. Le jeune homme lui plaisait, personnellement. Enfin il le voulait pour gendre, parce que, depuis longtemps, il s'était féru de cette idée, qui ne faisait que s'accroître.

Maintenant, il fréquentait l'église ; — et il avait séduit Mme Moreau par l'espoir du titre, surtout. Elle s'était gardée cependant de faire une réponse décisive.

Donc, huit jours après, sans qu'aucun engagement eût été pris, Frédéric passait pour « le futur » de Mlle Louise ; et le père Roque, peu scrupuleux, les laissait ensemble quelquefois.

V

Deslauriers avait emporté de chez Frédéric la copie de l'acte de subrogation, avec une procuration en bonne forme lui conférant de pleins pouvoirs ; mais, quand il eut remonté ses cinq étages, et qu'il fut seul, au milieu de son triste cabinet, dans son fauteuil [501] de basane, la vue du papier timbré l'écœura.

Il était las de ces choses, et des restaurants à trente-deux sous, des voyages en omnibus, de sa misère, de ses efforts. Il reprit des paperasses ; d'autres se trouvaient à côté ; c'étaient les prospectus de la compagnie houillère avec la liste des mines et le détail de leur contenance, Frédéric lui ayant laissé tout cela pour avoir dessus son opinion.

Une idée lui vint : celle de se présenter chez M. Dambreuse et de demander la place de secrétaire. Cette place [502], bien sûr, n'allait pas sans l'achat d'un certain nombre d'actions. Il reconnut la folie de son projet et se dit :

— « Oh ! non ! ce serait mal. »

Alors, il chercha comment s'y prendre pour recouvrer les quinze mille francs. Une pareille somme n'était rien pour Frédéric ! Mais, s'il l'avait eue, lui, quel levier ! Et l'ancien clerc s'indigna que la fortune de l'autre fût grande.

— « Il en fait un usage pitoyable. C'est un égoïste. Eh ! je me moque bien de ses quinze mille francs ! »

Pourquoi les avait-il prêtés ? Pour les beaux yeux de Mme Arnoux. Elle était sa maîtresse ! Deslauriers n'en doutait pas. « Voilà une chose de plus à quoi sert l'argent ! » Des pensées haineuses l'envahirent.

Puis, il songea à la personne même de Frédéric. Elle avait toujours exercé sur lui un charme presque féminin ; et il arriva bientôt à l'admirer pour un succès dont il se reconnaissait incapable.

Cependant, est-ce que la volonté n'était pas l'élément capital des entreprises? et, puisque avec elle on triomphe de tout...

— « Ah! ce serait drôle! »

Mais il eut honte de cette perfidie, et, une minute après :

— « Bah! est-ce que j'ai peur? »

Mme Arnoux (à force d'en entendre parler) avait fini par se peindre dans son imagination extraordinairement. La persistance de cet amour l'irritait comme un problème. Son austérité un peu théâtrale l'ennuyait maintenant. D'ailleurs, la femme du monde (ou ce qu'il jugeait telle) éblouissait l'avocat comme le symbole et le résumé de mille plaisirs inconnus. Pauvre, il convoitait le luxe sous sa forme la plus claire.

— « Après tout, quand il se fâcherait, tant pis! Il s'est trop mal comporté envers moi pour que je me gêne! Rien ne m'assure qu'elle est sa maîtresse! Il me l'a nié. Donc, je suis libre! »

Le désir de cette démarche ne le quitta plus. C'était une épreuve de ses forces qu'il voulait faire ; — si bien qu'un jour, tout à coup, il vernit lui-même ses bottes, acheta des gants blancs, il se mit en route, se substituant à Frédéric et s'imaginant presque être lui, par une singulière évolution intellectuelle où il y avait à la fois de la vengeance et de la sympathie, de l'imitation et de l'audace.

Il fit annoncer « le docteur Deslauriers ».

Mme Arnoux fut surprise, n'ayant réclamé aucun médecin.

— « Ah! mille excuses! c'est docteur en droit. Je viens pour les intérêts de M. Moreau. »

Ce nom parut la troubler.

— « Tant mieux! » pensa l'ancien clerc ; « puisqu'elle a bien voulu de lui, elle voudra de moi! » s'encourageant par l'idée reçue qu'il est plus facile de supplanter un amant qu'un mari.

Il avait eu le plaisir de la rencontrer, une fois, au Palais ; il cita même la date. Tant de mémoire étonna Mme Arnoux. Il reprit [503] d'un ton doucereux :

— « Vous aviez déjà... quelques embarras... dans vos affaires! »

Elle ne répondit rien ; donc, c'était vrai.

Il se mit à causer de choses et d'autres, de son logement,

de la fabrique ; puis, apercevant, aux bords de la glace, des médaillons :

— « Ah ! des portraits de famille, sans doute ? »

Il remarqua celui d'une vieille femme, la mère de Mme Arnoux.

— « Elle a l'air d'une excellente personne, un type méridional. »

Et, sur l'objection qu'elle était de Chartres :

— « Chartres ! jolie ville. »

Il en vanta la cathédrale et les pâtés ; puis, revenant au portrait, y trouva des ressemblances avec Mme Arnoux, et lui lançait des flatteries indirectement. Elle n'en fut pas choquée. Il prit confiance et dit qu'il connaissait Arnoux depuis longtemps.

— « C'est un brave garçon ! mais qui se compromet ! Pour cette hypothèque, par exemple, on n'imagine pas une étourderie... »

— « Oui ! je sais », dit-elle, en haussant les épaules.

Ce témoignage involontaire de mépris engagea Deslauriers à poursuivre.

— « Son histoire de kaolin, vous l'ignorez peut-être, a failli tourner très mal, et même sa réputation... »

Un froncement de sourcils [504] l'arrêta.

Alors, se rabattant sur les généralités, il plaignit les pauvres femmes dont les époux gaspillent la fortune... »

— « Mais elle est à lui, monsieur ; moi, je n'ai rien ! »

N'importe ! On ne savait pas... Une personne d'expérience pouvait servir. Il fit des offres de dévouement, exalta ses propres mérites ; et il la regardait en face, à travers ses lunettes qui miroitaient.

Une torpeur vague la prenait ; mais, tout à coup :

— « Voyons l'affaire, je vous prie ! »

Il exhiba le dossier.

— « Ceci est la procuration de Frédéric. Avec un titre pareil aux mains d'un huissier qui fera un commandement, rien n'est plus simple : dans les vingt-quatre heures... » (Elle restait impassible, il changea de manœuvre.) « Moi, du reste, je ne comprends pas ce qui le pousse à réclamer cette somme ; car enfin il n'en a aucun besoin ! »

— « Comment ! M. Moreau s'est montré assez bon... »

— « Oh ! d'accord ! »

Et Deslauriers entama son éloge, puis vint à le dénigrer,

tout doucement, le donnant pour oublieux, personnel, avare.

— « Je le croyais votre ami, monsieur? »

— « Cela ne m'empêche pas de voir ses défauts. Ainsi, il reconnaît bien peu... comment dirais-je? la sympathie... »

Mme Arnoux tournait les feuilles du gros cahier. Elle l'interrompit pour avoir l'explication d'un mot.

Il se pencha sur son épaule, et si près d'elle, qu'il effleura sa joue. Elle rougit ; cette rougeur enflamma Deslauriers ; il lui baisa la main voracement.

— « Que faites-vous, monsieur! »

Et, debout contre la muraille, elle le maintenait immobile, sous ses grands yeux noirs irrités.

— « Écoutez-moi! Je vous aime! «

Elle partit d'un éclat de rire, un rire aigu, désespérant. atroce. Deslauriers sentit une colère à l'étrangler. Il se contint ; et, avec la mine d'un vaincu demandant grâce :

— « Ah! vous avez tort! Moi, je n'irais pas comme lui... »

— « De qui donc parlez-vous? »

— « De Frédéric! »

— « Eh! M. Moreau m'inquiète peu, je vous l'ai dit! »

— « Oh! pardon!... pardon! »

Puis, d'une voix mordante, et faisant traîner ses phrases :

— « Je croyais même que vous vous intéressiez suffisamment à sa personne pour apprendre avec plaisir... »

Elle devint toute pâle. L'ancien clerc ajouta :

— « Il va se marier. »

— « Lui! »

— « Dans un mois, au plus tard, avec Mlle Roque la fille du régisseur de M. Dambreuse. Il est même parti à Nogent, rien que pour cela. »

Elle porta la main sur son cœur, comme au choc d'un grand coup ; mais tout de suite elle tira la sonnette. Deslauriers n'attendit pas qu'on le mît dehors. Quand elle se retourna, il avait disparu.

Mme Arnoux suffoquait un peu. Elle s'approcha de la fenêtre pour respirer.

De l'autre côté de la rue, sur le trottoir, un emballeur en manches de chemises clouait une caisse. Des fiacres passaient. Elle ferma la croisée et vint se rasseoir. Les hautes maisons voisines interceptant le soleil, un jour

froid tombait dans l'appartement. Ses enfants étaient
sortis, rien ne bougeait autour d'elle. C'était comme une
désertion immense.

— « Il va se marier! est-ce possible! »

Et un tremblement nerveux la saisit.

— « Pourquoi cela? est-ce que je l'aime? »

Puis, tout à coup :

— « Mais oui, je l'aime!... je l'aime! »

Il lui semblait descendre dans quelque chose de profond,
qui n'en finissait plus. La pendule sonna trois heures.
Elle écouta les vibrations du timbre mourir. Et elle restait
au bord de son fauteuil, les prunelles fixes, et souriant
toujours.

La même après-midi, au même moment, Frédéric
et Mlle Louise se promenaient dans le jardin que M. Roque
possédait au bout de l'île. La vieille Catherine les surveillait, de loin ; ils marchaient côte à côte, et Frédéric
disait :

— « Vous souvenez-vous quand je vous emmenais
dans la campagne? »

— « Comme vous étiez bon pour moi! » répondit-elle.
« Vous m'aidiez à faire des gâteaux avec du sable, à remplir
mon arrosoir, à me balancer sur l'escarpolette! »

— « Toutes vos poupées, qui avaient des noms de
reines ou de marquises, que sont-elles devenues? »

— « Ma foi, je n'en sais rien! »

— « Et votre roquet Moricaud! »

— « Il s'est noyé, le pauvre chéri! »

— « Et le *Don Quichotte* [505], dont nous colorions ensemble les gravures? »

— « Je l'ai encore! »

Il lui rappela le jour de sa première communion, et
comme elle était gentille aux vêpres, avec son voile blanc
et son grand cierge, pendant qu'elles défilaient toutes autour du chœur, et que la cloche tintait.

Ces souvenirs [506], sans doute, avaient peu de charme
pour Mlle Roque ; elle ne trouva rien à répondre ; et
une minute après :

— « Méchant! qui ne m'a pas donné une seule fois
de ses nouvelles! »

Frédéric objecta ses nombreux travaux.

— « Qu'est-ce donc que vous faites? »

Il fut embarrassé de la question, puis dit qu'il étudiait la politique.

— « Ah ! »

Et, sans en demander davantage :

— « Cela vous occupe, mais moi !... »

Alors, elle lui conta l'aridité de son existence, n'ayant personne à voir, pas le moindre plaisir, la moindre distraction ! Elle désirait monter à cheval.

— « Le vicaire [507] prétend que c'est inconvenant pour une jeune fille ; est-ce bête, les convenances ! Autrefois, on me laissait faire tout ce que je voulais [508] ; à présent, rien ! »

— « Votre père vous aime, pourtant ! »

— « Oui ; mais... »

Elle poussa un soupir, qui signifiait : « Cela ne suffit pas à mon bonheur. »

Puis, il y eut un silence. Ils n'entendaient que le craquement du sable sous leurs pieds avec le murmure de la chute d'eau ; car la Seine, au-dessus de Nogent, est coupée en deux bras. Celui qui fait tourner les moulins dégorge en cet endroit la surabondance de ses ondes, pour rejoindre plus bas le cours naturel du fleuve ; et, lorsqu'on vient des ponts, on aperçoit, à droite sur l'autre berge, un talus de gazon que domine une maison blanche. A gauche, dans la prairie, des peupliers s'étendent, et l'horizon, en face, est borné par une courbe de la rivière ; elle était plate comme un miroir ; de grands insectes patinaient sur l'eau tranquille. Des touffes de roseaux et des joncs la bordent inégalement ; toutes sortes de plantes venues là s'épanouissaient en boutons d'or, laissaient pendre des grappes jaunes, dressaient des quenouilles de fleurs amarante, faisaient au hasard des fusées vertes. Dans une anse du rivage, des nymphéas s'étalaient ; et un rang de vieux saules cachant des pièges à loup était, de ce côté de l'île, toute la défense du jardin.

En deçà [509], dans l'intérieur, quatre murs à chaperon d'ardoises enfermaient le potager, où les carrés de terre, labourés nouvellement, formaient des plaques brunes. Les cloches des melons brillaient à la file sur leur couche étroite ; les artichauds, les haricots, les épinards, les carottes et les tomates alternaient jusqu'à un plant d'asperges, qui semblait un petit bois de plumes.

Tout ce terrain avait été, sous le Directoire, ce qu'on appelait *une folie*. Les arbres, depuis lors, avaient démesurément grandi. De la clématite embarrassait les charmilles, les allées étaient couvertes de mousse, partout les ronces foisonnaient. Des tronçons de statue émiettaient leur plâtre sous les herbes. On se prenait en marchant dans quelques débris d'ouvrage en fil de fer. Il ne restait plus du pavillon que deux chambres au rez-de-chaussée avec des lambeaux de papier bleu. Devant la façade s'allongeait une treille à l'italienne, où, sur des piliers en brique, un grillage de bâtons supportait une vigne.

Ils vinrent là-dessous tous les deux, et, comme la lumière tombait par les trous inégaux de la verdure, Frédéric, en parlant à Louise de côté, observait l'ombre des feuilles sur son visage.

Elle avait dans ses cheveux rouges, à son chignon, une aiguille terminée par une boule de verre imitant l'émeraude ; et elle portait, malgré son deuil (tant son mauvais goût était naïf), des pantoufles en paille garnies de satin rose, curiosité vulgaire, achetées sans doute dans quelque foire.

Il s'en aperçut, et l'en complimenta ironiquement.

— « Ne vous moquez pas de moi ! » reprit-elle.

Puis, le considérant tout entier, depuis son chapeau de feutre gris jusqu'à ses chaussettes de soie :

— « Comme vous êtes coquet ! »

Ensuite, elle le pria de lui indiquer des ouvrages à lire. Il en nomma plusieurs ; et elle dit :

— « Oh ! comme vous êtes savant ! »

Toute petite, elle s'était prise d'un de ces amours d'enfant qui ont à la fois la pureté d'une religion et la violence d'un besoin. Il avait été son camarade, son frère, son maître, avait amusé son esprit, fait battre son cœur et versé involontairement jusqu'au fond d'elle-même une ivresse latente et continue. Puis il l'avait quittée en pleine crise tragique, sa mère à peine morte, les deux désespoirs se confondant. L'absence [510] l'avait idéalisé dans son souvenir ; il revenait avec une sorte d'auréole, et elle se livrait ingénument au bonheur de le voir.

Pour la première fois de sa vie, Frédéric se sentait aimé ; et ce plaisir nouveau, qui n'excédait pas l'ordre

des sentiments agréables, lui causait comme [511] un gonflement intime ; si bien qu'il écarta les deux bras, en se
renversant la tête.

Un gros nuage passait alors sur le ciel.

— « Il va du côté de Paris, » dit Louise ; « vous vou-
driez le suivre, n'est-ce pas ? »

— « Moi ! pourquoi ? »

— « Qui sait ? »

Et, le fouillant d'un regard aigu :

— « Peut-être que vous avez là-bas... (elle chercha le
mot), quelque affection. »

— « Eh ! je n'ai pas d'affection ! »

— « Bien sûr ? »

— « Mais oui, mademoiselle, bien sûr ! »

En moins d'un an, il s'était fait dans la jeune fille une
transformation extraordinaire qui étonnait Frédéric. Après
une minute de silence, il ajouta :

— « Nous devrions nous tutoyer, comme autrefois :
voulez-vous ? »

— « Non. »

— « Pourquoi ? »

— « Parce que ! »

Il insistait. Elle répondit, en baissant la tête :

— « Je n'ose pas ! »

Ils étaient arrivés au bout du jardin, sur la grève du
Livon. Frédéric, par gaminerie, se mit à faire des ricochets
avec un caillou. Elle lui ordonna de s'asseoir. Il obéit ;
puis, en regardant la chute d'eau :

— « C'est comme le Niagara ! »

Il vint à parler des contrées lointaines et de grands
voyages. L'idée d'en faire la charmait. Elle n'aurait eu
peur de rien, ni des tempêtes, ni des lions.

Assis, l'un près de l'autre, ils ramassaient devant eux
des poignées de sable, puis les faisaient couler de leurs
mains tout en causant ; — et le vent chaud qui arrivait
des plaines leur apportait par bouffées des senteurs de
lavande, avec le parfum du goudron s'échappant d'une
barque, derrière l'écluse. Le soleil frappait la cascade ;
les blocs verdâtres du petit mur où l'eau coulait apparaissaient comme sous une gaze d'argent se déroulant toujours.
Une longue barre d'écume rejaillissait au pied, en cadence.
Cela formait ensuite des bouillonnements, des tourbillons,

mille courants opposés, et qui finissaient par se confondre en une seule nappe limpide.

Louise murmura qu'elle enviait l'existence des poissons.

— « Ça doit être si doux de se rouler là-dedans, à son aise, de se sentir caressé partout. »

Et elle frémissait, avec des mouvements d'une câlinerie sensuelle.

Mais une voix cria :

— « Où es-tu? »

— « Votre bonne vous appelle, » dit Frédéric.

— « Bien! bien! »

Louise ne se dérangeait pas.

— « Elle va se fâcher, » reprit-il.

— « Cela m'est égal! et d'ailleurs... » Mlle Roque faisant comprendre, par un geste, qu'elle la tenait à sa discrétion.

Elle se leva pourtant, puis se plaignit de mal de tête. Et, comme ils passaient devant un vaste hangar qui contenait des bourrées :

— « Si nous nous mettions dessous, à *l'égaud* ? »

Il feignit de ne pas comprendre ce mot de patois, et même la taquina sur son accent. Peu à peu, les coins de sa bouche se pincèrent, elle mordait ses lèvres ; elle s'écarta pour bouder.

Frédéric la rejoignit, jura qu'il n'avait pas voulu lui faire de mal et qu'il l'aimait beaucoup.

— « Est-ce vrai? » s'écria-t-elle, en le regardant avec un sourire qui éclairait tout son visage, un peu semé de taches de son.

Il ne résista pas à cette bravoure de sentiment, à la fraîcheur de sa jeunesse, et il reprit :

— « Pourquoi te mentirais-je?... tu en doutes... hein? » en lui passant le bras gauche autour de la taille.

Un cri, suave comme un roucoulement, jaillit de sa gorge ; sa tête se renversa, elle défaillit [512], il la soutint. Et les scrupules de sa probité furent inutiles ; devant cette vierge qui s'offrait, une peur l'avait saisi. Il l'aida ensuite à faire quelques pas, doucement. Ses caresses de langage avaient cessé et ne voulant plus dire que des choses insignifiantes, il lui parlait des personnes de la société nogentaise.

Tout à coup, elle le repoussa, et, d'un ton amer :

— « Tu n'aurais pas le courage de m'emmener! »

Il resta immobile avec un grand air d'ébahissement. Elle éclata en sanglots, et s'enfonçant sa tête [513] dans sa poitrine :

— « Est-ce que je peux vivre sans toi! »

Il tâchait de la calmer. Elle lui mit ses deux mains sur les épaules pour le mieux voir en face, et, dardant contre les siennes ses prunelles vertes, d'une humidité presque féroce: — « Veux-tu être mon mari? »

— « Mais..., répliqua Frédéric, cherchant quelque réponse. « Sans doute [514]... Je ne demande pas mieux. »

A ce moment la casquette de M. Roque apparut derrière un lilas.

Il emmena son « jeune ami » pendant deux jours faire un petit voyage aux environs, dans ses propriétés ; et Frédéric, lorsqu'il revint, trouva chez sa mère trois lettres.

La première était un billet de M. Dambreuse l'invitant à dîner pour le mardi précédent. A propos de quoi cette politesse? On lui avait donc pardonné son incartade?

La seconde était de Rosanette. Elle le remerciait d'avoir risqué sa vie pour elle ; Frédéric ne comprit pas d'abord ce qu'elle voulait dire ; enfin, après beaucoup d'ambages, elle implorait de lui, en invoquant son amitié, se fiant à sa délicatesse, à deux genoux, disait-elle, vu la nécessité pressante, et comme on demande du pain, un petit secours de cinq cents francs. Il se décida tout de suite à les fournir.

La troisième lettre, venant de Deslauriers, parlait de la subrogation et était longue, obscure. L'avocat n'avait pris encore aucun parti. Il l'engageait à ne pas se déranger : « C'est inutile que tu reviennes ! » appuyant même là-dessus avec une insistance bizarre.

Frédéric se perdit dans toutes sortes de conjectures, et il eut envie de s'en retourner là-bas ; cette prétention au gouvernement de sa conduite le révoltait.

D'ailleurs, la nostalgie du boulevard commençait à le prendre ; et puis sa mère le pressait tellement, M. Roque tournait si bien autour de lui et Mlle Louise l'aimait si fort qu'il ne pouvait rester plus longtemps sans se déclarer. Il avait besoin de réfléchir, il jugerait [515] mieux les choses dans l'éloignement.

Pour motiver son voyage. Frédéric inventa une histoire ; et il partit, en disant à tout le monde et croyant lui-même qu'il reviendrait bientôt.

VI

Son retour à Paris ne lui causa point de plaisir ; c'était le soir, à la fin du mois d'août, le boulevard semblait vide, les passants se succédaient avec des mines renfrognées ; çà et là une chaudière d'asphalte fumait, beaucoup de maisons avaient leurs persiennes entièrement closes ; il arriva chez lui ; de la poussière couvrait les tentures ; et, en dînant tout seul, Frédéric fut pris par un étrange sentiment d'abandon ; alors il songea à Mlle Roque.

L'idée de se marier ne lui semblait plus exorbitante. Ils voyageraient, ils iraient en Italie, en Orient! Et il l'apercevait debout sur un monticule, contemplant un paysage, ou bien appuyée à son bras dans une galerie florentine, s'arrêtant devant les tableaux. Quelle joie ce serait que de voir ce bon petit être s'épanouir aux splendeurs de l'Art et de la Nature! Sortie de son milieu, en peu de temps, elle ferait une compagne charmante. La fortune de M. Roque le tentait, d'ailleurs. Cependant, une pareille détermination lui répugnait comme une faiblesse, un avilissement.

Mais il était bien résolu (quoi qu'il dût faire) à changer d'existence, c'est-à-dire à ne plus perdre son cœur dans des passions infructueuses, et même il hésitait à remplir la commission dont Louise l'avait chargé. C'était d'acheter pour elle, chez Jacques Arnoux, deux grandes statuettes polychromes représentant des nègres, comme ceux qui étaient à la préfecture de Troyes. Elle connaissait le chiffre du fabricant, n'en voulait pas d'un autre. Frédéric [516] avait peur, s'il retournait *chez eux*, de tomber encore une fois dans son vieil amour.

Ces réflexions l'occupèrent toute la soirée ; et il allait se coucher quand une femme entra.

— « C'est moi, » dit en riant Mlle Vatnaz. « Je viens de la part de Rosanette. »

Elles s'étaient donc réconciliées ?

— « Mon Dieu, oui ! Je ne suis pas méchante, vous savez bien. Au surplus, la pauvre fille... Ce serait trop long à vous conter. »

Bref, la Maréchale désirait le voir, elle attendait une réponse, sa lettre s'étant promenée de Paris à Nogent ; Mlle Vatnaz ne savait point ce qu'elle contenait. Alors, Frédéric s'informa de la Maréchale.

Elle était, maintenant, *avec* un homme très riche, un Russe, le prince Tzernoukoff, qui l'avait vue aux courses du Champ de Mars, l'été dernier.

— « On a trois voitures, cheval de selle, livrée, groom dans le chic anglais, maison de campagne, loge aux Italiens, un tas de choses encore. Voilà, mon cher. »

Et la Vatnaz, comme si elle eût profité à ce changement de fortune, paraissait plus gaie, tout heureuse. Elle retira [517] ses gants et examina dans la chambre les meubles et les bibelots. Elle les cotait à leur prix juste, comme un brocanteur. Il aurait dû la consulter pour les obtenir à meilleur compte ; et elle le félicitait de son bon goût :

— « Ah ! c'est mignon, extrêmement bien ! Il n'y a que vous pour ces idées. »

Puis, apercevant au chevet de l'alcôve une porte :

— « C'est par là qu'on fait sortir les petites femmes, hein ? »

Et, amicalement, elle lui prit le menton. Il tressaillit au contact de ses longues mains, tout à la fois maigres et douces. Elle avait autour des poignets une bordure de dentelle et, sur le corsage de sa robe verte, des passementeries, comme un hussard. Son chapeau de tulle noir, à bords descendants, lui cachait un peu le front ; ses yeux brillaient là-dessous ; une odeur de patchouli s'échappait de ses bandeaux ; la carcel posée sur un guéridon, en l'éclairant d'en bas comme une rampe de théâtre, faisait saillir sa mâchoire ; — et tout à coup, devant cette femme laide qui avait dans la taille des ondulations de panthère, Frédéric sentit une convoitise énorme, un désir de volupté bestiale.

Elle lui dit d'une voix onctueuse, en tirant de son porte-monnaie trois carrés de papier :

— « Vous allez me prendre ça ! »

C'étaient trois places pour une représentation au bénéfice de Delmar.

— « Comment ! lui ? »

— « Certainement ! »

Mlle Vatnaz, sans s'expliquer davantage, ajouta qu'elle l'adorait plus que jamais. Le comédien, à l'en croire, se classait définitivement parmi « les sommités de l'époque ». Et ce n'était pas tel ou tel personnage qu'il représentait, mais le génie même de la France, le Peuple ! Il avait « l'âme humanitaire ; il comprenait le sacerdoce de l'Art » ! Frédéric, pour se délivrer de ces éloges, lui donna l'argent des trois places.

— « Inutile que vous en parliez là-bas ! — Comme il est tard, mon Dieu ! Il faut que je vous quitte. Ah ! j'oubliais l'adresse : c'est rue Grange-Batelière, 14. »

Et, sur le seuil :

— « Adieu, homme aimé ! »

— « Aimé de qui ? » se demanda Frédéric. « Quelle singulière personne ! »

Et il se ressouvint que Dussardier lui avait dit un jour, à propos d'elle : « Oh ! ce n'est pas grand'chose ! » comme faisant allusion à des histoires peu honorables.

Le lendemain, il se rendit chez la Maréchale. Elle habitait une maison neuve, dont les stores avançaient sur la rue. Il y avait à chaque palier une glace contre le mur, une jardinière rustique devant les fenêtres, tout le long des marches un tapis de toile ; et, quand on arrivait du dehors, la fraîcheur de l'escalier délassait.

Ce fut un domestique mâle qui vint ouvrir, un valet en gilet rouge. Dans l'antichambre, sur la banquette, une femme et deux hommes, des fournisseurs sans doute, attendaient, comme dans un vestibule de ministre. A gauche, la porte de la salle à manger, entre-bâillée, laissait apercevoir des bouteilles vides sur les buffets, des serviettes au dos des chaises ; et parallèlement s'étendait une galerie, où des bâtons couleur d'or soutenaient un espalier de roses. En bas, dans la cour, deux garçons, les bras nus, frottaient un landau. Leur voix montait jusque-là, avec le bruit intermittent d'une étrille que l'on heurtait contre une pierre.

Le domestique revint. « Madame allait recevoir

Monsieur » ; et il lui fit traverser une deuxième antichambre, puis un grand salon, tendu de brocatelle jaune,
avec des torsades dans les coins qui se rejoignaient sur
le plafond et semblaient continuées par les rinceaux du
lustre ayant la forme de câbles. On avait sans doute festoyé
la nuit dernière. De la cendre de cigare était restée sur les
consoles.

Enfin, il entra dans une espèce de boudoir qu'éclairaient
confusément des vitraux de couleur. Des trèfles en bois
découpé ornaient le dessus des portes ; derrière une
balustrade, trois matelas de pourpre formaient divan,
et le tuyau d'un narghilé de platine traînait dessus. La
cheminée, au lieu de miroir, avait une étagère pyramidale,
offrant sur ses gradins toute une collection de curiosités :
de vieilles montres d'argent, des cornets de Bohême,
des agrafes en pierreries, des boutons de jade, des émaux,
des magots, une petite vierge byzantine à chape de vermeil ; et tout cela se fondait dans un crépuscule doré,
avec la couleur bleuâtre du tapis, le reflet de nacre des
tabourets, le ton fauve des murs couverts de cuir marron.
Aux angles, sur des piédouches, des vases de bronze
contenaient des touffes de fleurs qui alourdissaient
l'atmosphère.

Rosanette parut, habillée d'une veste de satin rose,
avec un pantalon de cachemire blanc, un colier de piastres,
et une calotte rouge entourée d'une branche de jasmin.

Frédéric fit un mouvement de surprise ; puis dit [518]
qu'il apportait « la chose en question », en lui présentant
le billet de banque.

Elle le regarda fort ébahie ; et, comme il avait toujours
le billet à la main, sans savoir où le poser [519] :

— « Prenez-le donc ! »

Elle le saisit ; puis, l'ayant jeté sur le divan :

— « Vous êtes bien aimable. »

C'était pour solder un terrain à Bellevue, qu'elle payait
ainsi par annuités. Un tel sans-façon blessa Frédéric. Du
reste, tant mieux ! cela le vengeait du passé.

— « Asseyez-vous ! » dit-elle. « Là, plus près. » Et,
d'un ton grave : « D'abord, j'ai à vous remercier, mon
cher, d'avoir risqué votre vie. »

— « Oh ! ce n'est rien ! »

— « Comment, mais c'est très beau ! »

Et la Maréchale lui témoigna une gratitude embarrassante ; car elle devait penser qu'il s'était battu exclusivement pour Arnoux, celui-ci, qui se l'imaginait, ayant dû céder au besoin de le dire.

— « Elle se moque de moi, peut-être, » songeait Frédéric.

Il n'avait plus rien à faire, et, alléguant un rendez-vous, il se leva.

— « Eh non ! Restez ! »

Il se rassit [520] et la complimenta sur son costume.

Elle répondit, avec un air d'accablement :

— « C'est le Prince [521] qui m'aime comme ça ! Et il faut fumer des machines pareilles, » ajouta Rosanette, en montrant le narghilé. « Si nous en goûtions ? voulez-vous ? »

On apporta du feu ; le tombac [522] s'allumant difficilement, elle se mit à trépigner d'impatience. Puis une langueur la saisit ; et elle restait immobile sur le divan, un coussin sous l'aisselle, le corps un peu tordu, un genou plié, l'autre jambe toute droite. Le long serpent de maroquin rouge, qui formait des anneaux par terre, s'enroulait à son bras. Elle en appuyait le bec d'ambre sur ses lèvres et regardait Frédéric, en clignant les yeux, à travers la fumée dont les volutes l'enveloppaient. L'aspiration de sa poitrine faisait gargouiller l'eau, et elle murmurait de temps à autre :

— « Ce pauvre mignon ! ce pauvre chéri ! »

Il tâchait de trouver un sujet de conversation agréable ; l'idée de la Vatnaz lui revint.

Il dit [523] qu'elle lui avait semblé fort élégante.

— « Parbleu ! » reprit la Maréchale. « Elle est bien heureuse de m'avoir, celle-là ! » sans ajouter un mot de plus, tant il y avait de restriction dans leurs propos.

Tous les deux sentaient une contrainte, un obstacle. En effet, le duel dont Rosanette se croyait la cause avait flatté son amour-propre. Puis elle s'était fort étonnée qu'il n'accourût pas se prévaloir de son action ; et, pour le contraindre à revenir, elle avait imaginé ce besoin de cinq cents francs. Comment se faisait-il [524] que Frédéric ne demandait pas en retour un peu de tendresse ! C'était un raffinement qui l'émerveillait, et, dans un élan de cœur, elle lui dit :

— « Voulez-vous venir avec nous aux bains de mer ? »

— « Qui cela, *nous* ! »

— « Moi et mon oiseau ; je vous ferai passer pour mon cousin, comme dans les vieilles comédies. »

— « Mille grâces ! »

— « Eh bien, alors, vous prendrez un logement près du nôtre. »

L'idée de se cacher d'un homme riche l'humiliait.

— « Non ! cela est impossible. »

— « A votre aise ! »

Rosanette se détourna, ayant une larme aux paupières. Frédéric l'aperçut ; et, pour lui marquer de l'intérêt, il se dit heureux de la voir, enfin, dans une excellente position.

Elle fit un haussement d'épaules. Qui donc l'affligeait ? Était-ce, par hasard, qu'on ne l'aimait pas ?

— « Oh ! moi, on m'aime toujours ! »

Elle ajouta :

— « Reste à savoir de quelle manière. »

Se plaignant [525] « d'étouffer de chaleur », la Maréchale défit sa veste ; et, sans autre vêtement autour des reins que sa chemise de soie, elle inclinait la tête sur son épaule, avec un air d'esclave plein de provocations.

Un homme d'un égoïsme moins réfléchi n'eût pas songé que le vicomte, M. de Comaing ou un autre pouvait survenir. Mais Frédéric avait été trop de fois la dupe de ces mêmes regards pour se compromettre dans une humiliation nouvelle.

Elle voulut [526] connaître ses relations, ses amusements ; elle arriva même à s'informer de ses affaires, et à offrir de lui prêter de l'argent, s'il en avait besoin [527]. Frédéric, n'y tenant plus, prit son chapeau.

— « Allons, ma chère, bien du plaisir là-bas ; au revoir ! »

Elle écarquilla les yeux, puis, d'un ton sec :

— « Au revoir ! »

Il repassa par le salon jaune et par la seconde antichambre. Il y avait sur la table, entre un vase plein de cartes de visite et une écritoire, un coffret d'argent ciselé. C'était celui de Mme Arnoux ! Alors, il éprouva un attendrissement, et en même temps comme le scandale d'une profanation. Il avait envie d'y porter les mains, de l'ouvrir. Il eut peur d'être aperçu, et s'en alla.

Frédéric fut vertueux [528]. Il ne retourna point chez Arnoux.

Il envoya son domestique acheter les deux nègres, lui ayant fait toutes les recommandations indispensables ; et la caisse partit, le soir même, pour Nogent. Le lendemain [529], comme il se rendait chez Deslauriers, au détour de la rue Vivienne et du boulevard, Mme Arnoux se montra devant lui, face en face.

Leur premier mouvement fut de reculer ; puis, le même sourire leur vint aux lèvres, et ils s'abordèrent. Pendant une minute aucun des deux ne parla.

Le soleil l'entourait ; — et sa figure ovale, ses longs sourcils, son châle de dentelle noire, moulant la forme de ses épaules, sa robe de soie gorge-de-pigeon, le bouquet de violettes au coin de sa capote, tout lui parut d'une splendeur extraordinaire. Une suavité infinie s'épanchait de ses beaux yeux ; et, balbutiant, au hasard, les premières paroles venues :

— « Comment se porte Arnoux ? » dit Frédéric.

— « Je vous remercie ! »

— « Et vos enfants ? »

— « Ils vont très bien ! »

— « Ah !... ah !... Quel beau temps nous avons, n'est-ce pas ? »

— « Magnifique, c'est vrai ! »

— « Vous faites des courses ? »

— « Oui. »

Et avec une lente inclination de tête :

— « Adieu ! »

Elle ne lui avait pas tendu la main, n'avait pas dit un seul mot affectueux, ne l'avait même pas invité à venir chez elle, n'importe ! il n'eût point donné [530] cette rencontre pour la plus belle des aventures ; et il en ruminait la douceur tout en continuant sa route.

Deslauriers, surpris de le voir, dissimula son dépit, — car il conservait par obstination quelque espérance encore du côté de Mme Arnoux ; et il avait écrit à Frédéric de rester là-bas, pour être plus libre dans ses manœuvres.

Il dit cependant qu'il s'était présenté chez elle, afin de savoir si leur contrat stipulait la communauté ; alors, on aurait pu recourir contre la femme ; « et elle a fait une drôle de mine quand je lui ai appris ton mariage. »

— « Tiens ! quelle invention ! »

— « Il le fallait, pour montrer que tu avais besoin

de tes capitaux! Une personne indifférente n'aurait pas
eu l'espèce de syncope qui l'a prise. »

— « Vraiment? » s'écria Frédéric.

— « Ah! mon gaillard, tu te trahis! Sois franc, voyons! »
Une lâcheté immense envahit l'amoureux de Mme
Arnoux.

— « Mais non!... je t'assure!... ma parole d'honneur! »
Ces molles dénégations achevèrent de convaincre
Deslauriers. Il lui fit des compliments. Il lui demanda
« des détails ». Frédéric n'en donna pas, et même résista
à l'envie d'en inventer.

Quant à l'hypothèque, il lui dit de ne rien faire, d'attendre. Deslauriers trouva qu'il avait tort, et même fut
brutal dans ses remontrances.

Il était d'ailleurs plus sombre, malveillant et irascible
que jamais. Dans un an, si la fortune ne changeait pas,
il s'embarquerait pour l'Amérique ou se ferait sauter la
cervelle. Enfin il paraissait si furieux contre tout et d'un
radicalisme tellement absolu que Frédéric ne put s'empêcher
de lui dire :

— « Te voilà comme Sénécal. »

Deslauriers, à ce propos, lui apprit qu'il était sorti
de Sainte-Pélagie, l'instruction n'ayant point fourni assez
de preuves, sans doute, pour le mettre en jugement.

Dans la joie de cette délivrance, Dussardier voulut
« offrir un punch », et pria Frédéric « d'en être », en l'aver-
tissant toutefois qu'il se trouverait avec Hussonnet, lequel
s'était montré excellent pour Sénécal.

En effet, le Flambard venait de s'adjoindre un cabinet
d'affaires, portant sur ses prospectus : « Comptoir des
vignobles. — Office de publicité. — Bureau de recouvrements et renseignements, etc. » Mais le bohème craignait que son industrie ne fît du tort à sa considération
littéraire, et il avait pris le mathématicien pour tenir
les comptes. Bien que la place fût médiocre, Sénécal,
sans elle, serait mort de faim. Frédéric, ne voulant point
affliger le brave commis, accepta son invitation.

Dussardier, trois jours d'avance, avait ciré lui-même
les pavés rouges de sa mansarde, battu le fauteuil et épous-
seté la cheminée, où l'on voyait sous un globe une pendule
d'albâtre entre une stalactite et un coco. Comme ses
deux chandeliers et son bougeoir n'étaient pas suffisants,

il avait emprunté au concierge deux flambeaux ; et ces cinq luminaires brillaient sur la commode, que recouvraient trois serviettes, afin de supporter plus décemment des macarons, des biscuits, une brioche et douze bouteilles de bière. En face, contre la muraille tendue d'un papier jaune, une petite bibliothèque en acajou contenait les *Fables* de Lachambeaudie, les *Mystères de Paris*, le *Napoléon*, de Norvins [531]. — et, au milieu de l'alcôve, souriait, dans un cadre de palissandre, le visage de Béranger !

Les convives étaient (outre Deslauriers et Sénécal) un pharmacien nouvellement reçu, mais qui n'avait pas les fonds nécessaires pour s'établir ; un jeune homme de *sa* maison, un placeur de vins, un architecte et un monsieur employé dans les assurances. Regimbart n'avait pu venir. On le regretta.

Ils accueillirent Frédéric avec de grandes marques de sympathie, tous connaissant par Dussardier son langage chez M. Dambreuse. Sénécal se contenta de lui offrir la main, d'un air digne.

Il se tenait debout contre la cheminée. Les autres, assis et la pipe aux lèvres, l'écoutaient discourir sur le suffrage universel [532], d'où devait résulter le triomphe de la Démocratie, l'application des principes de l'Évangile. Du reste, le moment approchait ; les banquets réformistes [533] se multipliaient dans les provinces ; le Piémont, Naples, la Toscane [534]...

— « C'est vrai, » dit Deslauriers, lui coupant net la parole, « ça ne peut pas durer plus longtemps ! »

Et il se mit à faire un tableau de la situation.

Nous avions sacrifié la Hollande [535] pour obtenir de l'Angleterre la reconnaissance de Louis-Philippe ; et cette fameuse alliance anglaise, elle était perdue, grâce aux mariages espagnols ! En Suisse, M. Guizot, à la remorque de l'Autrichien, soutenait les traités de 1815. La Prusse avec son Zollverein nous préparait des embarras. La question d'Orient restait pendante.

— « Ce n'est pas une raison parce que le grand-duc Constantin envoie des présents à M. d'Aumale pour se fier à la Russie. Quant à l'intérieur, jamais on n'a vu tant d'aveuglement, de bêtise ! Leur majorité même ne se tient plus ! Partout, enfin, c'est, selon le mot connu, rien ! rien ! rien ! Et, devant tant de hontes, » poursuivit l'avocat

en mettant ses poings sur ses hanches, « ils se déclarent
satisfaits ! »

Cette allusion à un vote célèbre provoqua des applaudissements. Dussardier déboucha une bouteille de bière ;
la mousse éclaboussa les rideaux, il n'y prit garde ; il
chargeait des pipes, coupait la brioche, en offrait, était
descendu plusieurs fois pour voir si le punch allait venir
et on ne tarda pas à s'exalter, tous ayant contre le Pouvoir
la même exaspération. Elle était violente, sans autre cause
que la haine de l'injustice ; et ils mêlaient aux griefs légitimes les reproches les plus bêtes.

Le pharmacien gémit sur l'état pitoyable de notre
flotte. Le courtier d'assurances ne tolérait pas les deux
sentinelles du maréchal Soult. Deslauriers dénonça les
jésuites, qui venaient de s'installer à Lille, publiquement.
Sénécal exécrait bien plus M. Cousin ; car l'éclectisme,
enseignant à tirer la certitude de la raison, développait
l'égoïsme, détruisait la solidarité ; le placeur de vins [536],
comprenant peu ces matières, remarqua tout haut qu'il
oubliait bien des infamies :

— « Le wagon royal de la ligne du Nord doit coûter
quatre-vingt mille francs ! Qui le payera ? »

— « Oui, qui le payera ? » reprit l'employé de commerce,
furieux comme si on eût puisé cet argent dans sa poche.

Il s'ensuivit des récriminations contre les loups-cerviers
de la Bourse et la corruption des fonctionnaires [537]. On
devait remonter plus haut, selon Sénécal, et accuser, tout
d'abord, les princes, qui ressuscitaient les mœurs de la
Régence.

— « N'avez-vous pas vu, dernièrement, les amis du
duc de Montpensier revenir de Vincennes, ivres sans
doute, et troubler par leurs chansons les ouvriers du
faubourg Saint-Antoine ? »

— « On a même crié : A bas les voleurs ! » dit le pharmacien. « J'y étais, j'ai crié ! »

— « Tant mieux ! le Peuple enfin se réveille depuis
le procès Teste-Cubières [538]. »

— « Moi, ce procès-là m'a fait de la peine, » dit
Dussardier, « parce que ça déshonore un vieux soldat ! »

— « Savez-vous, » continua Sénécal, « qu'on a découvert
chez la duchesse de Praslin [539]... ? »

Mais un coup de pied ouvrit la porte. Hussonnet entra.

— « Salut, messeigneurs ! » dit-il en s'asseyant sur le lit.

Aucune allusion ne fut faite à son article, qu'il regrettait, du reste, la Maréchale l'en ayant tancé vertement.

Il venait de voir, au théâtre de Dumas, *le Chevalier de Maison-Rouge* [540], et « trouvait ça embêtant. »

Un jugement pareil étonna les démocrates, — ce drame, par ses tendances, ses décors plutôt, caressant leurs passions. Ils protestèrent. Sénécal, pour en finir, demanda si la pièce servait la Démocratie.

— « Oui..., peut-être ; mais c'est d'un style... »

— « Eh bien, elle est bonne, alors ; qu'est-ce que le style [541]? c'est l'idée ! »

Et, sans permettre à Frédéric de parler :

— « J'avançais donc que, dans l'affaire Praslin... »
Hussonnet l'interrompit.

— « Ah ! voilà encore une rengaine, celle-là ! M'embête-t-elle ! »

— « Et d'autres que vous ! » répliqua Deslauriers. « Elle a fait saisir rien que cinq journaux ! Écoutez-moi cette note. »

Et, ayant tiré son calepin, il lut :

— « Nous avons subi, depuis l'établissement de la meilleure des républiques, douze cent vingt-neuf procès de presse, d'où il est résulté pour les écrivains : trois mille cent quarante et un ans de prison, avec la légère somme de sept millions cent dix mille cinq cents francs d'amende. — C'est coquet, hein ? »

Tous ricanèrent amèrement. Frédéric, animé comme les autres, reprit :

— « *La Démocratie pacifique* [542] a un procès pour son feuilleton, un roman intitulé *la Part des Femmes*. »

— « Allons ! bon ! » dit Hussonnet. « Si on nous défend notre part des femmes ! »

— « Mais qu'est-ce qui n'est pas défendu ? » s'écria Deslauriers. « Il est défendu de fumer dans le Luxembourg, défendu de chanter l'hymne à Pie IX ! »

— « Et on interdit le banquet des typographes ! » articula une voix sourde.

C'était celle de l'architecte, caché par l'ombre de l'alcôve, et silencieux jusqu'à présent. Il ajouta que, la semaine dernière, on avait condamné, pour outrages au Roi, un nommé Rouget.

— « Rouget est frit ! » dit Hussonnet.

Cette plaisanterie parut tellement inconvenante à Sénécal qu'il lui reprocha de défendre « le jongleur de l'hôtel de ville, l'ami du traître Dumouriez [543] ».

— « Moi ? au contraire ! »

Il trouvait Louis-Philippe poncif, garde national, tout ce qu'il y avait de plus épicier et bonnet de coton ! Et, mettant la main sur son cœur, le bohème débita les phrases sacramentelles : — « C'est toujours avec un nouveau plaisir... — La nationalité polonaise ne périra pas... — Nos grands travaux seront poursuivis... — Donnez-moi de l'argent pour ma petite famille... » Tous riaient beaucoup, le proclamant un gaillard délicieux, plein d'esprit ; la joie redoubla à la vue du bol de punch qu'un limonadier apportait.

Les flammes de l'alcool et celles des bougies échauffèrent vite l'appartement ; et la lumière de la mansarde, traversant la cour, éclairait en face le bord d'un toit, avec le tuyau d'une cheminée qui se dressait en noir sur la nuit. Ils parlaient très haut, tous à la fois ; ils avaient retiré leurs redingotes ; ils heurtaient les meubles, ils choquaient les verres.

Hussonnet s'écria :

— « Faites monter des grandes dames, pour que ce soit plus Tour de Nesle, couleur locale, et rembranesque, palsambleu ! »

Et le pharmacien, qui tournait le punch indéfiniment, entonna à pleine poitrine :

> *J'ai deux grands bœufs dans mon étable,*
> *Deux grands bœufs blancs...*

Sénécal lui mit la main sur la bouche, il n'aimait pas le désordre ; et les locataires apparaissaient à leurs carreaux, surpris du tapage insolite qui se faisait dans le logement de Dussardier.

Le brave garçon était heureux, et dit que ça lui rappelait leurs petites séances d'autrefois, au quai Napoléon ; plusieurs manquaient cependant, « ainsi Pellerin... »

— « On peut s'en passer, » reprit Frédéric.

Et Deslauriers s'informa de Martinon.

— « Que devient-il, cet intéressant Monsieur? »

Aussitôt Frédéric, épanchant le mauvais vouloir qu'il lui portait, attaqua son esprit, son caractère, sa fausse élégance, l'homme tout entier. C'était bien un spécimen de paysan parvenu! L'aristocratie nouvelle, la bourgeoisie ne valait pas l'ancienne, la noblesse. Il soutenait cela ; et les démocrates approuvaient, — comme s'il avait fait partie de l'une et qu'ils eussent fréquenté l'autre. On fut enchanté de lui. Le pharmacien le compara même à M. d'Alton-Shée [544], qui, bien que pair de France, défendait la cause du Peuple.

L'heure de s'en aller [545] était venue. Tous se séparèrent avec de grandes poignées de main ; Dussardier, par tendresse, reconduisit Frédéric et Deslauriers. Dès qu'ils furent dans la rue, l'avocat eut l'air de réfléchir, et, après un moment de silence :

— « Tu lui en veux donc beaucoup, à Pellerin? »

Frédéric ne cacha pas sa rancune.

Le peintre, cependant, avait retiré de la montre le fameux tableau. On ne devait pas se brouiller pour des vétilles! A quoi bon se faire un ennemi?

— « Il a cédé à un mouvement d'humeur, excusable dans un homme qui n'a pas le sou. Tu ne peux pas comprendre ça, toi! »

Et, Deslauriers remonté chez lui, le commis ne lâcha point Frédéric ; il l'engagea même à acheter le portrait. En effet, Pellerin, désespérant de l'intimider [546], les avait circonvenus pour que, grâce à eux, il prît la chose.

Deslauriers en reparla, insista. Les prétentions de l'artiste étaient raisonnables.

— « Je suis sûr que, moyennant, peut-être, cinq cents francs... »

— « Ah! donne-les! tiens, les voici, » dit Frédéric.

Le soir même, le tableau fut apporté. Il lui parut plus abominable encore que la première fois. Les demi-teintes et les ombres s'étaient plombées sous les retouches trop nombreuses, et elles semblaient obscurcies par rapport aux lumières, qui, demeurées brillantes çà et là, détonnaient dans l'ensemble.

Frédéric se vengea de l'avoir payé [547], en le dénigrant amèrement. Deslauriers le crut sur parole et approuva sa conduite, car il ambitionnait toujours de constituer une phalange dont il serait le chef ; certains hommes se réjouissent [548] de faire faire à leurs amis des choses qui leur sont désagréables.

Cependant, Frédéric n'était pas retourné chez les Dambreuse. Les capitaux lui manquaient. Ce seraient des explications à n'en plus finir ; il balançait à se décider. Peut-être avait-il raison? Rien n'était sûr maintenant, l'affaire des houilles pas plus qu'une autre ; il fallait abandonner un pareil monde ; enfin, Deslauriers le détourna de l'entreprise. A force de haine il devenait vertueux ; et puis il aimait mieux Frédéric dans la médiocrité. De cette manière, il restait son égal, et en communion plus intime avec lui.

La commission de Mlle Roque avait été fort mal exécutée. Son père l'écrivit, en fournissant les explications les plus précises, et terminant sa lettre par cette badinerie : « Au risque de vous donner un mal de nègre. »

Frédéric ne pouvait faire autrement que de retourner chez Arnoux. Il monta dans le magasin, et ne vit personne. La maison de commerce croulant, les employés imitaient l'incurie de leur patron.

Il côtoya la longue étagère, chargée de faïences, qui occupait d'un bout à l'autre le milieu de l'appartement ; puis, arrivé au fond, devant le comptoir, il marcha plus fort pour se faire entendre.

La portière se relevant, Mme Arnoux parut.

— « Comment, vous ici ! vous ! »

— « Oui » balbutia-t-elle, un peu troublée. « Je cherchais... »

Il aperçut son mouchoir près du pupitre, et devina qu'elle était descendue chez son mari pour se rendre compte, éclaircir sans doute une inquiétude.

— « Mais... vous avez peut-être besoin de quelque chose? » dit-elle.

— « Un rien, madame. »

— « Ces commis sont intolérables ! ils s'absentent toujours. »

On ne devait pas les blâmer. Au contraire, il se félicitait de la circonstance.

Elle le regarda ironiquement.

— « Eh bien, et ce mariage? »

— « Quel mariage? »

— « Le vôtre! »

— « Moi? Jamais de la vie! »

Elle fit un geste de dénégation.

— « Quand cela serait, après tout? On se réfugie dans le médiocre, par désespoir du beau qu'on a rêvé! »

— « Tous vos rêves, pourtant, n'étaient pas si... candides! »

— « Que voulez-vous dire? »

— « Quand vous vous promenez aux courses avec... des personnes! »

Il maudit la Maréchale. Un souvenir lui revint [549] :

— « Mais c'est vous-même, autrefois, qui m'avez prié de la voir, dans l'intérêt d'Arnoux! »

Elle répliqua en hochant la tête :

— « Et vous en profitez pour vous distraire. »

— « Mon Dieu! oublions toutes ces sottises! »

— « C'est juste, puisque vous allez vous marier! »

Et elle retenait son soupir, en mordant ses lèvres. Alors, il s'écria :

— « Mais je vous répète que non [550]! Pouvez-vous croire que, moi, avec mes besoins d'intelligence, mes habitudes, j'aille m'enfouir en province pour jouer aux cartes, surveiller des maçons, et me promener en sabots! Dans quel but, alors? On vous a conté qu'elle était riche, n'est-ce pas? Ah! je me moque bien de l'argent! Est-ce qu'après avoir désiré tout ce qu'il y a de plus beau, de plus tendre, de plus enchanteur, une sorte de paradis sous forme humaine, et quand je l'ai trouvé enfin, cet idéal, quand cette vision me cache toutes les autres... »

Et, lui prenant la tête à deux mains, il se mit à la baiser sur les paupières, en répétant :

— « Non! non! non! jamais je ne me marierai! jamais! jamais! »

Elle acceptait ces caresses, figée par la surprise et par le ravissement.

La porte du magasin sur l'escalier retomba. Elle fit un bond ; et elle restait la main étendue, comme pour lui commander le silence. Des pas se rapprochèrent. Puis quelqu'un dit au dehors :

— « Madame est-elle là? »

— « Entrez! »

Mme Arnoux avait le coude sur le comptoir et roulait une plume entre ses doigts, tranquillement, quand le teneur de livres ouvrit la portière.

— « Madame, j'ai bien l'honneur de vous saluer. Le service, n'est-ce pas, sera prêt ? je puis compter dessus ? »

Elle ne répondit rien. Mais cette complicité silencieuse enflamma son visage de toutes les rougeurs de l'adultère.

Le lendemain, il retourna chez elle, on le reçut ; et, afin de poursuivre ses avantages, immédiatement, sans préambule, Frédéric commença par se justifier de la rencontre au Champ de Mars. Le hasard seul l'avait fait se trouver avec cette femme. En admettant qu'elle fût jolie (ce qui n'était pas vrai), comment pourrait-elle arrêter sa pensée, même une minute, puisqu'il en aimait une autre !

— « Vous le savez bien, je vous l'ai dit. »

Mme Arnoux baissa la tête.

— « Je suis fâchée que vous me l'ayez dit. »

— « Pourquoi ? »

— « Les convenances les plus simples exigent maintenant que je ne vous revoie plus ! »

Il protesta de l'innocence de son amour. Le passé devait lui répondre de l'avenir ; il s'était promis à lui-même de ne pas troubler son existence, de ne pas l'étourdir de ses plaintes.

— « Mais, hier, mon cœur débordait. »

— « Nous ne devons plus songer à ce moment-là, mon ami ! »

Cependant, où serait le mal quand deux pauvres êtres confondraient leur tristesse ?

— « Car vous n'êtes pas heureuse non plus ! Oh ! je vous connais, vous n'avez personne qui réponde à vos besoins d'affection, de dévouement ; je ferai tout ce que vous voudrez ! Je ne vous offenserai pas !... je vous le jure. »

Et il se laissa tomber sur les genoux, malgré lui, s'affaissant sous un poids intérieur trop lourd.

— « Levez-vous ! » dit-elle, « je le veux ! »

Et elle lui déclara impérieusement que, s'il n'obéissait pas, il ne la reverrait jamais.

— « Ah ! je vous en défie bien ! » reprit Frédéric. « Qu'est-ce que j'ai à faire dans le monde ? Les autres s'évertuent pour la richesse, la célébrité, le pouvoir ! Moi [551], je n'ai

pas d'état, vous êtes mon occupation exclusive, toute
ma fortune, le but, le centre de mon existence, de mes
pensées. Je ne peux pas plus vivre sans vous que sans l'air
du ciel! Est-ce que vous ne sentez pas l'aspiration de mon
âme monter vers la vôtre, et qu'elles doivent se confondre,
et que j'en meurs? »

Mme Arnoux se mit à trembler de tous ses membres.

— « Oh! allez-vous-en! je vous en prie! »

L'expression bouleversée de sa figure l'arrêta. Puis
il fit un pas. Mais elle se reculait, en joignant les deux mains.

— « Laissez-moi! au nom du ciel! de grâce! »

Et Frédéric l'aimait tellement, qu'il sortit.

Bientôt, il fut pris de colère contre lui-même, se déclara
un imbécile, et, vingt-quatre heures après, il revint.

Madame n'y était pas. Il resta sur le palier, étourdi
de fureur et d'indignation. Arnoux parut, et lui apprit
que sa femme, le matin même, était partie s'installer dans
une petite maison de campagne qu'ils louaient à Auteuil,
ne possédant plus celle de Saint-Cloud.

— « C'est encore une de ses lubies! Enfin, puisque
ça l'arrange! et moi aussi du reste ; tant mieux! Dînons-
nous ensemble ce soir? »

Frédéric allégua une affaire urgente, puis courut à Auteuil.

Mme Arnoux laissa échapper un cri de joie. Alors,
toute sa rancune s'évanouit.

Il ne parla point de son amour. Pour lui inspirer plus
de confiance, il exagéra même sa réserve ; et, lorsqu'il
demanda s'il pouvait revenir, elle répondit : « Mais sans
doute », en offrant sa main, qu'elle retira presque aussitôt.

Frédéric, dès lors, multiplia ses visites. Il promettait
au cocher de gros pourboires. Mais souvent la lenteur
du cheval l'impatientait, il descendait ; puis, hors d'haleine,
grimpait dans un omnibus ; et comme il examinait dédaigneusement les figures des gens assis devant lui, et qui
n'allaient pas chez elle!

Il reconnaissait de loin sa maison à un chèvrefeuille
énorme couvrant, d'un seul côté, les planches du toit ;
c'était [552] une manière de chalet suisse peint en rouge,
avec un balcon extérieur. Il y avait dans le jardin trois
vieux marronniers, et au milieu, sur un tertre, un parasol
en chaume que soutenait un tronc d'arbre. Sous l'ardoise
des murs, une grosse vigne mal attachée pendait de place

en place, comme un câble pourri. La sonnette de la grille,
un peu rude à tirer, prolongeait son carillon, et on était
toujours longtemps avant de venir. Chaque fois, il éprouvait une angoisse, une peur indéterminée.

Puis il entendait claquer, sur le sable, les pantoufles
de la bonne ; ou bien Mme Arnoux elle-même se présentait. Il arriva un jour, derrière son dos, comme elle était
accroupie, devant le gazon, à chercher de la violette.

L'humeur de sa fille l'avait forcée de la mettre au couvent.
Son gamin passait l'après-midi dans une école, Arnoux
faisait de longs déjeuners au Palais-Royal, avec Regimbart
et l'ami Compain. Aucun fâcheux ne pouvait les
surprendre [553].

Il était bien entendu qu'ils ne devaient pas s'appartenir.
Cette convention [554], qui les garantissait du péril, facilitait
leurs épanchements [555].

Elle lui dit [556] son existence d'autrefois, à Chartres,
chez sa mère ; sa dévotion vers douze ans ; puis sa fureur
de musique, lorsqu'elle chantait jusqu'à la nuit, dans sa
petite chambre, d'où l'on découvrait les remparts. Il lui
conta ses mélancolies au collège, et comment dans son ciel
poétique [557] resplendissait un visage de femme, si bien
qu'en la voyant pour la première fois il l'avait reconnue.

Ces discours [558] n'embrassaient, d'habitude, que les
années de leur fréquentation. Il lui rappelait d'insignifiants
détails, la couleur de sa robe à telle époque, quelle personne
un jour était survenue, ce qu'elle avait dit une autre fois ;
et elle répondait tout émerveillée :

— « Oui, je me rappelle ! »

Leurs goûts, leurs jugements étaient les mêmes. Souvent celui des deux qui écoutait l'autre s'écriait :

— « Moi aussi ! »

Et l'autre à son tour reprenait :

— « Moi aussi ! »

Puis c'étaient d'interminables plaintes sur la Providence :

— « Pourquoi le ciel ne l'a-t-il pas voulu ! Si nous
nous étions rencontrés !... »

— « Ah ! si j'avais été plus jeune ! » soupirait-elle.

— « Non ! moi, un peu plus vieux. »

Et ils s'imaginaient une vie exclusivement amoureuse,
assez féconde pour remplir les plus vastes solitudes, excédant toutes joies [559], défiant toutes les misères, où les

heures auraient disparu dans un continuel épanchement d'eux-mêmes, et qui aurait fait quelque chose de resplendissant [560] et d'élevé comme la palpitation des étoiles.

Presque toujours, ils se tenaient en plein air au haut de l'escalier ; des cimes d'arbres jaunies par l'automne se mamelonnaient devant eux, inégalement, jusqu'au bord du ciel pâle ; ou bien ils allaient au bout de l'avenue, dans un pavillon ayant pour tout meuble un canapé de toile grise. Des points noirs tachaient la glace ; les murailles exhalaient une odeur de moisi ; — et ils restaient là, causant d'eux-mêmes, des autres, de n'importe quoi, avec ravissement [561]. Quelquefois, les rayons du soleil, traversant la jalousie, tendaient depuis le plafond jusque sur les dalles comme les cordes d'une lyre, des brins de poussière tourbillonnaient dans ces barres lumineuses. Elle s'amusait à les fendre, avec sa main ; — Frédéric la saisissait, doucement ; et il contemplait l'entrelacs de ses veines, les grains de sa peau, la forme de ses doigts [562]. Chacun de ses doigts était, pour lui, plus qu'une chose, presque une personne.

Elle lui donna ses gants, la semaine d'après, son mouchoir. Elle l'appelait « Frédéric », il l'appelait « Marie », adorant ce nom-là, fait exprès, disait-il, pour être soupiré dans l'extase, et qui semblait contenir des nuages d'encens, des jonchées de roses.

Ils arrivèrent [563] à fixer d'avance le jour de ses visites ; et, sortant comme par hasard, elle allait au-devant de lui, sur la route.

Elle ne faisait rien [564] pour exciter son amour, perdue dans cette insouciance qui caractérise les grands bonheurs. Pendant toute la saison, elle porta une robe de chambre en soie brune, bordée de velours pareil, vêtement large convenant à la mollesse de ses attitudes et de sa physionomie sérieuse [565]. D'ailleurs, elle touchait au mois d'août des femmes, époque tout à la fois de réflexion et de tendresse, où la maturité qui commence colore le regard d'une flamme plus profonde, quand la force du cœur se mêle à l'expérience de la vie, et que, sur la fin de ses épanouissements, l'être complet déborde de richesses dans l'harmonie de sa beauté [566]. Jamais elle n'avait eu plus de douceur, d'indulgence. Sûre de ne pas faillir, elle s'abandonnait à un sentiment qui lui semblait un droit conquis

par ses chagrins. Cela était si bon, du reste, et si nouveau !
Quel abîme entre la grossièreté d'Arnoux et les adorations de Frédéric !

Il tremblait de perdre par un mot tout ce qu'il croyait
avoir gagné, se disant qu'on peut ressaisir une occasion
et qu'on ne rattrape jamais une sottise. Il voulait qu'elle
se donnât, et non la prendre. L'assurance de son amour
le délectait comme un avant-goût de la possession, et puis
le charme de sa personne lui troublait le cœur plus que les
sens. C'était une béatitude indéfinie, un tel enivrement
qu'il en oubliait jusqu'à la possibilité d'un bonheur absolu.
Loin d'elle, des convoitises furieuses le dévoraient.

Bientôt il y eut dans leurs dialogues de grands intervalles
de silence. Quelquefois, une sorte de pudeur sexuelle
les faisait rougir l'un devant l'autre. Toutes les précautions
pour cacher leur amour le dévoilaient ; plus il devenait
fort, plus leurs manières étaient contenues. Par l'exercice [567]
d'un tel mensonge, leur sensibilité s'exaspéra. Ils jouissaient
délicieusement de la senteur des feuilles humides, ils
souffraient du vent d'est, ils avaient des irritations sans
cause, des pressentiments funèbres ; un bruit de pas,
le craquement d'une boiserie leur causaient des épouvantes
comme s'ils avaient été coupables ; ils se sentaient poussés
vers un abîme ; une atmosphère orageuse les enveloppait ; et, quand des doléances échappaient à Frédéric, elle
s'accusait elle-même.

— « Oui ! je fais mal ! j'ai l'air d'une coquette ! Ne venez
donc plus ! »

Alors, il répétait les mêmes serments, — qu'elle écoutait
chaque fois avec plaisir.

Son retour à Paris et les embarras du jour de l'an suspen-
dirent un peu leurs entrevues. Quand il revint [568], il avait,
dans les allures, quelque chose de plus hardi. Elle sortait
à chaque minute pour donner des ordres, et recevait, malgré
ses prières, tous les bourgeois qui venaient la voir. On se
livrait alors [569] à des conversations sur Léotade [570], M.
Guizot, le Pape, l'insurrection de Palerme [571] et le banquet du XIIe arrondissement [572], lequel inspirait des
inquiétudes. Frédéric se soulageait en déblatérant contre
le Pouvoir ; car il souhaitait, comme Deslauriers, un
bouleversement universel, tant il était maintenant aigri.
Mme Arnoux, de son côté, devenait sombre.

Son mari, prodiguant les extravagances, entretenait une ouvrière de la manufacture, celle qu'on appelait la Bordelaise. Mme Arnoux l'apprit elle-même à Frédéric. Il voulait tirer de là un argument « puisqu'on la trahissait ».

— « Oh! je ne m'en trouble guère! » dit-elle.

Cette déclaration lui parut affermir complètement leur intimité. Arnoux s'en méfiait-il?

— « Non! pas maintenant! »

Elle lui conta qu'un soir il les avait laissés en tête-à-tête, puis était revenu, avait écouté derrière la porte, et, comme tous deux parlaient de choses indifférentes, il vivait, depuis ce temps-là, dans une entière sécurité :

— « Avec raison, n'est-ce pas? » dit amèrement Frédéric.

— « Oui, sans doute! »

Elle aurait mieux fait de ne pas risquer un pareil mot.

Un jour, elle ne se trouva point chez elle à l'heure où il avait coutume d'y venir. Ce fut, pour lui, comme une trahison.

Il se fâcha ensuite de voir les fleurs qu'il apportait toujours plantées dans un verre d'eau.

— « Où voulez-vous donc qu'elles soient? »

— « Oh! pas là! Du reste, elles y sont moins froidement que sur votre cœur. »

Quelque temps après, il lui reprocha d'avoir été la veille aux Italiens, sans le prévenir. D'autres l'avaient vue, admirée, aimée peut-être ; Frédéric s'attachait à ses soupçons uniquement pour la quereller, la tourmenter ; car il commençait à la haïr, et c'était bien le moins qu'elle eût une part de ses souffrances!

Une après-midi (vers le milieu de février), il la surprit fort émue. Eugène se plaignait de mal à la gorge. Le docteur avait dit pourtant que ce n'était rien, un gros rhume, la grippe. Frédéric fut étonné par l'air ivre de l'enfant. Il rassura sa mère néanmoins, cita en exemple plusieurs bambins de son âge qui venaient d'avoir des affections semblables et s'étaient vite guéris.

— « Vraiment? »

— « Mais oui, bien sûr! »

— « Oh! comme vous êtes bon! »

Et elle lui prit la main. Il l'étreignit dans la sienne.

— « Oh! laissez-la. »

— « Qu'est-ce que cela fait, puisque c'est au consolateur

que vous l'offrez!... Vous me croyez bien pour ces choses, et vous doutez de moi... quand je vous parle de mon amour! »

— « Je n'en doute pas [573], mon pauvre ami! »

— « Pourquoi cette défiance, comme si j'étais un misérable capable d'abuser... »

— « Oh! non!... »

— « Si j'avais seulement une preuve!... »

— « Quelle preuve? »

— « Celle qu'on donnerait au premier venu, celle que vous m'avez accordée à moi-même. »

Et il lui rappela qu'une fois ils étaient sortis ensemble, par un crépuscule d'hiver, un temps de brouillard. Tout cela [574] était bien loin, maintenant! Qui donc l'empêchait de se montrer à son bras devant tout le monde, sans crainte de sa part, sans arrière-pensée de la sienne, n'ayant personne autour d'eux pour les importuner?

— « Soit! » dit-elle, avec une bravoure de décision qui stupéfia d'abord Frédéric

Mais il reprit vivement :

— « Voulez-vous que je vous attende au coin de la rue Tronchet et de la rue de la Ferme? »

— « Mon Dieu! mon ami..., » balbutiait Mme Arnoux.

Sans lui donner le temps de réfléchir, il ajouta :

— « Mardi prochain, je suppose? »

— « Mardi? »

— « Oui, entre deux et trois heures! »

— « J'y serai! »

Et elle détourna son visage, par un mouvement de honte, Frédéric lui posa ses lèvres sur la nuque,

— « Oh! ce n'est pas bien, » dit-elle. « Vous me feriez repentir. »

Il s'écarta, redoutant la mobilité ordinaire des femmes. Puis, sur le seuil, murmura, doucement, comme une chose bien convenue :

— « A mardi! »

Elle baissa ses beaux yeux d'une façon discrète et résignée.

Frédéric avait un plan.

Il espérait que, grâce à la pluie ou au soleil, il pourrait la faire s'arrêter sous une porte, et qu'une fois sous la porte, elle entrerait dans la maison. Le difficile était d'en découvrir une convenable.

Il se mit donc en recherche, et, vers le milieu de la rue

Tronchet, il lut de loin, sur une enseigne : *Appartements meublés*.

Le garçon, comprenant son intention, lui montra tout de suite, à l'entresol, une chambre et un cabinet avec deux sorties. Frédéric la retint pour un mois et paya d'avance.

Puis il alla dans trois magasins acheter la parfumerie la plus rare ; il se procura un morceau de fausse guipure pour remplacer l'affreux couvre-pieds de coton rouge, il choisit une paire de pantoufles en satin bleu ; la crainte seule de paraître grossier le modéra dans ses emplettes ; il revint avec elles ; — et plus dévotement [575] que ceux qui font des reposoirs, il changea les meubles de place, drapa lui-même les rideaux, mit des bruyères sur la cheminée, des violettes sur la commode ; il aurait voulu paver la chambre tout en or. « C'est demain, » se disait-il, « oui, demain ! je ne rêve pas. » Et il sentait battre son cœur à grands coups sous le délire de son espérance ; puis, quand tout fut prêt, il emporta la clef dans sa poche, comme si le bonheur, qui dormait là, avait pu s'en envoler.

Une lettre de sa mère l'attendait chez lui.

« Pourquoi une si longue absence ? Ta conduite com- « mence à paraître ridicule. Je comprends que, dans « une certaine mesure, tu aies d'abord hésité devant « cette union ; cependant réfléchis ! »

Et elle précisait les choses : quarante-cinq mille livres de rente. Du reste, « on en causait » ; et M. Roque attendait une réponse définitive. Quant à la jeune personne, sa position véritablement était embarrassante. « Elle t'aime beaucoup. »

Frédéric rejeta la lettre sans la finir, et en ouvrit une autre, un billet de Deslauriers.

« Mon vieux,

« La poire est mûre. Selon ta promesse, nous comptons « sur toi. On se réunit demain au petit jour, place du « Panthéon. Entre au café Soufflot. Il faut que je te parle « avant la manifestation. »

— « Oh ! je les connais, leurs manifestations. Mille grâces ! j'ai un rendez-vous plus agréable. »

Et, le lendemain, dès onze heures, Frédéric était sorti. Il voulait donner un dernier coup d'œil aux préparatifs ;

puis, qui sait, elle pouvait, par un hasard quelconque, être en avance? En débouchant [576] de la rue Tronchet, il entendit derrière la Madeleine une grande clameur ; il s'avança ; et il aperçut au fond de la place, à gauche, des gens en blouse et des bourgeois [577].

En effet, un manifeste publié dans les journaux avait convoqué à cet endroit tous les souscripteurs du banquet réformiste. Le Ministère, presque immédiatement, avait affiché une proclamation l'interdisant. La veille au soir, l'opposition parlementaire y avait renoncé ; mais les patriotes, qui ignoraient cette résolution des chefs, étaient venus au rendez-vous, suivis par un grand nombre de curieux. Une députation des écoles s'était portée tout à l'heure chez Odilon Barrot. Elle était maintenant aux Affaires Étangères ; et on ne savait pas si le banquet aurait lieu, si le Gouvernement exécuterait sa menace, si les gardes nationaux [578] se présenteraient. On en voulait aux Députés comme au Pouvoir. La foule augmentait de plus en plus, quand tout à coup vibra dans les airs le refrain de *la Marseillaise*.

C'était la colonne des étudiants qui arrivait. Ils marchaient au pas, sur deux files, en bon ordre, l'aspect irrité, les mains nues, et tous criant par intervalles :

— « Vive la Réforme ! à bas Guizot [579] ! »

Les amis de Frédéric étaient là, bien sûr. Ils allaient l'apercevoir et l'entraîner. Il se réfugia vivement dans la rue de l'Arcade.

Quand les étudiants eurent fait deux fois le tour de la Madeleine, ils descendirent vers la place de la Concorde. Elle était remplie de monde ; et la foule tassée semblait, de loin, un champ d'épis noirs qui oscillaient.

Au même moment, des soldats de la ligne se rangèrent en bataille, à gauche de l'église.

Les groupes stationnaient, cependant. Pour en finir, des agents de police en bourgeois saisissaient les plus mutins et les emmenaient au poste, brutalement. Frédéric, malgré son indignation, resta muet ; on aurait pu le prendre avec les autres, et il aurait manqué à Mme Arnoux.

Peu de temps après, parurent les casques des municipaux. Ils frappaient autour d'eux, à coups de plat de sabre. Un cheval s'abattit ; on courut lui porter secours, et, dès que le cavalier fut en selle, tous s'enfuirent.

Alors, il y eut un grand silence. La pluie fine, qui avait mouillé l'asphalte, ne tombait plus. Des nuages s'en allaient, balayés mollement par le vent d'ouest.

Frédéric se mit à parcourir la rue Tronchet, en regardant devant lui et derrière lui.

Deux heures enfin sonnèrent.

« Ah ! c'est maintenant ! » se dit-il, « elle sort de sa maison, elle approche ; » et, une minute après : « Elle aurait eu le temps de venir. » Jusqu'à trois heures, il tâcha de se calmer. « Non, elle n'est pas en retard ; un peu de patience ! »

Et, par désœuvrement, il examinait les rares boutiques : un libraire, un sellier, un magasin de deuil. Bientôt il connut tous les noms des ouvrages, tous les harnais, toutes les étoffes. Les marchands, à force de le voir passer et repasser continuellement, furent étonnés d'abord, puis effrayés, et ils fermèrent leur devanture.

Sans doute, elle avait un empêchement [580], et elle en souffrait aussi. Mais quelle joie tout à l'heure ! — Car elle allait venir, cela était certain ! « Elle me l'a bien promis ! » Cependant, une angoisse intolérable le gagnait.

Par un mouvement absurde, il rentra dans l'hôtel, comme si elle avait pu s'y trouver. A l'instant même, elle arrivait peut-être dans la rue. Il s'y jeta. Personne ! Et il se remit à battre le trottoir.

Il considérait les fentes des pavés, la gueule des gouttières, les candélabres, les numéros au-dessus des portes. Les objets les plus minimes devenaient pour lui des compagnons, ou plutôt des spectateurs ironiques ; et les façades régulières des maisons lui semblaient impitoyables. Il souffrait du froid aux pieds. Il se sentait dissoudre d'accablement. La répercussion de ses pas lui secouait la cervelle.

Quand il vit quatre heures à sa montre, il éprouva comme un vertige, une épouvante. Il tâcha de se répéter des vers, de calculer n'importe quoi, d'inventer une histoire. Impossible ! l'image de Mme Arnoux l'obsédait. Il avait envie de courir à sa rencontre. Mais quelle route prendre pour ne pas se croiser ?

Il aborda un commissionnaire, lui mit dans la main cinq francs, et le chargea d'aller rue Paradis, chez Jacques Arnoux, pour s'enquérir près du portier « si Madame était chez elle. » Puis il se planta au coin de la rue de la Ferme et de la rue Tronchet, de manière à voir simultanément dans toutes les deux. Au fond de la perspective, sur le boulevard, des masses confuses glissaient. Il distinguait parfois l'aigrette d'un dragon, un chapeau de femme ; et il tendait ses prunelles pour la reconnaître. Un enfant déguenillé qui montrait une marmotte, dans une boîte, lui demanda l'aumône en souriant.

L'homme à la veste de velours reparut. « Le portier ne l'avait pas vue sortir. » Qui la retenait [581] ? Si elle était malade, on l'aurait dit ! Était-ce une visite ? Rien de plus facile que de ne pas recevoir. Il se frappa le front.

— « Ah ! je suis bête ! C'est l'émeute ! » Cette explication naturelle le soulagea. Puis, tout à coup : « Mais son quartier est tranquille. » Et un doute abominable l'assaillit. « Si elle allait ne pas venir ? si sa promesse n'était qu'une parole pour m'évincer ? Non ! non ! » Ce qui l'empêchait sans doute, c'était un hasard extraordinaire, un de ces événements qui déjouent toute prévoyance. Dans ce cas-là, elle aurait écrit. Et il envoya le garçon d'hôtel à son domicile, rue Rumfort, pour savoir s'il n'y avait point de lettre ?

On n'avait apporté aucune lettre. Cette absence de nouvelles le rassura.

Du nombre des pièces de monnaie prises au hasard dans sa main, de la physionomie des passants, de la couleur des chevaux, il tirait des présages ; et, quand l'augure était contraire, il s'efforçait de ne pas y croire [582]. Dans ses accès de fureur contre Mme Arnoux, il l'injuriait à demi-voix. Puis c'étaient des faiblesses à s'évanouir, et tout à coup des rebondissements d'espérance. Elle allait paraître. Elle était là, derrière son dos. Il se retournait : rien ! Une fois, il aperçut, à trente pas environ, une femme de même taille, avec la même robe. Il la rejoignit ; ce n'était pas elle ! Cinq heures [583] arrivèrent ! cinq heures et demie ! six heures ! Le gaz s'allumait. Mme Arnoux n'était pas venue.

Elle avait rêvé, la nuit précédente, qu'elle était sur le trottoir de la rue Tronchet depuis longtemps. Elle y attendait quelque chose d'indéterminé, de considérable néanmoins, et, sans savoir pourquoi, elle avait peur d'être aperçue. Mais un maudit petit chien, acharné contre elle,

mordillait le bas de sa robe. Il revenait obstinément et
aboyait toujours plus fort. Mme Arnoux se réveilla. L'a-
boiement du chien continuait. Elle tendit l'oreille. Cela
partait de la chambre de son fils. Elle s'y précipita pieds
nus. C'était l'enfant lui-même qui toussait [584]. Il avait les
mains brûlantes, la face rouge et la voix singulièrement
rauque. L'embarras de sa respiration augmentait de minute
en minute. Elle resta jusqu'au jour, penchée sur sa couverture [585], à l'observer.

A huit heures, le tambour de la garde nationale vint
prévenir M. Arnoux que ses camarades l'attendaient. Il
s'habilla vivement et s'en alla, en promettant de passer
tout de suite chez leur médecin, M. Colot. A dix heures,
M. Colot n'étant pas venu, Mme Arnoux expédia sa
femme de chambre. Le docteur était en voyage, à la campagne, et le jeune homme qui le remplaçait faisait des
courses.

Eugène tenait sa tête de côté, sur le traversin, en fronçant
toujours ses sourcils, en dilatant ses narines ; sa pauvre
petite figure devenait plus blême que ses draps ; et il
s'échappait de son larynx un sifflement produit par chaque
inspiration, de plus en plus courte, sèche et comme métal-
lique. Sa toux ressemblait au bruit de ces mécaniques
barbares qui font japper les chiens de carton.

Mme Arnoux fut saisie d'épouvante. Elle se jeta sur
les sonnettes, en appelant au secours, en criant :

— « Un médecin ! un médecin ! »

Dix minutes après, arriva un vieux monsieur en cravate blanche et à favoris gris, bien taillés. Il fit beaucoup
de questions sur les habitudes, l'âge et le tempérament du
jeune malade, puis examina sa gorge, s'appliqua la tête
dans son dos et écrivit une ordonnance. L'air tranquille
de ce bonhomme était odieux. Il sentait l'embaumement.
Elle aurait voulu le battre. Il dit qu'il reviendrait dans
la soirée.

Bientôt les horribles quintes recommencèrent. Quelquefois, l'enfant se dressait tout à coup. Des mouvements convulsifs lui secouaient les muscles de la poitrine,
et, dans ses aspirations, son ventre se creusait comme
s'il eût suffoqué d'avoir couru. Puis il retombait la tête
en arrière et la bouche grande ouverte. Avec des précautions
infinies, Mme Arnoux tâchait de lui faire avaler le contenu

des fioles du sirop d'ipécacuana, une potion kermétisée.
Mais il repoussait la cuiller, en gémissant d'une voix faible.
On aurait dit qu'il soufflait des paroles.

De temps à autre, elle relisait l'ordonnance. Les observations du formulaire l'effrayaient ; peut-être que le pharmacien s'était trompé ! Son impuissance la désespérait.
L'élève de M. Colot arriva.

C'était un jeune homme d'allures modestes, neuf dans
le métier, et qui ne cacha point son impression. Il resta
d'abord indécis, par peur de se compromettre, et enfin
prescrivit l'application de morceaux de glace. On fut longtemps à trouver de la glace. La vessie qui contenait les
morceaux creva. Il fallait changer la chemise. Tout ce
dérangement provoqua un nouvel accès plus terrible.

L'enfant se mit à arracher les linges de son cou, comme
s'il avait voulu retirer l'obstacle qui l'étouffait, et il égra-
tignait le mur, saisissait les rideaux de sa couchette, cherchant un point d'appui [586] pour respirer. Son visage était
bleuâtre maintenant, et tout son corps, trempé d'une sueur
froide, paraissait maigrir. Ses yeux hagards s'attachaient
sur sa mère avec terreur. Il lui jetait les bras autour du cou,
s'y suspendait d'une façon désespérée ; et, en repoussant
ses sanglots, elle balbutiait des paroles tendres :

— « Oui, mon amour, mon ange, mon trésor ! »

Puis, des moments de calme survenaient.

Elle alla chercher des joujoux, un polichinelle, une
collection d'images, et les étala sur son lit, pour le distraire.
Elle essaya même de chanter.

Elle commença une chanson qu'elle lui disait autrefois,
quand elle le berçait en l'emmaillotant sur cette même
petite chaise de tapisserie. Mais il frissonna dans la longueur
entière de son corps, comme une onde sous un coup de
vent ; les globes de ses yeux saillissaient : elle crut qu'il
allait mourir, et se détourna pour ne pas le voir.

Un instant, après, elle eut la force de le regarder. Il
vivait encore. Les heures se succédèrent, lourdes, mornes,
interminables, désespérantes ; et elle n'en comptait plus
les minutes qu'à la progression de cette agonie. Les secousses de sa poitrine le jetaient en avant comme pour le
briser ; à la fin, il vomit quelque chose d'étrange qui ressemblait à un tube de parchemin. Qu'était-ce ? Elle s'imagina qu'il avait rendu un bout de ses entrailles. Mais il

respirait largement, régulièrement. Cette apparence de
bien-être l'effraya plus que tout le reste ; elle se tenait
pétrifiée, les bras pendants, les yeux fixes, quand M. Colot
survint. L'enfant, selon lui, était sauvé.

Elle ne comprit pas d'abord, et se fit répéter la phrase.
N'était-ce pas [587] une de ces consolations propres aux médecins ? Le docteur s'en alla d'un air tranquille. Alors, ce
fut pour elle comme si les cordes qui serraient son cœur
se fussent dénouées.

— « Sauvé ! Est-ce possible ! »

Tout à coup l'idée de Frédéric lui apparut d'une façon
nette et inexorable. C'était un avertissement de la Providence. Mais le Seigneur, dans sa miséricorde, n'avait pas
voulu la punir tout à fait ! Quelle expiation, plus tard,
si elle persévérait dans cet amour ! Sans doute, on insul-
terait son fils à cause d'elle ; et Mme Arnoux l'aperçut
jeune homme, blessé dans une rencontre, rapporté sur un
brancard, mourant. D'un bond, elle se précipita sur la
petite chaise ; et de toutes ses forces, lançant son âme dans
les hauteurs, elle offrit à Dieu, comme un holocauste, le
sacrifice de sa première passion, de sa seule faiblesse.

Frédéric était revenu chez lui. Il restait dans son fauteuil,
sans même avoir la force de la maudire. Une espèce de
sommeil [588] le gagna ; et, à travers son cauchemar, il entendait la pluie tomber, en croyant toujours qu'il était là-bas,
sur le trottoir.

Le lendemain, par une dernière lâcheté, il envoya encore
un commissionnaire chez Mme Arnoux.

Soit que le Savoyard [589] ne fît pas la commission, ou
qu'elle eût trop de choses à dire pour s'expliquer d'un mot,
la même réponse fut rapportée. L'insolence était trop forte !
Une colère d'orgueil le saisit. Il se jura de n'avoir plus même
un désir ; et, comme un feuillage emporté par un ouragan,
son amour disparut. Il en ressentit un soulagement [590],
une joie stoïque, puis un besoin d'actions violentes ; et
il s'en alla au hasard, par les rues.

Des hommes des faubourgs passaient, armés de fusils,
de vieux sabres, quelques-uns portant des bonnets rouges,
et tous chantant *la Marseillaise* ou *les Girondins*. Çà et là,
un garde national se hâtait pour rejoindre sa mairie. Des
tambours, au loin, résonnaient. On se battait à la porte
Saint-Martin. Il y avait dans l'air quelque chose de gaillard

et de belliqueux. Frédéric marchait toujours. L'agitation
de la grande ville le rendait gai.

A la hauteur de Frascati, il aperçut les fenêtres de la
Maréchale ; une idée folle lui vint, une réaction de jeunesse.
Il traversa le boulevard.

On fermait la porte cochère ; et Delphine, la femme
de chambre, en train d'écrire dessus avec un charbon :
« Armes données, » lui dit vivement :

— « Ah ! Madame est dans un bel état ! Elle a renvoyé
ce matin son groom qui l'insultait. Elle croit qu'on va
piller partout ! Elle crève de peur ! d'autant plus que
Monsieur est parti ! »

— « Quel Monsieur ? »

— « Le Prince ! »

Frédéric entra dans le boudoir. La Maréchale parut,
en jupon, les cheveux sur le dos, bouleversée.

— « Ah ! merci ! tu viens me sauver ! c'est la seconde
fois ! tu n'en demandes jamais le prix, toi ! »

— « Mille pardons ! » dit Frédéric, en lui saisissant la
taille dans les deux mains.

— « Comment ? que fais-tu ? » balbutia la Maréchale,
à la fois surprise et égayée par ces manières.

Il répondit :

— « Je suis la mode, je me réforme. »

Elle se laissa renverser sur le divan, et continuait à rire
sous ses baisers.

Ils passèrent l'après-midi à regarder, de leur fenêtre,
le peuple dans la rue. Puis il l'emmena dîner aux Trois-
Frères-Provençaux. Le repas fut long, délicat. Ils s'en
revinrent à pied, faute de voiture.

A la nouvelle d'un changement de ministère, Paris
avait changé. Tout le monde était en joie ; des promeneurs
circulaient, et des lampions à chaque étage faisaient une
clarté comme en plein jour. Les soldats regagnaient lentement leurs casernes, harassés, l'air triste. On les saluait,
en criant : « Vive la ligne [591] ! » Ils continuaient sans
répondre. Dans la garde nationale, au contraire, les officiers,
rouges d'enthousiasme, brandissaient leur sabre en vociférant : « Vive la réforme ! » et ce mot-là, chaque fois,
faisait rire les deux amants. Frédéric blaguait, était très gai.

Par la rue Duphot, ils atteignirent les boulevards.
Des lanternes vénitiennes, suspendues aux maisons, for-

maient des guirlandes de feux. Un fourmillement confus
s'agitait en dessous ; au milieu de cette ombre, par endroits,
brillaient des blancheurs de baïonnettes. Un grand brouhaha
s'élevait. La foule était trop compacte, le retour direct
impossible ; et ils entraient dans la rue Caumartin, quand,
tout à coup, éclata derrière eux un bruit pareil à un craquement d'une immense pièce de soie que l'on déchire. C'était
la fusillade du boulevard des Capucines [592].

— « Ah ! on casse quelques bourgeois, » dit Frédéric
tranquillement, car il y a des situations où l'homme le
moins cruel est si détaché des autres qu'il verrait périr
le genre humain sans un battement de cœur.

La Maréchale [593], cramponnée à son bras, claquait des
dents. Elle se déclara incapable de faire vingt pas de plus.
Alors, par un raffinement de haine, pour mieux outrager
en son âme Mme Arnoux, il l'emmena jusqu'à l'hôtel de
la rue Tronchet, dans le logement préparé pour l'autre.

Les fleurs n'étaient pas flétries. La guipure s'étalait
sur le lit. Il tira de l'armoire les petites pantoufles. Rosanette
trouva ces prévenances fort délicates.

Vers une heure, elle fut réveillée par des roulements
lointains ; et elle le vit qui sanglotait, la tête enfoncée
dans l'oreiller.

— « Qu'as-tu donc, cher amour ? »

— « C'est excès de bonheur », dit Frédéric. « Il y avait
trop longtemps que je te désirais ! »

TROISIÈME PARTIE

I

LE bruit d'une fusillade le tira brusquement de son sommeil ; et, malgré les instances de Rosanette, Frédéric, à toute force, voulut aller voir ce qui se passait. Il descendait les Champs-Élysées, d'où les coups de feu étaient partis. A l'angle de la rue [594] Saint-Honoré, des hommes en blouse le croisèrent en criant :

— « Non ! pas par là ! au Palais-Royal ! »

Frédéric les suivit. On avait arraché les grilles de l'Assomption. Plus loin, il remarqua trois pavés au milieu de la voie, le commencement d'une barricade, sans doute, puis des tessons de bouteilles, et des paquets de fil de fer pour embarrasser la cavalerie ; quand tout à coup s'élança d'une ruelle un grand jeune homme pâle [595], dont les cheveux noirs flottaient sur les épaules, prises dans une espèce de maillot à pois de couleur. Il tenait un long fusil de soldat, et courait sur la pointe de ses pantoufles, avec l'air d'un somnambule et leste comme un tigre. On entendait, par intervalles, une détonation.

La veille au soir, le spectacle [596] du chariot contenant cinq cadavres recueillis parmi ceux du boulevard des Capucines avait changé les dispositions du peuple ; et, pendant qu'aux Tuileries les aides de camp se succédaient, et que M. Molé, en train de faire un cabinet nouveau, ne revenait pas, et que M. Thiers tâchait d'en composer un autre, et que le Roi chicanait, hésitait, puis donnait à Bugeaud le commandement général pour l'empêcher de s'en servir, l'insurrection, comme dirigée par un seul bras, s'organisait formidablement. Des hommes d'une éloquence frénétique haranguaient la foule au coin des rues ; d'autres dans les églises sonnaient le tocsin à pleine volée ; on coulait du plomb, on roulait des cartouches ; les arbres des boulevards, les vespasiennes, les bancs, les grilles, les becs de gaz, tout fut arraché, renversé ; Paris, le matin, était couvert de barricades. La résistance [597] ne dura pas ; partout la garde nationale s'interposait ; — si bien qu'à huit heures le peuple, de bon gré ou de force [598], possédait cinq casernes, presque toutes les mairies, les points stratégiques les plus sûrs. D'elle-même, sans secousses, la monarchie se fondait dans une dissolution rapide ; et on attaquait maintenant le poste du Château-d'Eau pour délivrer cinquante prisonniers, qui n'y étaient pas.

Frédéric s'arrêta forcément à l'entrée de la place. Des groupes en armes l'emplissaient. Des compagnies de la ligne occupaient les rues Saint-Thomas et Fromanteau. Une barricade énorme bouchait la rue de Valois. La fumée qui se balançait à sa crête s'entr'ouvrit, des hommes couraient dessus en faisant de grands gestes, ils disparurent ; puis la fusillade recommença. Le poste y répondait, sans qu'on vît personne à l'intérieur ; ses fenêtres, défendues par des volets de chêne, étaient percées de meurtrières ; et le monument avec ses deux étages, ses deux ailes, sa fontaine au premier et sa petite porte au milieu, commençait à se moucheter de taches blanches sous le heurt des balles. Son perron de trois marches restait vide.

A côté de Frédéric, un homme en bonnet grec et portant une giberne par-dessus sa veste de tricot se disputait avec une femme coiffée d'un madras. Elle lui disait :

— «Mais reviens donc ! reviens donc ! »

— « Laisse-moi tranquille ! » répondait le mari. Tu peux bien surveiller la loge toute seule. Citoyen, je vous le demande, est-ce juste ? J'ai fait mon devoir partout, en 1830, en 32, en 34, en 39 ! Aujourd'hui, on se bat ! il faut que je me batte ! — Va-t'en ! »

Et la portière finit par céder à ses remontrances et à celles d'un garde national près d'eux, quadragénaire dont la figure bonasse était ornée d'un collier de barbe blonde. Il chargeait son arme et tirait, tout en conversant avec Frédéric, aussi tranquille au milieu de l'émeute qu'un horticulteur dans son jardin. Un jeune garçon [599] en serpillière le cajolait pour obtenir des capsules, afin d'utiliser

son fusil, une belle carabine de chasse, que lui avait donnée
« un monsieur ».

— « Empoigne dans mon dos, » dit le bourgeois, « et
efface-toi ! tu vas te faire tuer ! »

Les tambours battaient la charge. Des cris aigus, des
hourras de triomphe s'élevaient. Un remous continuel faisait osciller la multitude. Frédéric, pris entre deux masses
profondes, ne bougeait pas, fasciné d'ailleurs et s'amusant
extrêmement. Les blessés qui tombaient, les morts étendus
n'avaient pas l'air de vrais blessés, de vrais morts. Il lui
semblait assister à un spectacle.

Au milieu de la houle, par-dessus des têtes [600], on aperçut
un vieillard en habit noir sur un cheval blanc, à selle de
velours. D'une main, il tenait un rameau vert, de l'autre
un papier, et les secouait avec obstination. Enfin, désespérant de se faire entendre, il se retira.

La troupe de ligne avait disparu et les municipaux
restaient seuls à défendre le poste. Un flot d'intrépides
se rua sur le perron ; ils s'abattirent, d'autres survinrent ;
et la porte, ébranlée sous des coups de barre de fer, retentissait ; les municipaux ne cédaient pas. Mais une calèche
bourrée de foin, et qui brûlait comme une torche géante,
fut traînée contre les murs. On apporta vite des fagots,
de la paille, un baril d'esprit-de-vin. Le feu monta le long
des pierres ; l'édifice se mit à fumer partout comme une
solfatare ; et de larges flammes, au sommet, entre les balustres de la terrasse, s'échappaient avec un bruit strident.
Le premier étage du Palais-Royal s'était peuplé de gardes
nationaux. De toutes les fenêtres de la place, on tirait ; les
balles sifflaient ; l'eau de la fontaine crevée se mêlait avec le
sang, faisait des flaques par terre ; on glissait dans la boue
sur des vêtements [601], des shakos, des armes ; Frédéric
sentit sous son pied quelque chose de mou ; c'était la main
d'un sergent en capote grise, couché la face dans le ruisseau. Des bandes nouvelles [602] de peuple arrivaient toujours
poussant les combattants sur le poste. La fusillade devenait
plus pressée. Les marchands de vins [603] étaient ouverts ;
on allait de temps à autre y fumer une pipe, boire une chope,
puis on retournait se battre. Un chien perdu hurlait. Cela
faisait rire.

Frédéric fut ébranlé par le choc d'un homme qui, une
balle dans les reins, tomba sur son épaule en râlant.

A ce coup, dirigé peut-être contre lui, il se sentit furieux ;
et il se jetait en avant quand un garde national l'arrêta.

— « C'est inutile ! le Roi vient de partir. Ah ! si vous ne
me croyez pas, allez-y voir ! »

Une pareille assertion calma Frédéric. La place du Carrousel avait un aspect tranquille. L'hôtel de Nantes s'y dressait toujours solitairement ; et les maisons par derrière,
le dôme du Louvre en face, la longue galerie de bois à
droite et le vague terrain qui ondulait jusqu'aux baraques
des étalagistes étaient comme noyés dans la couleur grise
de l'air, où de lointains murmures semblaient se confondre
avec la brume, — tandis qu'à l'autre bout de la place, un
jour cru, tombant par un écartement des nuages sur la
façade des Tuileries, découpait en blancheur toutes ses
fenêtres. Il y avait près de l'Arc de triomphe [604] un cheval
mort, étendu. Derrière les grilles, des groupes de cinq à
six personnes causaient. Les portes du château étaient
ouvertes, les domestiques sur le seuil laissaient entrer.

En bas, dans une petite salle, des bols de café au lait
étaient servis. Quelques-uns des curieux s'attablèrent en
plaisantant ; les autres restaient debout, et, parmi ceux-là,
un cocher de fiacre. Il saisit à deux mains un bocal plein
de sucre en poudre, jeta un regard inquiet de droite et de
gauche, puis se mit à manger voracement, son nez plongeant dans le goulot. Au bas du grand escalier, un homme
écrivait son nom sur un registre. Frédéric le reconnut
par derrière.

— « Tiens, Hussonnet ! »

— « Mais oui, » répondit le bohème. « Je m'introduis à la
Cour. Voilà une bonne farce, hein ? »

— « Si nous montions ? »

Et ils arrivèrent dans la salle des Maréchaux. Les portraits
de ces illustres, sauf celui de Bugeaud percé au ventre,
étaient tous intacts. Ils se trouvaient appuyés sur leur sabre,
un affût de canon derrière eux, et dans des attitudes formidables jurant avec la circonstance. Une grosse pendule
marquait une heure vingt minutes.

Tout à coup _la Marseillaise_ [605] retentit. Hussonnet et
Frédéric se penchèrent sur la rampe. C'était le peuple. Il
se précipita dans l'escalier, en secouant à flots vertigineux
des têtes nues, des casques, des bonnets rouges, des baïonnettes et des épaules si impétueusement que des gens dis-

paraissaient dans cette masse grouillante qui montait toujours, comme un fleuve refoulé par une marée d'équinoxe,
avec un long mugissement, sous une impulsion irrésistible.
En haut [606], elle se répandit, et le chant tomba.

On n'entendait plus que les piétinements [607] de tous les
souliers, avec le clapotement des voix. La foule inoffensive
se contentait de regarder. Mais, de temps à autre, un coude
trop à l'étroit enfonçait une vitre ; ou bien un vase, une
statuette déroulait d'une console, par terre. Les boiseries
pressées craquaient. Tous les visages étaient rouges, la
sueur en coulait à larges gouttes ; Hussonnet fit cette
remarque :

— « Les héros ne sentent pas bon [608] ! »

— « Ah ! vous êtes agaçant, » reprit Frédéric.

Et poussés malgré eux, ils entrèrent dans un appartement où s'étendait, au plafond, un dais de velours rouge.
Sur le trône, en dessous, était assis un prolétaire à barbe
noire, la chemise entr'ouverte, l'air hilare et stupide comme
un magot. D'autres gravissaient l'estrade pour s'asseoir
à sa place.

— « Quel mythe ! » dit Hussonnet. « Voilà le peuple
souverain ! »

Le fauteuil fut enlevé à bout de bras, et traversa toute
la salle en se balançant.

— « Saprelotte ! comme il chaloupe ! Le vaisseau de
l'État est ballotté sur une mer orageuse ! Cancane-t-il !
cancane-t-il ! »

On l'avait approché d'une fenêtre, et, au milieu des sifflets,
on le lança.

— « Pauvre vieux ! » dit Hussonnet en le voyant tomber
dans le jardin, où il fut repris vivement pour être promené
ensuite jusqu'à la Bastille, et brûlé.

Alors, une joie frénétique éclata, comme si, à la place
du trône, un avenir de bonheur illimité avait paru ; et le
peuple, moins par vengeance que pour affirmer sa possession, brisa, lacéra les glaces et les rideaux, les lustres, les
flambeaux, les tables, les chaises, les tabourets, tous les
meubles, jusqu'à des albums de dessins, jusqu'à des corbeilles de tapisserie. Puisqu'on était victorieux, ne fallait-il
pas s'amuser ? La canaille s'affubla ironiquement de dentelles et de cachemires. Des crépines d'or s'enroulèrent
aux manches des blouses, des chapeaux à plumes d'au-

truche ornaient la tête des forgerons, des rubans de la
Légion d'honneur firent des ceintures aux prostituées.
Chacun satisfaisait son caprice ; les uns dansaient, d'autres
buvaient. Dans la chambre de la reine, une femme lustrait
ses bandeaux avec de la pommade ; derrière un paravent,
deux amateurs jouaient aux cartes ; Hussonnet montra à
Frédéric un individu qui fumait son brûle-gueule accoudé
sur un balcon ; et le délire redoublait son tintamarre
continu [609] des porcelaines brisées et des morceaux de
cristal qui sonnaient, en rebondissant, comme des lames
d'harmonica.

Puis la fureur s'assombrit. Une curiosité obscène fit
fouiller tous les cabinets, tous les recoins, ouvrir tous les
tiroirs. Des galériens enfoncèrent leurs bras dans la couche
des princesses, et se roulaient dessus par consolation de ne
pouvoir les violer. D'autres, à figures plus sinistres,
erraient silencieusement, cherchant à voler quelque chose ;
mais la multitude était trop nombreuse. Par les baies des
portes, on n'apercevait dans l'enfilade des appartements
que la sombre masse du peuple entre les dorures, sous un
nuage de poussière. Toutes les poitrines haletaient ; la
chaleur de plus en plus devenait suffocante ; les deux amis,
craignant d'être étouffés, sortirent.

Dans l'antichambre, debout sur un tas de vêtements,
se tenait une fille publique, en statue de la Liberté, — immobile, les yeux grands ouverts, effrayante.

Ils avaient fait trois pas dehors, quand un peloton de
gardes municipaux en capotes s'avança vers eux, et qui,
retirant leurs bonnets de police, et découvrant à la fois
leurs crânes un peu chauves, saluèrent le peuple très bas. A
ce témoignage de respect, les vainqueurs déguenillés se
rengorgèrent. Hussonnet et Frédéric ne furent pas, non
plus, sans en éprouver un certain plaisir.

Une ardeur les animait. Ils s'en retournèrent au Palais-
Royal. Devant la rue Fromanteau, des cadavres de soldats
étaient entassés sur de la paille. Ils passèrent auprès impas-
siblement, étant même fiers de sentir qu'ils faisaient bonne
contenance.

Le palais regorgeait de monde. Dans la cour intérieure,
sept bûchers flambaient. On lançait par les fenêtres des
pianos, des commodes et des pendules. Des pompes à
incendie crachaient de l'eau jusqu'aux toits. Des chenapans

tâchaient de couper des tuyaux avec leurs sabres. Frédéric
engagea un polytechnicien à s'interposer. Le polytechnicien ne comprit pas, semblait imbécile, d'ailleurs. Tout
autour, dans les deux galeries, la populace, maîtresse des
caves, se livrait à une horrible godaille. Le vin coulait
en ruisseaux, mouillait les pieds, les voyous buvaient dans
des culs de bouteille, et vociféraient en titubant.

— « Sortons de là, » dit Hussonnet, « ce peuple me
dégoûte. »

Tout le long de la galerie d'Orléans, des blessés gisaient
par terre sur des matelas, ayant pour couvertures des
rideaux de pourpre ; et de petites bourgeoises du quartier
leur apportaient des bouillons, du linge.

— « N'importe ! » dit Frédéric, « moi, je trouve le
peuple sublime. »

Le grand vestibule était rempli par un tourbillon de gens
furieux, des hommes voulaient monter aux étages supé-
rieurs pour achever de détruire tout ; des gardes nationaux
sur les marches s'efforçaient de les retenir. Le plus intrépide était un chasseur, nu-tête, la chevelure hérissée, les
buffleteries en pièces. Sa chemise faisait un bourrelet entre
son pantalon et son habit, et il se débattait au milieu des
autres avec acharnement. Hussonnet, qui avait la vue
perçante, reconnut de loin Arnoux.

Puis ils gagnèrent le jardin des Tuileries pour respirer
plus à l'aise. Ils s'assirent sur un banc ; et ils restèrent
pendant quelques minutes les paupières closes, tellement
étourdis qu'ils n'avaient pas la force de parler. Les passants,
autour d'eux, s'abordaient. La duchesse d'Orléans était
nommée régente ; tout était fini ; et on éprouvait cette
sorte de bien-être qui suit les dénouements rapides, quand
à chacune des mansardes du château parurent des domestiques déchirant leurs habits de livrée. Ils les jetaient dans
le jardin, en signe d'abjuration. Le peuple les hua. Ils se
retirèrent.

L'attention de Frédéric [610] et d'Hussonnet fut distraite
par un grand gaillard qui marchait vivement entre les
arbres, avec un fusil sur l'épaule. Une cartouchière lui
serrait à la taille sa vareuse rouge, un mouchoir s'enroulait
à son front sous sa casquette. Il tourna la tête. C'était
Dussardier ; et, se jetant dans leurs bras :

— « Ah ! quel bonheur, mes pauvres vieux ! » sans

pouvoir dire autre chose, tant il haletait de joie et de fatigue.

Depuis quarante-huit heures, il était debout. Il avait travaillé aux barricades du Quartier Latin, s'était battu rue Rambuteau, avait sauvé trois dragons, était entré aux Tuileries avec la colonne Dunoyer, s'était porté ensuite à la Chambre, puis à l'Hôtel de Ville.

— « J'en arrive ! tout va bien ! le peuple triomphe ! les ouvriers et les bourgeois s'embrassent ! Ah ! si vous saviez ce que j'ai vu ! quels braves gens ! comme c'est beau ! »

Et, sans s'apercevoir qu'ils n'avaient pas d'armes :

— « J'étais bien sûr de vous trouver là ! Ç'a été rude un moment, n'importe ! »

Une goutte de sang lui coulait sur la joue, et, aux questions des deux autres :

— « Oh ! rien ! l'éraflure d'une baïonnette ! »

— « Il faudrait vous soigner, pourtant. »

— « Bah ! je suis solide ! qu'est-ce que ça fait ? La République est proclamée ! on sera heureux maintenant ! Des journalistes qui causaient tout à l'heure devant moi disaient qu'on va affranchir la Pologne et l'Italie ! Plus de rois ! comprenez-vous ! Toute la terre libre ! toute la terre libre ! »

Et, embrassant l'horizon d'un seul regard, il écarta les bras dans une attitude triomphante. Mais une longue file d'hommes couraient sur la terrasse, au bord de l'eau.

— « Ah ! saprelotte ! j'oubliais ! Les forts sont occupés. Il faut que j'y aille ! adieu ! »

Il se retourna pour leur crier, tout en brandissant son fusil :

— « Vive la République ! »

Des cheminées du château, il s'échappait d'énormes tourbillons de fumée noire qui emportaient des étincelles. La sonnerie des cloches faisait, au loin, comme des bêlements effarés. De droite et de gauche, partout, les vainqueurs déchargeaient leurs armes. Frédéric, bien qu'il ne fût pas guerrier, sentit bondir son sang gaulois. Le magnétisme des foules enthousiastes l'avait pris. Il humait voluptueusement l'air orageux, plein des senteurs de la poudre ; et cependant il frissonnait sous les effluves d'un immense amour, d'un attendrissement suprême et universel, comme si le cœur de l'humanité tout entière avait battu dans sa poitrine.

Hussonnet dit [611], en bâillant :

— « Il serait temps, peut-être, d'aller instruire les populations ! »

Frédéric le suivit à son bureau de correspondance, place de la Bourse ; et il se mit à composer pour le journal de Troyes [612] un compte rendu des événements en style lyrique, un véritable morceau, — qu'il signa. Puis ils dînèrent ensemble dans une taverne. Hussonnet était pensif ; les excentricités de la Révolution dépassaient les siennes.

Après le café [613], quand ils se rendirent à l'Hôtel de Ville, pour savoir du nouveau, son naturel gamin avait repris le dessus. Il escaladait les barricades, comme un chamois, et répondait aux sentinelles des gaudrioles patriotiques.

Ils entendirent, à la lueur des torches, proclamer le Gouvernement provisoire. Enfin, à minuit, Frédéric, brisé de fatigue, regagna sa maison.

— « Eh bien, » dit-il à son domestique en train de le déshabiller, « es-tu content ? »

— « Oui, sans doute, monsieur ! Mais ce que je n'aime pas, c'est ce peuple en cadence ! »

Le lendemain, à son réveil, Frédéric pensa à Deslauriers. Il courut chez lui. L'avocat venait de partir, étant nommé commissaire en province. Dans la soirée de la veille, il était parvenu jusqu'à Ledru-Rollin, et, l'obsédant au nom des Écoles, en avait arraché une place, une mission. Du reste, disait le portier, il devait écrire la semaine prochaine, pour donner son adresse.

Après quoi, Frédéric s'en alla voir la Maréchale. Elle le reçut aigrement, car elle lui en voulait de son abandon. Sa rancune [614] s'évanouit sous des assurances de paix réitérées. Tout était tranquille, maintenant, aucune raison d'avoir peur ; il l'embrassait ; et elle se déclara pour la République. — comme avait déjà fait Monseigneur l'Archevêque de Paris, et comme devaient faire avec une prestesse de zèle merveilleuse : la Magistrature [615], le Conseil d'État, l'Institut, les Maréchaux de France, Changarnier, M. de Falloux, tous les bonapartistes, tous les légitimistes, et un nombre considérable d'orléanistes.

La chute de la Monarchie avait été si prompte que, la

première stupéfaction passée, il y eut chez les bourgeois
comme un étonnement de vivre encore. L'exécution sommaire de quelques voleurs, fusillés sans jugements [616],
parut une chose très juste. On se redit, pendant un mois,
la phrase de Lamartine sur le drapeau rouge, « qui n'avait
fait que le tour du Champ de Mars, tandis que le drapeau
tricolore », etc. ; et tous se rangèrent sous son ombre,
chaque parti ne voyant des trois couleurs que la sienne — et
se promettant bien, dès qu'il serait le plus fort, d'arracher
les deux autres.

Comme les affaires étaient suspendues, l'inquiétude et la
badauderie poussaient tout le monde hors de chez soi.
Le négligé des costumes atténuait la différence des rangs
sociaux, la haine se cachait, les espérances s'étalaient, la
foule était pleine de douceur. L'orgueil d'un droit conquis
éclatait sur les visages. On avait une gaieté de carnaval, des
allures de bivac [617] ; rien ne fut amusant comme l'aspect
de Paris, les premiers jours.

Frédéric prenait la Maréchale à son bras ; et ils flânaient
ensemble dans les rues. Elle se divertissait des rosettes
décorant toutes les boutonnières, des étendards suspendus
à toutes les fenêtres, des affiches de toute couleur placardées
contre les murailles, et jetait çà et là quelque monnaie dans
le tronc pour les blessés, établi sur une chaise, au milieu
de la voie. Puis elle s'arrêtait devant des caricatures qui
représentaient Louis-Philippe en pâtissier, en saltim-
banque, en chien, en sangsue. Mais les hommes de Caussidière [618], avec leur sabre et leur écharpe, l'effrayaient un
peu. D'autres fois, c'était un arbre de la Liberté qu'on
plantait. MM. les ecclésiastiques concouraient à la cérémonie,
bénissant la République, escortés par des serviteurs à
galons d'or ; et la multitude trouvait cela très bien. Le
spectacle le plus fréquent était celui des députations de
n'importe quoi, allant réclamer quelque chose à l'Hôtel
de Ville, — car chaque métier, chaque industrie attendait
du Gouvernement la fin radicale de sa misère. Quelques-
uns, il est vrai, se rendaient près de lui pour le conseiller,
ou le féliciter, ou tout simplement pour lui faire une petite
visite, et voir fonctionner la machine.

Vers le milieu du mois de mars, un jour qu'il traversait
le pont d'Arcole, ayant à faire une commission pour
Rosanette dans le Quartier Latin, Frédéric vit s'avancer

une colonne d'individus à chapeaux bizarres, à longues barbes. En tête et battant du tambour marchait un nègre, un ancien modèle d'atelier, et l'homme qui portait la bannière sur laquelle flottait au vent cette inscription : « Artistes peintres, » n'était autre que Pellerin.

Il fit signe à Frédéric de l'attendre, puis reparut cinq minutes après, ayant du temps devant lui, car le Gouvernement recevait à ce moment-là les tailleurs de pierre. Il allait avec ses collègues réclamer la création d'un Forum de l'Art, une espèce de Bourse où l'on débattrait les intérêts de l'Esthétique ; des œuvres sublimes se produiraient puisque les travailleurs mettraient en commun leur génie. Paris, bientôt, serait couvert de monuments gigantesques ; il les décorerait ; il avait même commencé une figure de la République. Un de ses camarades [619] vint le prendre, car ils étaient talonnés par la députation du commerce de la volaille.

— « Quelle bêtise ! » grommela une voix dans la foule. « Toujours des blagues ! Rien de fort ! »

C'était Regimbart. Il ne salua pas Frédéric, mais profita de l'occasion pour épandre son amertume.

Le Citoyen employait ses jours à vagabonder dans les rues, tirant sa moustache, roulant ses yeux, acceptant et propageant des nouvelles lugubres ; et il n'avait que deux phrases : « Prenez garde, nous allons être débordés ! » ou bien : « Mais, sacrebleu ! on escamote la République ! » Il était mécontent de tout, et particulièrement de ce que nous n'avions pas repris nos frontières naturelles. Le nom seul de Lamartine lui faisait hausser les épaules. Il ne trouvait pas Ledru-Rollin « suffisant pour le problème », traita Dupont (de l'Eure) de vieille ganache ; Albert, d'idiot ; Louis Blanc, d'utopiste ; Blanqui, d'homme extrêmement dangereux ; et, quand Frédéric lui demanda ce qu'il aurait fallu faire, il répondit en lui serrant le bras à le broyer :

— « Prendre le Rhin, je vous dis, prendre le Rhin ! fichtre ! »

Puis il accusa la réaction.

Elle se démasquait. Le sac des châteaux [620] de Neuilly et de Suresne, l'incendie des Batignolles, les troubles de Lyon, tous les excès, tous les griefs, on les exagérait à présent, en y ajoutant la circulaire de Ledru-Rollin, le

cours forcé des billets de Banque, la rente tombée à soixante
francs, enfin, comme iniquité suprême, comme dernier coup,
comme surcroît d'horreur, l'impôt des quarante-cinq [621]
centimes ! — Et, par-dessus tout cela, il y avait encore le
Socialisme ! Bien que ces théories, aussi neuves que le jeu
d'oie, eussent été depuis quarante ans suffisamment débat-
tues pour emplir des bibliothèques, elles épouvantèrent les
bourgeois [622], comme une grêle d'aérolithes ; et on fut
indigné, en vertu de cette haine que provoque l'avènement
de toute idée parce que c'est une idée, exécration dont elle
tire plus tard sa gloire, et qui fait que ses ennemis sont
toujours au-dessous d'elle, si médiocre qu'elle puisse être.

Alors, la Propriété monta dans les respects au niveau
de la Religion et se confondit avec Dieu. Les attaques qu'on
lui portait parurent du sacrilège, presque de l'anthropo-
phagie. Malgré la législation la plus humaine qui fut jamais,
le spectre de 93 reparut, et le couperet de la guillotine vibra
dans toutes les syllabes du mot République ; — ce qui
n'empêchait pas qu'on la méprisait pour sa faiblesse. La
France, ne sentant plus de maître, se mit à crier d'effare-
ment, comme un aveugle sans bâton, comme un marmot
qui a perdu sa bonne.

De tous les Français, celui qui tremblait le plus fort était
M. Dambreuse. L'état nouveau des choses menaçait sa
fortune, mais surtout dupait son expérience. Un système
si bon, un roi si sage ! était-ce possible ! La terre allait
crouler ! Dès le lendemain, il congédia trois domestiques,
vendit ses chevaux, s'acheta, pour sortir dans les rues, un
chapeau mou, pensa même à laisser croître sa barbe ;
et il restait chez lui, prostré, se repaissant amèrement
des journaux les plus hostiles à ses idées, et devenu
tellement sombre que les plaisanteries sur la pipe de
Flocon [623] n'avaient pas même la force de le faire sourire.

Comme soutien du dernier règne, il redoutait les ven-
geances du peuple sur ses propriétés de la Champagne,
quand l'élucubration de Frédéric [624] lui tomba dans les
mains. Alors il s'imagina que son jeune ami était un personnage très influent et qu'il pourrait sinon le servir,
du moins le défendre ; de sorte qu'un matin M. Dambreuse
se présenta chez lui, accompagné de Martinon.

Cette visite n'avait pour but, dit-il, que de le voir un
peu et de causer. Somme toute, il se réjouissait des événe-

ments, et il adoptait de grand cœur « notre sublime devise :
« *Liberté*, *Egalité*, *Fraternité*, ayant toujours été républicain,
au fond ». S'il votait, sous l'autre régime, avec le ministère,
c'était simplement pour accélérer une chute inévitable.
Il s'emporta même contre M. Guizot, « qui nous a mis
dans un joli pétrin, convenons-en ! » En revanche, il
admirait beaucoup Lamartine, lequel s'était montré « magnifique, ma parole d'honneur, quand, à propos du drapeau
rouge... »

— « Oui ! je sais, » dit Frédéric.

Après quoi, il déclara sa sympathie pour les ouvriers.

— « Car enfin, plus ou moins, nous sommes tous ouvriers ! » Et il poussait l'impartialité jusqu'à reconnaître
que Proudhon avait de la logique. « Oh ! beaucoup de
logique ! diable ! » Puis, avec le détachement d'une intelligence supérieure, il causa de l'exposition de peinture où
il avait vu le tableau de Pellerin. Il trouvait cela original,
bien touché.

Martinon appuyait tous ses mots par des remarques
approbatives ; lui aussi pensait qu'il fallait « se rallier franchement à la République », et il parla de son père labou-
reur, faisait le paysan, l'homme du peuple. On arriva
bientôt aux élections pour l'Assemblée nationale, et aux
candidats dans l'arrondissement de la Fortelle. Celui de
l'opposition n'avait pas de chances.

— « Vous devriez prendre sa place ! » dit M. Dambreuse.

Frédéric se récria.

— « Eh ! pourquoi donc ? » car il obtiendrait les suf-
frages des ultras, vu ses opinions personnelles, celui des
conservateurs, à cause de sa famille. « Et peut-être aussi,
ajouta le banquier en souriant, « grâce » un peu à mon
influence ».

Frédéric objecta qu'il ne saurait comment s'y prendre.
Rien de plus facile, en se faisant recommander aux patriotes
de l'Aube par un club de la capitale. Il s'agissait de lire,
non une profession de foi comme on en voyait quotidiennement, mais une exposition de principes sérieuse.

— « Apportez-moi cela ; je sais ce qui convient dans la
localité ! Et vous pourriez, je vous le répète, rendre de
grands services au pays, à nous tous, à moi-même. »

Par des temps pareils, on devait s'entr'aider, et, si
Frédéric avait besoin de quelque chose, lui, ou ses amis...

— « Oh ! mille grâces, cher monsieur ! »

— « A charge de revanche, bien entendu ! »

Le banquier était un brave homme, décidément. Frédéric ne put s'empêcher de réfléchir à son conseil ; et bientôt, une sorte de vertige l'éblouit.

Les grandes figures de la Convention passèrent devant ses yeux. Il lui sembla qu'une aurore magnifique allait se lever. Rome, Vienne, Berlin étaient en insurrection, les Autrichiens chassés de Venise ; toute l'Europe s'agitait. C'était l'heure de se précipiter dans le mouvement, de l'accélérer peut-être ; et puis il était séduit par le costume que les députés, disait-on, porteraient. Déjà, il se voyait en gilet à revers avec une ceinture tricolore ; et ce prurit, cette hallucination devint si forte qu'il s'en ouvrit à Dussardier.

L'enthousiasme du brave garçon ne faiblissait pas.

— « Certainement, bien sûr ! Présentez-vous ! »

Frédéric, néanmoins, consulta Deslauriers. L'opposition idiote qui entravait le commissaire dans sa province avait augmenté son libéralisme. Il lui envoya immédiatement des exhortations violentes.

Cependant, Frédéric avait besoin d'être approuvé par un plus grand nombre ; et il confia la chose à Rosanette, un jour que Mlle Vatnaz se trouvait là.

Elle était une de ces célibataires parisiennes qui, chaque soir, quand elles ont donné leurs leçons, ou tâché de vendre de petits dessins, de placer de pauvres manuscrits, rentrent chez elles avec de la crotte à leurs jupons, font leur dîner, le mangent toutes seules, puis, les pieds sur une chaufferette, à la lueur d'une lampe malpropre, rêvent un amour, une famille, un foyer, la fortune, tout ce qui leur manque. Aussi, comme beaucoup d'autres, avait-elle salué dans la Révolution l'avènement de la vengeance ; — et elle se livrait à une propagande socialiste effrénée.

L'affranchissement du prolétaire [625], selon la Vatnaz, n'était possible que par l'affranchissement de la femme [626]. Elle voulait son admissibilité à tous les emplois, la recherche de la paternité, un autre code, l'abolition, ou tout au moins « une réglementation du mariage plus intelligente ». Alors, chaque Française serait tenue d'épouser un Français ou d'adopter un vieillard. Il fallait que les nourrices et les accoucheuses fussent des fonctionnaires salariés par l'État ;

qu'il y eût un jury pour examiner les œuvres de femmes, des éditeurs spéciaux pour les femmes, une école polytechnique pour les femmes, une garde nationale pour les femmes, tout pour les femmes ! Et, puisque le Gouvernement méconnaissait leurs droits, elles devaient vaincre la force par la force. Dix mille citoyennes, avec de bons fusils, pouvaient faire trembler l'Hôtel de Ville !

La candidature de Frédéric lui parut favorable à ses idées. Elle l'encouragea, en lui montrant la gloire à l'horizon. Rosanette se réjouit d'avoir un homme qui parlerait à la Chambre.

— « Et puis on te donnera, peut-être, une bonne place. »

Frédéric, homme de toutes les faiblesses, fut gagné par la démence universelle. Il écrivit un discours, et alla le faire voir à M. Dambreuse.

Au bruit de la grande porte qui retombait, un rideau s'entr'ouvrit derrière une croisée ; une femme y parut. Il n'eut pas le temps de la reconnaître ; mais, dans l'antichambre, un tableau l'arrêta, le tableau de Pellerin, posé sur une chaise, provisoirement sans doute.

Cela représentait la République, ou le Progrès, ou la Civilisation, sous la figure de Jésus-Christ conduisant une locomotive, laquelle traversait une forêt vierge. Frédéric, après une minute de contemplation, s'écria :

— « Quelle turpitude ! »

— « N'est-ce pas, hein ? » dit M. Dambreuse, survenu sur cette parole et s'imaginant qu'elle concernait non la peinture, mais la doctrine glorifiée par le tableau. Martinon arriva au même moment. Ils passèrent dans le cabinet ; et Frédéric tirait un papier de sa poche, quand Mlle Cécile, entrant tout à coup, articula d'un air ingénu :

— « Ma tante est-elle ici ? »

— « Tu sais bien que non », répliqua le banquier. « N'importe ! faites comme chez vous, mademoiselle. »

— « Oh ! merci ! je m'en vais. »

A peine sortie [627], Martinon eut l'air de chercher son mouchoir.

— « Je l'ai oublié dans mon paletot, excusez-moi ! »

— « Bien [628] ! » dit M. Dambreuse.

Évidemment, il n'était pas dupe de cette manœuvre, et même semblait la favoriser. Pourquoi ? Mais bientôt Martinon reparut, et Frédéric entama son discours. Dès la

seconde page, qui signalait comme une honte la prépondé-
rance des intérêts pécuniaires, le banquier fit la grimace.
Puis, abordant les réformes, Frédéric demandait la liberté
du commerce.

— « Comment... ? mais permettez ! »

L'autre n'entendait pas, et continua. Il réclamait l'impôt
sur la rente, l'impôt progressif, une fédération européenne,
et l'instruction du peuple, des encouragements aux beaux-
arts les plus larges.

— « Quand le pays fournirait à des hommes comme
Delacroix ou Hugo cent mille francs de rente, où serait le
mal ? »

Le tout finissait par des conseils aux classes supérieures.

— « N'épargnez rien, ô riches ! donnez ! donnez ! »
Il s'arrêta, et resta debout. Ses deux auditeurs assis ne
parlaient pas ; Martinon écarquillait les yeux, M. Dambreuse
était tout pâle. Enfin dissimulant son émotion sous un
aigre sourire :

— « C'est parfait, votre discours ! » Et il en vanta beaucoup la forme, pour n'avoir pas à s'exprimer sur le fond.

Cette virulence de la part d'un jeune homme inoffensif
l'effrayait, surtout comme symptôme. Martinon tâcha de
le rassurer. Le parti conservateur, d'ici peu [629], prendrait
sa revanche, certainement ; dans plusieurs villes on avait
chassé les commissaires du gouvernement provisoire :
les élections n'étaient fixées qu'au 23 avril, on avait du
temps ; bref, il fallait que M. Dambreuse, lui-même, se
présentât dans l'Aube ; et, dès lors, Martinon ne le quitta
plus, devint son secrétaire et l'entoura de soins filiaux.

Frédéric arriva fort content de sa personne chez Rosanette. Delmar y était, et lui apprit que « définitivement »
il se portait comme candidat aux élections de la Seine. Dans
une affiche adressée « au Peuple » et où il le tutoyait, l'acteur se vantait de le comprendre, « lui », et de s'être fait,
pour son salut, « crucifier par l'Art », si bien qu'il était son
incarnation, son idéal ; — croyant effectivement avoir sur
les masses une influence énorme, jusqu'à proposer plus
tard dans un bureau de ministère de réduire une émeute
à lui seul ; et, quant aux moyens qu'il emploierait, il fit
cette réponse :

— « N'ayez pas peur ! Je leur montrerai ma tête ! »

Frédéric, pour le mortifier, lui notifia sa propre candi-

dature. Le cabotin [630], du moment que son futur collègue
visait la province, se déclara son serviteur et offrit de le
piloter dans les clubs.

Ils les visitèrent tous, ou presque tous, les rouges et les
bleus, les furibonds et les tranquilles, les puritains, les
débraillés, les mystiques et les pochards, ceux où l'on
décrétait la mort des rois, ceux où l'on dénonçait les fraudes
de l'épicerie ; et, partout, les locataires maudissaient les
propriétaires, la blouse s'en prenait à l'habit, et les riches
conspiraient contre les pauvres. Plusieurs voulaient des
indemnités comme anciens martyrs de la police, d'autres
imploraient de l'argent pour mettre en jeu des inventions,
ou bien c'étaient des plans de phalanstères, des projets de
bazars cantonaux, des systèmes de félicité publique ; — puis,
çà et là, un éclair d'esprit dans ces nuages de sottise, des
apostrophes, soudaines comme des éclaboussures, le droit
formulé par un juron, et des fleurs d'éloquence aux lèvres
d'un goujat, portant à cru le baudrier d'un sabre sur sa
poitrine sans chemise. Quelquefois aussi figurait un
monsieur, aristocrate humble d'allures, disant des choses
plébéiennes, et qui ne s'était pas lavé les mains pour les
faire paraître calleuses. Un patriote [631] le reconnaissait,
les plus vertueux le houspillaient ; et il sortait la rage dans
l'âme. On devait, par affectation de bon sens, dénigrer
toujours les avocats, et servir le plus souvent possible ces
locutions : « apporter sa pierre à l'édifice, — problème
social, — atelier. »

Delmar ne ratait pas les occasions d'empoigner la parole ;
et, quand il ne trouvait plus rien à dire, sa ressource était
de se camper le poing sur la hanche, l'autre bras dans le gilet,
en se tournant de profil, brusquement, de manière à bien
montrer sa tête. Alors, des applaudissements éclataient,
ceux de Mlle Vatnaz au fond de la salle.

Frédéric, malgré la faiblesse des orateurs, n'osait se
risquer. Tous ces gens lui semblaient trop incultes ou trop
hostiles.

Mais Dussardier se mit en recherche, et lui annonça
qu'il existait, rue Saint-Jacques, un club intitulé *le Club
de l'Intelligence*. Un nom pareil donnait bon espoir. D'ailleurs,
il amènerait des amis.

Il amena ceux qu'il avait invités à son punch : le teneur
de livres, le placeur de vins, l'architecte ; Pellerin même

était venu, peut-être qu'Hussonnet allait venir ; et sur le trottoir, devant la porte, stationnait Regimbart avec deux individus, dont le premier était son fidèle Compain, homme un peu courtaud, marqué de petite vérole, les yeux rouges ; et le second, une espèce de singe-nègre, extrêmement chevelu, et qu'il connaissait seulement pour être « un patriote de Barcelone ».

Ils passèrent par une allée, puis furent introduits dans une grande pièce, à usage de menuisier sans doute, et dont les murs encore neufs sentaient le plâtre. Quatre quinquets accrochés parallèlement y faisaient une lumière désagréable. Sur une estrade, au fond, il y avait un bureau avec une sonnette, en dessous une table figurant la tribune, et de chaque côté deux autres plus basses, pour les secrétaires. L'auditoire qui garnissait les bancs était composé de vieux rapins, de pions, d'hommes de lettres inédits. Sur ces lignes de paletots à collets gras, on voyait de place en place le bonnet d'une femme ou le bourgeron d'un ouvrier. Le fond de la salle était même plein d'ouvriers, venus là sans doute par désœuvrement, ou qu'avaient introduits des orateurs pour se faire applaudir.

Frédéric eut soin de se mettre entre Dussardier et Regimbart, qui, à peine assis, posa ses deux mains sur sa canne, son menton sur ses deux mains et ferma les paupières, tandis qu'à l'autre extrémité de la salle Delmar, debout, dominait l'assemblée.

Au bureau du président, Sénécal parut.

Cette surprise, avait pensé le bon commis, plairait à Frédéric. Elle le contraria.

La foule témoignait à son président une grande déférence. Il était de ceux qui, le 25 février, avaient voulu l'organisation immédiate du travail [632] ; le lendemain, au Prado, il s'était prononcé pour qu'on attaquât l'Hôtel de Ville ; et, comme chaque personnage se réglait alors sur un modèle, l'un copiant Saint-Just, l'autre Danton, l'autre Marat, lui, il tâchait de ressembler à Blanqui, lequel imitait Robespierre. Ses gants noirs et ses cheveux en brosse lui donnaient un aspect rigide, extrêmement convenable.

Il ouvrit la séance par la déclaration des Droits de l'homme et du citoyen, acte de foi habituel. Puis une voix vigoureuse entonna *les Souvenirs du peuple* de Béranger.

D'autres voix s'élevèrent.

— « Non ! non ! pas ça ! »

— « *La Casquette !* » se mirent à hurler, au fond, les patriotes.

Et ils chantèrent en chœur la poésie du jour :

> *Chapeau bas devant ma casquette,*
> *A genoux devant l'ouvrier !*

Sur un mot du président, l'auditoire se tut. Un des secrétaires [633] procéda au dépouillement des lettres.

— « Des jeunes gens annoncent qu'ils brûlent chaque soir devant le Panthéon un numéro de l'*Assemblée nationale* [634], et ils engagent tous les patriotes à suivre leur exemple. »

— « Bravo ! adopté ! » répondit la foule.

— « Le citoyen Jean-Jacques Langreneux, typographe, rue Dauphine, voudrait qu'on élevât un monument à la mémoire des martyrs de thermidor [635]. »

— « Michel-Évariste-Népomucène Vincent, ex-professeur, émet le vœu que la démocratie européenne adopte l'unité de langage. On pourrait se servir d'une langue morte, comme par exemple du latin perfectionné. »

— « Non ! pas de latin ! » s'écria l'architecte.

— « Pourquoi ? » reprit un maître d'études.

Et ces deux messieurs engagèrent une discussion, où d'autres se mêlèrent, chacun jetant son mot pour éblouir, et qui ne tarda pas à devenir tellement fastidieuse que beaucoup s'en allaient.

Mais un petit vieillard, portant au bas de son front prodigieusement haut des lunettes vertes, réclama la parole pour une communication urgente.

C'était un mémoire sur la répartition des impôts. Les chiffres découlaient, cela n'en finissait plus ! L'impatience éclata d'abord en murmures, en conversations ; rien ne le troublait. Puis on se mit à siffler, on appelait « Azor » ; Sénécal gourmanda le public ; l'orateur continuait comme une machine. Il fallut, pour l'arrêter, le prendre par le coude. Le bonhomme [636] eut l'air de sortir d'un songe, et, levant tranquillement ses lunettes :

— « Pardon ! citoyens ! pardon ! Je me retire ! mille excuses ! »

L'insuccès de cette lecture déconcerta Frédéric. Il

avait son discours dans sa poche, mais une improvisation eût mieux valu.

Enfin, le président annonça qu'ils allaient passer à l'affaire importante, la question électorale. On ne discuterait pas les grandes listes républicaines. Cependant, *le Club de l'Intelligence* avait bien le droit, comme un autre, d'en former une, « n'en déplaise à MM. les pachas de l'Hôtel de Ville », et les citoyens qui briguaient le mandat populaire pouvaient exposer leurs titres.

— « Allez-y donc ! » dit Dussardier,

Un homme en soutane, crépu, et de physionomie pétulante, avait déjà levé la main. Il déclara, en bredouillant, s'appeler Ducretot, prêtre et agronome, auteur d'un ouvrage intitulé *Des engrais*. On le renvoya vers un cercle horticole.

Puis un patriote en blouse gravit la tribune. Celui-là était un plébéien, large d'épaules, une grosse figure très douce et de longs cheveux noirs. Il parcourut l'assemblée d'un regard presque voluptueux, se renversa la tête, et enfin, écartant les bras :

— « Vous avez repoussé Ducretot, ô mes frères ! et vous avez bien fait, mais ce n'est pas par irréligion, car nous sommes tous religieux. »

Plusieurs écoutaient la bouche ouverte, avec des airs de catéchumènes, des poses extatiques.

— « Ce n'est pas, non plus, parce qu'il est prêtre, car, nous aussi, nous sommes prêtres ! L'ouvrier est prêtre, comme l'était le fondateur du socialisme, notre Maître à tous, Jésus-Christ ! »

Le moment était venu d'inaugurer le règne de Dieu ! L'Évangile conduisait tout droit à 89 ! Après l'abolition de l'esclavage, l'abolition du prolétariat. On avait eu l'âge de haine, allait commencer l'âge d'amour.

— « Le christianisme est la clef de voûte et le fondement de l'édifice nouveau... »

— « Vous fichez-vous de nous ? » s'écria le placeur d'alcools. « Qu'est-ce qui m'a donné un calotin pareil ! »

Cette interruption causa un grand scandale. Presque tous montèrent sur les bancs, et, le poing tendu, vociféraient : « Athée ! aristocrate ! canaille ! » pendant que la sonnette du président tintait sans discontinuer et que les cris « A l'ordre ! à l'ordre ! » redoublaient. Mais, intrépide, et soutenu d'ailleurs par « trois cafés » pris avant de venir, il se débattait au milieu des autres.

— « Comment, moi ! un aristocrate ? allons donc ! »

Admis enfin à s'expliquer, il déclara qu'on ne serait jamais tranquille avec les prêtres, et, puisqu'on avait parlé tout à l'heure d'économies, c'en serait une fameuse que de supprimer les églises, les saints ciboires, et finalement tous les cultes.

Quelqu'un lui objecta qu'il allait loin.

— « Oui ! je vais loin ! Mais, quand un vaisseau est surpris par la tempête... »

Sans attendre la fin de la comparaison, un autre lui répondit :

— « D'accord ! mais c'est démolir d'un seul coup, comme un maçon sans discernement... »

— « Vous insultez les maçons ! » hurla un citoyen couvert de plâtre ; et, s'obstinant à croire qu'on l'avait provoqué, il vomit des injures, voulait se battre, se cramponnait à son banc. Trois hommes ne furent pas de trop pour le mettre dehors.

Cependant, l'ouvrier se tenait toujours à la tribune. Les deux secrétaires l'avertirent d'en descendre. Il protesta contre le passe-droit qu'on lui faisait.

— Vous ne m'empêcherez pas de crier : amour éternel à notre chère France ! amour éternel aussi à la République ! »

— « Citoyens ! » dit alors Compain, « citoyens ! »

Et, à force de répéter : « Citoyens », ayant obtenu un peu de silence, il appuya sur la tribune ses deux mains rouges, pareilles à des moignons, se porta le corps en avant, et, clignant des yeux :

— « Je crois qu'il faudrait donner une plus large extension à la tête de veau ».

Tous se taisaient, croyant avoir mal entendu.

— « Oui ! la tête de veau ! »

Trois cents rires éclatèrent d'un seul coup. Le plafond trembla. Devant toutes ces faces bouleversées par la joie, Compain se reculait. Il reprit d'un ton furieux :

— « Comment ! vous ne connaissez pas la tête de veau ! »

Ce fut un paroxysme, un délire. On se pressait les côtes.. Quelques-uns même tombaient par terre, sous les bancs. Compain, n'y tenant plus, se réfugia près de Regimbart et il voulait l'entraîner.

— « Non ! je reste jusqu'au bout ! » dit le Citoyen.

Cette réponse détermina Frédéric ; et, comme il cherchait de droite et de gauche ses amis pour le soutenir, il aperçut, devant lui, Pellerin à la tribune. L'artiste le prit de haut avec la foule.

— « Je voudrais savoir un peu où est le candidat de l'Art dans tout cela ? Moi, j'ai fait un tableau... »

— « Nous n'avons que faire des tableaux ! » dit brutalement un homme maigre, ayant des plaques rouges aux pommettes.

Pellerin se récria qu'on l'interrompait.

Mais l'autre, d'un ton tragique :

— « Est-ce que le Gouvernement n'aurait pas dû déjà abolir, par un décret, la prostitution et la misère ? »

Et, cette parole lui ayant livré tout de suite la faveur du peuple, il tonna contre la corruption des grandes villes.

— « Honte et infamie ! On devrait happer les bourgeois au sortir de la Maison d'Or et leur cracher à la figure ! Au moins, si le Gouvernement ne favorisait pas la débauche ! Mais les employés de l'octroi sont envers nos filles et nos sœurs d'une indécence... »

Une voix proféra de loin :

— « C'est rigolo ! »

— « A la porte ! »

— « On tire de nous des contributions pour solder le libertinage ! Ainsi, les forts appointements d'acteur... »

— « A moi ! » s'écria Delmar.

Il bondit à la tribune, écarta tout le monde, prit sa pose ; et, déclarant qu'il méprisait d'aussi plates accusations, s'étendit sur la mission civilisatrice du comédien. Puisque le théâtre était le foyer de l'instruction nationale, il votait pour la réforme du théâtre ; et, d'abord, plus de directions, plus de privilèges !

— « Oui ! d'aucune sorte ! »

Le jeu de l'acteur échauffait la multitude, et des motions subversives se croisaient.

— « Plus d'académies ! plus d'Institut ! »

— « Plus de missions ! »

— « Plus de baccalauréat ! »

— « A bas les grades universitaires ! »

— « Conservons-les », dit Sénécal, « mais qu'ils soient conférés par le suffrage universel, par le Peuple, seul vrai juge ! »

Le plus utile, d'ailleurs, n'était pas cela. Il fallait d'abord passer le niveau sur la tête des riches ! Et il les représenta se gorgeant de crimes sous leurs plafonds dorés, tandis que les pauvres, se tordant de faim dans leurs galetas, cultivaient toutes les vertus. Les applaudissements devinrent si forts qu'il s'interrompit. Pendant quelques minutes, il resta les paupières closes, la tête renversée et comme se berçant sur cette colère qu'il soulevait.

Puis, il se remit à parler d'une façon dogmatique, en phrases impérieuses comme des lois. L'État devait s'emparer de la Banque et des Assurances. Les héritages seraient abolis. On établirait un fonds social pour les travailleurs. Bien d'autres mesures étaient bonnes dans l'avenir. Celles-là, pour le moment, suffisaient ; et, revenant aux élections :

— « Il nous faut des citoyens purs, des hommes entièrement neufs ! Quelqu'un se présente-t-il ? »

Frédéric se leva. Il y eut un bourdonnement d'approbation causé par ses amis. Mais Sénécal, prenant une figure à la Fouquier-Tinville, se mit à l'interroger sur ses nom, prénoms, antécédents, vie et mœurs.

Frédéric lui répondait sommairement et se mordait les lèvres. Sénécal demanda si quelqu'un voyait un empêchement à cette candidature.

— « Non ! Non ! »

Mais, lui, il en voyait. Tous se penchèrent et tendirent les oreilles. Le citoyen postulant n'avait pas livré une certaine somme promise pour une fondation démocratique, un journal. De plus, le 22 février, bien que suffisamment averti, il avait manqué au rendez-vous, place du Panthéon.

— « Je jure qu'il était aux Tuileries ! » s'écria Dussardier.

— « Pouvez-vous jurer l'avoir vu au Panthéon ? »

Dussardier baissa la tête. Frédéric se taisait ; ses amis scandalisés le regardaient avec inquiétude.

— « Au moins », reprit Sénécal, « connaissez-vous un patriote qui nous réponde de vos principes ? »

— « Moi ! » dit Dussardier.

— « Oh ! cela ne suffit pas ! un autre ! »

Frédéric se tourna vers Pellerin. L'artiste lui répondit par une abondance de gestes qui signifiait :

— « Ah ! mon cher, ils m'ont repoussé ! Diable ! que voulez-vous ! »

Alors Frédéric poussa du coude Regimbart.

— « Oui ! c'est vrai ! il est temps ! j'y vais ! »

Et Regimbart enjamba l'estrade ; puis, montrant l'Espagnol qui l'avait suivi :

— « Permettez-moi, citoyens, de vous présenter un patriote de Barcelone ! »

Le patriote fit un grand salut, roula comme un automate ses yeux d'argent, et, la main sur le cœur :

— « Ciudadanos ! mucho aprecio el honor que me dispensais, y si grande es vuestra bondad mayor es vuestro atencion. »

— « Je réclame la parole ! » cria Frédéric.

— « Desde que se proclamo la constitucion de Cadiz, ese pacto fundamental de las libertades espanolas, hasta la ultima revolucion, nuestra patria cuenta numerosos y heroicos martires. »

Frédéric encore une fois voulut se faire entendre :

— « Mais, citoyens !... »

L'Espagnol continuait :

— « El martes proximo tendra lugar en la iglesia de la Magdelena un servicio funebre. »

— « C'est absurde à la fin ! personne ne comprend ! »

Cette observation exaspéra la foule.

— « A la porte ! à la porte ! »

— « Qui ? moi ? » demanda Frédéric.

— « Vous-même ! » dit majestueusement Sénécal. « Sortez ! »

Il se leva pour sortir ; et la voix de l'Ibérien le poursuivait :

— « Y todos los espanoles descarian ver alli reunidas las deputaciones de los clubs y de la milicia nacional. Une oricion funebre en honor de la libertad espanola y del mundo entero, sera prononciado por un miembro del clero de Paris en la sala Bonne-Nouvelle. Honor al pueblo frances, que llamaria yo el primero pueblo del mundo, sino fuese ciudadano de otra nacion ! »

— « Aristo ! » glapit un voyou, en montrant le poing à Frédéric, qui s'élançait dans la cour, indigné.

Il se reprocha [637] son dévouement, sans réfléchir que les accusations portées contre lui étaient justes, après tout. Quelle fatale idée que cette candidature ! Mais quels ânes, quels crétins ! Il se comparait à ces hommes, et soulageait avec leur sottise la blessure de son orgueil.

Puis il épouva le besoin de voir Rosanette. Après tant de laideurs et d'emphase, sa gentille personne serait un délassement. Elle savait qu'il avait dû, le soir, se présenter dans un club. Cependant, lorsqu'il entra, elle ne lui fit pas même une question.

Elle se tenait près du feu, décousant la doublure d'une robe. Un pareil ouvrage le surprit.

— « Tiens ? qu'est-ce que tu fais ? »

— « Tu le vois, » dit-elle sèchement. « Je raccommode mes hardes ! C'est ta république. »

— « Pourquoi *ma* République ? »

— « C'est la mienne, peut-être ? »

Et elle se mit à lui reprocher tout ce qui se passait en France depuis deux mois, l'accusant d'avoir fait la révolution, d'être cause qu'on était ruiné, que les gens riches abandonnaient Paris, et qu'elle mourrait plus tard à l'hôpital.

— « Tu en parles à ton aise, toi, avec tes rentes ! Du reste, au train dont ça va, tu ne les auras pas longtemps, tes rentes. »

— « Cela se peut, » dit Frédéric, « les plus dévoués sont toujours méconnus ; et, si l'on n'avait pour soi sa conscience, les brutes avec qui l'on se compromet vous dégoûteraient de l'abnégation ! »

Rosanette le regarda, les cils rapprochés.

— « Hein ? Quoi ? Quelle abnégation ? Monsieur n'a pas réussi, à ce qu'il paraît ? Tant mieux ! ça t'apprendra à faire des dons patriotiques. Oh ! ne mens pas ! Je sais que tu leur as donné trois cents francs, car elle se fait entretenir, ta République ! Eh bien, amuse-toi avec elle, mon bonhomme ! »

Sous cette avalanche de sottises, Frédéric passait de son autre désappointement à une déception plus lourde.

Il s'était retiré au fond de la chambre. Elle vint à lui.

— « Voyons ! raisonne un peu ! Dans un pays comme dans une maison, il faut un maître ; autrement, chacun fait danser l'anse du panier. D'abord, tout le monde sait que Ledru-Rollin est couvert de dettes ! Quant à Lamartine, comment veux-tu qu'un poète s'entende à la politique ? Ah ! tu as beau hocher la tête et te croire plus d'esprit que les autres, c'est pourtant vrai ! Mais tu ergotes toujours ; on ne peut pas placer un mot avec toi ! Voilà par exemple

Fournier-Fontaine, des magasins de Saint-Roch : sais-tu
de combien il manque ? De huit cent mille francs ! Et
Gomer, l'emballeur d'en face, un autre républicain celui-
là, il cassait les pincettes sur la tête de sa femme, et il a bu
tant d'absinthe qu'on va le mettre dans une maison de
santé. C'est comme ça qu'ils sont tous, les républicains !
Une République à vingt-cinq pour cent ! Ah oui ! vante-
toi ! »

Frédéric s'en alla. L'ineptie de cette fille, se dévoilant
tout à coup dans un langage populacier [638], le dégoûtait.
Il se sentit même un peu redevenu patriote.

La mauvaise humeur de Rosanette ne fit que s'accroître.
Mlle Vatnaz l'irritait par son enthousiasme. Se croyant une
mission [639], elle avait la rage de pérorer, de catéchiser, et,
plus forte que son amie dans ces matières, l'accablait
d'arguments.

Un jour, elle arriva tout indignée contre Hussonnet,
qui venait de se permettre des polissonneries, au club des
femmes. Rosanette approuva cette conduite, déclarant
même qu'elle prendrait des habits d'homme pour aller
« leur dire leur fait, à toutes, et les fouetter ». Frédéric
entrait au même moment.

— « Tu m'accompagneras, n'est-ce pas ? »

Et, malgré sa présence, elles se chamaillèrent, l'une
faisant la bourgeoise, l'autre la philosophe.

Les femmes, selon Rosanette, étaient nées exclusivement
pour l'amour ou pour élever des enfants, pour tenir un
ménage.

D'après Mlle Vatnaz, la femme devait avoir sa place
dans l'État. Autrefois, les Gauloises légiféraient, les An-
glo-Saxonnes aussi, les épouses des Hurons faisaient
partie du Conseil. L'œuvre civilisatrice était commune. Il fallait toutes y concourir, et substituer enfin à l'é-
goïsme la fraternité, à l'individualisme l'association, au
morcellement la grande culture.

— « Allons, bon ! tu te connais en culture, à présent ! »

— « Pourquoi pas ? D'ailleurs, il s'agit de l'humanité, de
son avenir ! »

— « Mêle-toi du tien ! »

— « Ça me regarde ! »

Elles se fâchaient. Frédéric s'interposa. La Vatnaz
s'échauffait, et arriva même à soutenir le communisme.

— « Quelle bêtise ! » dit Rosanette. « Est-ce que jamais ça pourra se faire ? »

L'autre cita en preuve les Esséniens, les frères Moraves, les Jésuites du Paraguay, la famille des Pingons, près de Thiers en Auvergne ; et, comme elle gesticulait beaucoup, sa chaîne de montre se prit dans son paquet de breloques, à un petit mouton d'or suspendu.

Tout à coup, Rosanette pâlit extraordinairement.

Mlle Vatnaz continuait à dégager son bibelot.

— « Ne te donne pas tant de mal, » dit Rosanette ; « maintenant, je connais tes opinions politiques. »

— « Quoi ? » reprit la Vatnaz, devenue rouge comme une vierge.

— « Oh ! oh ! tu me comprends ! »

Frédéric ne comprenait pas. Entre elles, évidemment, il était survenu quelque chose de plus capital et de plus intime que le socialisme.

— « Et quand cela serait, » répliqua la Vatnaz, se redressant intrépidement. « C'est un emprunt, ma chère, dette pour dette ! »

— « Parbleu, je ne nie pas les miennes ! Pour quelques mille francs, belle histoire ! J'emprunte au moins ; je ne vole personne ! »

Mlle Vatnaz s'efforça de rire.

— « Oh ! j'en mettrais ma main au feu. »

— « Prends garde ! Elle est assez sèche pour brûler. »

La vieille lui présenta sa main droite, et, la gardant levée juste en face d'elle :

— « Mais il y a de tes amis qui la trouvent à leur convenance ! »

— « Des Andalous, alors ? comme castagnettes ! »

— « Gueuse ! »

La Maréchale fit un grand salut.

— « On n'est pas plus ravissante ! »

Mlle Vatnaz ne répondit rien. Des gouttes de sueur parurent à ses tempes. Ses yeux se fixaient sur le tapis. Elle haletait. Enfin, elle gagna la porte, et la faisant claquer vigoureusement :

— « Bonsoir ! Vous aurez de mes nouvelles ! »

— « A l'avantage ! » dit Rosanette.

Sa contrainte l'avait brisée. Elle tomba sur le divan, toute tremblante, balbutiant des injures, versant des larmes.

Était-ce cette menace de la Vatnaz qui la tourmentait ?
Eh non ! elle s'en moquait bien ! A tout compter, l'autre
lui devait de l'argent, peut-être ? C'était le mouton d'or,
un cadeau ; et, au milieu de ses pleurs, le nom de Delmar
lui échappa. Donc, elle aimait le cabotin !

— « Alors, pourquoi m'a-t-elle pris ? » se demanda
Frédéric. « D'où vient qu'il est revenu ? Qui la force à
me garder ? Quel est le sens de tout cela ? »

Les petits sanglots de Rosanette continuaient. Elle était
toujours au bord du divan, étendue de côté, la joue droite
sur ses deux mains, — et semblait un être si délicat, incons-
cient et endolori qu'il se rapprocha d'elle, et la baisa au
front, doucement.

Alors, elle lui fit des assurances de tendresse ; le prince
venait de partir, ils seraient libres. Mais elle se trouvait
pour le moment... gênée. « Tu l'as vu toi-même l'autre
jour, quand j'utilisais mes vieilles doublures. » Plus
d'équipages à présent ! Et ce n'était pas tout ; le tapissier
menaçait de reprendre les meubles de la chambre et du
grand salon. Elle ne savait que faire.

Frédéric eut envie de répondre : « Ne t'inquiète pas, je
payerai ! »Mais la dame pouvait mentir. L'expérience l'avait
instruit. Il se borna simplement à des consolations.

Les craintes de Rosanette n'étaient pas vaines ; il fallut
rendre les meubles et quitter le bel appartement de la rue
Drouot. Elle en prit un autre, sur le boulevard Poissonnière,
au quatrième. Les curiosités de son ancien boudoir furent
suffisantes pour donner aux trois pièces un air coquet.
On eut des stores chinois, une tente sur la terrasse, dans le
salon un tapis de hasard encore tout neuf, avec des poufs
de soie rose. Frédéric avait contribué largement à ces
acquisitions ; il éprouvait la joie d'un nouveau marié qui
possède enfin une maison à lui ; une femme à lui ; et,
se plaisant là beaucoup, il venait y coucher presque tous les
soirs.

Un matin, comme il sortait de l'antichambre, il aperçut
au troisième étage, dans l'escalier, le shako d'un garde
national qui montait. Où allait-il donc ? Frédéric attendit.
L'homme montait toujours, la tête un peu baissée : il
leva les yeux. C'était le sieur Arnoux. La situation était
claire. Ils rougirent en même temps, saisis par le même
embarras.

Arnoux, le premier, trouva moyen d'en sortir.

— « Elle va mieux, n'est-il pas vrai ? » comme si, Rosanette étant malade, il se fût présenté pour avoir de ses
nouvelles.

Frédéric profita de cette ouverture.

— « Oui, certainement ! Sa bonne me l'a dit, du moins, »
voulant faire entendre qu'on ne l'avait pas reçu.

Puis ils restèrent face à face, irrésolus, l'un et l'autre,
et s'observant. C'était à qui des deux ne s'en irait pas.
Arnoux, encore une fois, trancha la question.

— « Ah ! bah ! je reviendrai plus tard ! Où vouliez-
vous aller ? Je vous accompagne ! »

Et, quand ils furent dans la rue, il causa aussi naturellement que d'habitude. Sans doute, il n'avait point le caractère jaloux, ou bien il était trop bonhomme pour se fâcher.

D'ailleurs, la patrie le préoccupait. Maintenant il ne
quittait plus l'uniforme. Le 29 mars, il avait défendu les
bureaux de la *Presse* [640]. Quand on envahit la Chambre
il se signala par son courage, et il fut du banquet offert à la
garde nationale d'Amiens.

Hussonnet, toujours de service avec lui, profitait,
plus que personne, de sa gourde et de ses cigares ; mais,
irrévérencieux par nature, il se plaisait à le contredire,
dénigrant le style peu correct des décrets, les conférences
du Luxembourg [641], les vésuviennes, les tyroliens, tout,
jusqu'au char de l'Agriculture, traîné par des chevaux
à la place de bœufs et escorté de jeunes filles laides. Arnoux,
au contraire, défendait le Pouvoir et rêvait la fusion des
partis. Cependant, ses affaires prenaient une tournure
mauvaise. Il s'en inquiétait médiocrement.

Les relations de Frédéric et de la Maréchale ne l'avaient
point attristé ; car cette découverte l'autorisa (dans sa conscience) à supprimer la pension qu'il lui refaisait depuis le
départ du prince. Il allégua l'embarras des circonstances,
gémit beaucoup, et Rosanette fut généreuse. Alors M. Arnoux se considéra comme l'amant de cœur, — ce qui le
rehaussait dans son estime, et le rajeunit. Ne doutant pas
que Frédéric ne payât la Maréchale, il s'imaginait « faire
une bonne farce », arriva même à s'en cacher, et lui laissait
le champ libre quand ils se rencontraient.

Ce partage [642] blessait Frédéric ; et les politesses de son
rival lui semblaient une gouaillerie trop prolongée. Mais,

en se fâchant, il se fût ôté toute chance d'un retour vers
l'autre, et puis c'était le seul moyen d'en entendre parler.
Le marchand de faïences, suivant son usage, ou, par malice
peut-être, le rappelait volontiers dans sa conversation, et lui
demandait même pourquoi il ne venait plus la voir.

Frédéric, ayant épuisé tous les prétextes, assura qu'il
avait été chez Mme Arnoux plusieurs fois, inutilement.
Arnoux en demeura convaincu, car souvent il s'extasiait
devant elle sur l'absence de leur ami ; et toujours elle
répondait avoir manqué sa visite ; de sorte que ces deux
mensonges, au lieu de se couper, se corroboraient.

La douceur du jeune homme et la joie de l'avoir pour
dupe [643] faisaient qu'Arnoux le chérissait davantage. Il poussait la familiarité jusqu'aux dernières bornes, non par
dédain, mais par confiance. Un jour, il lui écrivit qu'une
affaire urgente l'attirait pour vingt-quatre heures en province ; il le priait de monter la garde à sa place. Frédéric
n'osa le refuser, et se rendit au poste du Carrousel.

Il eut à subir la société des gardes nationaux ! et, sauf
un épurateur, homme facétieux qui buvait d'une manière
exorbitante, tous lui parurent plus bêtes que leur giberne.
L'entretien capital fut sur le remplacement des buffleteries
par le ceinturon. D'autres s'emportaient contre les ateliers
nationaux [644]. On disait : « Où allons-nous ? » Celui qui avait
reçu l'apostrophe répondait en ouvrant les yeux, comme
au bord d'un abîme : « Où allons-nous ? » Alors un plus
hardi s'écriait : « Ça ne peut pas durer ! Il faut en finir ! »
Et, les mêmes discours se répétant jusqu'au soir, Frédéric
s'ennuya mortellement.

Sa surprise fut grande, quand, à onze heures, il vit
paraître Arnoux, lequel, tout de suite, dit qu'il accourait
pour le libérer, son affaire étant finie.

Il n'avait pas eu d'affaire. C'était une invention pour
passer vingt-quatre heures, seul, avec Rosanette. Mais
le brave Arnoux avait trop présumé de lui-même, si bien
que, dans sa lassitude, un remords l'avait pris. Il venait
faire des remerciements à Frédéric et lui offrir à souper.

— « Mille grâces ! je n'ai pas faim ! je ne demande
que mon lit ! »

— « Raison de plus pour déjeuner ensemble, tantôt !
Quel mollasse vous êtes ! On ne rentre pas chez soi
maintenant ! Il est trop tard ! Ce serait dangereux ! »

Frédéric, encore une fois, céda. Arnoux, qu'on ne s'attendait pas à voir, fut choyé de ses frères d'armes, principalement de l'épurateur. Tous l'aimaient ; et il était si bon garçon qu'il regretta la présence d'Hussonnet. Mais il avait besoin de fermer l'œil une minute, pas davantage.

— « Mettez-vous près de moi, » dit-il à Frédéric, tout en s'allongeant sur le lit de camp, sans ôter ses buffleteries. Par peur d'une alerte, en dépit du règlement, il garda même son fusil ; puis balbutia quelques mots : « Ma chérie ! mon petit ange ! » et ne tarda pas à s'endormir.

Ceux qui parlaient se turent ; et peu à peu il se fit dans le poste un grand silence. Frédéric, tourmenté par les puces, regardait autour de lui. La muraille, peinte en jaune, avait à moitié de sa hauteur une longue planche où les sacs formaient une suite de petites bosses, tandis qu'au-dessous, les fusils couleur de plomb étaient dressés les uns près des autres ; et il s'élevait des ronflements, produits par les gardes nationaux, dont les ventres se dessinaient d'une manière confuse, dans l'ombre. Une bouteille vide et des assiettes couvraient le poêle. Trois chaises de paille entouraient la table, où s'étalait un jeu de cartes. Un tambour, au milieu du banc, laissait pendre sa bricole. Le vent chaud, arrivant par la porte, faisait fumer le quinquet. Arnoux dormait les deux bras ouverts ; et comme son fusil était posé la crosse en bas un peu obliquement, la gueule du canon lui arrivait sous l'aisselle. Frédéric le remarqua et fut effrayé.

— « Mais non ! j'ai tort ! il n'y a rien à craindre ! S'il mourait cependant... »

Et, tout de suite, des tableaux à n'en plus finir se déroulèrent. Il s'aperçut avec Elle, la nuit, dans une chaise de poste ; puis au bord d'un fleuve par un soir d'été, et sous le reflet d'une lampe, chez eux, dans leur maison. Il s'arrêtait même à des calculs de ménage, des dispositions domestiques, contemplant, palpant déjà son bonheur ; — et, pour le réaliser, il aurait fallu seulement que le chien du fusil se levât ! On pouvait le pousser du bout de l'orteil ; le coup partirait, ce serait un hasard, rien de plus !

Frédéric s'étendit sur cette idée, comme un dramaturge qui compose. Tout à coup, il lui sembla qu'elle n'était pas loin de se résoudre en action, et qu'il allait y contribuer, qu'il en avait envie ; alors, une grande peur le saisit. Au milieu [645] de cette angoisse, il éprouvait un plaisir, et s'y enfonçait de plus en plus, sentant avec effroi ses scrupules disparaître [646] ; dans la fureur de sa rêverie, le reste du monde s'effaçait ; et il n'avait conscience de lui-même que par un intolérable serrement à la poitrine.

— « Prenons-nous le vin blanc ? » dit l'épurateur qui s'éveillait.

Arnoux sauta par terre ; et le vin blanc étant pris, voulut monter la faction de Frédéric.

Puis il l'emmena déjeuner rue de Chartres, chez Parly ; et, comme il avait besoin de se refaire, il se commanda deux plats de viande, un homard, une omelette au rhum, une salade, etc., le tout arrosé d'un sauternes 1819, avec un romanée 42, sans compter le champagne au dessert, et des liqueurs.

Frédéric ne le contraria nullement. Il était gêné, comme si l'autre avait pu découvrir, sur son visage, les traces de sa pensée.

Les deux coudes au bord de la table, et penché très bas, Arnoux, en le fatiguant de son regard, lui confiait ses imaginations.

Il avait envie de prendre à ferme tous les remblais de la ligne du Nord pour y semer des pommes de terre, ou bien d'organiser sur les boulevards une cavalcade monstre, où les « célébrités de l'époque » figureraient. Il louerait toutes les fenêtres, ce qui, à raison de trois francs, en moyenne, produirait un joli bénéfice. Bref, il rêvait un grand coup de fortune par un accaparement. Il était moral, cependant, blâmait les excès, l'inconduite, parlait de son « pauvre père », et, tous les soirs, disait-il, faisait son examen de conscience, avant d'offrir son âme à Dieu.

— « Un peu de curaçao, hein ? »

— « Comme vous voudrez. »

Quant à la République, les choses s'arrangeraient ; enfin, il se trouvait l'homme le plus heureux de la terre ; et, s'oubliant, il vanta les qualités de Rosanette, la compara même à sa femme. C'était bien autre chose ! On n'imaginait pas d'aussi belles cuisses.

— « A votre santé ! »

Frédéric trinqua. Il avait, par complaisance, un peu trop bu ; d'ailleurs, le grand soleil l'éblouissait ; et, quand ils remontèrent ensemble la rue Vivienne, leurs épaulettes se touchaient fraternellement.

Rentré chez lui, Frédéric dormit jusqu'à sept heures. Ensuite, il s'en alla chez la Maréchale. Elle était sortie avec quelqu'un. Avec Arnoux, peut-être ? Ne sachant que faire [647], il continua sa promenade sur le boulevard, mais ne put dépasser la porte Saint-Martin, tant il y avait de monde.

La misère abandonnait à eux-mêmes [648] un nombre considérable d'ouvriers ; et ils venaient là, tous les soirs, se passer en revue sans doute, et attendre un signal. Malgré la loi contre les attroupements [649], ces *clubs du désespoir* augmentaient d'une manière effrayante ; et beaucoup de bourgeois s'y rendaient quotidiennement, par bravade, par mode.

Tout à coup, Frédéric aperçut, à trois pas de distance, M. Dambreuse avec Martinon ; il tourna la tête, car M. Dambreuse s'étant fait nommer représentant, il lui gardait rancune. Mais le capitaliste l'arrêta.

— Un mot, cher monsieur ! J'ai des explications à vous fournir. »

— « Je n'en demande pas. »

— « De grâce ! écoutez-moi. »

Ce n'était nullement sa faute. On l'avait prié, contraint en quelque sorte. Martinon, tout de suite, appuya ses paroles : des Nogentais en députation s'étaient présentés chez lui.

— « D'ailleurs, j'ai cru être libre, du moment... »

Une poussée de monde [650] sur le trottoir força M. Dambreuse à s'écarter. Une minute après, il reparut, en disant à Martinon :

— « C'est un vrai service, cela ! Vous n'aurez pas à vous repentir... »

Tous les trois [651] s'adossèrent contre une boutique, afin de causer plus à l'aise.

On criait de temps en temps : « Vive Napoléon ! vive Barbès ! à bas Marie ! [652] » La foule innombrable parlait très haut ; — et toutes ces voix, répercutées par les maisons, faisaient comme le bruit continuel des vagues dans un port. A de certains moments, elles se taisaient ; alors, *la Marseillaise* s'élevait. Sous les portes cochères, des hommes d'allures mystérieuses proposaient des cannes à dard.

Quelquefois, deux individus, passant l'un devant l'autre, clignaient de l'œil, et s'éloignaient prestement. Des groupes de badauds [653] occupaient les trottoirs ; une multitude compacte s'agitait sur le pavé. Des bandes entières d'agents de police, sortant des ruelles, y disparaissaient à peine entrés [654]. De petits drapeaux rouges, çà et là, semblaient des flammes ; les cochers, du haut de leur siège, faisaient de grands gestes, puis s'en retournaient. C'était un mouvement, un spectacle des plus drôles.

— « Comme tout cela, » dit Martinon, « aurait amusé Mlle Cécile ! »

— « Ma femme, vous savez bien, n'aime pas que ma nièce vienne avec nous, » reprit en souriant M. Dambreuse.

On ne l'aurait pas reconnu. Depuis trois mois il criait : « Vive la République ! » et même il avait voté le bannissement des d'Orléans [655]. Mais les concessions devaient finir. Il se montrait furieux jusqu'à porter un casse-tête dans sa poche.

Martinon, aussi, en avait un. La magistrature n'étant plus inamovible, il s'était retiré du Parquet, si bien qu'il dépassait en violences M. Dambreuse.

Le banquier haïssait particulièrement Lamartine (pour avoir soutenu Ledru-Rollin), et avec lui Pierre Leroux, Proudhon, Considérant, Lamennais, tous les cerveaux brûlés, tous les socialistes.

— « Car enfin, que veulent-ils ? On a supprimé l'octroi sur la viande et la contrainte par corps ; maintenant, on étudie le projet d'une banque hypothécaire ; l'autre jour, c'était une banque nationale ! et voilà cinq millions au budget pour les ouvriers ! Mais heureusement c'est fini, grâce à M. de Falloux [656] ! Bon voyage ! qu'ils s'en aillent ! »

En effet, ne sachant comment nourrir les cent trente mille hommes des ateliers nationaux, le ministre des travaux publics avait, ce jour-là même, signé un arrêté qui invitait tous les citoyens entre dix-huit et vingt ans à prendre du service comme soldats, ou bien à partir vers les provinces, pour y remuer la terre.

Cette alternative les indigna, persuadés qu'on voulait détruire la République. L'existence loin de la capitale les affligeait comme un exil ; ils se voyaient mourants par les fièvres, dans des régions farouches. Pour beaucoup, d'ailleurs, accoutumés à des travaux délicats, l'agriculture

semblait un avilissement ; c'était un leurre enfin, une dérision, le déni formel de toutes les promesses. S'ils résistaient,
on emploierait la force ; ils n'en doutaient pas et se dispo-
saient à la prévenir.

Vers neuf heures, les attroupements formés à la Bastille
et au Châtelet refluèrent sur le boulevard. De la porte
Saint-Denis à la porte Saint-Martin, cela ne faisait plus
qu'un grouillement énorme, une seule masse d'un bleu
sombre, presque noir. Les hommes que l'on entrevoyait
avaient tous les prunelles ardentes, le teint pâle, des figures
maigries par la faim, exaltées par l'injustice. Cependant,
des nuages s'amoncelaient ; le ciel orageux chauffant l'élec-
tricité de la multitude, elle tourbillonnait sur elle-même,
indécise, avec un large balancement de houle ; et l'on
sentait dans ses profondeurs une force incalculable [657],
et comme l'énergie d'un élément. Puis tous se mirent à
chanter : « Des lampions ! des lampions ! [658] » Plusieurs
fenêtres ne s'éclairaient pas ; des cailloux furent lancés
dans leurs carreaux. M . Dambreuse jugea prudent de s'en
aller. Les deux jeunes gens le reconduisirent.

Il prévoyait de grands désastres. Le peuple, encore
une fois, pouvait envahir la Chambre ; et, à ce propos,
il raconta comment il serait mort le 15 mai, sans le dévouement d'un garde national.

— « Mais c'est votre ami, j'oubliais ! votre ami, le fabricant de faïences, Jacques Arnoux ! » Les gens de l'émeute
l'étouffaient ; ce brave citoyen l'avait pris dans ses bras
et déposé à l'écart. Aussi, depuis lors, une sorte de liaison
s'était faite. — « Il faudra un de ces jours dîner ensemble,
et, puisque vous le voyez souvent, assurez-le que je l'aime
beaucoup. C'est un excellent homme, calomnié, selon moi ;
et il a de l'esprit, le mâtin ! Mes compliments encore
une fois ! bien le bonsoir !... »

Frédéric, après avoir quitté M. Dambreuse, retourna
chez la Maréchale ; et, d'un air très sombre, dit qu'elle
devait opter entre lui et Arnoux. Elle répondit avec douceur qu'elle ne comprenait goutte à des « ragots pareils »,
n'aimait pas Arnoux, n'y tenait aucunement. Frédéric avait
soif d'abandonner Paris. Elle ne repoussa pas cette fantaisie,
et ils partirent pour Fontainebleau [659] dès le lendemain.

L'hôtel où ils logèrent se distinguait des autres par
un jet d'eau clapotant au milieu de sa cour. Les portes

des chambres s'ouvraient sur un corridor, comme dans les monastères. Celle qu'on leur donna était grande, fournie de bons meubles, tendue d'indienne, et silencieuse, vu la rareté des voyageurs. Le long des maisons, des bourgeois inoccupés passaient ; puis, sous leurs fenêtres, quand le jour tomba, des enfants dans la rue firent une partie de barres ; — et cette tranquillité, succédant pour eux au tumulte de Paris, leur causait une surprise, un apaisement.

Le matin de bonne heure, ils allèrent visiter le château. Comme ils entraient par la grille, ils aperçurent sa façade tout entière, avec les cinq pavillons à toits aigus et son escalier en fer à cheval se déployant au fond de la cour, que bordent de droite et de gauche deux corps de bâtiments plus bas. Des lichens sur les pavés se mêlent de loin au ton fauve des briques ; et l'ensemble du palais, couleur de rouille comme une vieille armure, avait quelque chose de royalement impassible, une sorte de grandeur militaire et triste.

Enfin, un domestique, portant un trousseau de clefs, parut. Il leur montra d'abord les appartements des reines, l'oratoire du Pape, la galerie de François Ier, la petite table d'acajou sur laquelle l'Empereur signa son abdication, et, dans une des pièces qui divisaient l'ancienne galerie des Cerfs, l'endroit où Christine fit assassiner Monaldeschi. Rosanette écouta cette histoire attentivement ; puis, se tournant vers Frédéric :

— « C'était par jalousie, sans doute ? Prends garde à toi ! »

Ensuite, ils traversèrent la salle du Conseil, la salle des Gardes, la salle du Trône, le salon de Louis XIII. Les hautes croisées, sans rideaux, épanchaient une lumière blanche ; de la poussière ternissait légèrement les poignées des espagnolettes, le pied de cuivre des consoles ; des nappes de grosses toiles cachaient partout les fauteuils ; on voyait au-dessus des portes des chasses Louis XV, et çà et là, des tapisseries représentant les dieux de l'Olympe [660], Psyché ou les batailles d'Alexandre.

Quand elle passait devant les glaces, Rosanette s'arrêtait une minute pour lisser ses bandeaux.

Après la cour du donjon et la chapelle Saint-Saturnin, ils arrivèrent dans la salle des fêtes [661]

Ils furent éblouis [662] par la splendeur du plafond, divisé

en compartiments octogones, rehaussé d'or et d'argent,
plus ciselé qu'un bijou, et par l'abondance des peintures
qui couvrent les murailles depuis la gigantesque cheminée
où des croissants et des carquois entourent les armes de
France, jusqu'à la tribune pour les musiciens, construite
à l'autre bout, dans la largeur de la salle. Les dix fenêtres
en arcades étaient grandes ouvertes ; le soleil faisait briller
les peintures, le ciel bleu continuait indéfiniment l'outremer
des cintres ; et, du fond des bois, dont les cimes vaporeuses
emplissaient l'horizon, il semblait venir un écho des hallalis
poussés dans les trompes d'ivoire, et des ballets mythologiques, assemblant sous le feuillage des princesses et des
seigneurs travestis en nymphes et en sylvains, — époque
de science ingénue, de passions violentes et d'art somp-
tueux, quand l'idéal était d'emporter le monde dans un rêve
des Hespérides, et que les maîtresses des rois se confon-
daient avec les astres. La plus belle de ces fameuses s'était
fait peindre, à droite, sous la figure de Diane Chasseresse,
et même en Diane Infernale, sans doute pour marquer sa
puissance jusque par delà le tombeau. Tous ces symboles [663]
confirment sa gloire ; et il reste là quelque chose d'elle,
une voix indistincte, un rayonnement qui se prolonge.

Frédéric fut pris par une concupiscence rétrospective
et inexprimable. Afin de distraire son désir, il se mit à
considérer tendrement Rosanette, en lui demandant si elle
n'aurait pas voulu être cette femme.

— « Quelle femme ? »

— « Diane de Poitiers ! »

Il répéta :

— « Diane de Poitiers, la maîtresse d'Henri II. »

Elle fit un petit : « Ah ! » Ce fut tout.

Son mutisme prouvait clairement qu'elle ne savait rien,
ne comprenait pas, si bien que par complaisance il lui dit :

— « Tu t'ennuies peut-être ? »

— « Non, non, au contraire ! »

Et, le menton levé, tout en promenant à l'entour un
regard des plus vagues, Rosanette lâcha ce mot :

— « Ça rappelle des souvenirs ! »

Cependant, on apercevait sur sa mine un effort, une
intention de respect ; et, comme cet air sérieux la rendait
plus jolie, Frédéric l'excusa.

L'étang des carpes [664] la divertit davantage. Pendant

un quart d'heure, elle jeta des morceaux de pain dans
l'eau pour voir des poissons bondir.

Frédéric s'était assis près d'elle, sous les tilleuls. Il
songeait à tous les personnages qui avaient hanté ces murs,
Charles-Quint, les Valois, Henri IV, Pierre le Grand,
Jean-Jacques Rousseau et « les belles pleureuses des premières loges [665] », Voltaire, Napoléon, Pie VII, Louis-
Philippe ; il se sentait environné, coudoyé par ces morts
tumultueux ; une telle confusion d'images l'étourdissait,
bien qu'il y trouvât du charme pourtant.

Enfin ils descendirent dans le parterre.

C'est un vaste rectangle, laissant voir d'un seul coup
d'œil ses larges allées jaunes, ses carrés de gazon, ses rubans
de buis, ses ifs en pyramide, ses verdures basses et ses
étroites plates-bandes, où des fleurs clairsemées font des
taches sur la terre grise. Au bout du jardin, un parc se
déploie, traversé dans toute son étendue par un long
canal.

Les résidences royales ont en elles [666] une mélancolie
particulière, qui tient sans doute à leurs dimensions trop
considérables pour le petit nombre de leurs hôtes, au
silence qu'on est surpris d'y trouver après tant de fanfares,
à leur luxe immobile prouvant par sa vieillesse la fugacité
des dynasties, l'éternelle misère de tout ; — et cette exhalai-
son des siècles, engourdissante et funèbre comme un
parfum de momie, se fait sentir même aux têtes naïves [667].
Rosanette bâillait démesurément. Ils s'en retournèrent à
l'hôtel.

Après leur déjeuner, on leur mena une voiture découverte. Ils sortirent de Fontainebleau par un large rond-
point, puis montèrent au pas une route sablonneuse dans un
bois de petits pins. Les arbres devinrent plus grands ; et le
cocher, de temps à autre, disait : « Voici les Frères-Siamois,
le Pharamond, le Bouquet-du-Roi... », n'oubliant aucun
des sites célèbres, parfois même s'arrêtant pour les faire
admirer.

Ils entrèrent dans la futaie de Franchard [668]. La voiture
glissait comme un traîneau sur le gazon ; des pigeons qu'on
ne voyait pas roucoulaient ; tout à coup, un garçon de café
parut ; et ils descendirent devant la barrière d'un jardin
où il y avait des tables rondes. Puis, laissant à gauche les
murailles d'une abbaye en ruine, ils marchèrent sur de

grosses roches, et atteignirent bientôt le fond de la gorge.

Elle est couverte, d'un côté, par un entremêlement de grès et de genévriers, tandis que, de l'autre, le terrain presque nu s'incline vers le creux du vallon, où, dans la couleur des bruyères, un sentier fait une ligne pâle; et on aperçoit tout au loin un sommet en cône aplati, avec la tour d'un télégraphe par derrière.

Une demi-heure après, ils mirent pied à terre encore une fois pour gravir les hauteurs d'Aspremont.

Le chemin fait des zigzags entre les pins trapus sous des rochers à profils anguleux ; tout ce coin de la forêt a quelque chose d'étouffé, d'un peu sauvage et de recueilli. On pense aux ermites, compagnons des grands cerfs, portant une croix de feu entre leurs cornes [669], et qui recevaient avec de paternels sourires les bons rois de France, agenouillés devant leur grotte. Une odeur résineuse emplissait l'air chaud, des racines à ras du sol s'entrecroisaient comme des veines. Rosanette trébuchait dessus, était désespérée, avait envie de pleurer.

Mais, tout au haut, la joie lui revint, en trouvant sous un toit de branchage une manière de cabaret, où l'on vend [670] des bois sculptés. Elle but une bouteille de limonade, s'acheta un bâton de houx ; et, sans donner un coup d'œil au paysage que l'on découvre du plateau, elle entra dans la Caverne-des-Brigands, précédée d'un gamin portant une torche.

Leur voiture les attendait dans le Bas-Bréau.

Un peintre en blouse bleue travaillait au pied d'un chêne, avec sa boîte à couleurs sur les genoux. Il leva la tête et les regarda passer.

Au milieu de la côte de Chailly, un nuage, crevant tout à coup, leur fit rabattre la capote. Presque aussitôt la pluie s'arrêta ; et les pavés des rues brillaient sous le soleil quand ils rentrèrent dans la ville.

Des voyageurs, arrivés nouvellement, leur apprirent qu'une bataille épouvantable ensanglantait Paris. Rosanette et son amant n'en furent pas surpris [671]. Puis tout le monde s'en alla, l'hôtel redevint paisible, le gaz s'éteignit, et ils s'endormirent au murmure du jet d'eau dans la cour.

Le lendemain, ils allèrent voir la Gorge-au-Loup, la Mare-aux-Fées, le Long-Rocher, la Marlotte ; le sur-lendemain, ils recommencèrent au hasard, comme leur cocher voulait, sans demander où ils étaient, et souvent même négligeant les sites fameux.

Ils se trouvaient si bien dans leur vieux landau, bas comme un sofa et couvert d'une toile à raies déteintes ! Les fossés pleins de broussailles filaient sous leurs yeux, avec un mouvement doux et continu. Des rayons blancs traversaient comme des flèches les hautes fougères ; quelquefois, un chemin, qui ne servait plus, se présentait devant eux, en ligne droite ; et des herbes s'y dressaient çà et là, mollement. Au centre des carrefours, une croix étendait ses quatre bras ; ailleurs, des poteaux se penchaient comme des arbres morts, et de petits sentiers courbes, en se perdant sous les feuilles, donnaient envie de les suivre ; au même moment, le cheval tournait, ils y entraient, on enfonçait dans la boue ; plus loin, de la mousse avait poussé au bord des ornières profondes.

Ils se croyaient loin des autres, bien seuls. Mais tout à coup passait un garde-chasse avec son fusil, ou une bande de femmes en haillons, traînant sur leur dos de longues bourrées.

Quand la voiture s'arrêtait, il se faisait un silence universel ; seulement, on entendait le souffle du cheval dans les brancards, avec un cri d'oiseau très faible, répété.

La lumière, à de certaines places éclairant la lisière du bois, laissait les fonds dans l'ombre ; ou bien, atténuée sur les premiers plans par une sorte de crépuscule, elle étalait dans les lointains des vapeurs violettes, une clarté blanche. Au milieu du jour, le soleil, tombant d'aplomb sur les larges verdures, les éclaboussait, suspendait des gouttes argentines à la pointe des branches, rayait le gazon de traînées d'émeraude, jetait des taches d'or sur les couches de feuilles mortes ; en se renversant la tête, on apercevait le ciel, entre les cimes des arbres. Quelques-uns, d'une altitude démesurée, avaient des airs de patriarches et d'empereurs, ou se touchant par le bout, formaient avec leurs longs fûts comme des arcs de triomphe; d'autres, poussés dès le bas obliquement, semblaient des colonnes près de tomber.

Cette foule [672] de grosses lignes verticales s'entr'ouvrait. Alors d'énormes flots verts se déroulaient en bosselages inégaux jusqu'à la surface des vallées où s'avançait la croupe d'autres collines dominant des plaines blondes, qui finissaient par se perdre dans une pâleur indécise.

Debout, l'un près de l'autre, sur quelque éminence du terrain, ils sentaient, tout en humant le vent, leur entrer dans l'âme comme l'orgueil d'une vie plus libre, avec une surabondance de forces, une joie sans cause.

La diversité des arbres faisait un spectacle changeant. Les hêtres, à l'écorce blanche et lisse, entremêlaient leurs couronnes ; des frênes courbaient mollement leurs glauques ramures ; dans les cépées de charmes, des houx pareils à du bronze se hérissaient ; puis venait une file de minces bouleaux, inclinés dans des attitudes élégiaques ; et les pins, symétriques comme des tuyaux d'orgue, en se balançant continuellement, semblaient chanter. Il y avait des chênes rugueux, énormes, qui se convulsaient, s'étiraient du sol, s'étreignaient les uns les autres, et, fermes sur leurs troncs, pareils à des torses, se lançaient avec leurs bras nus des appels de désespoir, des menaces furibondes, comme un groupe de Titans immobilisés [673] dans leur colère. Quelque chose de plus lourd, une langueur fiévreuse planait au-dessus des mares, découpant la nappe de leurs eaux entre des buissons d'épines ; les lichens de leur berge, où les loups viennent boire, sont couleur de soufre, brûlés comme par le pas des sorcières, et le coassement ininterrompu des grenouilles répond au cri des corneilles qui tournoient. Ensuite, ils traversaient des clairières monotones, plantées d'un baliveau çà et là. Un bruit de fer [674], des coups drus et nombreux sonnaient : c'était, au flanc d'une colline, une compagnie de carriers battant les roches. Elles se multipliaient de plus en plus, et finissaient par emplir tout le paysage, cubiques comme des maisons, plates comme des dalles, s'étayant, se surplombant, se confondant, telles que les ruines méconnaissables et monstrueuses de quelque cité disparue. Mais la furie même de leur chaos fait plutôt rêver à des volcans, à des déluges, aux grands cataclysmes ignorés. Frédéric disait [675] qu'ils étaient là depuis le commencement du monde et resteraient ainsi jusqu'à la fin ; Rosanette détournait la tête, en affirmant que « ça la rendrait folle », et s'en allait cueillir des bruyères. Leurs petites fleurs violettes, tassées les unes près des autres, formaient des plaques inégales, et la terre qui s'écroulait de dessous mettait comme des franges noires au bord des sables pailletés de mica.

Ils arrivèrent un jour à mi-hauteur d'une colline tout

en sable ⁶⁷⁶. Sa surface, vierge de pas, était rayée en ondulations symétriques ; çà et là, tels que des promontoires
sur le lit desséché d'un océan, se levaient des roches ayant
de vagues formes d'animaux, tortues avançant la tête,
phoques qui rampent, hippopotames et ours. Personne.
Aucun bruit. Les sables, frappés par le soleil, éblouissaient ;
— et tout à coup, dans cette vibration de la lumière, les
bêtes parurent remuer. Ils s'en retournèrent vite, fuyant
le vertige, presque effrayés.

Le sérieux de la forêt les gagnait ; et ils avaient des
heures de silence où, se laissant aller au bercement des
ressorts, ils demeuraient comme engourdis dans une ivresse
tranquille. Le bras sous la taille ⁶⁷⁷, il l'écoutait parler pendant que les oiseaux gazouillaient, observait même du
même coup d'œil les raisins noirs de sa capote et les baies
des genévriers, les draperies de son voile, les volutes des
nuages ; et, quand il se penchait vers elle, la fraîcheur de sa
peau se mêlait au grand parfum des bois. Ils s'amusaient
de tout ; ils se montraient, comme une curiosité, des fils
de la Vierge suspendus aux buissons, des trous pleins
d'eau au milieu des pierres, un écureuil sur les branches,
le vol de deux papillons qui les suivaient ; ou bien, à vingt
pas d'eux, sous les arbres, une biche marchait, tranquillement, d'un air noble et doux, avec son faon côte à côte.
Rosanette aurait voulu courir après pour l'embrasser.

Elle eut bien peur une fois quand un homme, se présentant tout à coup, lui montra dans une boîte trois vipères.
Elle se jeta vivement contre Frédéric ; — il fut heureux
de ce qu'elle était faible ⁶⁷⁸ et de se sentir assez fort pour la
défendre.

Ce soir-là, ils dînèrent dans une auberge, au bord de la
Seine. La table était près de la fenêtre, Rosanette en face
de lui ; et il contemplait son petit nez fin et blanc, ses
lèvres retroussées, ses yeux clairs, ses bandeaux châtains
qui bouffaient, sa jolie figure ovale. Sa robe de foulard écru
collait à ses épaules un peu tombantes ; et, sortant de leurs
manchettes tout unies, ses deux mains découpaient, versaient à boire, s'avançaient sur la nappe. On leur servit un
poulet avec les quatre membres étendus, une matelote
d'anguilles dans un compotier en terre de pipe, du vin
râpeux, du pain trop dur, des couteaux ébréchés. Tout cela
augmentait le plaisir, l'illusion. Ils se croyaient presque

au milieu d'un voyage, en Italie, dans leur lune de miel.

Avant de repartir, ils allèrent se promener le long de la berge.

Le ciel d'un bleu tendre, arrondi comme un dôme, s'appuyait à l'horizon sur la dentelure des bois. En face, au bout de la prairie, il y avait un clocher dans un village ; et, plus loin, à gauche, le toit d'une maison faisait une tache rouge sur la rivière, qui semblait immobile dans toute la longueur de sa sinuosité. Des joncs se penchaient pourtant, et l'eau secouait [679] légèrement des perches plantées au bord pour tenir des filets ; une nasse d'osier, deux ou trois vieilles chaloupes étaient là. Près de l'auberge, une fille en chapeau de paille tirait des seaux d'un puits ; — chaque fois qu'ils remontaient, Frédéric écoutait avec une jouissance inexprimable le grincement de la chaîne.

Il ne doutait pas qu'il ne fût heureux pour jusqu'à la fin de ses jours, tant son bonheur lui paraissait naturel, inhérent à sa vie et à la personne de cette femme. Un besoin le poussait à lui dire des tendresses. Elle y répondait par de gentilles paroles, de petites tapes sur l'épaule, des douceurs dont la surprise le charmait. Il lui découvrait enfin une beauté toute nouvelle, qui n'était peut-être que le reflet des choses ambiantes, à moins que leurs virtualités secrètes ne l'eussent fait s'épanouir.

Quand ils se reposaient au milieu de la campagne, il s'étendait la tête sur ses genoux, à l'abri de son ombrelle ; — ou bien, couchés sur le ventre au milieu de l'herbe, ils restaient l'un en face de l'autre, à se regarder, plongeant dans leurs prunelles, altérés d'eux-mêmes, s'en assouvissant toujours, puis, les paupières entre-fermées, ne parlant plus.

Quelquefois, ils entendaient tout au loin des roulements de tambour. C'était la générale que l'on battait dans les villages, pour aller défendre Paris.

— « Ah ! tiens ! l'émeute ! » disait Frédéric avec une pitié dédaigneuse, toute cette agitation lui apparaissant misérable à côté de leur amour et de la nature éternelle.

Et ils causaient de n'importe quoi, de choses qu'ils savaient parfaitement, de personnes qui ne les intéressaient pas, de mille niaiseries. Elle l'entretenait de sa femme de chambre et de son coiffeur. Un jour, elle s'oublia à dire son âge : vingt-neuf ans ; elle devenait vieille.

En plusieurs fois, sans le vouloir, elle lui apprit des détails

sur elle-même. Elle avait été « demoiselle dans un magasin »,
avait fait un voyage en Angleterre, commencé des études
pour être actrice ; tout cela [680] sans transitions, et il ne pouvait reconstruire un ensemble. Elle en conta plus long un
jour qu'ils étaient assis sous un platane, au revers d'un pré.
En bas, sur le bord de la route, une petite fille nu-pieds
dans la poussière, faisait paître une vache. Dès qu'elle les
aperçut, elle vint leur demander l'aumône ; et, tenant d'une
main son jupon en lambeaux, elle grattait de l'autre ses
cheveux noirs qui entouraient, comme une perruque à la
Louis XIV, toute sa tête brune, illuminée par des yeux
splendides.

— « Elle sera bien jolie plus tard », dit Frédéric.

— « Quelle chance pour elle si elle n'a pas de mère ! »
reprit Rosanette.

— « Hein ? comment ? »

— « Mais oui; moi, sans la mienne... »

Elle soupira, et se mit à parler de son enfance [681]. Ses
parents étaient des canuts de la Croix-Rousse. Elle servait
son père comme apprentie. Le pauvre bonhomme [682] avait
beau s'exténuer, sa femme l'invectivait et vendait tout pour
aller boire. Rosanette voyait leur chambre [683], avec les
métiers rangés en longueur contre les fenêtres, le pot-
bouille sur le poêle, le lit peint en acajou, une armoire en
face, et la soupente obscure où elle avait couché jusqu'à
quinze ans. Enfin un monsieur était venu, un homme
gras, la figure couleur de buis, des façons de dévot, habillé
de noir. Sa mère et lui eurent ensemble une conversation
si bien que, trois jours après... Rosanette s'arrêta, et, avec
un regard plein d'impudeur et d'amertume :

— « C'était fait ! »

Puis, répondant au geste de Frédéric :

— « Comme il était marié (il aurait craint de se compromettre dans sa maison), on m'emmena dans un cabinet de
restaurateur, et on m'avait dit que je serais heureuse, que
je recevrais un beau cadeau.

« Dès la porte, la première chose qui m'a frappée, c'était
un candélabre de vermeil, sur une table où il y avait deux
couverts. Une glace au plafond les reflétait, et les tentures
des murailles en soie bleue faisaient ressembler tout
l'appartement à une alcôve. Une surprise [684] m'a saisie.
Tu comprends, un pauvre être qui n'a jamais rien vu !

Malgré mon éblouissement j'avais peur. Je désirais m'en aller. Je suis restée pourtant.

« Le seul siège qu'il y eût était un divan contre la table. Il a cédé sous moi avec mollesse ; la bouche du calorifère dans le tapis m'envoyait une haleine chaude, et je restai là sans rien prendre. Le garçon qui se tenait debout m'a engagée à manger. Il m'a versé tout de suite un grand verre de vin ; la tête me tournait, j'ai voulu ouvrir la fenêtre, il m'a dit : — « Non, mademoiselle, c'est défendu. » Et il m'a quittée. La table était couverte d'un tas de choses que je ne connaissais pas. Rien ne m'a semblé bon. Alors je me suis rabattue sur un pot de confitures, et j'attendais toujours. Je ne sais quoi l'empêchait de venir. Il était très tard, minuit au moins, je n'en pouvais plus de fatigue ; en repoussant un des oreillers pour mieux m'étendre, je rencontre sous ma main une sorte d'album, un cahier ; c'étaient des images obscènes... Je dormais dessus, quand il est entré. »

Elle baissa la tête, et demeura pensive.

Les feuilles autour d'eux susurraient, dans un fouillis d'herbes une grande digitale se balançait, la lumière coulait comme une onde sur le gazon ; et le silence était coupé à intervalles rapides par le broutement de la vache qu'on ne voyait plus.

Rosanette considérait un point par terre, à trois pas d'elle, fixement, les narines battantes, absorbée [685]. Frédéric lui prit la main.

— « Comme tu as souffert, pauvre chérie ! »

— « Oui, » dit-elle, « plus que tu ne crois !... Jusqu'à vouloir en finir ; on m'a repêchée. »

— « Comment ? »

— « Ah ! n'y pensons plus !... Je t'aime, je suis heureuse ! embrasse-moi ». Et elle ôta, une à une, les brindilles de chardons accrochées dans le bas de sa robe.

Frédéric songeait surtout à ce qu'elle n'avait pas dit. Par quels degrés avait-elle pu sortir de la misère [686] ? A quel amant devait-elle son éducation ? Que s'était-il passé [687] dans sa vie jusqu'au jour où il était venu chez elle pour la première fois ? Son dernier aveu [688] interdisait les questions. Il lui demanda, seulement, comment elle avait fait la connaissance d'Arnoux.

— « Par la Vatnaz. »

— « N'était-ce pas toi que j'ai vue, une fois, au Palais-Royal, avec eux deux ? »

Il cita la date précise. Rosanette fit un effort.

— « Oui, c'est vrai !... Je n'étais pas gaie dans ce temps-là ! »

Mais Arnoux s'était montré excellent. Frédéric n'en doutait pas ; cependant, leur ami était un drôle d'homme, plein de défauts ; il eut soin de les rappeler. Elle en convenait.

— « N'importe !... On l'aime tout de même, ce chameau-là ! »

— « Encore maintenant ? » dit Frédéric.

Elle se mit à rougir, moitié riante, moitié fâchée.

— « Eh non ! C'est de l'histoire ancienne. Je ne te cache rien. Quand même cela serait, lui, c'est différent ! D'ailleurs, je ne te trouve pas gentil pour ta victime. »

— « Ma victime ? »

Rosanette lui prit le menton.

— « Sans doute ! »

Et, zézayant à la manière des nourrices :

— « Avons pas toujours été bien sage ! Avons fait dodo avec sa femme ! »

— « Moi ! jamais de la vie ! »

Rosanette sourit. Il fut blessé de son sourire, preuve d'indifférence, crut-il. Mais elle reprit doucement, et avec un de ces regards qui implorent le mensonge :

— « Bien sûr ? »

— « Certainement ! »

Frédéric jura [689] sa parole d'honneur qu'il n'avait jamais pensé à Mme Arnoux, étant trop amoureux d'une autre.

— « De qui donc ? »

— « Mais de vous, ma toute belle ! »

— « Ah ! ne te moque pas de moi ! Tu m'agaces ! »

Il jugea prudent [690] d'inventer une histoire, une passion. Il trouva des détails circonstanciés. Cette personne, du reste, l'avait rendu fort malheureux.

— « Décidément, tu n'as pas de chance ! » dit Rosanette.

— « Oh ! oh ! peut-être ! » voulant faire entendre par là plusieurs bonnes fortunes, afin de donner de lui meilleure opinion, de même que Rosanette n'avouait pas tous ses amants pour qu'il l'estimât davantage ; — car, au milieu des confidences les plus intimes, il y a toujours des restric-

tions, par fausse honte, délicatesse, pitié. On découvre
chez l'autre ou dans soi-même des précipices ou des
fanges [691] qui empêchent de poursuivre ; on sent, d'ailleurs,
que l'on ne serait pas compris ; il est difficile d'exprimer
exactement quoi que ce soit ; aussi les unions complètes
sont rares.

La pauvre Maréchale n'en avait jamais connu de
meilleur [692]. Souvent, quand elle considérait Frédéric,
des larmes lui arrivaient aux paupières, puis elle levait
les yeux, ou les projetait vers l'horizon, comme si elle avait
aperçu quelque grande aurore, des perspectives de félicité
sans bornes. Enfin, un jour, elle avoua qu'elle souhaitait
faire dire une messe, « pour que ça porte bonheur à notre
amour ».

D'où venait donc qu'elle lui avait résisté pendant si
longtemps ? Elle n'en savait rien elle-même. Il renouvela
plusieurs fois sa question ; et elle répondait en le serrant
dans ses bras :

— « C'est que j'avais peur de t'aimer trop, mon chéri ! »

Le dimanche matin, Frédéric lut dans un journal, sur
une liste de blessés, le nom de Dussardier. Il jeta un cri,
et, montrant le papier à Rosanette, déclara qu'il allait
partir immédiatement.

— « Pour quoi faire ? »

— « Mais pour le voir, le soigner ! »

— « Tu ne vas pas me laisser seule, j'imagine ? »

— « Viens avec moi. »

— « Ah ! que j'aille me fourrer dans une bagarre pareille !
Merci bien ! »

— « Cependant, je ne peux pas... »

— « Ta ta ta ! Comme si on manquait d'infirmiers
dans les hôpitaux ! Et puis, qu'est-ce que ça le regardait
encore, celui-là ? Chacun pour soi ! »

Il fut indigné de cet égoïsme ; et il se reprocha de n'être
pas là-bas avec les autres. Tant d'indifférence aux mal-
heurs de la patrie avait quelque chose de mesquin et de
bourgeois. Son amour lui pesa tout à coup comme un crime.
Ils se boudèrent pendant une heure.

Puis elle le supplia d'attendre, de ne pas s'exposer.

— « Si par hasard on te tue ! »

— « Eh ! je n'aurai fait que mon devoir ! »

Rosanette bondit. D'abord, son devoir était de l'aimer.

C'est qu'il ne voulait plus d'elle, sans doute ! Ça n'avait pas le sens commun ! Quelle idée, mon Dieu !

Frédéric sonna pour avoir la note. Mais il n'était pas facile de s'en retourner à Paris [693]. La voiture des messageries Leloir venait de partir, les berlines Lecomte ne partiraient pas, la diligence du Bourbonnais ne passerait que tard dans la nuit, et serait peut-être pleine ; on n'en savait rien. Quand il eut perdu beaucoup de temps à ces informations, l'idée lui vint de prendre la poste. Le maître de poste refusa de fournir des chevaux, Frédéric n'ayant point de passe-port [694]. Enfin, il loua une calèche (la même qui les avait promenés) et ils arrivèrent devant l'hôtel du Commerce, à Melun, vers cinq heures.

La place du Marché était couverte de faisceaux d'armes. Le préfet avait défendu aux gardes nationaux de se porter sur Paris. Ceux qui n'étaient pas de son département voulaient continuer leur route. On criait. L'auberge était pleine de tumulte.

Rosanette, prise de peur, déclara qu'elle n'irait pas plus loin, et le supplia encore de rester. L'aubergiste et sa femme se joignirent à elle. Un brave homme [695] qui dînait s'en mêla, affirmant que la bataille serait terminée d'ici à peu ; d'ailleurs, il fallait faire son devoir. Alors la Maréchale redoubla de sanglots. Frédéric était exaspéré. Il lui donna sa bourse, l'embrassa vivement, et disparut.

Arrivé à Corbeil, dans la gare, on lui apprit que les insurgés avaient de distance en distance coupé les rails, et le cocher refusa de le conduire plus loin ; ses chevaux, disait-il, étaient « rendus ».

Par sa protection, cependant, Frédéric obtint un mauvais cabriolet qui, pour la somme de soixante francs, sans compter le pourboire, consentit à le mener jusqu'à la barrière d'Italie. Mais, à cent pas de la barrière, son conducteur le fit descendre et s'en retourna. Frédéric marchait sur la route, quand tout à coup une sentinelle croisa la baïonnette. Quatre hommes l'empoignèrent en vociférant :

— « C'en est un ! Prenez garde ! Fouillez-le ! Brigand ! Canaille ! »

Et sa stupéfaction fut si profonde qu'il se laissa traîner au poste de la barrière, dans le rond-point même où convergent les boulevards des Gobelins et de l'Hôpital et les rues Godefroy et Mouffetard.

Quatre barricades formaient, au bout des quatre voies, d'énormes talus de pavés ; des torches çà et là grésillaient ; malgré la poussière qui s'élevait, il distingua des fantassins de la ligne et des gardes nationaux, tous le visage noir, débraillés, hagards. Ils venaient de prendre la place, avaient fusillé plusieurs hommes ; leur colère durait encore. Frédéric dit qu'il arrivait de Fontainebleau au secours d'un camarade blessé logeant rue Bellefond ; personne d'abord ne voulut le croire ; on examina ses mains, on flaira même son oreille pour s'assurer qu'il ne sentait pas la poudre.

Cependant, à force de répéter la même chose, il finit par convaincre un capitaine, qui ordonna à deux fusiliers de le conduire au poste du Jardin des Plantes.

Ils descendirent le boulevard de l'Hôpital. Une forte brise soufflait. Elle le ranima.

Ils tournèrent ensuite par la rue du Marché-aux-Chevaux. Le Jardin des Plantes, à droite, faisait une grande masse noire, tandis qu'à gauche la façade entière de la Pitié, éclairée à toutes ses fenêtres, flambait comme un incendie, et des ombres passaient rapidement sur les carreaux.

Les deux hommes de Frédéric s'en allèrent. Un autre l'accompagna jusqu'à l'École polytechnique.

La rue Saint-Victor était toute sombre, sans un bec de gaz ni une lumière aux maisons. De dix minutes en dix minutes, on entendait :

— « Sentinelles ! prenez garde à vous ! » Et ce cri, jeté au milieu du silence, se prolongeait comme la répercussion d'une pierre tombant dans un abîme.

Quelquefois, un battement de pas lourds s'approchait. C'était une patrouille de cent hommes au moins ; des chuchotements, de vagues cliquetis de fer s'échappaient de cette masse confuse ; et, s'éloignant dans un balancement rythmique, elle se fondait dans l'obscurité.

Il y avait au centre des carrefours un dragon à cheval, immobile. De temps en temps, une estafette passait au grand galop, puis le silence recommençait. Des canons en marche faisaient au loin sur le pavé un roulement sourd et formidable ; le cœur se serrait à ces bruits différant de tous les bruits ordinaires. Ils semblaient même élargir le silence, qui était profond, absolu, — un silence noir. Des hommes en blouse blanche abordaient les soldats, leur disaient un mot, et s'évanouissaient comme des fantômes.

Le poste de l'École polytechnique regorgeait de monde. Des femmes encombraient le seuil, demandant à voir leur fils ou leur mari. On les renvoyait au Panthéon transformé en dépôt de cadavres, — et on n'écoutait pas Frédéric. Il s'obstina, jurant que son ami Dussardier l'attendait, allait mourir. On lui donna enfin un caporal pour le mener au haut de la rue Saint-Jacques, à la mairie du XIIe arrondissement [696].

La place du Panthéon était pleine de soldats couchés sur de la paille. Le jour se levait. Les feux de bivac [697] s'éteignaient.

L'insurrection avait laissé dans ce quartier-là des traces formidables. Le sol des rues se trouvait, d'un bout à l'autre, inégalement bosselé. Sur les barricades en ruine, il restait des omnibus, des tuyaux de gaz, des roues de charrettes ; de petites flaques noires, en de certains endroits, devaient être du sang. Les maisons étaient criblées de projectiles, et leur charpente se montrait sous les écaillures du plâtre. Des jalousies, tenant par un clou, pendaient comme des haillons. Les escaliers ayant croulé, des portes s'ouvraient sur le vide. On apercevait l'intérieur des chambres avec leurs papiers en lambeaux ; des choses délicates s'y étaient conservées, quelquefois. Frédéric observa une pendule, un bâton de perroquet, des gravures.

Quand il entra dans la mairie, les gardes nationaux bavardaient intarissablement sur les morts de Bréa et de Négrier [698], du représentant Charbonnel et de l'archevêque de Paris. On disait que le duc d'Aumale était débarqué à Boulogne, Barbès, enfui de Vincennes, que l'artillerie [699] arrivait de Bourges et que les secours de la province affluaient. Vers trois heures, quelqu'un apporta de bonnes nouvelles ; des parlementaires de l'émeute étaient chez le président de l'Assemblée.

Alors, on se réjouit ; et, comme il avait encore douze francs, Frédéric fit venir douze bouteilles de vin, espérant par là hâter sa délivrance. Tout à coup, on crut entendre une fusillade. Les libations s'arrêtèrent ; on regarda l'inconnu avec des yeux méfiants ; ce pouvait être Henri V.

Pour n'avoir aucune responsabilité, ils le transportèrent

à la mairie du XIe arrondissement, d'où on ne lui permit pas de sortir avant neuf heures du matin.

Il alla en courant jusqu'au quai Voltaire. A une fenêtre ouverte, un vieillard en manches de chemise pleurait, les yeux levés. La Seine coulait paisiblement. Le ciel était tout bleu ; dans les arbres des Tuileries, des oiseaux chantaient.

Frédéric traversait le Carrousel quand une civière vint à passer. Le poste, tout de suite, présenta les armes, et l'officier dit en mettant la main à son shako : « Honneur au courage malheureux ! » Cette parole était devenue presque obligatoire ; celui qui la prononçait paraissait toujours solennellement ému. Un groupe de gens furieux escortait la civière, en criant :

— « Nous vous vengerons ! nous vous vengerons ! »

Les voitures circulaient sur le boulevard, et des femmes devant les portes faisaient de la charpie [700]. Cependant, l'émeute était vaincue ou à peu près ; une proclamation de Cavaignac, affichée tout à l'heure, l'annonçait. Au haut de la rue Vivienne, un peloton de mobiles apparut. Alors, les bourgeois poussèrent des cris d'enthousiasme ; ils levaient leurs chapeaux, applaudissaient, dansaient, voulaient les embrasser, leur offrir à boire, — et des fleurs jetées par des dames tombaient des balcons.

Enfin, à dix heures, au moment où le canon grondait pour prendre le faubourg Saint-Antoine, Frédéric arriva chez Dussardier. Il le trouva dans sa mansarde, étendu sur le dos et dormant. De la pièce voisine [701] une femme sortit à pas muets, Mlle Vatnaz.

Elle emmena Frédéric à l'écart, et lui apprit comment Dussardier avait reçu sa blessure.

Le samedi, au haut d'une barricade [702], dans la rue Lafayette, un gamin enveloppé d'un drapeau tricolore criait aux gardes nationaux : « Allez-vous tirer contre vos frères ! » Comme ils s'avançaient [703], Dussardier avait jeté bas son fusil, écarté les autres, bondi sur la barricade, et d'un coup de savate abattu l'insurgé en lui arrachant le drapeau. On l'avait retrouvé sous les décombres, la cuisse percée d'un lingot de cuivre. Il avait fallu débrider la plaie, extraire le projectile. Mlle Vatnaz était arrivée le soir même, et, depuis ce temps-là, ne le quittait plus.

Elle préparait avec intelligence tout ce qu'il fallait pour les pansements, l'aidait à boire, épiait ses moindres désirs,

allait et venait plus légère qu'une mouche, et le contemplait
avec des yeux tendres.

Frédéric, pendant deux semaines, ne manqua pas de
revenir tous les matins ; un jour qu'il parlait du dévouement
de la Vatnaz, Dussardier haussa les épaules.

— « Eh non ! C'est par intérêt ! »

— « Tu crois ? »

Il reprit : « J'en suis sûr ! » sans vouloir s'expliquer
davantage.

Elle le comblait de prévenances jusqu'à lui apporter [704]
les journaux où l'on exaltait sa belle action. Ces hommages
paraissaient l'importuner. Il avoua même à Frédéric l'embarras de sa conscience.

Peut-être qu'il aurait dû se mettre de l'autre bord, avec
les blouses ; car enfin on leur avait promis un tas de choses
qu'on n'avait pas tenues. Leurs vainqueurs détestaient la
République ; et puis, on s'était montré bien dur pour eux !
Ils avaient tort, sans doute, pas tout à fait, cependant ;
et le brave garçon était torturé par cette idée qu'il pouvait
avoir combattu la justice.

Sénécal, enfermé aux Tuileries [705], sous la terrasse du bord
de l'eau, n'avait rien de ces angoisses.

Ils étaient là, neuf cents hommes, entassés dans l'ordure,
pêle-mêle, noirs de poudre et de sang caillé, grelottant la
fièvre, criant de rage ; et on ne retirait pas ceux qui venaient
à mourir parmi les autres. Quelquefois, au bruit soudain
d'une détonation, ils croyaient qu'on allait tous les fusiller ;
alors, ils se précipitaient contre les murs, puis retombaient
à leur place, tellement hébétés par la douleur qu'il leur
semblait vivre dans un cauchemar, une hallucination
funèbre. La lampe suspendue à la voûte avait l'air d'une
tache de sang ; et de petites flammes vertes et jaunes voltigeaient, produites par les émanations du caveau. Dans la
crainte des épidémies, une commission fut nommée. Dès
les premières marches [706], le président se rejeta en arrière,
épouvanté par l'odeur des excréments et des cadavres.
Quand les prisonniers s'approchaient d'un soupirail, les
gardes nationaux qui étaient de faction — pour les empêcher
d'ébranler les grilles — fourraient des coups de baïonnette,
au hasard, dans le tas.

Ils furent, généralement, impitoyables. Ceux qui ne
s'étaient pas battus voulaient se signaler. C'était un débor-

dement de peur. On se vengeait à la fois des journaux, des clubs, des attroupements, des doctrines, de tout ce qui exaspérait depuis trois mois ; et, en dépit de la victoire, l'égalité (comme pour le châtiment de ses défenseurs et la dérision de ses ennemis) se manifestait triomphalement, une égalité de bêtes brutes ; un même niveau de turpitudes sanglantes ; car le fanatisme des intérêts équilibra les délires du besoin, l'aristocratie eut les fureurs de la crapule, et le bonnet de coton ne se montra pas moins hideux que le bonnet rouge. La raison publique était troublée comme après les grands bouleversements de la nature. Des gens d'esprit en restèrent idiots pour toute leur vie.

Le père Roque était devenu très brave, presque témé-raire. Arrivé le 26 à Paris avec les Nogentais, au lieu de s'en retourner en même temps qu'eux, il avait été s'adjoindre à la garde nationale qui campait aux Tuileries ; et il fut très content d'être placé en sentinelle devant la terrasse du bord de l'eau. Au moins, là, il les avait sous lui, ces brigands ! Il jouissait de leur défaite, de leur abjection, et ne pouvait se retenir de les invectiver.

Un d'eux, un adolescent à longs cheveux blonds, mit sa face aux barreaux en demandant du pain. M. Roque lui ordonna de se taire. Mais le jeune homme répétait d'une voix lamentable :

— « Du pain ! »

— « Est-ce que j'en ai, moi ! »

D'autres prisonniers apparurent dans le soupirail, avec leurs barbes hérissées, leurs prunelles flamboyantes, tous se poussant et hurlant :

— « Du pain » !

Le père Roque fut indigné de voir son autorité méconnue. Pour leur faire peur, il les mit en joue ; et, porté jusqu'à la voûte par le flot qui l'étouffait, le jeune homme, la tête en arrière, cria encore une fois :

— « Du pain ! »

— « Tiens ! en voilà ! » dit le père Roque, en lâchant son coup de fusil [707].

Il y eut un énorme hurlement, puis, rien. Au bord du baquet [708], quelque chose de blanc était resté.

Après quoi, M. Roque s'en retourna chez lui ; car il possédait, rue Saint-Martin, une maison où il s'était réservé un pied-à-terre ; et les dommages causés par l'émeute à la devanture de son immeuble n'avaient pas contribué médiocrement à le rendre furieux. Il lui sembla, en la revoyant, qu'il s'était exagéré le mal. Son action de tout à l'heure l'apaisait, comme une indemnité.

Ce fut sa fille elle-même qui lui ouvrit la porte. Elle lui dit, tout de suite, que son absence trop longue l'avait inquiétée ; elle avait craint un malheur, une blessure.

Cette preuve d'amour filial attendrit le père Roque. Il s'étonna qu'elle se fût mise en route sans Catherine.

— « Je l'ai envoyée faire une commission, » répondit Louise.

Et elle s'informa de sa santé, de choses et d'autres ; puis, d'un air indifférent, lui demanda si par hasard il n'avait pas rencontré Frédéric.

— « Non ! pas le moins du monde ! »

C'était pour lui seul qu'elle avait fait le voyage. Quelqu'un marcha [709] dans le corridor.

— « Ah ! pardon... »

Et elle disparut.

Catherine n'avait point trouvé Frédéric. Il était absent depuis plusieurs jours, et son ami intime, M. Deslauriers, habitait maintenant la province.

Louise reparut toute tremblante, sans pouvoir parler. Elle s'appuyait contre les meubles.

— « Qu'as-tu ? qu'as-tu donc ? » s'écria son père.

Elle fit signe que ce n'était rien, et par un grand effort de volonté se remit.

Le traiteur d'en face apporta la soupe. Mais le père Roque avait subi une trop violente émotion . « Ça ne pouvait pas passer », et il eut au dessert une espèce de défaillance. On envoya chercher vivement un médecin, qui prescrivit une potion. Puis, quand il fut dans son lit, M. Roque exigea le plus de couvertures possible, pour se faire suer. Il soupirait, il geignait [710].

— « Merci, ma bonne Catherine ! — Baise ton pauvre père, ma poulette ! Ah ! ces révolutions ! »

Et, comme sa fille le grondait de s'être rendu malade en se tourmentant pour elle, il répliqua :

— « Oui ! tu as raison ! Mais c'est plus fort que moi ! Je suis trop sensible ! »

II

Mme Dambreuse, dans son boudoir, entre sa nièce et miss John, écoutait parler M. Roque, contant ses fatigues militaires.

Elle se mordait les lèvres, semblait souffrir.

— « Oh ! ce n'est rien ! ça se passera ! »

Et, d'un air gracieux :

— « Nous aurons à dîner une de vos connaissances, M. Moreau. »

Louise tressaillit.

— « Puis seulement quelques intimes, Alfred de Cisy, entre autres. »

Et elle vanta ses manières, sa figure, et principalement ses mœurs.

Mme Dambreuse mentait moins qu'elle ne croyait ; le vicomte rêvait le mariage. Il l'avait dit à Martinon, ajoutant qu'il était sûr de plaire à Mlle Cécile et que ses parents l'accepteraient.

Pour risquer une telle confidence, il devait avoir sur la dot des renseignements avantageux. Or, Martinon soup-çonnait Cécile d'être la fille naturelle de M. Dambreuse ; et il eût été, probablement, très fort de demander sa main à tout hasard. Cette audace offrait des dangers ; aussi Martinon, jusqu'à présent, s'était conduit de manière à ne pas se compromettre ; d'ailleurs, il ne savait comment se débarrasser de la tante. Le mot de Cisy le déter-mina ; et il avait fait sa requête au banquier, lequel, n'y voyant pas d'obstacle, venait d'en prévenir Mme Dambreuse.

Cisy parut. Elle se leva, dit :

— « Vous nous oubliez... Cécile, shake hands [711] ! »

Au même moment, Frédéric entrait.

— « Ah ! enfin ! on vous retrouve ! » s'écria le père

Roque. « J'ai été trois fois chez vous, avec Louise, cette semaine ! »

Frédéric les avait soigneusement évités. Il allégua qu'il passait tous les jours près d'un camarade blessé. Depuis longtemps, du reste, un tas de choses l'avaient pris ; et il cherchait des histoires. Heureusement, les convives arrivèrent : d'abord M. Paul de Grémonville, le diplomate entrevu au bal, puis Fumichon, cet industriel dont le dévouement conservateur l'avait un soir scandalisé ; la vieille duchesse de Montreuil-Nantua les suivait.

Mais deux voix s'élevèrent dans l'antichambre.

— « J'en suis certaine, » disait l'une.

— « Chère belle dame ! chère belle dame ! » répondait l'autre, « de grâce, calmez-vous ! »

C'était M. de Nonancourt, un vieux beau, l'air momifié dans du cold-cream, et Mme de Larsillois, l'épouse d'un préfet de Louis-Philippe. Elle tremblait extrêmement, car elle avait entendu, tout à l'heure, sur un orgue, une polka qui était un signal entre les insurgés. Beaucoup de bourgeois avaient des imaginations pareilles ; on croyait que des hommes, dans les catacombes, allaient faire sauter le faubourg Saint-Germain ; des rumeurs s'échappaient des caves ; il se passait aux fenêtres des choses suspectes.

Tout le monde s'évertua cependant à tranquilliser Mme de Larsillois. L'ordre était rétabli. Plus rien à craindre. « Cavaignac nous a sauvés ! » Comme si les horreurs [712] de l'insurrection n'eussent pas été suffisamment nombreuses, on les exagérait. Il y avait eu vingt-trois mille forçats du côté des socialistes, — pas moins !

On ne doutait nullement des vivres empoisonnés, des mobiles sciés entre deux planches, et des inscriptions des drapeaux qui réclamaient le pillage, l'incendie.

— « Et quelque chose de plus ! » ajouta l'ex-préfète.

— « Ah ! chère ! » dit par pudeur Mme Dambreuse, en désignant d'un coup d'œil les trois jeunes filles.

M. Dambreuse sortit de son cabinet avec Martinon. Elle détourna la tête, et répondit aux saluts de Pellerin qui s'avançait. L'artiste considérait les murailles d'une façon inquiète. Le banquier le prit à part, et lui fit comprendre qu'il avait dû, pour le moment, cacher sa toile révolutionnaire.

— « Sans doute ! » dit Pellerin, son échec au *Club de l'Intelligence* ayant modifié ses opinions.

M. Dambreuse glissa [713] fort poliment qu'il lui commanderait d'autres travaux.

— « Mais pardon !... — Ah ! cher ami ! quel bonheur ! » Arnoux et Mme Arnoux étaient devant Frédéric.

Il eut comme un vertige. Rosanette, avec son admiration pour les soldats, l'avait agacé toute l'après-midi ; et le vieil amour se réveilla.

Le maître d'hôtel vint annoncer que Madame était servie. D'un regard, elle ordonna au vicomte de prendre le bras de Cécile, dit tout bas à Martinon : « Misérable ! » et on passa dans la salle à manger.

Sous les feuilles vertes d'un ananas, au milieu de la nappe, une dorade s'allongeait, le museau tendu vers un quartier de chevreuil et touchant de sa queue un buisson d'écrevisses. Des figues, des cerises énormes, des poires et des raisins (primeurs de la culture parisienne) montaient en pyramide dans des corbeilles de vieux saxe [714] ; une touffe de fleurs, par intervalles, se mêlait aux claires argenteries; les stores de soie blanche, abaissés devant les fenêtres, emplissaient l'appartement d'une lumière douce ; il était rafraîchi par deux fontaines où il y avait des morceaux de glace ; et de grands domestiques en culotte courte servaient. Tout cela semblait meilleur après l'émotion des jours passés. On rentrait dans la jouissance des choses que l'on avait eu peur de perdre ; et Nonancourt exprima le sentiment général en disant :

— « Ah ! espérons que MM. les républicains vont nous permettre de dîner ! »

— « Malgré leur fraternité ! » ajouta spirituellement le père Roque.

Ces deux honorables étaient à la droite et à la gauche de Mme Dambreuse, ayant devant elle son mari, entre Mme de Larsillois, flanquée du diplomate, et la vieille duchesse, que Fumichon coudoyait. Puis venaient le peintre, le marchand de faïences, Mlle Louise ; et grâce à Martinon, qui lui avait enlevé sa place [715] pour se mettre auprès de Cécile, Frédéric se trouvait à côté de Mme Arnoux.

Elle portait une robe de barège noir, un cercle d'or au poignet, et comme le premier jour où il avait dîné chez elle, quelque chose de rouge dans les cheveux [716], une branche

de fuchsia entortillée à son chignon. Il ne put s'empêcher
de lui dire :

— « Voilà longtemps que nous ne nous sommes vus ! »
— « Ah ! » répliqua-t-elle froidement.

Il reprit avec une douceur dans la voix qui atténuait
l'impertinence de sa question :

— « Avez-vous quelquefois pensé à moi ? »
— « Pourquoi y penserais-je ? »

Frédéric fut blessé par ce mot.

— « Vous avez peut-être raison, après tout. »

Mais, se repentant vite, il jura qu'il n'avait pas vécu un
seul jour sans être ravagé par son souvenir.

— « Je n'en crois absolument rien, monsieur. »
— « Cependant, vous savez que je vous aime ! »

Mme Arnoux ne répondit pas.

— « Vous savez que je vous aime. »

Elle se taisait toujours.

— « Eh bien, va te promener ! » se dit Frédéric.

Et, levant les yeux, il aperçut, à l'autre bout de la table,
Mlle Roque.

Elle avait cru coquet de s'habiller tout en vert, couleur
qui jurait grossièrement avec le ton de ses cheveux rouges.
Sa boucle de ceinture était trop haute, sa collerette l'en-
gonçait ; ce peu d'élégance avait contribué sans doute au
froid abord de Frédéric. Elle l'observait de loin, curieusement ; et Arnoux, près d'elle, avait beau prodiguer les
galanteries, il n'en pouvait tirer trois paroles, si bien que,
renonçant à plaire, il écouta la conversation. Elle roulait
maintenant sur les purées d'ananas du Luxembourg.

Louis Blanc, d'après Fumichon, possédait un hôtel
rue Saint-Dominique et refusait de louer aux ouvriers.

— « Moi, ce que je trouve drôle, » dit Nonancourt,
« c'est Ledru-Rollin chassant dans les domaines de la
Couronne ! »

— « Il doit vingt mille francs à un orfèvre ! » ajouta Cisy ;
« et même on prétend... »

Mme Dambreuse l'arrêta.

— « Ah ! que c'est vilain de s'échauffer pour la politique !
Un jeune homme, fi donc ! Occupez-vous plutôt de votre
voisine ! »

Ensuite, les gens sérieux attaquèrent les journaux.

Arnoux prit leur défense ; Frédéric s'en mêla, les appe-

lant des maisons de commerce pareilles aux autres. Leurs
écrivains, généralement, étaient des imbéciles, ou des bla-
gueurs ; il se donna pour les connaître, et combattait par
des sarcasmes les sentiments généreux de son ami. Mme
Arnoux ne voyait pas que c'était une vengeance [717] contre
elle.

Cependant, le vicomte se torturait l'intellect afin de
conquérir Mlle Cécile. D'abord, il étala des goûts d'artiste,
en blâmant la forme des carafons et la gravure des couteaux.
Puis il parla de son écurie, de son tailleur et de son chemisier ; enfin, il aborda le chapitre de la religion et trouva
moyen de faire entendre qu'il accomplissait tous ses devoirs.

Martinon s'y prenait mieux. D'un train monotone, et en
la regardant continuellement, il vantait son profil d'oiseau,
sa fade chevelure blonde, ses mains trop courtes. La laide
jeune fille se délectait sous cette averse de douceurs.

On ne pouvait rien entendre, tous parlant très haut.
M. Roque voulait pour gouverner la France « un bras de
fer ». Nonancourt regretta même que l'échafaud politique
fût aboli. On aurait dû tuer en masse tous ces gredins-là !

— « Ce sont même des lâches, » dit Fumichon. « Je ne
vois pas de bravoure à se mettre derrière les barricades ! »

— « A propos, parlez-nous donc de Dussardier ! »
dit M. Dambreuse en se tournant vers Frédéric.

Le brave commis était maintenant un héros, comme
Sallesse, les frères Jeanson, la femme Péquillet, etc.

Frédéric, sans se faire prier, débita l'histoire de son ami ;
il lui en revint une espèce d'auréole.

On arriva, tout naturellement, à relater différents traits
de courage. Suivant le diplomate, il n'était pas difficile
d'affronter la mort, témoin ceux qui se battent en duel.

— « On peut s'en rapporter au vicomte, » dit Martinon.

Le vicomte devint très rouge.

Les convives le regardaient; et Louise, plus étonnée que
les autres, murmura :

— « Qu'est-ce donc ? »

— « Il a *calé* devant Frédéric », reprit tout bas Arnoux.

— « Vous savez quelque chose, mademoiselle ? »
demanda aussitôt Nonancourt ; et il dit sa réponse à Mme
Dambreuse, qui, se penchant un peu, se mit à regarder
Frédéric.

Martinon n'attendit pas les questions de Cécile. Il lui

apprit que cette affaire concernait une personne inqualifiable. La jeune fille [718] se recula légèrement sur sa chaise,
comme pour fuir le contact de ce libertin.

La conversation avait recommencé. Les grands vins de
Bordeaux circulaient, on s'animait ; Pellerin en voulait
à la révolution à cause du musée espagnol, définitivement
perdu. C'était ce qui l'affligeait le plus, comme peintre.
A ce mot, M. Roque l'interpella.

— « Ne seriez-vous pas l'auteur d'un tableau très remarquable ? »

— « Peut-être ! Lequel ? »

— « Cela représente une dame dans un costume...
ma foi !... un peu... léger, avec une bourse et un paon
derrière. »

Frédéric à son tour s'empourpra. Pellerin faisait semblant
de ne pas entendre.

— « Cependant, c'est bien de vous ! Car il y a votre
nom écrit au bas, et une ligne sur le cadre constatant que
c'est la propriété de M. Moreau. »

Un jour que le père Roque et sa fille l'attendaient chez
lui, ils avaient vu le portrait de la Maréchale. Le bonhomme
l'avait même pris pour « un tableau gothique ».

— « Non ! » dit Pellerin brutalement ; « c'est un portrait
de femme. »

Martinon ajouta :

— « D'une femme très vivante ! N'est-ce pas, Cisy ? »

— « Eh ! je n'en sais rien. »

— « Je croyais que vous la connaissiez. Mais du moment
que ça vous fait de la peine, mille excuses ! »

Cisy baissa les yeux, prouvant par son embarras qu'il
avait dû jouer un rôle pitoyable à l'occasion de ce portrait.
Quant à Frédéric, le modèle ne pouvait être que sa maîtresse.
Ce fut une de ces convictions qui se forment tout de suite,
et les figures de l'assemblée la manifestaient clairement.

— « Comme il me mentait ! » se dit Mme Arnoux.

— « C'est donc pour cela qu'il m'a quittée ! » pensa
Louise.

Frédéric s'imaginait que ces deux histoires pouvaient le
compromettre ; et quand on fut dans le jardin, il en fit
des reproches à Martinon.

L'amoureux de Mlle Cécile lui éclata de rire au nez.

— « Eh ! pas du tout ! ça te servira ! Va de l'avant » !

Que voulait-il dire ! D'ailleurs, pourquoi cette bienveillance si contraire à ses habitudes ? Sans rien expliquer,
il s'en alla vers le fond, où les dames étaient assises. Les
hommes se tenaient debout, et Pellerin, au milieu d'eux,
émettait des idées. Ce qu'il y avait de plus favorable pour
les arts, c'était une monarchie bien entendue. Les temps
modernes le dégoûtaient, « quand ce ne serait qu'à cause de
la garde nationale » ; il regrettait le moyen âge, Louis XIV ;
M. Roque le félicita de ses opinions, avouant même qu'elles
renversaient tous ses préjugés sur les artistes. Mais il s'éloigna presque aussitôt, attiré par la voix de Fumichon.
Arnoux tâchait d'établir qu'il y a deux socialismes, un bon
et un mauvais. L'industriel n'y voyait pas de différence,
la tête lui tournant de colère au mot propriété.

— « C'est un droit écrit dans la nature ! Les enfants
tiennent à leurs joujoux ; tous les peuples sont de mon avis,
tous les animaux ; le lion même, s'il pouvait parler, se
déclarerait propriétaire ! Ainsi, moi, messieurs, j'ai commencé avec quinze mille francs de capital ! Pendant trente
ans, savez-vous, je me levais régulièrement à quatre heures
du matin ! J'ai eu un mal des cinq cents diables à faire ma
fortune ! Et on viendra me soutenir que je n'en suis pas le
maître, que mon argent n'est pas mon argent, enfin que la
propriété, c'est le vol ! »

— « Mais Proudhon... »

— « Laissez-moi tranquille, avec votre Proudhon !
S'il était là, je crois que je l'étranglerais ! »

Il l'aurait étranglé. Après les liqueurs surtout, Fumichon
ne se connaissait plus ; et son visage apoplectique était
près d'éclater [719] comme un obus.

— « Bonjour, Arnoux, » dit Hussonnet, qui passa lestement sur le gazon.

Il apportait à M. Dambreuse la première feuille d'une
brochure intitulée *l'Hydre*, le bohème défendant les intérêts
d'un cercle réactionnaire, et le banquier le présenta comme
tel à ses hôtes.

Hussonnet les divertit, en soutenant d'abord que les
marchands de suif payaient trois cent quatre-vingt-douze
gamins pour crier chaque soir : « Des lampions ! » puis en
blaguant les principes de 89, l'affranchissement des nègres,
les orateurs de la gauche ; il se lança même jusqu'à faire
Prudhomme sur une barricade, peut-être par l'effet d'une

jalousie naïve contre ces bourgeois qui avaient bien dîné. La charge plut médiocrement. Leurs figures s'allongèrent.

Ce n'était pas le moment de plaisanter, du reste ; Nonancourt le dit, en rappelant la mort de Monseigneur Affre et celle du général Bréa [720]. Elles étaient toujours rappelées ; on en faisait des arguments. M. Roque déclara le trépas de l'Archevêque : « tout ce qu'il y avait de plus sublime » ; Fumichon donnait la palme au militaire ; et, au lieu de déplorer simplement ces deux meurtres, on discuta pour savoir lequel devait exciter la plus forte indignation. Un second parallèle vint après, celui de Lamoricière et de Cavaignac, M. Dambreuse exaltant Cavaignac et Nonancourt Lamoricière [721]. Personne de la compagnie, sauf Arnoux, n'avait pu les voir à l'œuvre. Tous n'en formulèrent pas moins sur leurs opérations un jugement irrévocable. Frédéric s'était récusé, confessant qu'il n'avait pas pris les armes. Le diplomate et M. Dambreuse lui firent un signe de tête approbatif. En effet, avoir combattu l'émeute, c'était avoir défendu la République. Le résultat, bien que favorable, la consolidait ; et, maintenant qu'on était débarrassé des vaincus, on souhaitait l'être des vainqueurs.

A peine dans le jardin, Mme Dambreuse, prenant Cisy, l'avait gourmandé de sa maladresse ; à la vue de Martinon, elle le congédia, puis voulut savoir de son futur neveu la cause de ses plaisanteries sur le vicomte.

— « Il n'y en a pas. »

— « Et tout cela comme pour la gloire de M. Moreau ! Dans quel but ? »

— « Dans aucun. Frédéric est un charmant garçon. Je l'aime beaucoup ».

— « Et moi aussi ! Qu'il vienne ! Allez le chercher ! »

Après deux ou trois phrases banales, elle commença par déprécier légèrement ses convives, ce qui était le mettre au-dessus d'eux. Il ne manqua pas de dénigrer un peu les autres femmes, manière habile de lui adresser des compliments. Mais elle le quittait de temps en temps, c'était soir de réception, des dames arrivaient ; puis elle revenait à sa place, et la disposition toute fortuite des sièges leur permettait de n'être pas entendus.

Elle se montra enjouée, sérieuse, mélancolique et raisonnable. Les préoccupations du jour l'intéressaient médiocrement ; il y avait tout un ordre de sentiments moins

transitoires. Elle se plaignit des poètes qui dénaturent la
vérité, puis elle leva les yeux vers le ciel, en lui demandant
le nom d'une étoile.

On avait mis dans les arbres deux ou trois lanternes
chinoises ; le vent les agitait, des rayons colorés tremblaient
sur sa robe blanche. Elle se tenait, comme d'habitude, un
peu en arrière dans son fauteuil, avec un tabouret devant
elle ; on apercevait la pointe d'un soulier de satin noir ;
et Mme Dambreuse, par intervalles, lançait une parole
plus haute, quelquefois même un rire.

Ces coquetteries n'atteignaient pas Martinon, occupé
de Cécile ; mais elles allaient frapper la petite Roque, qui
causait avec Mme Arnoux. C'était la seule, parmi ces femmes
dont les manières ne lui semblaient pas dédaigneuses. Elle
était venue s'asseoir à côté d'elle ; puis, cédant à un besoin
d'épanchement :

— « N'est-ce pas qu'il parle bien, Frédéric Moreau ? »
— « Vous le connaissez ? »
— « Oh ! beaucoup [722] ! Nous sommes voisins, il m'a fait
jouer toute petite. »

Mme Arnoux lui jeta un long regard qui signifiait :
« Vous ne l'aimez pas, j'imagine ? »

Celui de la jeune fille répliqua sans trouble : « Si ! »
— « Vous le voyez souvent, alors ? »
— « Oh ! non ! seulement quand il vient chez sa mère.
Voilà dix mois qu'il est venu ! Il avait promis cependant
d'être plus exact. »
— « Il ne faut pas trop croire aux promesses des hommes,
mon enfant. »
— « Mais il ne m'a pas trompée, moi ! »
— « Comme d'autres ! »

Louise frissonna : « Est-ce que, par hasard, il lui aurait
aussi promis quelque chose, à elle ? » et sa figure était
crispée de défiance et de haine.

Mme Arnoux en eut presque peur ; elle aurait voulu
rattraper son mot. Puis, toutes deux se turent.

Comme Frédéric [723] se trouvait en face, sur un pliant,
elles le considéraient, l'une avec décence, du coin des
paupières, l'autre franchement, la bouche ouverte, si bien
que Mme Dambreuse lui dit :

— « Tournez-vous donc pour qu'elle vous voie ! »
— « Qui cela ? »

— « Mais la fille de M. Roque ! »

Et elle le plaisanta sur l'amour de cette jeune provinciale. Il s'en défendait, en tâchant de rire.

— « Est-ce croyable ! je vous le demande ! Une laideron pareille ! »

Cependant, il éprouvait un plaisir de vanité immense. Il se rappelait l'autre soirée, celle dont il était sorti, le cœur plein d'humiliations ; et il respirait largement ; il se sentait dans son vrai milieu, presque dans son domaine, comme si tout cela, y compris l'hôtel Dambreuse, lui avait appartenu. Les dames formaient un demi-cercle en l'écoutant ; et, afin de briller, il se prononça pour le rétablissement du divorce, qui devait être facile jusqu'à pouvoir se quitter et se reprendre indéfiniment, tant qu'on voudrait. Elles se récrièrent ; d'autres chuchotaient ; il y avait de petits éclats de voix dans l'ombre, au pied du mur couvert d'aristoloches. C'était comme un caquetage de poules en gaieté ; et il développait sa théorie, avec cet aplomb que la conscience du succès procure. Un domestique apporta dans la tonnelle un plateau chargé de glaces. Les messieurs s'en approchèrent. Ils causaient des arrestations.

Alors, Frédéric se vengea du vicomte en lui faisant accroire qu'on allait peut-être le poursuivre comme légitimiste. L'autre objectait qu'il n'avait pas bougé de sa chambre ; son adversaire accumula les chances mauvaises ; MM. Dambreuse et de Grémonville eux-mêmes s'amusaient. Puis ils complimentèrent Frédéric, tout en regrettant qu'il n'employât pas ses facultés à la défense de l'ordre ; et leur poignée de main fut cordiale ; il pouvait désormais compter sur eux. Enfin, comme tout le monde s'en allait, le vicomte s'inclina très bas devant Cécile :

— « Mademoiselle, j'ai bien l'honneur de vous souhaiter le bonsoir. »

Elle répondit d'un ton sec :

— « Bonsoir ! » Mais elle envoya un sourire à Martinon.

Le père Roque, pour continuer sa discussion avec Arnoux, lui proposa de le reconduire « ainsi que madame », leur route étant la même [724]. Louise et Frédéric marchaient devant. Elle avait saisi son bras ; et, quand elle fut un peu loin des autres :

— « Ah ! enfin ! enfin ! Ai-je assez souffert toute la soirée ! Comme ces femmes sont méchantes ! Quels airs de hauteur ! »

Il voulut les défendre.

— « D'abord, tu pouvais bien me parler en entrant, depuis un an que tu n'es venu ! »

— « Il n'y a pas un an, » dit Frédéric, heureux de la reprendre sur ce détail pour esquiver les autres.

— « Soit ! Le temps m'a paru long, voilà tout ! Mais, pendant cet abominable dîner, c'était à croire que tu avais honte de moi ! Ah ! je comprends, je n'ai pas ce qu'il faut pour plaire, comme elles. »

— « Tu te trompes, » dit Frédéric.

— « Vraiment ! Jure-moi que tu n'en aimes aucune ? »

Il jura.

— « Et c'est moi seule que tu aimes ? »

— « Parbleu ! »

Cette assurance la rendit gaie. Elle aurait voulu se perdre dans les rues, pour se promener ensemble toute la nuit.

— « J'ai été si tourmentée là-bas ! On ne parlait que de barricades ! Je te voyais tombant sur le dos, couvert de sang ! Ta mère était dans son lit avec ses rhumatismes. Elle ne savait rien. Il fallait me taire ! Je n'y tenais plus ! Alors, j'ai pris Catherine. »

Et elle lui conta son départ, toute sa route, et le mensonge fait à son père.

— « Il me ramène dans deux jours. Viens demain soir, comme par hasard, et profites-en pour me demander en mariage. »

Jamais Frédéric n'avait été plus loin du mariage. D'ailleurs, Mlle Roque lui semblait une petite personne assez ridicule. Quelle différence avec une femme comme Mme Dambreuse ! Un bien autre avenir lui était réservé ! Il en avait la certitude aujourd'hui ; aussi n'était-ce pas le moment de s'engager, par un coup de cœur, dans une détermination de cette importance. Il fallait maintenant être positif ; — et puis il avait revu Mme Arnoux. Cependant la franchise de Louise l'embarrassait. Il répliqua :

— « As-tu bien réfléchi à cette démarche ? »

— « Comment ! » s'écria-t-elle, glacée de surprise et d'indignation.

Il dit [725] que se marier actuellement serait une folie.

— « Ainsi, tu ne veux pas de moi ? »

— « Mais tu ne me comprends pas ! »

Et il se lança dans un verbiage très embrouillé, pour lui

faire entendre qu'il était retenu par des considérations
majeures, qu'il avait des affaires à n'en plus finir, que même
sa fortune était compromise (Louise tranchait tout, d'un
mot net), enfin que les circonstances politiques s'y opposaient. Donc, le plus raisonnable était de patienter quelque
temps. Les choses s'arrangeraient, sans doute ; du moins, il
l'espérait ; et, comme il ne trouvait plus de raisons, il
feignit de se rappeler brusquement qu'il aurait dû être
depuis deux heures chez Dussardier.

Puis, ayant salué les autres, il s'enfonça dans la rue
Hauteville, fit le tour du Gymnase, revint sur le boulevard,
et monta en courant les quatre étages de Rosanette.

M. et Mme Arnoux quittèrent le père Roque et sa fille,
à l'entrée de la rue Saint-Denis. Ils s'en retournèrent
sans rien dire ; lui, n'en pouvant plus d'avoir bavardé,
et elle, éprouvant une grande lassitude ; elle s'appuyait
même sur son épaule. C'était le seul homme qui eût montré
pendant la soirée des sentiments honnêtes. Elle se sentit
pour lui pleine d'indulgence. Cependant, il gardait un peu
de rancune contre Frédéric.

— « As-tu vu sa mine, lorsqu'il a été question du portrait ? Quand je te disais qu'il est son amant ? Tu ne voulais pas me croire ! »

— « Oh ! oui, j'avais tort ! »

Arnoux, content de son triomphe, insista.

— « Je parie même qu'il nous a lâchés, tout à l'heure
pour aller la rejoindre ! Il est maintenant chez elle, va !
Il passe la nuit [726]. »

Mme Arnoux avait rabattu sa capeline très bas.

— « Mais tu trembles ! »

— « C'est que j'ai froid, » reprit-elle.

Dès que son père fut endormi, Louise entra dans la
chambre de Catherine, et, la secouant par l'épaule :

— « Lève-toi !... vite ! plus vite ! et va me chercher un
fiacre. »

Catherine lui répondit qu'il n'y en avait plus à cette heure.

— « Tu vas m'y conduire toi-même, alors ? »

— « Où donc ? »

— « Chez Frédéric ! »

— « Pas possible ! A cause ? »

C'était pour lui parler. Elle ne pouvait attendre. Elle
voulait le voir tout de suite.

— « Y pensez-vous ! Se présenter comme ça dans une maison au milieu de la nuit ! D'ailleurs, à présent, il dort ! »

— « Je le réveillerai ! »

— « Mais ce n'est pas convenable pour une demoiselle ! »

— « Je ne suis pas une demoiselle ! Je suis sa femme ! Je l'aime ! Allons, mets ton châle. »

Catherine, debout au bord de son lit, réfléchissait. Elle finit par dire :

— « Non ! je ne veux pas ! »

— « Eh bien, reste ! Moi, j'y vais ! »

Louise glissa comme une couleuvre dans l'escalier. Catherine s'élança par derrière, la rejoignit sur le trottoir. Ses représentations furent inutiles ; et elle la suivait, tout en achevant de nouer sa camisole. Le chemin lui parut extrêmement long. Elle se plaignait de ses vieilles jambes.

— « Après ça, moi, je n'ai pas ce qui vous pousse, dame ! » Puis elle s'attendrissait.

— « Pauvre cœur ! Il n'y a encore que ta Catau, vois-tu ! »

Des scrupules, de temps en temps, la reprenaient.

— « Ah ! vous me faites faire quelque chose de joli ! Si votre père se réveillait ! Seigneur Dieu ! Pourvu qu'un malheur n'arrive pas ! »

Devant le théâtre des Variétés, une patrouille de gardes nationaux les arrêta. Louise dit tout de suite qu'elle allait avec sa bonne dans la rue Rumfort chercher un médecin. On les laissa passer.

Au coin de la Madeleine, elles rencontrèrent une seconde patrouille, et, Louise, ayant donné la même explication, un des citoyens reprit :

— « Est-ce pour une maladie de neuf mois, ma petite chatte ? »

— « Gougibaud ! » s'écria le capitaine, « pas de polissonneries dans les rangs ! — Mesdames, circulez ! »

Malgré l'injonction, les traits d'esprit continuèrent :

— « Bien du plaisir ! »

— « Mes respects au docteur ! »

— « Prenez garde au loup ! »

— « Ils aiment à rire, » remarqua tout haut Catherine. « C'est jeune ! »

Enfin, elles arrivèrent chez Frédéric. Louise tira la son-

nette avec vigueur, plusieurs fois. La porte s'entre-bâilla
et le concierge répondit à sa demande :

— « Non ! »

— « Mais il doit être couché ? »

— « Je vous dis que non ! Voilà près de trois mois
qu'il ne couche pas chez lui ! »

Et le petit carreau de la loge retomba nettement, comme
une guillotine. Elles restaient dans l'obscurité sous la voûte.
Une voix furieuse leur cria :

— « Sortez donc ! »

La porte se rouvrit ; elles sortirent.

Louise fut obligée de s'asseoir sur une borne ; et elle
pleura, la tête dans ses mains [727], abondamment, de tout
son cœur. Le jour se levait, des charrettes passaient.

Catherine la remena en la soutenant, en la baisant, en
lui disant toutes sortes de bonnes choses tirées de son
expérience. Il ne fallait pas se faire tant de mal pour les
amoureux. Si celui-là manquait, elle en trouverait d'autres !

III

Quand l'enthousiasme de Rosanette pour les gardes
mobiles se fut calmé, elle redevint plus charmante que jamais, et Frédéric prit l'habitude insensiblement de vivre
chez elle.

Le meilleur de la journée, c'était le matin sur leur terrasse. En caraco de batiste et pieds nus dans ses pantoufles,
elle allait et venait autour de lui, nettoyait la cage de ses
serins, donnait de l'eau à ses poissons rouges, et jardinait
avec une pelle à feu dans la caisse remplie de terre, d'où
s'élevait un treillage de capucines garnissant le mur. Puis,
accoudés sur leur balcon, ils regardaient ensemble les
voitures, les passants ; et on se chauffait au soleil, on faisait
des projets pour la soirée. Il s'absentait pendant deux heures
tout au plus ; ensuite, ils allaient dans un théâtre quelconque,
aux avant-scènes ; et Rosanette, un gros bouquet de fleurs
à la main, écoutait les instruments, tandis que Frédéric,
penché à son oreille, lui contait des choses joviales ou
galantes. D'autres fois, ils prenaient une calèche pour les
conduire au bois de Boulogne ; ils se promenaient tard,
jusqu'au milieu de la nuit. Enfin, ils s'en revenaient par
l'Arc de triomphe et la grande avenue, en humant l'air,
avec les étoiles sur leur tête, et, jusqu'au fond de la perspective, tous les becs de gaz alignés comme un double cordon
de perles lumineuses.

Frédéric l'attendait toujours quand ils devaient sortir ;
elle était fort longue à disposer autour de son menton les
deux rubans de sa capote ; et elle se souriait à elle-même,
devant son armoire à glace. Puis passait son bras sur le sien
et le forçant à se mirer près d'elle :

— « Nous faisons bien comme cela, tous les deux côte à
côte ! Ah ! pauvre amour, je te mangerais ! »

Il était maintenant sa chose, sa propriété. Elle en avait

sur le visage un rayonnement continu, en même temps qu'elle paraissait plus langoureuse de manières, plus ronde dans ses formes ; et, sans pouvoir dire de quelle façon, il la trouvait changée, cependant.

Un jour, elle lui apprit comme une nouvelle très importante que le sieur Arnoux venait de monter un magasin de blanc à une ancienne ouvrière de sa fabrique ; il y venait tous les soirs, « dépensait beaucoup, pas plus tard que l'autre semaine, il lui avait même donné un ameublement de palissandre ».

— « Comment le sais-tu ? » dit Frédéric.

— « Oh ! j'en suis sûre ! »

Delphine, exécutant ses ordres, avait pris des informations. Elle aimait donc bien Arnoux pour s'en occuper si fortement [728] ! Il se contenta de lui répondre :

— « Qu'est-ce que cela te fait ? »

Rosanette eut l'air surprise de cette demande.

— « Mais la canaille me doit de l'argent ! N'est-ce pas abominable de le voir entretenir des gueuses ! »

Puis, avec une expression de haine triomphante :

— « Au reste, elle se moque de lui joliment ! Elle a trois autres particuliers. Tant mieux ! et qu'elle le mange jusqu'au dernier liard, j'en serai contente ! »

Arnoux, en effet, se laissait exploiter par la Bordelaise, avec l'indulgence des amours séniles.

Sa fabrique ne marchait plus ; l'ensemble de ses affaires était pitoyable ; si bien que, pour les remettre à flot, il pensa d'abord à établir un café chantant, où l'on aurait chanté rien que des œuvres patriotiques ; le ministre lui accordant une subvention, cet établissement serait devenu tout à la fois un foyer de propagande et une source de bénéfices. La direction du Pouvoir ayant changé, c'était une chose impossible. Maintenant, il rêvait une grande chapellerie militaire. Les fonds lui manquaient [729] pour commencer.

Il n'était pas plus heureux dans son intérieur domestique. Mme Arnoux se montrait moins douce pour lui, parfois même un peu rude. Berthe [730] se rangeait toujours du côté de son père. Cela augmentait le désaccord, et la maison devenait intolérable. Souvent, il en partait dès le matin, passait sa journée à faire de longues courses pour s'étourdir, puis dînait dans un cabaret de campagne, en s'abandonnant à ses réflexions.

L'absence prolongée de Frédéric troublait ses habitudes [731]. Donc, il parut, une après-midi, le supplia de venir le voir comme autrefois, et en obtint la promesse.

Frédéric n'osait [732] retourner chez Mme Arnoux. Il lui semblait l'avoir trahie. Mais cette conduite était bien lâche. Les excuses manquaient. Il faudrait en finir par là ! et, un soir, il se mit en marche.

Comme la pluie tombait, il venait d'entrer dans le passage Jouffroy quand, sous la lumière des devantures, un gros petit homme en casquette l'aborda. Frédéric n'eut pas de peine à reconnaître Compain, cet orateur dont la motion avait causé tant de rires au club. Il s'appuyait sur le bras d'un individu affublé d'un bonnet rouge de zouave, la lèvre supérieure très longue, le teint jaune comme une orange, la mâchoire couverte d'une barbiche, et qui le contemplait avec de gros yeux, lubréfiés d'admiration.

Compain, sans doute, en était fier, car il dit:

— « Je vous présente ce gaillard-là ! C'est un bottier de mes amis, un patriote ! Prenons-nous quelque chose ? »

Frédéric l'ayant remercié, il tonna immédiatement contre la proposition Rateau [733], une manœuvre des aristocrates. Pour en finir, il fallait recommencer 93 ! Puis, il s'informa de Regimbart et de quelques autres, aussi fameux, tels que Masselin, Sanson, Lecornu, Maréchal, et un certain Deslauriers, compromis dans l'affaire des carabines interceptées dernièrement à Troyes.

Tout cela était nouveau pour Frédéric. Compain n'en savait pas davantage. Il le quitta en disant :,

— « A bientôt, n'est-ce pas, car vous en êtes ? »

— « De quoi ! »

— « De la tête de veau ? »

— « Quelle tête de veau ? »

— « Ah ! farceur ! » reprit Compain, en lui donnant une tape sur le ventre.

Et les deux terroristes s'enfoncèrent dans un café.

Dix minutes après, Frédéric ne songeait plus à Deslauriers. Il était sur le trottoir de la rue Paradis, devant une maison ; et il regardait au second étage, derrière des rideaux, la lueur d'une lampe.

Enfin, il monta l'escalier.

— « Arnoux y est-il ? »

La femme de chambre répondit :

— « Non ! mais entrez tout de même. »

Et, ouvrant brusquement une porte :

— « Madame, c'est M. Moreau ! »

Elle se leva, plus pâle que sa collerette. Elle tremblait.

— « Qui me vaut l'honneur... d'une visite... aussi imprévue ? »

— « Rien ! Le plaisir de revoir d'anciens amis ! »

Et, tout en s'asseyant :

— « Comment va ce bon Arnoux ? »

— « Parfaitement ! Il est sorti. »

— « Ah ! je comprends ! toujours ces vieilles habitudes du soir ; un peu de distraction ! »

— « Pourquoi pas ? Après une journée de calculs, la tête a besoin de se reposer ! »

Elle vanta même son mari, comme travailleur. Cet éloge irritait Frédéric ; et, désignant sur ses genoux un morceau de drap noir, avec des soutaches bleues :

— « Qu'est-ce que vous faites là ? »

— « Une veste que j'arrange pour ma fille. »

— « A propos, je ne l'aperçois pas, où est-elle donc ? »

— « Dans une pension, » reprit Mme Arnoux.

Des larmes lui vinrent aux yeux ; elle les retenait, en poussant son aiguille rapidement. Il avait pris par contenance un numéro de *L'Illustration*, sur la table, près d'elle.

— « Ces caricatures de Cham sont très drôles, n'est-ce pas ? »

— « Oui. »

Puis ils retombèrent dans leur silence.

Une rafale ébranla [734] tout à coup les carreaux.

— « Quel temps ! » dit Frédéric.

— « En effet, c'est bien aimable d'être venu par cette horrible pluie ! »

— « Oh ! moi, je m'en moque ! Je ne suis pas comme ceux qu'elle empêche, sans doute, d'aller à leurs rendez-vous ! »

— « Quels rendez-vous ? » demanda-t-elle naïvement.

— « Vous ne vous rappelez pas ? »

Un frisson la saisit, et elle baissa la tête.

Il lui posa doucement [735] la main sur le bras.

— « Je vous assure que vous m'avez fait bien souffrir ! »

Elle reprit, avec une sorte de lamentation dans la voix :

— « Mais j'avais peur pour mon enfant ! »

Elle lui conta la maladie du petit Eugène et toutes les angoisses de cette journée.

— « Merci ! merci ! Je ne doute plus ! je vous aime comme toujours ! »

— « Eh non ! ce n'est pas vrai ! »

— « Pourquoi ? »

Elle le regarda froidement.

— « Vous oubliez l'autre ! Celle que vous promenez aux courses ! La femme dont vous avez le portrait, votre maîtresse ! »

— « Eh bien, oui ! » s'écria Frédéric. « Je ne nie rien ! Je suis un misérable ! écoutez-moi ! » S'il l'avait eue, c'était par désespoir, comme on se suicide. Du reste, il l'avait rendue fort malheureuse, pour se venger sur elle de sa propre honte. « Quel supplice ! Vous ne comprenez pas ? »

Mme Arnoux tourna son beau visage, en lui tendant la main ; et ils fermèrent les yeux, absorbés dans une ivresse qui était comme un bercement doux et infini. Puis ils restèrent à se contempler, face à face, l'un près de l'autre.

— « Est-ce que vous pouviez croire que je ne vous aimais plus ? »

Elle répondit d'une voix basse, pleine de caresses ;

— « Non ! en dépit de tout, je sentais au fond de mon cœur que cela était impossible et qu'un jour l'obstacle entre nous deux s'évanouirait ! »

— « Moi aussi ! et j'avais des besoins de vous revoir, à en mourir ! »

— « Une fois, » reprit-elle, « dans le Palais-Royal, j'ai passé à côté de vous ! »

— « Vraiment ? »

Et il lui dit le bonheur qu'il avait eu en la retrouvant chez les Dambreuse.

— « Mais comme je vous détestais le soir, en sortant de là ! »

— « Pauvre garçon ! »

— « Ma vie est si triste ! »

— « Et la mienne !... S'il n'y avait que les chagrins, les inquiétudes, les humiliations, tout ce que j'endure comme épouse et comme mère [736], puisqu'on doit mourir, je ne me plaindrais pas ; ce qu'il y a d'affreux, c'est ma solitude, sans personne... »

— « Mais je suis là, moi ! »

— « Oh ! oui »

Un sanglot de tendresse l'avait soulevée. Ses bras s'écartèrent ; et ils s'étreignirent debout, dans un long baiser.

Un craquement se fit sur le parquet. Une femme était près d'eux, Rosanette. Mme Arnoux l'avait reconnue ; ses yeux, ouverts démesurément, l'examinaient, tout pleins de surprise et d'indignation. Enfin Rosanette lui dit :

— « Je viens parler à M. Arnoux, pour affaires. »

— « Il n'y est pas, vous le voyez. »

— « Ah ! c'est vrai ! » reprit la Maréchale, « votre bonne avait raison ! Mille excuses ! »

Et, se tournant vers Frédéric :

— « Te voilà ici, toi ? »

Ce tutoiement, donné devant elle, fit rougir Mme Arnoux, comme un soufflet en plein visage.

— « Il n'y est pas, je vous le répète ! »

Alors, la Maréchale, qui regardait çà et là, dit tranquillement :

— « Rentrons-nous ? J'ai un fiacre en bas. »

Il faisait semblant de ne pas entendre.

— « Allons, viens ! »

— « Ah ! oui ! c'est une occasion ! Partez ! partez ! » dit Mme Arnoux.

Ils sortirent. Elle se pencha sur la rampe pour les voir encore ; et un rire aigu, déchirant, tomba sur eux, du haut de l'escalier. Frédéric poussa Rosanette dans le fiacre, se mit en face d'elle, et, pendant toute la route, ne prononça pas un mot.

L'infamie dont le rejaillissement l'outrageait, c'était lui-même qui en était cause. Il éprouvait tout à la fois la honte d'une humiliation écrasante et le regret de sa félicité ; quand il allait enfin la saisir, elle était devenue irrévocablement impossible ! — et par la faute de celle-là, de cette fille, de cette catin. Il aurait voulu l'étrangler ; il étouffait. Rentrés chez eux, il jeta son chapeau sur un meuble, arracha sa cravate.

— « Ah ! tu viens de faire quelque chose de propre, avoue-le ! »

Elle se campa fièrement devant lui.

— « Eh bien, après ? Où est le mal ?   »

— « Comment ! Tu m'espionnes ? »

— « Est-ce ma faute ? Pourquoi vas-tu te divertir chez les femmes honnêtes ? »

— « N'importe ! Je ne veux pas que tu les insultes. »

— « En quoi l'ai-je insultée ? »

Il n'eut rien à répondre ; et, d'un accent plus haineux :

— « Mais l'autre fois, au Champ de Mars... »

— « Ah ! tu nous ennuies avec tes anciennes ! »

— « Misérable ! »

Il leva le poing.

— « Ne me tue pas ! je suis enceinte ! »

Frédéric se recula.

— « Tu mens ! »

— « Mais regarde-moi ! »

Elle prit un flambeau, et, montrant son visage :

— « T'y connais-tu ? »

De petites taches jaunes maculaient sa peau, qui était singulièrement bouffie. Frédéric ne nia pas l'évidence. Il alla ouvrir la fenêtre, fit quelques pas de long en large, puis s'affaissa dans un fauteuil.

Cet événement était une calamité, qui d'abord ajournait leur rupture, — et puis bouleversait tous ses projets. L'idée d'être père, d'ailleurs, lui paraissait grotesque, inadmissible. Mais pourquoi ? Si, au lieu de la Maréchale... ? Et sa rêverie devint tellement profonde qu'il eut une sorte d'hallucination. Il voyait là, sur le tapis, devant la cheminée, une petite fille. Elle ressemblait à Mme Arnoux et à lui-même, un peu ; — brune et blanche, avec des yeux noirs, de très grands sourcils, un ruban rose dans ses cheveux bouclants ! (Oh ! comme il l'aurait aimée !) [737] Et il lui semblait entendre sa voix : « Papa ! papa ! »

Rosanette, qui venait de se déshabiller, s'approcha de lui, aperçut une larme à ses paupières, et le baisa sur le front, gravement. Il se leva, en disant :

— « Parbleu ! On ne le tuera pas, ce marmot ! »

Alors, elle bavarda beaucoup. Ce serait un garçon, bien sûr ! On l'appellerait Frédéric. Il fallait commencer son trousseau ; — et, en la voyant si heureuse, une pitié le prit. Comme il ne ressentait, maintenant, aucune colère, il voulut savoir la raison de sa démarche tout à l'heure.

C'est que Mlle Vatnaz lui avait envoyé, ce jour-là même,

un billet protesté depuis longtemps ; et elle avait couru chez Arnoux pour avoir de l'argent.

— « Je t'en aurais donné ! » dit Frédéric.

— « C'était plus simple de prendre là-bas ce qui m'appartient, et de rendre à l'autre ses mille francs. »

— « Est-ce au moins tout ce que tu lui dois ? »

Elle répondit :

— « Certainement ! »

Le lendemain, à neuf heures du soir (heure indiquée par le portier), Frédéric se rendit chez Mlle Vatnaz.

Il se cogna dans l'antichambre contre les meubles entassés. Mais un bruit de voix et de musique le guidait. Il ouvrit une porte et tomba au milieu d'un *raout*. Debout, devant le piano que touchait une demoiselle en lunettes, Delmar, sérieux comme un pontife, déclamait une poésie humanitaire sur la prostitution ; et sa voix caverneuse roulait, soutenue par les accords plaqués. Un rang de femmes occupait la muraille, vêtues généralement de couleurs sombres, sans col de chemises ni manchettes. Cinq ou six hommes, tous des penseurs, étaient çà et là, sur des chaises. Il y avait, dans un fauteuil, un ancien fabuliste [738], une ruine ; — et l'odeur âcre de deux lampes se mêlait à l'arome du chocolat· qui emplissait des bols encombrant la table à jeu.

Mlle Vatnaz, une écharpe orientale autour des reins, se tenait à un coin de la cheminée. Dussardier était à l'autre bout, en face ; il avait l'air un peu embarrassé de sa position. D'ailleurs, ce milieu artistique l'intimidait.

La Vatnaz en avait-elle fini avec Delmar ? non, peut-être. Cependant, elle semblait jalouse du brave commis ; et, Frédéric ayant réclamé d'elle un mot d'entretien [739], elle lui fit signe de passer avec eux dans sa chambre. Quand les mille francs furent alignés, elle demanda, en plus, les intérêts.

— « Ça n'en vaut pas la peine ! » dit Dussardier.

— « Tais-toi donc ! »

Cette lâcheté d'un homme si courageux fut agréable à Frédéric comme une justification de la sienne. Il rapporta le billet, et ne reparla jamais de l'esclandre chez Mme Arnoux. Mais, dès lors, toutes les défectuosités de la Maréchale lui apparurent.

Elle avait un mauvais goût irrémédiable, une incompré-

hensible paresse, une ignorance de sauvage, jusqu'à considérer comme très célèbre le docteur Desrogis ; et elle était
fière de le recevoir, lui et son épouse, parce que c'étaient
« des gens mariés ». Elle régentait d'un air pédantesque
sur les choses de la vie Mlle Irma, pauvre petite créature
douée d'une petite voix, ayant pour protecteur un monsieur
« très bien », ex-employé dans les douanes, et fort aux tours
de cartes ; Rosanette l'appelait « mon gros loulou ». Frédéric ne pouvait souffrir, non plus, la répétition de ses
mots bêtes, tels que : « Du flan ! A Chaillot ! On n'a jamais
pu savoir, etc. ; » et elle s'obstinait à épousseter le matin
ses bibelots avec une paire de vieux gants blancs ! Il était
révolté surtout par ses façons envers sa bonne, — dont les
gages étaient sans cesse arriérés, et qui même lui prêtait
de l'argent. Les jours qu'elles réglaient leurs comptes
elles se chamaillaient comme deux poissardes, puis on se
réconciliait en s'embrassant. Le tête-à-tête devenait triste.
Ce fut un soulagement pour lui, quand les soirées de
Mme Dambreuse recommencèrent.

Celle-là, au moins, l'amusait ! Elle savait les intrigues
du monde, les mutations d'ambassadeurs, le personnel
des couturières ; et, s'il lui échappait des lieux communs,
c'était dans une formule tellement convenue que sa phrase
pouvait passer pour une déférence ou pour une ironie.
Il fallait la voir au milieu de vingt personnes qui causaient,
n'en oubliant aucune, amenant les réponses qu'elle
voulait, évitant les périlleuses ! Des choses très simples,
racontées par elle, semblaient des confidences ; le moindre
de ses sourires faisait rêver ; son charme enfin, comme
l'exquise odeur qu'elle portait ordinairement, était complexe
et indéfinissable. Frédéric, dans sa compagnie, éprouvait
chaque fois le plaisir d'une découverte ; et cependant, il
la retrouvait toujours avec sa même sérénité, pareille au
miroitement des eaux limpides. Mais pourquoi ses manières
envers sa nièce avaient-elles tant de froideur ? Elle lui
lançait même, par moments, de singuliers coups d'œil.

Dès qu'il fut question de mariage, elle avait objecté
à M. Dambreuse la santé de « la chère enfant », et l'avait
emmenée tout de suite aux bains de Balaruc [740]. A son
retour, des prétextes nouveaux avaient surgi : le jeune
homme manquait de position, ce grand amour ne paraissait
pas sérieux, on ne risquait rien d'attendre. Martinon avait

répondu qu'il attendrait. Sa conduite fut sublime. Il prôna
Frédéric. Il fit plus : il le renseigna sur les moyens de plaire
à Mme Dambreuse, laissant même entrevoir qu'il connaissait, par la nièce, les sentiments de la tante.

Quant à M. Dambreuse, loin de montrer de la jalousie,
il entourait d'égards son jeune ami, le consultait sur différentes choses, s'inquiétait même de son avenir, si bien
qu'un jour, comme on parlait du père Roque, il lui dit à
l'oreille, d'un air finaud :

— « Vous avez bien fait. »

Et Cécile, miss John, les domestiques, le portier, pas un
qui ne fût charmant pour lui, dans cette maison. Il y venait
tous les soirs, abandonnant Rosanette. Sa maternité future
la rendait plus sérieuse, même un peu triste, comme si
des inquiétudes l'eussent tourmentée. A toutes les questions, elle répondait :

— « Tu te trompes ! Je me porte bien ! »

C'étaient cinq billets qu'elle avait souscrits autrefois ;
et, n'osant le dire à Frédéric après le payement du premier,
elle était retournée chez Arnoux, lequel lui avait promis,
par écrit, le tiers de ses bénéfices dans l'éclairage au gaz
des villes du Languedoc (une entreprise merveilleuse !)
en lui recommandant de ne pas se servir de cette lettre avant
l'assemblée des actionnaires ; l'assemblée était remise de
semaine en semaine.

Cependant, la Maréchale avait besoin d'argent. Elle serait
morte plutôt que d'en demander à Frédéric. Elle n'en voulait
pas de lui. Cela aurait gâté leur amour. Il subvenait bien
aux frais du ménage ; mais une petite voiture louée au
mois et d'autres sacrifices indispensables depuis qu'il
fréquentait les Dambreuse l'empêchaient d'en faire plus
pour sa maîtresse. Deux ou trois fois, en rentrant à des
heures inaccoutumées, il crut voir des dos masculins
disparaître entre les portes ; et elle sortait souvent sans
vouloir dire où elle allait. Frédéric n'essaya pas de creuser
les choses. Un de ces jours, il prendrait un parti définitif.
Il rêvait une autre vie, qui serait plus amusante et plus
noble. Un pareil idéal le rendait indulgent pour l'hôtel
Dambreuse.

C'était une succursale intime de la rue de Poitiers.
Il y rencontra le grand M. A., l'illustre B., le profond C.,
l'éloquent Z., l'immense Y., les vieux ténors du centre

gauche, les paladins de la droite, les burgraves du juste-
milieu, les éternels bonshommes de la comédie. Il fut stupéfait par leur exécrable langage, leurs petitesses, leurs
rancunes, leur mauvaise foi, — tous ces gens qui avaient
voté la Constitution s'évertuant à la démolir ; — et ils
s'agitaient beaucoup, lançaient des manifestes, des pam-
phlets, des biographies ; celle de Fumichon par Hussonnet
fut un chef-d'œuvre. Nonancourt s'occupait de la propagande dans les campagnes, M. de Grémonville travaillait
le clergé, Martinon ralliait de jeunes bourgeois. Chacun,
selon ses moyens, s'employa, jusqu'à Cisy, lui-même.
Pensant maintenant aux choses sérieuses, tout le long de
la journée, il faisait des courses en cabriolet, pour le parti.

M. Dambreuse, tel qu'un baromètre, en exprimait
constamment la dernière variation. On ne parlait pas de
Lamartine sans qu'il citât ce mot d'un homme du peuple :
« Assez de lyre [741] ! » Cavaignac n'était plus, à ses yeux,
qu'un traître. Le Président, qu'il avait admiré pendant trois
mois, commençait à déchoir dans son estime (ne lui trouvant pas « l'énergie nécessaire ») ; et, comme il lui fallait
toujours un sauveur, sa reconnaissance, depuis l'affaire
du Conservatoire, appartenait à Changarnier [742] : « Dieu
merci, Changarnier... Espérons que Changarnier... Oh !
rien à craindre tant que Changarnier... »

On exaltait avant tout M. Thiers pour son volume
contre le Socialisme [743], où il s'était montré aussi penseur
qu'écrivain. On riait énormément de Pierre Leroux, qui
citait à la Chambre des passages des philosophes. On faisait
des plaisanteries sur la queue phalanstérienne. On allait
applaudir la *Foire aux Idées* [744] ; et on comparait les auteurs
à Aristophane. Frédéric y alla, comme les autres.

Le verbiage politique et la bonne chère engourdissaient
sa moralité. Si médiocres que lui parussent ces personnages,
il était fier de les connaître et intérieurement souhaitait
la considération bourgeoise. Une maîtresse comme Mme
Dambreuse le poserait.

Il se mit à faire tout ce qu'il faut.

Il se trouvait sur son passage à la promenade, ne manquait
pas d'aller la saluer dans sa loge au théâtre ; et, sachant
les heures où elle se rendait à l'église, il se campait derrière
un pilier dans une pose mélancolique. Pour des indications
de curiosités, des renseignements sur un concert, des

emprunts de livres ou de revues, c'était un échange continuel de petits billets. Outre sa visite du soir, il en faisait quelquefois une autre vers la fin du jour ; et il avait une gradation de joies à passer successivement par la grande porte, par la cour, par l'antichambre, par les deux salons ; enfin, il arrivait dans son boudoir, discret comme un tombeau, tiède comme une alcôve, où l'on se heurtait aux capitons des meubles parmi toute sorte d'objets çà et là : chiffonnières, écrans, coupes et plateaux en laque, en écaille, en ivoire, en malachite, bagatelles dispendieuses, souvent renouvelées. Il y en avait de simples : trois galets d'Étretat pour servir de presse-papier, un bonnet de Frisonne suspendu à un paravent chinois ; toutes ces choses s'harmonisaient cependant ; on était même saisi par la noblesse de l'ensemble, ce qui tenait peut-être à la hauteur du plafond, à l'opulence des portières et aux longues crépines de soie, flottant sur les bâtons dorés des tabourets.

Elle était presque toujours sur une petite causeuse, près de la jardinière garnissant l'embrasure de la fenêtre. Assis au bord d'un gros pouf à roulettes, il lui adressait les compliments les plus justes possibles ; et elle le regardait la tête un peu de côté, la bouche souriante.

Il lui lisait des pages de poésie, en y mettant toute son âme, afin de l'émouvoir, et pour se faire admirer. Elle l'arrêtait par une remarque dénigrante ou une observation pratique ; et leur causerie retombait sans cesse dans l'éternelle question de l'Amour ! Ils se demandaient ce qui l'occasionnait, si les femmes le sentaient mieux que les hommes, quelles étaient là-dessus leurs différences. Frédéric tâchait d'émettre son opinion, en évitant à la fois la grossièreté et la fadeur. Cela devenait une espèce de lutte, agréable par moments, fastidieuse [745] en d'autres.

Il n'éprouvait pas à ses côtés ce ravissement de tout son être qui l'emportait vers Mme Arnoux. Ni le désordre gai où l'avait mis d'abord Rosanette. Mais il la convoitait comme une chose anormale et difficile, parce qu'elle était noble, parce qu'elle était riche, parce qu'elle était dévote, — se figurant qu'elle avait des délicatesses de sentiment, rares comme ses dentelles, avec des amulettes sur la peau et des pudeurs dans la dépravation.

Il se servit du vieil amour. Il lui conta, comme inspiré par elle, tout ce que Mme Arnoux autrefois lui avait fait

ressentir, ses langueurs, ses appréhensions, ses rêves.
Elle recevait cela comme une personne accoutumée à
ces choses, sans le repousser formellement ne cédait rien ;
et il n'arrivait pas plus à la séduire que Martinon à se marier.
Pour en finir avec l'amoureux de sa nièce, elle l'accusa de
viser à l'argent, et pria même son mari d'en faire l'épreuve.
M. Dambreuse déclara donc au jeune homme que Cécile,
étant l'orpheline de parents pauvres, n'avait aucune
« espérance » ni dot.

Martinon, ne croyant pas que cela fût vrai, ou trop
avancé pour se dédire, ou par un de ces entêtements d'idiot
qui sont des actes de génie, répondit que son patrimoine,
quinze mille livres de rente, leur suffirait. Ce désintéressement imprévu toucha le banquier. Il lui promit un cautionnement de receveur, en s'engageant à obtenir la place ; et,
au mois de mai 1850, Martinon épousa Mlle Cécile. Il n'y
eut pas de bal. Les jeunes gens partirent le soir même
pour l'Italie. Frédéric, le lendemain, vint faire une visite
à Mme Dambreuse. Elle lui parut plus pâle que d'habitude.
Elle le contredit avec aigreur sur deux ou trois sujets sans
importance. Du reste, tous les hommes étaient des égoïstes.

Il y en avait pourtant de dévoués, quand ce ne serait
que lui.

— « Ah ! bah ! comme les autres ! »

Ses paupières étaient rouges ; elle pleurait. Puis, en
s'efforçant de sourire :

— « Excusez-moi ! J'ai tort ! C'est une idée triste qui
m'est venue ! »

Il n'y comprenait rien.

— « N'importe ! elle est moins forte que je ne croyais »,
pensa-t-il.

Elle sonna pour avoir un verre d'eau, en but une gorgée,
le renvoya, puis se plaignit de ce qu'on la servait horriblement. Afin de l'amuser, il s'offrit comme domestique,
se prétendant capable de donner des assiettes, d'épousseter
les meubles, d'annoncer le monde, d'être enfin un valet
de chambre ou plutôt un chasseur, bien que la mode en
fût passée. Il aurait voulu se tenir derrière sa voiture avec
un chapeau de plumes de coq.

— « Et comme je vous suivrais à pied majestueusement,
en portant sur le bras un petit chien ! »

— « Vous êtes gai », dit Mme Dambreuse.

N'était-ce pas une folie, reprit-il, de considérer tout
sérieusement ? Il y avait bien assez de misères sans s'en
forger. Rien ne méritait la peine d'une douleur. Mme
Dambreuse leva les sourcils, d'une manière de vague
approbation.

Cette parité de sentiments poussa Frédéric à plus de
hardiesse. Ses mécomptes d'autrefois lui faisaient, maintenant, une clairvoyance. Il poursuivit. :

— « Nos grands-pères vivaient mieux. Pourquoi ne pas
obéir à l'impulsion qui nous pousse ? » L'amour, après
tout, n'était pas en soi une chose si importante.

— « Mais c'est immoral, ce que vous dites là ! »

Elle s'était remise sur la causeuse. Il s'assit au bord,
contre ses pieds.

— « Ne voyez-vous pas que je mens ! Car, pour plaire
aux femmes, il faut étaler une insouciance de bouffon
ou des fureurs de tragédie ! Elles se moquent de nous
quand on leur dit qu'on les aime, simplement ! Moi, je
trouve ces hyperboles où elles s'amusent une profanation
de l'amour vrai ; si bien qu'on ne sait plus comment
l'exprimer, surtout devant celles... qui ont... beaucoup
d'esprit. »

Elle le considérait les cils entre-clos. Il baissait la voix,
en se penchant vers son visage.

— « Oui ! vous me faites peur ! Je vous offense, peut-
être ?... Pardon !... Je ne voulais pas dire tout cela ! Ce
n'est pas ma faute ! Vous êtes si belle ! »

Mme Dambreuse ferma les yeux, et il fut surpris par la
facilité de sa victoire. Les grands arbres du jardin qui frissonnaient mollement s'arrêtèrent. Des nuages immobiles
rayaient le ciel de longues bandes rouges, et il y eut comme
une suspension universelle des choses. Alors, des soirs
semblables, avec des silences pareils, revinrent dans son
esprit, confusément. Où était-ce ?...

Il se mit à genoux, prit sa main, et lui jura un amour
éternel. Puis, comme il partait, elle le rappela d'un signe
et lui dit tout bas :

— « Revenez dîner ! Nous serons seuls ! »

Il semblait à Frédéric, en descendant l'escalier, qu'il
était devenu un autre homme, que la température embau-
mante des serres chaudes l'entourait, qu'il entrait définitivement dans le monde supérieur des adultères patriciens

et des hautes intrigues. Pour y tenir la première place, il
suffisait d'une femme comme celle-là. Avide, sans doute,
de pouvoir et d'action, et mariée à un homme médiocre
qu'elle avait prodigieusement servi, elle désirait quelqu'un
de fort pour le conduire [746] ? Rien d'impossible maintenant ! Il se sentait capable de faire deux cents lieues à
cheval, de travailler pendant plusieurs nuits de suite, sans
fatigue ; son cœur débordait d'orgueil.

Sur le trottoir, devant lui, un homme couvert d'un vieux
paletot marchait la tête basse, et avec un tel air d'accablement que Frédéric se retourna, pour le voir. L'autre releva
sa figure. C'était Deslauriers. Il hésitait. Frédéric lui sauta
au cou.

— « Ah ! mon pauvre vieux ! comment ! c'est toi ! »

Et il l'entraîna dans sa maison [747], en lui faisant beaucoup
de questions à la fois.

L'ex-commissaire de Ledru-Rollin conta, d'abord, les
tourments qu'il avait eus. Comme il prêchait la fraternité
aux conservateurs et le respect des lois aux socialistes, les
uns lui avaient tiré des coups de fusil, les autres apporté
une corde pour le pendre. Après Juin, on l'avait destitué
brutalement. Il s'était jeté dans un complot, celui des armes
saisies à Troyes. On l'avait relâché, faute de preuves. Puis,
le comité d'action l'avait envoyé à Londres, où il s'était
flanqué des gifles avec ses frères, au milieu d'un banquet.
De retour à Paris...

— « Pourquoi n'es-tu pas venu chez moi ? »

— « Tu étais toujours absent ! Ton suisse avait des
allures mystérieuses, je ne savais que penser ; et puis je
ne voulais pas reparaître en vaincu. »

Il avait frappé aux portes de la Démocratie, s'offrant
à la servir de sa plume, de sa parole, de ses démarches ;
partout on l'avait repoussé ; on se méfiait de lui ; et il avait
vendu sa montre, sa bibliothèque, son linge.

— « Mieux vaudrait crever sur les pontons de Belle-
Isle [748], avec Sénécal ! »

Frédéric, qui arrangeait alors sa cravate, n'eut pas l'air
très ému par cette nouvelle.

— « Ah ! il est déporté, ce bon Sénécal ? »

Deslauriers répliqua, en parcourant les murailles d'un
air envieux :

— « Tout le monde n'a pas ta chance ! »

— « Excuse-moi, » dit Frédéric, sans remarquer l'allusion, « mais je dîne en ville. On va te faire à manger ; commande ce que tu voudras ! Prends même mon lit. »

Devant une cordialité si complète, l'amertume de Deslauriers disparut.

— « Ton lit ? Mais... ça te gênerait ! »

— « Eh non ! J'en ai d'autres ! »

— « Ah ! très bien, » reprit l'avocat en riant. « Où dînes-tu donc ? »

— « Chez Mme Dambreuse. »

— « Est-ce que... par hasard... ce serait... ? »

— « Tu es trop curieux, » dit Frédéric avec un sourire, qui confirmait cette supposition.

Puis, ayant regardé la pendule, il se rassit.

— « C'est comme ça ! et il ne faut pas désespérer, vieux défenseur du peuple ! »

— « Miséricorde ! que d'autres s'en mêlent ! »

L'avocat détestait les ouvriers, pour en avoir souffert dans sa province, un pays de houille. Chaque puits d'extraction avait nommé un gouvernement provisoire lui intimant des ordres.

— « D'ailleurs, leur conduite a été charmante partout : à Lyon, à Lille, au Havre, à Paris ! Car, à l'exemple des fabricants qui voudraient exclure les produits de l'étranger, ces messieurs réclament pour qu'on bannisse les travailleurs anglais, allemands, belges et savoyards ! Quant à leur intelligence, à quoi a servi, sous la Restauration, leur fameux compagnonnage ? En 1830, ils sont entrés dans la garde nationale, sans même avoir le bon sens de la dominer ! Est-ce que, dès le lendemain de 48, les corps de métiers n'ont pas reparu avec des étendards à eux ! Ils demandaient même des représentants du peuple à eux, lesquels n'auraient parlé que pour eux ! Tout comme les députés de la betterave ne s'inquiètent que de la betterave ! — Ah ! j'en ai assez de ces cocos-là, se prosternant tour à tour devant l'échafaud de Robespierre, les bottes de l'Empereur, le parapluie de Louis-Philippe, racaille éternellement dévouée à qui lui jette du pain dans la gueule ! On crie toujours contre la vénalité de Talleyrand et de Mirabeau ; mais le commissionnaire d'en bas vendrait la patrie pour cinquante centimes, si on lui promettait de tarifer sa course à trois francs ! Ah ! quelle faute ! Nous aurions dû mettre le feu aux quatre coins de l'Europe !

Frédéric lui répondit :

— « L'étincelle manquait ! Vous étiez simplement de petits bourgeois et, les meilleurs d'entre vous, des cuistres ! Quant aux ouvriers, ils peuvent se plaindre ; car, si l'on excepte un million soustrait à la liste civile, et que vous leur avez octroyé avec la plus basse flagornerie, vous n'avez rien fait pour eux que des phrases ! Le livret demeure aux mains du patron, et le salarié (même devant la justice) reste l'inférieur de son maître puisque sa parole n'est pas crue. Enfin, la République me paraît vieille. Qui sait ? Le Progrès, peut-être, n'est réalisable que par une aristocratie ou par un homme ? L'initiative vient toujours d'en haut ! Le peuple est mineur, quoi qu'on prétende ! »

— « C'est peut-être vrai, » dit Deslauriers.

Selon Frédéric, la grande masse des citoyens n'aspirait qu'au repos (il avait profité à l'hôtel Dambreuse), et toutes les chances étaient pour les conservateurs. Ce parti-là, cependant, manquait d'hommes neufs.

— « Si tu te présentais, je suis sûr... »

Il n'acheva pas. Deslauriers comprit, se passa les deux mains sur le front ; puis, tout à coup :

— « Mais toi ? Rien ne t'empêche ? Pourquoi ne serais-tu pas député ? » Par suite d'une double élection, il y avait dans l'Aube une candidature vacante. M. Dambreuse, réélu à la Législative, appartenait à un autre arrondissement. « Veux-tu que je m'en occupe ? » Il connaissait beaucoup de cabaretiers, d'instituteurs, de médecins, de clercs d'étude et leurs patrons. « D'ailleurs, on fait accroire aux paysans tout ce qu'on veut ! »

Frédéric sentait se rallumer son ambition.

Deslauriers ajouta :

— « Tu devrais bien me trouver une place à Paris. »

— « Oh ! ce ne sera pas difficile, par M. Dambreuse. »

— « Puisque nous parlions de houilles, » reprit l'avocat, « que devient sa grande société ? C'est une occupation de ce genre qu'il me faudrait ! — et je leur serais utile, tout en gardant mon indépendance. »

Frédéric promit de le conduire chez le banquier avant trois jours.

Son repas en tête à tête avec Mme Dambreuse fut une

chose exquise. Elle souriait en face de lui, de l'autre côté
de la table, par-dessus des fleurs dans une corbeille, à la
lumière de la lampe suspendue ; et, comme la fenêtre était
ouverte, on apercevait des étoiles. Ils causèrent fort peu,
se méfiant d'eux-mêmes, sans doute ; mais, dès que les
domestiques tournaient le dos, ils s'envoyaient un baiser,
du bout des lèvres. Il dit son idée [749] de candidature.
Elle l'approuva, s'engageant même à y faire travailler
M. Dambreuse.

Le soir, quelques amis se présentèrent pour la féliciter et
pour la plaindre : elle devait être si chagrine de n'avoir
plus sa nièce ? C'était fort bien, d'ailleurs, aux jeunes mariés
de s'être mis en voyage ; plus tard, les embarras, les enfants
surviennent ! Mais l'Italie ne répondait pas à l'idée qu'on
s'en faisait. Après cela, ils étaient dans l'âge des illusions !
et puis la lune de miel embellissait tout ! Les deux derniers
qui restèrent furent M. de Grémonville et Frédéric. Le
diplomate ne voulait pas s'en aller. Enfin, à minuit, il se leva.
Mme Dambreuse fit signe à Frédéric de partir avec lui,
et le remercia de cette obéissance par une pression de main,
plus suave que tout le reste,

La Maréchale poussa un cri de joie en le revoyant.
Elle l'attendait depuis cinq heures. Il donna pour excuse
une démarche indispensable dans l'intérêt de Deslauriers.
Sa figure avait un air de triomphe, une auréole, dont
Rosanette fut éblouie.

— « C'est peut-être à cause de ton habit noir qui te va
bien ; mais je ne t'ai jamais trouvé si beau ! Comme tu es
beau ! »

Dans un transport de sa tendresse, elle se jura intérieurement de ne plus appartenir à d'autres, quoi qu'il
advînt, quand elle devrait crever de misère !

Ses jolis yeux humides pétillaient d'une passion tellement
puissante que Frédéric l'attira sur ses genoux et il se dit :
« Quelle canaille je fais ! » en s'applaudissant de sa perversité.

IV

M. Dambreuse, quand Deslauriers se présenta chez lui, songeait à raviver sa grande affaire de houilles. Mais cette fusion de toutes les compagnies en une seule était mal vue ; on criait au monopole, comme s'il ne fallait pas, pour de telles exploitations, d'immenses capitaux !

Deslauriers, qui venait de lire exprès l'ouvrage de Gobet et les articles de M. Chappe dans le *Journal des Mines*, connaissait la question parfaitement. Il démontra que la loi de 1810 établissait au profit du concessionnaire un droit impermutable [750]. D'ailleurs, on pouvait [751] donner à l'entreprise une couleur démocratique : empêcher les réunions houillères était un attentat contre le principe même d'association.

M. Dambreuse lui confia des notes pour rédiger un mémoire. Quant à la manière dont il payerait son travail, il fit des promesses d'autant meilleures qu'elles n'étaient pas précises.

Deslauriers s'en revint chez Frédéric et lui rapporta la conférence. De plus, il avait vu Mme Dambreuse au bas de l'escalier, comme il sortait.

— « Je t'en fais mes compliments, saprelotte ! »

Puis ils causèrent de l'élection. Il y avait quelque chose à inventer.

Trois jours après, Deslauriers reparut avec une feuille d'écriture destinée aux journaux et qui était une lettre familière, où M. Dambreuse approuvait la candidature de leur ami. Soutenue par un conservateur et prônée par un rouge, elle devait réussir. Comment le capitaliste [752] signait-il une pareille élucubration ? L'avocat, sans le moindre embarras, de lui-même, avait été la montrer à Mme Dambreuse, qui, la trouvant fort bien, s'était chargée du reste.

Cette démarche surprit Frédéric. Il l'approuva cependant ;
puis, comme Deslauriers s'abouchait avec M. Roque, il
lui conta sa position vis-à-vis de Louise.

— « Dis-leur tout ce que tu voudras, que mes affaires
sont troubles ; je les arrangerai ; elle est assez jeune pour
attendre ! »

Deslauriers partit ; et Frédéric se considéra comme un
homme très fort. Il éprouvait, d'ailleurs, un assouvisse-
ment, une satisfaction profonde. Sa joie de posséder une
femme riche n'était gâtée par aucun contraste ; le sentiment
s'harmonisait avec le milieu. Sa vie, maintenant, avait des
douceurs partout.

La plus exquise, peut-être, était de contempler Mme
Dambreuse, entre plusieurs personnes, dans son salon.
La convenance de ses manières le faisait rêver à d'autres
attitudes ; pendant qu'elle causait d'un ton froid, il se
rappelait ses mots d'amour balbutiés ; tous les respects
pour sa vertu le délectaient comme un hommage retournant vers lui ; et il avait parfois des envies de s'écrier :
« Mais je la connais mieux que vous ! Elle est à moi ! »

Leur liaison ne tarda pas à être une chose convenue,
acceptée. Mme Dambreuse, durant tout l'hiver, traîna
Frédéric dans le monde.

Il arrivait presque toujours avant elle ; et il la voyait
entrer, les bras nus, l'éventail à la main, des perles dans les
cheveux. Elle s'arrêtait sur le seuil (le linteau à la porte
l'entourait comme un cadre), et elle avait un léger mouvement d'indécision, en clignant les paupières, pour découvrir s'il était là. Elle le ramenait [753] dans sa voiture ; la pluie
fouettait les vasistas ; les passants, tels que des ombres,
s'agitaient dans la boue ; et, serrés l'un contre l'autre,
ils apercevaient tout cela confusément, avec un dédain
tranquille. Sous des prétextes différents, il restait encore
une bonne heure dans sa chambre.

C'était par ennui, surtout, que Mme Dambreuse avait
cédé. Mais cette dernière épreuve ne devait pas être perdue.
Elle voulait un grand amour, elle se mit à le combler d'adu-
lations et de caresses.

Elle lui envoyait des fleurs ; elle lui fit une chaise en tapisserie ; elle lui donna un porte-cigares, une écritoire, mille
petites choses d'un usage quotidien pour qu'il n'eût pas
une action indépendante de son souvenir. Ces prévenances

le charmèrent d'abord, et bientôt lui parurent toutes simples.

Elle montait dans un fiacre, le renvoyait à l'entrée d'un passage, sortait par l'autre bout ; puis, se glissant le long des murs, avec un double voile sur le visage, elle atteignait la rue où Frédéric en sentinelle lui prenait le bras, vivement, pour la conduire dans sa maison. Ses deux domestiques se promenaient, le portier faisait des courses ; elle jetait les yeux à l'entour ; rien à craindre ! et elle poussait comme un soupir d'exilé qui revoit sa patrie. La chance les enhardit [754]. Leurs rendez-vous se multiplièrent. Un soir même, elle se présenta tout à coup en grande toilette de bal. Ces surprises pouvaient être dangereuses ; il la blâma de son imprudence ; elle lui déplut, du reste. Son corsage ouvert découvrait trop sa poitrine maigre.

Il reconnut alors ce qu'il s'était caché, la désillusion de ses sens. Il n'en feignait pas moins de grandes ardeurs ; mais, pour les ressentir, il lui fallait évoquer l'image de Rosanette ou de Mme Arnoux.

Cette atrophie sentimentale lui laissait la tête entièrement libre, et plus que jamais il ambitionnait une haute position dans le monde. Puisqu'il avait un marchepied pareil, c'était bien le moins qu'il s'en servît.

Vers le milieu de janvier, un matin, Sénécal entra dans son cabinet ; et à son exclamation d'étonnement, répondit qu'il était secrétaire de Deslauriers. Il lui apportait même une lettre. Elle contenait de bonnes nouvelles, et le blâmait cependant de sa négligence ; il fallait venir là-bas.

Le futur député dit qu'il se mettrait en route le surlendemain.

Sénécal n'exprima pas d'opinion sur cette candidature. Il parla de sa personne, et des affaires du pays.

Si lamentables qu'elles fussent, elles le réjouissaient ; car on marchait au communisme. D'abord, l'Administration y menait d'elle-même, puisque, chaque jour, il y avait plus de choses régies par le Gouvernement. Quant à la propriété, la Constitution de 48, malgré ses faiblesses, ne l'avait pas ménagée au nom de l'utilité publique, l'État pouvait prendre désormais ce qu'il jugeait lui convenir. Sénécal se déclara pour l'Autorité ; et Frédéric aperçut dans ses discours l'exagération de ses propres paroles à Deslauriers. Le républicain tonna même contre l'insuffisance des masses.

— « Robespierre, en défendant le droit du petit nombre, amena Louis XVI devant la Convention nationale, et sauva le peuple. La fin des choses les rend légitimes. La dictature est quelquefois indispensable. Vive la tyrannie, pourvu que le tyran fasse le bien ! »

Leur discussion dura longtemps, et, comme il s'en allait, Sénécal avoua (c'était le but de sa visite, peut-être) que Deslauriers s'impatientait beaucoup du silence de M. Dambreuse.

Mais M. Dambreuse était malade. Frédéric le voyait tous les jours, sa qualité d'intime le faisait admettre [755] près de lui.

La révocation du général Changarnier [756] avait ému extrêmement le capitaliste. Le soir même, il fut pris d'une grande chaleur dans la poitrine, avec une oppression à ne pouvoir se tenir couché. Des sangsues amenèrent un soulagement immédiat. La toux sèche disparut, la respiration devint plus calme ; et, huit jours après, il dit en avalant un bouillon :

— « Ah ! ça va mieux ! Mais j'ai manqué faire le grand voyage ! »

— « Pas sans moi ! » s'écria Mme Dambreuse, notifiant par ce mot qu'elle n'aurait pu lui survivre.

Au lieu de répondre, il étala sur elle et sur son amant un singulier sourire, où il y avait à la fois de la résignation, de l'indulgence, de l'ironie, et même comme une pointe, un sous-entendu presque gai.

Frédéric voulut partir [757] pour Nogent, Mme Dambreuse s'y opposa ; et il défaisait et refaisait tour à tour ses paquets, selon les alternatives de la maladie.

Tout à coup, M. Dambreuse cracha le sang abondamment. « Les princes de la science », consultés, n'avisèrent à rien de nouveau. Ses jambes enflaient, et la faiblesse augmentait. Il avait témoigné plusieurs fois le désir de voir Cécile, qui était à l'autre bout de la France, avec son mari, nommé receveur depuis un mois. Il ordonna expressément qu'on la fît venir. Mme Dambreuse écrivit trois lettres, et les lui montra.

Sans se fier même à la religieuse, elle ne le quittait pas d'une seconde, ne se couchait plus. Les personnes qui se faisaient inscrire chez le concierge s'informaient d'elle avec admiration ; et les passants étaient saisis de respect devant la quantité de paille qu'il y avait dans la rue, sous les fenêtres.

Le 12 février, à cinq heures, une hémoptysie effrayante se déclara. Le médecin de garde dit le danger. On courut vite chez un prêtre.

Pendant la confession de M. Dambreuse, Madame le regardait de loin, curieusement. Après quoi, le jeune docteur posa un vésicatoire, et attendit.

La lumière des lampes, masquées par des meubles, éclairait la chambre inégalement. Frédéric et Mme Dambreuse, au pied de la couche, observaient le moribond. Dans l'embrasure d'une croisée, le prêtre et le médecin causaient à demi-voix ; la bonne sœur, à genoux, marmottait des prières.

Enfin, un râle s'éleva. Les mains se refroidissaient, la face commençait à pâlir. Quelquefois, il tirait tout à coup une respiration énorme ; elles devinrent de plus en plus rares ; deux ou trois paroles confuses lui échappèrent ; il exhala un petit souffle en même temps qu'il tournait ses yeux, et la tête retomba de côté sur l'oreiller.

Tous, pendant une minute, restèrent immobiles.

Mme Dambreuse s'approcha ; et, sans effort, avec la simplicité du devoir, elle lui ferma les paupières.

Puis elle écarta les deux bras, en se tordant la taille comme dans le spasme d'un désespoir contenu, et sortit de l'appartement, appuyée sur le médecin et la religieuse. Un quart d'heure après, Frédéric monta dans sa chambre.

On y sentait une odeur indéfinissable, émanation des choses délicates qui l'emplissaient. Au milieu du lit, une robe noire s'étalait, tranchant sur le couvre-pieds rose.

Mme Dambreuse était au coin de la cheminée, debout. Sans lui supposer de violents regrets, il la croyait un peu triste ; et, d'une voix dolente :

— « Tu souffres ? »

— « Moi ? Non, pas du tout. »

Comme elle se retournait, elle aperçut la robe, l'examina ; puis elle lui dit de ne pas se gêner.

— « Fume si tu veux ! Tu es chez moi ! »

Et, avec un grand soupir :

— « Ah ! sainte Vierge ! quel débarras ! »

Frédéric fut étonné de l'exclamation. Il reprit en lui baisant la main :

— « On était libre, pourtant ! »

Cette allusion à l'aisance de leurs amours parut blesser Mme Dambreuse.

— « Eh! tu ne sais pas les services que je lui rendais, ni dans quelles angoisses j'ai vécu! »

— « Comment? »

— « Mais oui! Était-ce une sécurité que d'avoir toujours près de soi cette bâtarde, une enfant introduite dans la maison au bout de cinq ans de ménage, et qui, sans moi, bien sûr, l'aurait amené à quelque sottise? »

Alors, elle expliqua ses affaires. Ils s'étaient mariés sous le régime de la séparation. Son patrimoine était de trois cent mille francs. M. Dambreuse, par leur contrat, lui avait assuré, en cas de survivance, quinze mille livres de rente avec la propriété de l'hôtel. Mais, peu de temps après, il avait fait un testament où il lui donnait toute sa fortune ; et elle l'évaluait, autant qu'il était possible de le savoir maintenant, à plus de trois millions.

Frédéric ouvrit de grands yeux.

— « Ça en valait la peine, n'est-ce pas? J'y ai contribué, du reste ! C'était mon bien que je défendais; Cécile m'aurait dépouillée, injustement. »

— « Pourquoi n'est-elle pas venue voir son père? » dit Frédéric.

A cette question, Mme Dambreuse le considéra ; puis, d'un ton sec :

— « Je n'en sais rien! Faute de cœur, sans doute! Oh! je la connais! Aussi elle n'aura pas de moi une obole! »

Elle n'était guère gênante, du moins depuis son mariage.

— « Ah! son mariage! » fit en ricanant Mme Dambreuse.

Et elle s'en voulait d'avoir trop bien traité cette pécore-là, qui était jalouse, intéressée, hypocrite. « Tous les défauts de son père ! » Elle le dénigrait de plus en plus. Personne d'une fausseté aussi profonde, impitoyable d'ailleurs, dur comme un caillou, « un mauvais homme, un mauvais homme ! »

Il échappe des fautes, même aux plus sages. Mme Dambreuse venait d'en faire une, par ce débordement de haine. Frédéric, en face d'elle, dans une bergère, réfléchissait, scandalisé.

Elle se leva, se mit doucement sur ses genoux.

— « Toi seul es bon! Il n'y a que toi que j'aime! »

En le regardant, son cœur s'amollit, une réaction ner-

veuse lui amena des larmes aux paupières, et elle murmura :
— « Veux-tu m'épouser ? »

Il crut d'abord n'avoir pas compris. Cette richesse
l'étourdissait. Elle répéta plus haut :
— « Veux-tu m'épouser ! »

Enfin, il dit, en souriant :
— « Tu en doutes ? »

Puis une pudeur le prit et, pour faire au défunt une sorte
de réparation, il s'offrit à le veiller lui-même. Mais comme
il avait honte de ce pieux sentiment, il ajouta d'un ton
dégagé :
— « Ce serait peut-être plus convenable. »
— « Oui, peut-être bien, » dit-elle, « à cause des domestiques ! »

On avait tiré le lit complètement hors de l'alcôve.
La religieuse était au pied ; et au chevet se tenait un prêtre,
un autre, un grand homme maigre, l'air espagnol et fanatique. Sur la table de nuit, couverte d'une serviette blanche,
trois flambeaux brûlaient.

Frédéric prit une chaise, et regarda le mort.

Son visage était jaune comme de la paille ; un peu d'écume
sanguinolente marquait les coins de sa bouche. Il avait
un foulard autour du crâne, un gilet de tricot, et un crucifix
d'argent sur la poitrine, entre ses bras croisés.

Elle était finie, cette existence pleine d'agitations !
Combien n'avait-il pas fait de courses dans les bureaux,
aligné de chiffres, tripoté d'affaires, entendu de rapports !
Que de boniments, de sourires, de courbettes ! Car il avait
acclamé Napoléon, les Cosaques, Louis XVIII, 1830, les
ouvriers, tous les régimes, chérissant le Pouvoir d'un tel
amour qu'il aurait payé pour se vendre.

Mais il laissait le domaine de la Fortelle, trois manufac-
tures en Picardie, le bois de Crancé dans l'Yonne, une ferme
près d'Orléans, des valeurs mobilières considérables.

Frédéric fit ainsi la récapitulation de sa fortune ; et elle
allait, pourtant, lui appartenir ! Il songea d'abord à « ce
qu'on dirait », à un cadeau pour sa mère, à ses futurs
attelages, à un vieux cocher de sa famille dont il voulait
faire le concierge. La livrée ne serait plus la même, naturellement. Il prendrait le grand salon comme cabinet de
travail. Rien n'empêchait, en abattant trois murs, d'avoir,
au second étage, une galerie de tableaux. Il y avait moyen,

peut-être, d'organiser en bas une salle de bains turcs. Quant
au bureau de M. Dambreuse, pièce déplaisante, à quoi
pouvait-elle servir ?

Le prêtre qui venait de se moucher, ou la bonne sœur
arrangeant le feu, interrompait brutalement ces imaginations. Mais la réalité les confirmait; le cadavre était toujours là. Ses paupières s'étaient rouvertes; et les pupilles,
bien que noyées dans des ténèbres visqueuses, avaient une
expression énigmatique, intolérable. Frédéric croyait y voir
comme un jugement porté sur lui, et il sentait presque un
remords, car il n'avait jamais eu à se plaindre de cet homme,
qui, au contraire... « Allons donc ! un vieux misérable ! »
et il le considérait de plus près, pour se raffermir, en lui
criant mentalement :

— « Eh bien, quoi ? Est-ce que je t'ai tué ? »

Cependant, le prêtre lisait son bréviaire; la religieuse,
immobile, sommeillait; les mèches des trois flambeaux
s'allongeaient.

On entendit, pendant deux heures, le roulement sourd
des charrettes défilant vers les Halles. Les carreaux blan-
chirent, un fiacre passa, puis une compagnie d'ânesses qui
trottinaient sur le pavé, et des coups de marteau, des cris
de vendeurs ambulants, des éclats de trompette; tout déjà
se confondait dans la grande voix de Paris qui s'éveille.

Frédéric se mit en courses [758]. Il se transporta première-
ment à la mairie pour faire la déclaration; puis, quand le
médecin des morts eut donné un certificat, il revint à la
mairie dire quel cimetière la famille choisissait, et pour
s'entendre avec le bureau des pompes funèbres.

L'employé exhiba un dessin et un programme, l'un
indiquant les diverses classes d'enterrement, l'autre le
détail complet du décor. Voulait-on un char avec galerie
ou un char avec panaches, des tresses aux chevaux, des
aigrettes aux valets, des initiales ou un blason, des lampes
funèbres, un homme pour porter les honneurs, et combien
de voitures ? Frédéric fut large; Mme Dambreuse tenait
à ne rien ménager.

Puis, il se rendit à l'église.

Le vicaire des convois commença par blâmer l'exploi-
tation des pompes funèbres; ainsi l'officier pour les pièces
d'honneur était vraiment inutile; beaucoup de cierges
valaient mieux ! On convint d'une messe basse relevée de

musique. Frédéric signa ce qui était convenu, avec obliga-
tion solidaire de payer tous les frais.

Il alla ensuite à l'Hôtel de Ville pour l'achat du terrain.
Une concession de deux mètres en longueur sur un de
largeur coûtait cinq cents francs. Était-ce une concession
mi-séculaire ou perpétuelle?

— « Oh! perpétuelle! » dit Frédéric.

Il prenait la chose au sérieux, se donnait du mal. Dans
la cour de l'hôtel, un marbrier l'attendait pour lui montrer
des devis et plans de tombeaux grecs, égyptiens, mau-
resques; mais l'architecte de la maison en avait déjà conféré
avec Madame; et, sur la table, dans le vestibule, il y avait
toute sorte de prospectus relatifs au nettoyage des matelas,
à la désinfection des chambres, à divers procédés d'embaumement.

Après son dîner, il retourna chez le tailleur pour le deuil
des domestiques; et il dut faire une dernière course, car
il avait commandé des gants de castor, et c'étaient des
gants de filoselle qui convenaient.

Quand il arriva le lendemain, à dix heures, le grand salon
s'emplissait de monde, et presque tous, en s'abordant
d'un air mélancolique, disaient :

— « Moi qui l'ai encore vu il y a un mois! Mon Dieu!
c'est notre sort à tous! »

— « Oui; mais tâchons que ce soit le plus tard possible! »

Alors, on poussait un petit rire de satisfaction, et même
on engageait des dialogues parfaitement étrangers à la
circonstance. Enfin, le maître des cérémonies, en habit
noir à la française et culotte courte, avec manteau, pleureuses, brette au côté et tricorne sous le bras, articula, en
saluant, les mots d'usage :

— « Messieurs, quand il vous fera plaisir. »

On partit [759].

C'était jour de marché aux fleurs sur la place de la Madeleine. Il faisait un temps clair et doux; et la brise, qui
secouait un peu les baraques de toile, gonflait, par les bords,
l'immense drap noir accroché sur le portail. L'écusson de
M. Dambreuse, occupant un carré de velours, s'y répétait
trois fois. Il était *de sable au senestrochère d'or, à poing fermé,
ganté d'argent*, avec la couronne de comte, et cette devise :
Par toutes voies.

Les porteurs montèrent jusqu'au haut de l'escalier le lourd cercueil, et l'on entra.

Les six chapelles, l'hémicycle et les chaises étaient tendus de noir. Le catafalque au bas du chœur formait, avec ses grands cierges, un seul foyer de lumières jaunes. Aux deux angles, sur des candélabres, des flammes d'esprit-de-vin brûlaient.

Les plus considérables prirent place dans le sanctuaire, les autres dans la nef; et l'office commença.

A part quelques-uns, l'ignorance religieuse de tous était si profonde que le maître des cérémonies, de temps à autre, leur faisait signe de se lever, de s'agenouiller, de se rasseoir. L'orgue et deux contrebasses alternaient avec les voix ; dans les intervalles de silence, on entendait le marmottement du prêtre à l'autel ; puis la musique et les chants reprenaient.

Un jour mat tombait des trois coupoles; mais la porte ouverte envoyait horizontalement comme un fleuve de clarté blanche qui frappait toutes les têtes nues; et dans l'air, à mi-hauteur du vaisseau, flottait une ombre, pénétrée par le reflet des ors décorant la nervure des pendentifs et le feuillage des chapiteaux.

Frédéric, pour se distraire, écouta le *Dies iræ*; il considérait les assistants, tâchait de voir les peintures trop élevées qui représentaient la vie de Madeleine. Heureusement, Pellerin vint se mettre près de lui, et commença tout de suite, à propos de fresques, une longue dissertation. La cloche tinta. On sortit de l'église.

Le corbillard, orné de draperies pendantes et de hauts plumets, s'achemina vers le Père-Lachaise, tiré par quatre chevaux noirs ayant des tresses dans la crinière, des panaches sur la tête, et qu'enveloppaient jusqu'aux sabots de larges caparaçons brodés d'argent. Leur cocher, en bottes à l'écuyère, portait un chapeau à trois cornes avec un long crêpe retombant. Les cordons étaient tenus par quatre personnages : un questeur de la Chambre des députés, un membre du Conseil général de l'Aube, un délégué des houilles, — et Fumichon, comme ami. La calèche du défunt et douze voitures de deuil suivaient. Les conviés, par derrière, emplissaient le milieu du boulevard.

Pour voir tout cela, les passants s'arrêtaient; des femmes, leur marmot entre les bras, montaient sur des chaises; et des gens qui prenaient des chopes dans les cafés apparaissaient aux fenêtres, une queue de billard à la main.

La route était longue; et, — comme dans les repas de cérémonie où l'on est réservé d'abord, puis expansif, — la tenue générale se relâcha bientôt. On ne causait que du refus d'allocation [760] fait par la Chambre au Président. M. Piscatory [761] s'était montré trop acerbe, Montalembert, « magnifique, comme d'habitude », et MM. Chambolle, Pidoux, Creton, enfin toute la commission aurait dû suivre, peut-être, l'avis de MM. Quentin-Bauchard et Dufour.

Ces entretiens continuèrent dans la rue de la Roquette, bordée par des boutiques, où l'on ne voit que des chaînes en verre de couleur et des rondelles noires couvertes de dessins et de lettres d'or, — ce qui les fait ressembler à des grottes pleines de stalactites et à des magasins de faïence. Mais, devant la grille du cimetière, tout le monde, instantanément, se tut.

Les tombes se levaient au milieu des arbres, colonnes brisées, pyramides, temples, dolmens, obélisques, caveaux étrusques à porte de bronze. On apercevait dans quelques-uns des espèces de boudoirs funèbres, avec des fauteuils rustiques et des pliants. Des toiles d'araignée pendaient comme des haillons aux chaînettes des urnes; et de la poussière couvrait les bouquets de rubans de satin et les crucifix. Partout, entre les balustres, sur les tombeaux, des couronnes d'immortelles et des chandeliers, des vases, des fleurs, des disques noirs rehaussés de lettres d'or, des statuettes de plâtre: petits garçons et petites demoiselles ou petits anges tenus en l'air par un fil de laiton: plusieurs même ont un toit de zinc sur la tête. D'énormes câbles en verre filé, noir, blanc et azur, descendent du haut des stèles jusqu'au pied des dalles, avec de longs replis, comme des boas. Le soleil, frappant dessus, les faisait scintiller entre les croix de bois noir; — et le corbillard s'avançait dans les grands chemins, qui sont pavés comme les rues d'une ville. De temps à autre, les essieux claquaient. Des femmes à genoux, la robe traînant dans l'herbe, parlaient doucement aux morts. Des fumignons blanchâtres sortaient de la verdure des ifs. C'étaient des offrandes abandonnées, des débris que l'on brûlait.

La fosse de M. Dambreuse était dans le voisinage de Manuel et de Benjamin Constant. Le terrain dévale, en cet endroit, par une pente abrupte. On a sous les pieds des sommets d'arbres verts ; plus loin, des cheminées de pompes à feu, puis toute la grande ville.

Frédéric put admirer le paysage pendant qu'on prononçait les discours.

Le premier fut au nom de la Chambre des députés, le deuxième, au nom du Conseil général de l'Aube, le troisième, au nom de la Société houillère de Saône-et-Loire, le quatrième, au nom de la Société d'agriculture de l'Yonne ; et il y en eut un autre, au nom d'une Société philanthropique [762]. Enfin, on s'en allait, lorsqu'un inconnu se mit à lire un sixième discours, au nom de la Société des antiquaires d'Amiens.

Et tous profitèrent de l'occasion pour tonner contre le Socialisme, dont M. Dambreuse était mort victime. C'était le spectacle de l'anarchie et son dévouement à l'ordre qui avait abrégé ses jours. On exalta ses lumières, sa probité, sa générosité et même son mutisme [763] comme représentant du peuple, car, s'il n'était pas orateur, il possédait en revanche ces qualités solides, mille fois préférables, etc... avec tous les mots qu'il faut dire : « — Fin prématurée, — regrets éternels ; — l'autre patrie, — adieu, ou plutôt non, au revoir ! »

La terre, mêlée de cailloux, retomba ; et il ne devait plus en être question dans le monde.

On en parla encore un peu en descendant le cimetière ; et on ne se gênait pas pour l'apprécier. Hussonnet, qui devait rendre compte de l'enterrement dans les journaux, reprit même, en blague, tous les discours ; — car enfin le bonhomme Dambreuse avait été un des *potdevinistes* les plus distingués du dernier règne. Puis les voitures de deuil reconduisirent les bourgeois à leurs affaires, la cérémonie n'avait pas duré trop longtemps ; on s'en félicitait.

Frédéric, fatigué, rentra chez lui.

Quand il se présenta le lendemain à l'hôtel Dambreuse, on l'avertit que Madame travaillait en bas, dans le bureau. Les cartons, les tiroirs étaient ouverts pêle-mêle, les livres de comptes jetés de droite et de gauche ; un rouleau de paperasses ayant pour titre : « Recouvrements désespérés », traînait par terre ; il manqua tomber dessus et le ramassa. Mme Dambreuse disparaissait ensevelie dans le grand fauteuil.

— « Eh bien? Où êtes-vous donc? qu'y a-t-il? »

Elle se leva d'un bond.

— « Ce qu'il y a [764]? Je suis ruinée, ruinée! entends-tu? »

M. Adolphe Langlois, le notaire, l'avait fait venir en son étude, et lui avait communiqué un testament, écrit par son mari, avant leur mariage. Il léguait tout à Cécile; et l'autre testament était perdu. Frédéric devint très pâle. Sans doute elle avait mal cherché?

— « Mais regarde donc! » dit Mme Dambreuse, en lui montrant l'appartement.

Les deux coffres-forts bâillaient, défoncés à coups de merlin, et elle avait retourné le pupitre, fouillé les placards, secoué les paillassons, quand tout à coup, poussant un cri aigu, elle se précipita dans un angle où elle venait d'apercevoir une petite boîte à serrure de cuivre; elle l'ouvrit, rien!

— « Ah! le misérable! Moi qui l'ai soigné avec tant de dévouement! »

Puis elle éclata en sanglots.

— « Il est peut-être ailleurs? » dit Frédéric.

— « Eh non! il était là! dans ce coffre-fort. Je l'ai vu dernièrement. Il est brûlé! j'en suis certaine! »

Un jour, au commencement de sa maladie, M. Dambreuse était descendu pour donner des signatures.

— « C'est alors qu'il aura fait le coup! »

Et elle retomba sur une chaise, anéantie. Une mère en deuil n'est pas plus lamentable près d'un berceau vide que ne l'était Mme Dambreuse devant les coffres-forts béants. Enfin, sa douleur — malgré la bassesse du motif — semblait tellement profonde qu'il tâcha de la consoler en lui disant qu'après tout elle n'était pas réduite à la misère.

— « C'est la misère, puisque je ne peux pas t'offrir une grande fortune! »

Elle n'avait plus que trente mille livres de rente, sans compter l'hôtel, qui en valait de dix-huit à vingt, peut-être.

Bien que ce fût de l'opulence pour Frédéric, il n'en ressentait pas moins une déception. Adieu ses rêves et toute la grande vie qu'il aurait menée! L'honneur le forçait [765] à épouser Mme Dambreuse. Il réfléchit une minute; puis, d'un air tendre :

— « J'aurai toujours ta personne! »

Elle se jeta dans ses bras; et il la serra contre sa poitrine, avec un attendrissement où il y avait un peu d'admiration pour lui-même. Mme Dambreuse, dont les larmes ne coulaient plus, releva sa figure, toute rayonnante de bonheur, et, lui prenant la main :

— « Ah! je n'ai jamais douté de toi! J'y comptais! »

Cette certitude anticipée de ce qu'il regardait comme une belle action déplut au jeune homme.

Puis elle l'emmena dans sa chambre, et ils firent des projets. Frédéric devait songer maintenant à se pousser. Elle lui donna même sur sa candidature d'admirables conseils.

Le premier point était de savoir deux ou trois phrases d'économie politique. Il fallait prendre une spécialité, comme les haras, par exemple, écrire plusieurs mémoires sur une question d'intérêt local, avoir toujours à sa disposition des bureaux de poste ou de tabac, rendre une foule de petits services. M. Dambreuse s'était montré là-dessus un vrai modèle. Ainsi une fois, à la campagne, il avait fait arrêter son char à bancs, plein d'amis, devant l'échoppe d'un savetier, avait pris pour ses hôtes douze paires de chaussures, et, pour lui, des bottes épouvantables — qu'il eut même l'héroïsme de porter durant quinze jours. Cette anecdote les rendit gais. Elle en conta d'autres, et avec un revif de grâce, de jeunesse et d'esprit.

Elle approuva son idée d'un voyage immédiat à Nogent. Leurs adieux furent tendres; puis, sur le seuil, elle murmura encore une fois :

— « Tu m'aimes, n'est-ce pas ? »

— « Éternellement! » répondit-il.

Un commissionnaire [766] l'attendait chez lui avec un mot au crayon, le prévenant que Rosanette allait accoucher. Il avait eu tant d'occupation, depuis quelques jours, qu'il n'y pensait plus. Elle s'était mise dans un établissement spécial, à Chaillot.

Frédéric prit un fiacre et partit.

Au coin de la rue de Marbeuf, il lut sur une planche en grosses lettres : — « Maison de santé et d'accouchement tenue par Mme Alessandri, sage-femme de première classe, ex-élève de la Maternité, auteur de divers ouvrages, etc. » Puis, au milieu de la rue, sur la porte, une petite porte bâtarde, l'enseigne répétait (sans le mot accouchement): « Maison de santé de Mme Alessandri, » avec tous ses titres.

Frédéric donna un coup de marteau.

Une femme de chambre, à tournure de soubrette, l'introduisit dans le salon, orné d'une table en acajou, de fauteuils en velours grenat, et d'une pendule sous globe.

Presque aussitôt, Madame parut. C'était une grande brune de quarante ans, la taille mince [767], de beaux yeux, l'usage du monde. Elle apprit à Frédéric l'heureuse délivrance de la mère, et le fit monter dans sa chambre.

Rosanette se mit à sourire ineffablement; et, comme submergée sous les flots d'amour qui l'étouffaient, elle dit d'une voix basse :

— « Un garçon, là, là ! » en désignant près de son lit une barcelonnette.

Il écarta les rideaux, et aperçut, au milieu des linges, quelque chose d'un rouge jaunâtre, extrêmement ridé, qui sentait mauvais et vagissait.

— « Embrasse-le ! »

Il répondit pour cacher sa répugnance :

— « Mais j'ai peur de lui faire mal? »

— « Non ! non ! »

Alors, il baisa, du bout des lèvres, son enfant.

— « Comme il te ressemble ! »

Et, de ses deux bras faibles, elle se suspendit à son cou, avec une effusion de sentiment qu'il n'avait jamais vue.

Le souvenir de Mme Dambreuse lui revint. Il se reprocha comme une monstruosité de trahir ce pauvre être, qui aimait et souffrait dans toute la franchise de sa nature. Pendant plusieurs jours, il lui tint compagnie jusqu'au soir.

Elle se trouvait heureuse dans cette maison discrète; les volets de la façade restaient même constamment fermés; sa chambre, tendue en perse claire, donnait sur un grand jardin; Mme Alessandri, dont le seul défaut était de citer comme intimes les médecins illustres, l'entourait d'attentions; ses compagnes, presque toutes des demoiselles de la province, s'ennuyaient beaucoup, n'ayant personne qui vînt les voir; Rosanette s'aperçut qu'on l'enviait, et le dit à Frédéric avec fierté. Il fallait parler bas, cependant; les cloisons étaient minces et tout le monde se tenait aux écoutes, malgré le bruit continuel des pianos [768].

Il allait enfin partir pour Nogent, quand il reçut une lettre de Deslauriers.

Deux candidats nouveaux se présentaient, l'un conservateur, l'autre rouge; un troisième, quel qu'il fût, n'avait
pas de chances. C'était la faute de Frédéric; il avait laissé
passer le bon moment, il aurait dû venir plus tôt, se remuer.
« On ne t'a même pas vu aux comices agricoles ! » L'avocat
le blâmait de n'avoir aucune attache dans les journaux.
« Ah ! si tu avais suivi autrefois mes conseils ! Si nous
avions une feuille publique à nous ! » Il insistait là-dessus.
Du reste, beaucoup de personnes qui auraient voté en sa
faveur, par considération pour M. Dambreuse, l'aban-
donneraient maintenant. Deslauriers était de ceux-là.
N'ayant plus rien à attendre du capitaliste, il lâchait son
protégé.

Frédéric porta sa lettre à Mme Dambreuse.

— « Tu n'as donc pas été à Nogent ? » dit-elle.

— « Pourquoi ? »

— « C'est que j'ai vu Deslauriers il y a trois jours. »

Sachant la mort de son mari, l'avocat était venu rapporter
des notes sur les houilles et lui offrir ses services comme
homme d'affaires. Cela parut étrange à Frédéric; et que
faisait son ami, là-bas ?

Mme Dambreuse voulut savoir l'emploi de son temps
depuis leur séparation.

— « J'ai été malade, » répondit-il.

— « Tu aurais dû me prévenir, au moins. »

— « Oh ! cela n'en valait pas la peine ; » d'ailleurs, il
avait eu une foule de dérangements, des rendez-vous, des
visites.

Il mena dès lors une existence double, couchant religieusement chez la Maréchale et passant l'après-midi
chez Mme Dambreuse, si bien qu'il lui restait à peine,
au milieu de la journée, une heure de liberté.

L'enfant était à la campagne, à Andilly. On allait le voir
toutes les semaines.

La maison de la nourrice [769] se trouvait sur la hauteur
du village, au fond d'une petite cour sombre comme un
puits, avec de la paille par terre, des poules çà et là, une
charrette à légumes sous le hangar. Rosanette commençait
par baiser frénétiquement son poupon; et, prise d'une sorte
de délire, allait et venait, essayait de traire la chèvre, mangeait du gros pain, aspirait l'odeur du fumier, voulait en
mettre un peu dans son mouchoir.

Puis ils faisaient de grandes promenades; elle entrait
chez les pépiniéristes, arrachait les branches de lilas qui
pendaient en dehors des murs, criait : « Hue, bourriquet ! »
aux ânes traînant une carriole, s'arrêtait à contempler par
la grille l'intérieur des beaux jardins; ou bien la nourrice
prenait l'enfant, on le posait à l'ombre sous un noyer;
et les deux femmes débitaient, pendant des heures, d'assom-
mantes niaiseries.

Frédéric, près d'elles, contemplait les carrés de vignes
sur les pentes du terrain, avec la touffe d'un arbre de place
en place, les sentiers poudreux pareils à des rubans grisâtres,
les maisons étalant dans la verdure des taches blanches et
rouges; et, quelquefois, la fumée d'une locomotive allongeait horizontalement au pied des collines couvertes de
feuillages, comme une gigantesque plume d'autruche dont
le bout léger s'envolait.

Puis ses yeux retombaient sur son fils. Il se le figurait
jeune homme il en ferait son compagnon; mais ce serait
peut-être un sot, un malheureux à coup sûr. L'illégalité
de sa naissance l'opprimerait toujours; mieux aurait valu
pour lui ne pas naître, et Frédéric murmurait : « Pauvre
enfant! » le cœur gonflé d'une incompréhensible tristesse.

Souvent, ils manquaient le dernier départ. Alors ,Mme
Dambreuse le grondait de son inexactitude. Il lui faisait
une histoire.

Il fallait en inventer aussi pour Rosanette. Elle ne comprenait pas à quoi il employait toutes ses soirées; et, quand
on envoyait chez lui, il n'y était jamais ! Un jour, comme il
s'y trouvait, elles apparurent presque à la fois. Il fit sortir
la Maréchale et cachaMme Dambreuse, en disant que sa
mère [770] allait arriver.

Bientôt ces mensonges le divertirent; il répétait à l'une
le serment qu'il venait de faire à l'autre, leur envoyait deux
bouquets semblables, leur écrivait en même temps, puis
établissait entre elles des comparaisons; — il y en avait une
troisième toujours présente à sa pensée. L'impossibilité
de l'avoir le justifiait de ses perfidies, qui avivaient le plaisir,
en y mettant de l'alternance; et plus il avait trompé n'importe laquelle des deux, plus elle l'aimait, comme si leurs
amours se fussent échaiffés réciproquement et que, dans
une sorte d'émulation, chacune eût voulu lui faire oublier
l'autre.

— « Admire ma confiance ! » lui dit un jour Mme Dambreuse, en dépliant un papier où on la prévenait que M. Moreau vivait conjugalement avec une certaine Rose Bron. « Est-ce la demoiselle des courses, par hasard ? »

— « Quelle absurdité ! » reprit-il. « Laisse-moi voir. »

La lettre, écrite en caractères romains, n'était pas signée. Mme Dambreuse, au début, avait toléré cette maîtresse qui couvrait leur adultère. Mais, sa passion devenant plus forte, elle avait exigé une rupture, chose faite depuis longtemps, selon Frédéric ; et, quand il eut fini ses protestations, elle répliqua, tout en clignant ses paupières où brillait un regard pareil à la pointe d'un stylet sous de la mousseline :

— « Eh bien, et l'autre ? »

— « Quelle autre ? »

— « La femme du faïencier ! »

Il leva les épaules dédaigneusement. Elle n'insista pas.

Mais, un mois plus tard, comme ils parlaient d'honneur et de loyauté, et qu'il vantait la sienne (d'une manière incidente, par précaution), elle lui dit :

— « C'est vrai, tu es honnête, tu n'y retournes plus. »

Frédéric, qui pensait à la Maréchale, balbutia :

— « Où donc ? »

— « Chez Mme Arnoux. »

Il la supplia de lui avouer d'où elle tenait ce renseignement. C'était par sa couturière en second, Mme Regimbart.

Ainsi, elle connaissait sa vie, et lui ne savait rien de la sienne !

Cependant, il avait découvert dans son cabinet de toilette la miniature d'un monsieur à longues moustaches : était-ce le même sur lequel on lui avait conté autrefois une vague histoire de suicide ? Mais, il n'existait aucun moyen d'en savoir davantage ! A quoi bon, du reste ? Les cœurs des femmes sont comme ces petits meubles à secret, pleins de tiroirs emboîtés les uns dans les autres ; on se donne du mal, on se casse les ongles, et on trouve au fond quelque fleur desséchée, des brins de poussière — ou le vide ! Et puis il craignait peut-être d'en trop apprendre.

Elle lui faisait refuser les invitations où elle ne pouvait se rendre avec lui, le tenait à ses côtés, avait peur de le perdre ; et, malgré cette union chaque jour plus grande,

tout à coup des abîmes se découvraient entre eux, à propos
de choses insignifiantes, l'appréciation d'une personne,
d'une œuvre d'art.

Elle avait une façon de jouer du piano, correcte et dure.
Son spiritualisme (Mme Dambreuse croyait à la trans-
migration des âmes dans les étoiles) ne l'empêchait pas
de tenir sa caisse admirablement. Elle était hautaine avec
ses gens [771]; ses yeux restaient secs devant les haillons des
pauvres. Un égoïsme ingénu éclatait dans ses locutions
ordinaires: «Qu'est-ce que cela me fait? je serais bien bonne!
est-ce que j'ai besoin!» et mille petites actions inanalysables, odieuses. Elle aurait écouté derrière les portes; elle
devait mentir à son confesseur. Par esprit de domination,
elle voulut que Frédéric l'accompagnât le dimanche à
l'église. Il obéit, et porta le livre.

La perte de son héritage l'avait considérablement changée. Ces marques d'un chagrin qu'on attribuait à la mort
de M. Dambreuse la rendaient intéressante; et, comme
autrefois, elle recevait beaucoup de monde. Depuis l'insuccès électoral de Frédéric, elle ambitionnait pour eux
deux une légation en Allemagne; aussi la première chose
à faire était de se soumettre aux idées régnantes.

Les uns désiraient l'Empire, d'autres les Orléans, d'autres
le comte de Chambord; mais tous s'accordaient sur l'urgence de la décentralisation, et plusieurs moyens étaient
proposés, tels que ceux-ci: couper Paris en une foule
de grandes rues afin d'y établir des villages, transférer à
Versailles le siège du gouvernement, mettre à Bourges
les écoles, supprimer les bibliothèques, confier tout aux
généraux de division; — et on exaltait les campagnes,
l'homme illettré ayant naturellement plus de sens que les
autres! Les haines foisonnaient! haine contre les instituteurs primaires et contre les marchands de vin, contre
les classes de philosophie, contre les cours d'histoire, contre
les romans, les gilets rouges, les barbes longues, contre
toute indépendance, toute manifestation individuelle;
car il fallait « relever le principe d'autorité »; qu'elle s'exer-
çât au nom de n'importe qui, qu'elle vînt de n'importe où,
pourvu que ce fût la Force, l'Autorité! Les conservateurs
parlaient maintenant comme Sénécal. Frédéric ne comprenait plus; et il retrouvait chez son ancienne maîtresse les
mêmes propos, débités par les mêmes hommes!

Les salons des filles (c'est de ce temps-là que date leur importance) étaient un terrain neutre, où les réactionnaires de bords différents se rencontraient. Hussonnet, qui se livrait au dénigrement des gloires contemporaines (bonne chose pour la restauration de l'Ordre), inspira l'envie à Rosanette d'avoir, comme une autre, ses soirées; il en ferait des comptes rendus; et il amena d'abord un homme sérieux, Fumichon; puis parurent Nonancourt, M. de Grémonville, le sieur de Larsillois, ex-préfet, et Cisy, qui était maintenant agronome, bas breton et plus que jamais chrétien.

Il venait, en outre, d'anciens amants de la Maréchale, tels que le baron de Comaing, le comte de Jumillac et quelques autres; la liberté de leurs allures blessait Frédéric.

Afin de se poser comme le maître, il augmenta le train de la maison. Alors, on prit un groom, on changea de logement, et on eut un mobilier nouveau. Ces dépenses étaient utiles pour faire paraître son mariage moins disproportionné à sa fortune. Aussi diminuait-elle effroyablement; — et Rosanette ne comprenait rien à tout cela!

Bourgeoise déclassée, elle adorait la vie de ménage, un petit intérieur paisible. Cependant, elle était contente d'avoir « un jour »; disait: « Ces femmes-là! » en parlant de ses pareilles; voulait être « une dame du monde », s'en croyait une. Elle le pria de ne plus fumer dans le salon, essaya de lui faire faire maigre, par bon genre.

Elle mentait à son rôle enfin, car elle devenait sérieuse, et même, avant de se coucher, montrait toujours un peu de mélancolie, comme il y a des cyprès à la porte d'un cabaret.

Il en découvrit la cause: elle rêvait mariage, — elle aussi! Frédéric en fut exaspéré. D'ailleurs, il se rappelait son apparition chez Mme Arnoux, et puis il lui tiendrait rancune pour sa longue résistance.

Il n'en cherchait pas moins quels avaient été ses amants. Elle les niait tous [772]. Une sorte de jalousie l'envahit. Il s'irrita des cadeaux qu'elle avait reçus, qu'elle recevait; — et, à mesure que le fond même de sa personne l'agaçait davantage, un goût des sens âpre et bestial l'entraînait vers elle, illusions d'une minute qui se résolvaient en haine.

Ses paroles, sa voix, son sourire, tout vint à lui déplaire, ses regards surtout, cet œil de femme éternellement limpide et inepte. Il s'en trouvait tellement excédé quelquefois

qu'il l'aurait vue mourir sans émotion. Mais comment se
fâcher? Elle était d'une douceur désespérante.

Deslauriers reparut, et expliqua son séjour à Nogent
en disant qu'il y marchandait une étude d'avoué. Frédéric
fut heureux de le revoir; c'était quelqu'un! Il le mit en
tiers dans la compagnie [773].

L'avocat dînait chez eux de temps à autre, et, quand il
s'élevait de petites contestations, se déclarait toujours
pour Rosanette, si bien qu'une fois Frédéric lui dit:

— « Eh! couche avec elle si ça t'amuse! » tant il souhaitait
un hasard qui l'en débarrassât.

Vers le milieu du mois de juin, elle reçut un commandement où maître Athanase Gautherot, huissier, lui enjoi-
gnait de solder quatre mille francs dus à la demoiselle
Clémence Vatnaz; sinon, qu'il viendrait le lendemain la
saisir.

En effet, des quatre billets autrefois souscrits, un seul
était payé; — l'argent qu'elle avait pu avoir depuis lors
ayant passé à d'autres besoins.

Elle courut chez Arnoux. Il habitait le faubourg Saint-
Germain, et le portier ignorait la rue. Elle se transporta
chez plusieurs amis, ne trouva personne, et rentra désespérée. Elle ne voulait rien dire à Frédéric, tremblant que
cette nouvelle histoire ne fît du tort à son mariage.

Le lendemain matin, Me Athanase Gautherot se présenta,
flanqué de deux acolytes, l'un blême, à figure chafouine,
l'air dévoré d'envie, l'autre portant un faux-col et des
sous-pieds très tendus, avec un délot de taffetas noir à
l'index; — et tous deux, ignoblement sales, avec des cols
gras, des manches de redingote trop courtes.

Leur patron, un fort bel homme, au contraire, commença
par s'excuser de sa mission pénible, tout en regardant
l'appartement, « plein de jolies choses, ma parole d'honneur! » Il ajouta « outre celles qu'on ne peut saisir ». Sur
un geste, les deux recors disparurent.

Alors, ses compliments redoublèrent. Pouvait-on croire
qu'une personne aussi... charmante n'eût pas d'ami sérieux!
Une vente par autorité de justice était un véritable malheur!
On ne s'en relève jamais. Il tâcha de l'effrayer; puis, la
voyant émue, prit subitement un ton paterne. Il connaissait
le monde, il avait eu affaire à toutes ces dames; et, en les
nommant, il examinait les cadres sur les murs. C'étaient

d'anciens tableaux du brave Arnoux [774], des esquisses
de Sombaz, des aquarelles de Burieu, trois paysages de
Dittmer. Rosanette n'en savait pas le prix évidemment.
Maître Gautherot se tourna vers elle :

— « Tenez ! Pour vous montrer que je suis un bon garçon, faisons une chose : cédez-moi ces Dittmer-là, et je
paye tout. Est-ce convenu ? »

A ce moment, Frédéric, que Delphine avait instruit
dans l'antichambre et qui venait de voir les deux praticiens,
entre le chapeau sur la tête, d'un air brutal. Maître Gautherot
reprit sa dignité ; et, comme la porte était restée ouverte :

— « Allons, messieurs, écrivez ! Dans la seconde pièce,
nous disons : une table de chêne, avec ses deux rallonges,
deux buffets... »

Frédéric l'arrêta, demandant s'il n'y avait pas quelque
moyen d'empêcher la saisie.

— « Oh ! parfaitement ! Qui a payé les meubles ? »

— « Moi. »

— « Eh bien, formulez une revendication ; c'est toujours
du temps que vous aurez devant vous. »

Maître Gautherot acheva vivement ses écritures, et,
dans le procès-verbal, assigna en référé Mlle Bron, puis
se retira.

Frédéric ne fit pas un reproche. Il contemplait, sur le
tapis, les traces de boue laissées par les chaussures des
praticiens ; et, se parlant à lui-même :

— « Il va falloir chercher de l'argent ! »

— « Ah ! mon Dieu, que je suis bête ! » dit la Maréchale.

Elle fouilla dans un tiroir, prit une lettre, et s'en alla
vivement à la Société d'éclairage du Languedoc, afin
d'obtenir le transfert de ses actions.

Elle revint une heure après. Les titres étaient vendus à
un autre ! Le commis lui avait répondu en examinant son
papier, la promesse écrite par Arnoux : « Cet acte ne vous
constitue nullement propriétaire. La Compagnie ne connaît
pas cela. » Bref, il l'avait congédiée, elle en suffoquait ; et
Frédéric devait se rendre à l'instant même chez Arnoux
pour éclaircir la chose.

Mais Arnoux croirait, peut-être, qu'il venait pour recouvrer indirectement les quinze mille francs de son hypothèque perdue ; et puis cette réclamation à un homme qui
avait été l'amant de sa maîtresse lui semblait une turpitude.

Choisissant [775] un moyen terme, il alla prendre à l'hôtel
Dambreuse l'adresse de Mme Regimbart, envoya chez elle
un commissionnaire, et connut ainsi le café que hantait
maintenant le Citoyen.

C'était un petit café sur la place de la Bastille, où il se
tenait toute la journée, dans le coin de droite, au fond,
ne bougeant pas plus que s'il avait fait partie de l'immeuble.

Après avoir passé successivement par la demi-tasse,
le grog, le bischof, le vin chaud et même l'eau rougie,
il était revenu à la bière; et de demi-heure en demi-heure,
laissait tomber ce mot : « Bock ! » ayant réduit son langage
à l'indispensable. Frédéric lui demanda s'il voyait quelquefois Arnoux.

— « Non ! »

— « Tiens, pourquoi ? »

— « Un imbécile ! »

La politique, peut-être, les séparait, et Frédéric crut bien
faire de s'informer de Compain.

— « Quelle brute ! » dit Regimbart.

— « Comment cela ? »

— « Sa tête de veau ! »

— « Ah ! apprenez-moi ce que c'est que la tête de veau ! »
Regimbart eut un sourire de pitié.

— « Des bêtises ! »

Frédéric, après un long silence, reprit :

— « Il a donc changé de logement ? »

— « Qui ? »

— « Arnoux ! »

— « Oui : rue de Fleurus ! »

— « Quel numéro ? »

— « Est-ce que je fréquente les jésuites ! »

— « Comment, jésuites ! »

Le Citoyen répondit, furieux :

— « Avec l'argent d'un patriote que je lui ai fait connaître,
ce cochon-là s'est établi marchand de chapelets ! »

— « Pas possible ! »

— « Allez-y voir ! »

Rien de plus vrai; Arnoux, affaibli par une attaque,
avait tourné à la religion; d'ailleurs, « il avait toujours
eu un fonds de religion » et (avec l'alliage de mercanti-
lisme et d'ingénuité qui lui était naturel), pour faire son

salut et sa fortune, il s'était mis dans le commerce des objets religieux.

Frédéric n'eut pas de mal à découvrir son établissement, dont l'enseigne portait: «*Aux arts gothiques. —* Restauration du culte. — Ornements d'église. — Sculpture polychrome. — Encens des rois mages, etc., etc. »

Aux deux coins de la vitrine s'élevaient deux statues en bois, bariolées d'or, de cinabre et d'azur; un saint Jean-Baptiste avec sa peau de mouton, et une sainte Geneviève, des roses dans son tablier et une quenouille sous son bras; puis des groupes en plâtre; une bonne sœur instruisant une petite fille, une mère à genoux près d'une couchette, trois collégiens devant la sainte table. Le plus joli était une manière de chalet figurant l'intérieur de la crèche avec l'âne, le bœuf et l'enfant Jésus étalé sur de la paille, de la vraie paille. Du haut en bas des étagères, on voyait des médailles à la douzaine, des chapelets de toute espèce, des bénitiers en forme de coquille et les portraits des gloires ecclésiastiques, parmi lesquelles brillaient Mgr Affre et notre Saint-Père, tous deux souriant.

Arnoux, à son comptoir, sommeillait la tête basse. Il était prodigieusement vieilli, avait même autour des tempes une couronne de boutons roses, et le reflet des croix d'or frappées par le soleil tombait dessus.

Frédéric, devant cette décadence, fut pris de tristesse. Par dévouement pour la Maréchale, il se résigna cependant, et il s'avançait; au fond de la boutique, Mme Arnoux parut; alors, il tourna les talons.

— « Je ne l'ai pas trouvé, » dit-il en rentrant.

Et il eut beau reprendre qu'il allait écrire, tout de suite, à son notaire du Havre pour avoir de l'argent, Rosanette s'emporta. On n'avait jamais vu un homme si faible, si mollasse; pendant qu'elle endurait mille privations, les autres se gobergeaient.

Frédéric songeait à la pauvre Mme Arnoux, se figurant la médiocrité navrante de son intérieur. Il s'était mis au secrétaire; et, comme la voix aigre de Rosanette continuait :

— « Ah! au nom du ciel, tais-toi! »

— « Vas-tu les défendre, par hasard? »

— « Eh bien, oui! » s'écria-t-il, « car d'où vient cet acharnement? »

— « Mais toi, pourquoi ne veux-tu pas qu'ils payent? C'est dans la peur d'affliger ton ancienne, avoue-le ! »

Il eut envie de l'assommer avec la pendule; les paroles lui manquèrent. Il se tut. Rosanette, tout en marchant dans la chambre, ajouta:

— « Je vais lui flanquer [778] un procès, à ton Arnoux. Oh! je n'ai pas besoin de toi! » et, pinçant les lèvres : « Je consulterai. »

Trois jours après, Delphine entra brusquement.

— « Madame, madame, il y a là un homme avec un pot de colle qui me fait peur. »

Rosanette passa dans la cuisine, et vit un chenapan, la face criblée de petite vérole, paralytique d'un bras, aux trois quarts ivre et bredouillant.

C'était l'afficheur de maître Gautherot. L'opposition à la saisie ayant été repoussée, la vente, naturellement, s'ensuivait.

Pour sa peine d'avoir monté l'escalier, il réclama d'abord un petit verre; — puis il implora une autre faveur, à savoir des billets de spectacle, croyant que Madame était une actrice. Il fut ensuite plusieurs minutes à faire des clignements d'yeux incompréhensibles; enfin, il déclara que, moyennant quarante sous, il déchirerait les coins de l'affiche déjà posée en bas, contre la porte. Rosanette s'y trouvait désignée par son nom, rigueur exceptionnelle qui marquait toute la haine de la Vatnaz.

Elle avait été sensible [777] autrefois, et même, dans une peine de cœur, avait écrit à Béranger pour en obtenir un conseil. Mais elle s'était aigrie sous les bourrasques de l'existence, ayant, tour à tour, donné des leçons de piano, présidé une table d'hôte, collaboré à des journaux de modes, sous-loué des appartements, fait le trafic des dentelles dans le monde des femmes légères, — où ses relations lui permirent d'obliger beaucoup de personnes, Arnoux entre autres. Elle avait travaillé auparavant dans une maison de commerce.

Elle y soldait les ouvrières; et il y avait pour chacune d'elles deux livres, dont l'un restait toujours entre ses mains. Dussardier, qui tenait par obligeance celui d'une nommée Hortense Baslin, se présenta un jour à la caisse au moment où Mlle Vatnaz apportait le compte de cette fille, 1.682 francs, que le caissier lui paya. Or, la veille même,

Dussardier n'en avait inscrit que 1.082 sur le livre de la Baslin. Il le redemanda sous un prétexte; puis, voulant ensevelir cette histoire de vol, lui conta qu'il l'avait perdu. L'ouvrière redit naïvement son mensonge à Mlle Vatnaz; celle-ci, pour en avoir le cœur net, d'un air indifférent, vint en parler au brave commis. Il se contenta de répondre: « Je l'ai brûlé; » ce fut tout. Elle quitta la maison peu de temps après, sans croire à l'anéantissement du livre et s'imaginant que Dussardier le gardait.

A la nouvelle de sa blessure, elle était accourue chez lui dans l'intention de le reprendre. Puis, n'ayant rien découvert, malgré les perquisitions les plus fines, elle avait été saisie de respect, et bientôt d'amour, pour ce garçon, si loyal, si doux, si héroïque et si fort! Une pareille bonne fortune à son âge était inespérée. Elle se jeta dessus avec un appétit d'ogresse ; — et elle en avait abandonné la littérature, le socialisme, « les doctrines consolantes et les utopies généreuses », le cours qu'elle professait sur la *Désubalternisation de la femme*, tout, Delmar lui-même; enfin elle offrit à Dussardier de s'unir par un mariage.

Bien qu'elle fût sa maîtresse, il n'en était nullement amoureux. D'ailleurs, il n'avait pas oublié son vol. Puis elle était trop riche. Il la refusa. Alors elle lui dit, en pleurant, les rêves qu'elle avait faits : c'était d'avoir à eux deux un magasin de confection. Elle possédait les premiers fonds indispensables, qui s'augmenteraient de quatre mille francs la semaine prochaine; et elle narra ses poursuites contre la Maréchale.

Dussardier en fut chagrin, à cause de son ami. Il se rappelait le porte-cigares offert au corps de garde, les soirs du quai Napoléon, tant de bonnes causeries, de livres prêtés, les mille complaisances de Frédéric. Il pria la Vatnaz de se désister.

Elle le railla de sa bonhomie, en manifestant contre Rosanette une exécration incompréhensible; elle ne souhaitait même la fortune que pour l'écraser plus tard avec son carrosse.

Ces abîmes de noirceur effrayèrent Dussardier; et, quand il sut positivement le jour de la vente, il sortit. Dès le lendemain matin, il entrait chez Frédéric avec une contenance embarrassée.

— « J'ai des excuses à vous faire. »

— « De quoi donc ? »

— « Vous devez me prendre pour un ingrat, moi
dont elle est... » Il balbutiait. « Oh ! je ne la verrai plus,
je ne serai pas son complice ! » Et, l'autre le regardant tout
surpris : « Est-ce qu'on ne va pas, dans trois jours, vendre
les meubles de votre maîtresse ? »

— « Qui vous a dit cela ? »

— « Elle-même, la Vatnaz ! Mais j'ai peur de vous
offenser... »

— « Impossible, cher ami ! »

— « Ah ! c'est vrai, vous êtes si bon ! »

Et il lui tendit, d'une main discrète, un petit portefeuille
de basane.

C'étaient quatre mille francs, toutes ses économies.

— « Comment ! Ah ! non ! — non !... »

— « Je savais bien que je vous blesserais, » répliqua
Dussardier, avec une larme au bord des yeux.

Frédéric lui serra la main ; et le brave garçon reprit
d'une voix dolente :

— « Acceptez-les ! Faites-moi ce plaisir-là ! Je suis
tellement désespéré ! Est-ce que tout n'est pas fini, d'ailleurs ? — J'avais cru, quand la révolution est arrivée,
qu'on serait heureux. Vous rappelez-vous comme c'était
beau ! comme on respirait bien ! Mais nous voilà retombés
pire que jamais. »

Et, fixant ses yeux à terre :

— « Maintenant, ils tuent notre République [778], comme
ils ont tué l'autre, la romaine ! et la pauvre Venise, la pauvre
Pologne, la pauvre Hongrie ! Quelles abominations !
D'abord, on a abattu les arbres de la liberté [779], puis restreint le droit de suffrage [780], fermé les clubs, rétabli la
censure et livré l'enseignement aux prêtres [781], en attendant
l'Inquisition. Pourquoi pas ? Des conservateurs nous
souhaitaient bien les Cosaques [782] ! On condamne les
journaux quand ils parlent contre la peine de mort, Paris
regorge de baïonnettes, seize départements sont en état
de siège ; — et l'amnistie qui est encore une fois repoussée ! »

Il se prit le front à deux mains ; puis, écartant les bras
comme dans une grande détresse :

— « Si on tâchait, cependant. Si on était de bonne foi,
on pourrait s'entendre ! Mais non ! Les ouvriers ne valent
pas mieux que les bourgeois, voyez-vous ! A Elbeuf,

dernièrement, ils ont refusé leur secours dans un incendie. Des misérables traitent Barbès d'aristocrate! Pour qu'on se moque du peuple, ils veulent nommer à la présidence Nadaud [783], un maçon, je vous demande un peu! Et il n'y a pas de moyen! pas de remède! Tout le monde est contre nous! — Moi, je n'ai jamais fait de mal; et, pourtant, c'est comme un poids qui me pèse sur l'estomac. J'en deviendrai fou, si ça continue. J'ai envie de me faire tuer. Je vous dis que je n'ai pas besoin de mon argent! Vous me le rendrez, parbleu! je vous le prête. »

Frédéric, que la nécessité contraignait, finit par prendre ses quatre mille francs. Ainsi, du côté de la Vatnaz, ils n'avaient plus d'inquiétude.

Mais Rosanette perdit bientôt son procès contre Arnoux, et, par entêtement, voulait en appeler.

Deslauriers s'exténuait à lui faire comprendre que la promesse d'Arnoux ne constituait ni une donation ni une cession régulière; elle n'écoutait même pas, trouvant la loi injuste; c'est parce qu'elle était une femme, les hommes se soutenaient entre eux! A la fin, cependant, elle suivit ses conseils.

Il se gênait si peu dans la maison que, plusieurs fois, il amena Sénécal y dîner. Ce sans-façon déplut à Frédéric, qui lui avançait de l'argent, le faisait même habiller par son tailleur; et l'avocat donnait ses vieilles redingotes au socialiste, dont les moyens d'existence étaient inconnus.

Il aurait voulu servir Rosanette, cependant. Un jour qu'elle lui montrait douze actions de la Compagnie du kaolin (cette entreprise qui avait fait condamner Arnoux à trente mille francs), il lui dit :

— « Mais c'est véreux! c'est superbe! »

Elle avait le droit de l'assigner pour le remboursement de ses créances. Elle prouverait d'abord qu'il était tenu solidairement à payer tout le passif de la Compagnie, puisqu'il avait déclaré comme dettes collectives des dettes personnelles, enfin, qu'il avait diverti plusieurs effets à la Société.

— « Tout cela le rend coupable de banqueroute frauduleuse, articles 586 et 587 du Code de commerce; et nous l'emballerons, soyez-en sûre, ma mignonne. »

Rosanette lui sauta au cou. Il la recommanda le lendemain à son ancien patron, ne pouvant s'occuper lui-même du procès, car il avait besoin à Nogent; Sénécal lui écrirait, en cas d'urgence.

Ses négociations pour l'achat d'une étude étaient un prétexte. Il passait son temps chez M. Roque, où il avait commencé, non seulement par faire l'éloge de leur ami, mais par l'imiter d'allures et de langage autant que possible; — ce qui lui avait obtenu la confiance de Louise, tandis qu'il gagnait celle de son père en se déchaînant contre Ledru-Rollin.

Si Frédéric ne revenait pas, c'est qu'il fréquentait le grand monde; et peu à peu Deslauriers leur apprit qu'il aimait quelqu'un, qu'il avait un enfant, qu'il entretenait une créature.

Le désespoir de Louise fut immense, l'indignation de Mme Moreau non moins forte. Elle voyait son fils tourbillonnant vers le fond d'un gouffre vague, était blessée dans sa religion des convenances et en éprouvait comme un déshonneur personnel, quant tout à coup sa physionomie changea. Aux questions qu'on lui faisait sur Frédéric, elle répondait d'un air narquois :

— « Il va bien, très bien. »

Elle savait son mariage avec Mme Dambreuse.

L'époque en était fixée; et même il cherchait comment faire avaler la chose à Rosanette.

Vers le milieu de l'automne, elle gagna son procès relatif aux actions du kaolin; Frédéric l'apprit en rencontrant à sa porte Sénécal, qui sortait de l'audience.

On avait reconnu M. Arnoux complice de toutes les fraudes; et l'ex-répétiteur avait un tel air de s'en réjouir, que Frédéric l'empêcha d'aller plus loin, en assurant qu'il se chargeait de sa commission près de Rosanette. Il entra chez elle la figure irritée.

— « Eh bien, te voilà contente! »

Mais, sans remarquer ces paroles :

— « Regarde donc! »

Et elle lui montra son enfant couché dans un berceau, près du feu. Elle l'avait trouvé si mal le matin chez sa nourrice, qu'elle l'avait ramené à Paris.

Tous ses membres étaient maigris extraordinairement et ses lèvres couvertes de points blancs, qui faisaient dans l'intérieur de sa bouche comme des caillots de lait.

— « Qu'a dit le médecin? »

— « Ah ! le médecin ! Il prétend que le voyage a augmenté son... je ne sais plus, un nom en *ite*... enfin qu'il a le muguet. Connais-tu cela ? »

Frédéric n'hésita pas à répondre: « Certainement », en ajoutant que ce n'était rien.

Mais, dans la soirée, il fut effrayé par l'aspect débile de l'enfant et le progrès de ces taches bleuâtres, pareilles à de la moisissure, comme si la vie, abandonnant déjà ce pauvre petit corps, n'eût laissé qu'une matière où la végétation poussait. Ses mains étaient froides; il ne pouvait plus boire, maintenant; et la nourrice, une autre que le portier avait été prendre au hasard dans un bureau, répétait :

— « Il me paraît bien bas, bien bas ! »

Rosanette fut debout toute la nuit.

Le matin elle alla trouver Frédéric.

— « Viens donc voir. Il ne remue plus. »

En effet, il était mort. Elle le prit, le secoua, l'étreignait en l'appelant des noms les plus doux, le couvrait de baisers et de sanglots, tournait sur elle-même éperdue, s'arrachait les cheveux, poussait des cris; — et se laissa tomber [784] au bord du divan, où elle restait la bouche ouverte, avec un flot de larmes tombant [785] de ses yeux fixes. Puis une torpeur la gagna, et tout devint tranquille dans l'appartement. Les meubles étaient renversés. Deux ou trois serviettes traînaient. Six heures sonnèrent. La veilleuse s'éteignit.

Frédéric, en regardant tout cela, croyait presque rêver. Son cœur se serrait d'angoisse. Il lui semblait que cette mort n'était qu'un commencement, et qu'il y avait par derrière un malheur plus considérable près de survenir.

Tout à coup Rosanette dit d'une voix tendre :

— « Nous le conserverons, n'est-ce pas ? »

Elle désirait le faire embaumer. Bien des raisons [786] s'y opposaient. La meilleure, selon Frédéric, c'est que la chose était impraticable sur des enfants si jeunes. Un portrait valait mieux. Elle adopta cette idée. Il écrivit un mot à Pellerin, et Delphine courut le porter.

Pellerin arriva promptement, voulant effacer par ce zèle tout souvenir de sa conduite. Il dit d'abord :

— « Pauvre petit ange ! Ah ! mon Dieu, quel malheur ! »

Mais, peu à peu (l'artiste en lui l'emportant), il déclara qu'on ne pouvait rien faire avec ces yeux bistrés, cette face

livide, que c'était une véritable nature morte, qu'il faudrait
beaucoup de talent; et il murmurait :

— « Oh! pas commode, pas commode! »

— « Pourvu que ce soit ressemblant », objecta Rosanette.

— Eh! je me moque de la ressemblance? A bas le Réa-
lisme! C'est l'esprit qu'on peint! Laissez-moi! Je vais
tâcher de me figurer ce que ça devait être. »

Il réfléchit, le front dans la main gauche, le coude dans
la droite; puis, tout à coup :

— « Ah ! une idée! un pastel! Avec des demi-teintes
colorées, passées presque à plat, on peut obtenir un beau
modelé, sur les bords seulement. »

Il envoya la femme de chambre chercher sa boîte;
puis, ayant une chaise sous les pieds et une autre près de
lui, il commença à jeter de grands traits, aussi calme que
s'il eût travaillé d'après la bosse. Il vantait les petits saint
Jean [787] de Corrège, l'infante Rose de Vélasquez [788], les
chairs lactées de Reynolds, la distinction de Lawrence,
et surtout l'enfant aux longs cheveux qui est sur les genoux
de lady Glower.

— « D'ailleurs, peut-on trouver rien de plus charmant
que ces crapauds-là! Le type du sublime (Raphaël l'a
prouvé par ses madones), c'est peut-être une mère avec
son enfant? »

Rosanette, qui suffoquait, sortit; et Pellerin dit aussitôt:

— « Eh bien, Arnoux!... vous savez ce qui arrive? »

— « Non? Quoi? »

— « Ça devait finir comme ça, du reste! »

— « Qu'est-ce donc? »

— « Il est peut-être maintenant... Pardon! »

L'artiste se leva pour exhausser la tête du petit cadavre.

— « Vous disiez... » reprit Frédéric.

Et Pellerin, tout en clignant pour mieux prendre ses
mesures :

— « Je disais que notre ami Arnoux est peut-être,
maintenant, coffré! »

Puis, d'un ton satisfait :

— « Regardez un peu? Est-ce ça? »

— « Oui, très bien! Mais Arnoux? »

Pellerin déposa son crayon.

— « D'après ce que j'ai pu comprendre, il se trouve
poursuivi par un certain Mignot, un intime de Regimbart,

une bonne tête, celui-là, hein? Quel idiot! Figurez-vous
qu'un jour... »

— « Eh! il ne s'agit pas de Regimbart! »

— « C'est vrai. Eh bien. Arnoux, hier au soir, devait
trouver douze mille francs, sinon, il était perdu. »

— « Oh! c'est peut-être exagéré, » dit Frédéric.

— « Pas le moins du monde! Ça m'avait l'air grave,
très grave! »

Rosanette, à ce moment, reparut avec des rougeurs sous
les paupières, ardentes comme des plaques de fard. Elle
se mit près du carton et regarda. Pellerin fit signe qu'il se
taisait à cause d'elle. Mais Frédéric, sans y prendre garde :

— « Cependant, je ne peux pas croire... »

— « Je vous répète que je l'ai rencontré hier, » dit
l'artiste, « à sept heures du soir, rue Jacob. Il avait même
son passeport, par précaution; et il parlait de s'embarquer
au Havre, lui et toute sa smala. »

— « Comment! Avec sa femme? »

— « Sans doute! Il est trop bon père de famille pour
vivre tout seul. »

— « Et vous en êtes sûr!... [789] »

— « Parbleu! Où voulez-vous qu'il ait trouvé douze
mille francs? »

Frédéric fit deux ou trois tours dans la chambre. Il haletait, se mordait les lèvres, puis saisit son chapeau.

— « Où vas-tu donc? » dit Rosanette.

Il ne répondit pas, et disparut.

V

Il fallait douze mille francs [790], ou bien il ne reverrait plus Mme Arnoux; et, jusqu'à présent, un espoir invincible lui était resté. Est-ce qu'elle ne faisait pas comme la substance de son cœur, le fond même de sa vie? Il fut pendant quelques minutes à chanceler sur le trottoir, se rongeant d'angoisses, heureux néanmoins de n'être plus chez l'autre.

Où avoir de l'argent? Frédéric savait par lui-même combien il est difficile d'en obtenir tout de suite, à n'importe quel prix [791]. Une seule personne pouvait l'aider, Mme Dambreuse. Elle gardait toujours dans son secrétaire plusieurs billets de banque. Il alla chez elle; et, d'un ton hardi :

— « As-tu douze mille francs à me prêter? »

— « Pourquoi? »

C'était le secret d'un autre. Elle voulait [792] le connaître. Il ne céda pas. Tous deux s'obstinaient. Enfin, elle déclara ne rien donner, avant de savoir dans quel but. Frédéric devint très rouge. Un de ses camarades avait commis un vol. La somme devait être restituée aujourd'hui même.

— « Tu l'appelles? Son nom? Voyons, son nom? »

— « Dussardier! »

Et il se jeta à ses genoux, en la suppliant de n'en rien dire.

— « Quelle idée as-tu de moi? » reprit Mme Dambreuse. « On croirait que tu es coupable. Finis donc tes airs tragiques! Tiens, les voilà! et grand bien lui fasse! »

Il courut chez Arnoux. Le marchand n'était pas dans sa boutique. Mais il logeait toujours rue Paradis, car il possédait deux domiciles.

Rue Paradis, le portier jura que M. Arnoux était absent depuis la veille; quant à Madame, il n'osait rien dire; et Frédéric, ayant monté l'escalier comme une flèche, colla son oreille contre la serrure. Enfin, on ouvrit. Madame

était partie avec Monsieur. La bonne ignorait quand ils
reviendraient; ses gages étaient payés; elle-même s'en allait.

Tout à coup un craquement de porte se fit entendre.

— « Mais il y a quelqu'un? »

— « Oh! non, monsieur! C'est le vent. »

Alors, il se retira. N'importe, une disparition si prompte
avait quelque chose d'inexplicable.

Regimbart, étant l'intime de Mignot, pouvait peut-être
l'éclairer? Et Frédéric se fit conduire chez lui, à Montmartre,
rue de l'Empereur.

Sa maison était flanquée d'un jardinet, clos par une
grille que bouchaient des plaques de fer. Un perron de
trois marches relevait la façade blanche; et en passant sur
le trottoir, on apercevait les deux pièces du rez-de-chaussée,
dont la première était un salon avec des robes partout
sur les meubles, et la seconde l'atelier où se tenaient les
ouvrières de Mme Regimbart.

Toutes étaient convaincues que Monsieur avait de
grandes occupations, de grandes relations, que c'était un
homme complètement hors ligne. Quand il traversait le
couloir, avec son chapeau à bords retroussés, sa longue
figure sérieuse et sa redingote verte, elles en interrom-
paient leur besogne. D'ailleurs, il ne manquait pas de leur
adresser toujours quelque mot d'encouragement, une
politesse sous forme de sentence; — et plus tard, dans leur
ménage, elles se trouvaient malheureuses, parce qu'elles
l'avaient gardé pour idéal.

Aucune cependant ne l'aimait comme Mme Regimbart,
petite personne intelligente, qui le faisait vivre avec son
métier.

Dès que M. Moreau eut dit son nom, elle vint prestement
le recevoir, sachant par les domestiques ce qu'il était à
Mme Dambreuse. Son mari « rentrait à l'instant même »;
et Frédéric, tout en la suivant, admira la tenue du logis et
la profusion de toile cirée qu'il y avait. Puis il attendit
quelques minutes, dans une manière de bureau, où le
Citoyen se retirait pour penser.

Son accueil fut moins rébarbatif que d'habitude.

Il conta l'histoire d'Arnoux. L'ex-fabricant de faïences
avait enguirlandé Mignot, un patriote, possesseur de cent
actions du *Siècle*, en lui démontrant qu'il fallait, au point
de vue démocratique, changer la gérance et la rédaction

du journal; et, sous prétexte de faire triompher son avis
dans la prochaine assemblée des actionnaires, il lui avait
demandé cinquante actions, en disant qu'il les repasserait
à des amis sûrs, lesquels appuieraient son vote; Mignot
n'aurait aucune responsabilité, ne se fâcherait avec personne; puis, le succès obtenu, il lui ferait avoir dans l'administration une bonne place, de cinq à six mille francs
pour le moins. Les actions avaient été livrées. Mais Arnoux,
tout de suite, les avait vendues; et, avec l'argent, s'était
associé à un marchand d'objets religieux. Là-dessus,
réclamations de Mignot, lanternements d'Arnoux; enfin,
le patriote l'avait menacé d'une plainte en escroquerie,
s'il ne restituait ses titres ou la somme équivalente: cinquante mille francs.

Frédéric eut l'air désespéré.

— « Ce n'est pas tout, » dit le Citoyen. « Mignot, qui
est un brave homme, s'est rabattu sur le quart. Nouvelles
promesses de l'autre, nouvelles farces naturellement.
Bref, avant-hier matin, Mignot l'a sommé d'avoir à lui
rendre, dans les vingt-quatre heures, sans préjudice du
reste, douze mille francs. »

— « Mais je les ai ! » dit Frédéric.

Le Citoyen se retourna lentement :

— « Blagueur ! »

— « Pardon ! Ils sont dans ma poche. Je les apportais. »

— « Comme vous y allez, vous ! Nom d'un petit bonhomme ! Du reste, il n'est plus temps; la plainte est dépo-
sée, et Arnoux parti. »

— « Seul? »

— « Non ! avec sa femme. On les a rencontrés à la
gare du Havre. »

Frédéric pâlit extraordinairement. Mme Regimbart
crut qu'il allait s'évanouir. Il se contint, et même il eut la
force d'adresser deux ou trois questions sur l'aventure.
Regimbart s'en attristait, tout cela en somme nuisant à la
Démocratie. Arnoux avait toujours été sans conduite et
sans ordre.

— « Une vraie tête de linotte ! Il brûlait la chandelle
par les deux bouts ! Le cotillon l'a perdu ! Ce n'est pas lui
que je plains, mais sa pauvre femme ! » car le Citoyen
admirait les femmes vertueuses, et faisait grand cas de
Mme Arnoux. « Elle a dû joliment souffrir ! »

Frédéric lui sut gré de cette sympathie; et, comme
s'il en avait reçu un service, il serra sa main avec effusion.
— « As-tu fait toutes les courses nécessaires? » dit
Rosanette en le revoyant.

Il n'en avait pas eu le courage, répondit-il, et avait marché
au hasard, dans les rues, pour s'étourdir.

A huit heures, ils passèrent dans la salle à manger;
mais ils restèrent silencieux l'un devant l'autre, poussaient
par intervalle un long soupir et renvoyaient leur assiette.
Frédéric but de l'eau-de-vie. Il se sentait tout délabré,
écrasé, anéanti, n'ayant plus conscience de rien que d'une
extrême fatigue.

Elle alla chercher le portrait. Le rouge, le jaune, le vert
et l'indigo s'y heurtaient par taches violentes, en faisaient
une chose hideuse, presque dérisoire.

D'ailleurs, le petit mort était méconnaissable maintenant.
Le ton violacé de ses lèvres augmentait la blancheur de sa
peau; les narines étaient encore plus minces, les yeux
plus caves; et sa tête reposait sur un oreiller de taffetas
bleu, entre des pétales de camélias, des roses d'automne
et des violettes; c'était une idée de la femme de chambre;
elles l'avaient ainsi arrangé toutes les deux, dévotement.
La cheminée, couverte d'une housse en guipure, supportait
des flambeaux de vermeil espacés par des bouquets de buis
bénit; aux coins, dans les deux vases, des pastilles du sérail
brûlaient; tout cela formait avec le berceau une manière
de reposoir ; et Frédéric se rappela sa veillée près de
M. Dambreuse.

Tous les quarts d'heure, à peu près, Rosanette ouvrait
les rideaux pour contempler son enfant. Elle l'apercevait,
dans quelques mois d'ici, commençant à marcher, puis au
collège au milieu de la cour, jouant aux barres; puis à
vingt ans, jeune homme; et toutes ces images, qu'elle se
créait, lui faisaient comme autant de fils qu'elle aurait
perdus, — l'excès de la douleur multipliant sa maternité.

Frédéric, immobile dans l'autre fauteuil, pensait à
Mme Arnoux.

Elle était en chemin de fer, sans doute, le visage au carreau
d'un wagon, et regardant la campagne s'enfuir derrière
elle, du côté de Paris, ou bien sur le pont d'un bateau à
vapeur, comme la première fois qu'il l'avait rencontrée;
mais celui-là s'en allait indéfiniment vers des pays d'où

elle ne sortirait plus. Puis il la voyait dans une chambre
d'auberge, avec des malles par terre, un papier de tenture
en lambeaux, la porte qui tremblait au vent. Et après?
que deviendrait-elle? Institutrice, dame de compagnie,
femme de chambre, peut-être? Elle était livrée à tous les
hasards de la misère. Cette ignorance de son sort le torturait. Il aurait dû s'opposer à sa fuite ou partir derrière
elle. N'était-il pas son véritable époux? Et, en songeant
qu'il ne la retrouverait jamais, que c'était bien fini, qu'elle
était irrévocablement perdue, il sentait comme un déchire-
ment de tout son être; ses larmes accumulées depuis le
matin débordèrent.

Rosanette s'en aperçut.

— « Ah! tu pleures comme moi! Tu as du chagrin? »

— « Oui! oui! j'en ai!... »

Il la serra contre son cœur, et tous deux sanglotaient
en se tenant embrassés.

Mme Dambreuse aussi pleurait, couchée sur son lit,
à plat ventre, la tête dans ses mains.

Olympe Regimbart, étant venue le soir lui essayer sa
première robe de couleur, avait conté la visite de Frédéric,
et même qu'il tenait tout prêts douze mille francs destinés à M. Arnoux.

Ainsi cet argent, son argent à elle, était pour empêcher
le départ de l'autre, pour se conserver une maîtresse!

Elle eut d'abord un accès de rage : et elle avait résolu de
le chasser comme un laquais. Des larmes abondantes [793]
la calmèrent. Il valait mieux tout renfermer, ne rien dire.

Frédéric, le lendemain, rapporta les douze mille francs.

Elle le pria de les garder, en cas de besoin, pour son ami,
et elle l'interrogea beaucoup sur ce monsieur. Qui donc
l'avait poussé à un tel abus de confiance? Une femme, sans
doute! Les femmes vous entraînent à tous les crimes.

Ce ton de persiflage décontenança Frédéric. Il éprouvait
un grand remords de sa calomnie. Ce qui le rassurait,
c'est que Mme Dambreuse ne pouvait connaître la vérité.

Elle y mit de l'entêtement, cependant; car, le surlendemain, elle s'informa encore de son petit camarade, puis
d'un autre, de Deslauriers.

— « Est-ce un homme sûr et intelligent? »

Frédéric le vanta.

— « Priez-le de passer à la maison un de ces matins : je désirerais le consulter pour une affaire. »

Elle avait trouvé un rouleau de paperasses contenant des billets d'Arnoux parfaitement protestés, et sur lesquels Mme Arnoux avait mis sa signature. C'était pour ceux-là que Frédéric était venu une fois chez M. Dambreuse pendant son déjeuner; et, bien que le capitaliste n'eût pas voulu en poursuivre le recouvrement [794], il avait fait prononcer par le Tribunal de commerce, non seulement la condamnation d'Arnoux, mais celle de sa femme, qui l'ignorait, son mari n'ayant pas jugé convenable de l'en avertir.

C'était une arme, cela ! Mme Dambreuse n'en doutait pas. Mais son notaire lui conseillerait peut-être l'abstention; elle eût préféré quelqu'un d'obscur; et elle s'était rappelé ce grand diable, à mine impudente, qui lui avait offert ses services.

Frédéric fit naïvement sa commission.

L'avocat fut enchanté d'être mis en rapport avec une si grande dame.

Il accourut.

Elle le prévint que la succession appartenait à sa nièce, motif de plus pour liquider ces créances qu'elle rembourserait, tenant à accabler les époux Martinon des meilleurs procédés.

Deslauriers comprit qu'il y avait là-dessous un mystère; il rêvait en considérant les billets. Le nom de Mme Arnoux, tracé par elle-même, lui remit devant les yeux toute sa personne et l'outrage qu'il en avait reçu. Puisque la vengeance s'offrait, pourquoi ne pas la saisir ?

Il conseilla donc à Mme Dambreuse de faire vendre aux enchères les créances désespérées qui dépendaient de la succession. Un homme de paille les rachèterait en sous-main et exercerait les poursuites. Il se chargeait de fournir cet homme-là.

Vers la fin du mois de novembre, Frédéric, en passant dans la rue de Mme Arnoux, leva les yeux vers ses fenêtres, et aperçut contre la porte une affiche, où il y avait en grosses lettres :

« Vente d'un riche mobilier, consistant en batterie de cuisine, linge de corps et de table, chemises, dentelles, jupons, pantalons, cachemires français et de l'Inde, piano

d'Erard, deux bahuts de chêne Renaissance, miroirs de
Venise, poteries de Chine et du Japon. »

— « C'est leur mobilier ! » se dit Frédéric ; et le portier
confirma ses soupçons.

Quant à la personne qui faisait vendre, il l'ignorait.
Mais le commissaire-priseur, Me Berthelmot, donnerait
peut-être des éclaircissements.

L'officier ministériel ne voulut point, tout d'abord,
dire quel créancier poursuivait la vente ; Frédéric insista.
C'était un sieur Sénécal, agent d'affaires ; et Me Berthelmot
poussa même la complaisance jusqu'à prêter son journal des
Petites -Affiches.

Frédéric, en arrivant chez Rosanette, le jeta sur la table
tout ouvert.

— « Lis donc ! »

— « Eh bien, quoi ? » dit-elle, avec une figure tellement
placide qu'il en fut révolté.

— « Ah ! garde ton innocence ! »

— « Je ne comprends pas. »

— « C'est toi qui fais vendre Mme Arnoux ? »

Elle relut l'annonce.

— « Où est son nom ? »

— « Eh ! c'est son mobilier ! Tu le sais mieux que moi ! »

— « Qu'est-ce que ça me fait ? » dit Rosanette en haussant
les épaules.

— « Ce que ça te fait ? Mais tu te venges, voilà tout !
C'est la suite de tes persécutions ! Est-ce que tu ne l'as pas
outragée jusqu'à venir chez elle ! Toi, une fille de rien.
La femme la plus sainte, la plus charmante et la meilleure !
Pourquoi t'acharnes-tu à la ruiner ? »

— « Tu te trompes, je t'assure ! »

— « Allons donc ! Comme si tu n'avais pas mis Sénécal
en avant ! »

— « Quelle bêtise ! »

Alors, une fureur l'emporta.

— « Tu mens ! tu mens ! misérable. Tu es jalouse d'elle !
Tu possèdes une condamnation contre son mari ! Sénécal
s'est déjà mêlé de tes affaires ! Il déteste Arnoux, vos deux
haines s'entendent. J'ai vu sa joie quand tu as gagné ton
procès pour le kaolin. Le nieras-tu, celui-là ? »

— « Je te donne ma parole... »

— « Oh ! je la connais, ta parole ! »

Et Frédéric lui rappela ses amants par leurs noms, avec des détails circonstanciés. Rosanette, toute pâlissante, se reculait.

— « Cela t'étonne ! Tu me croyais aveugle parce que je fermais les yeux. J'en ai assez, aujourd'hui ! On ne meurt pas pour les trahisons d'une femme de ton espèce. Quand elles deviennent trop monstrueuses, on s'en écarte ; ce serait se dégrader que de les punir ! »

Elle se tordait les bras.

— « Mon Dieu, qu'est-ce donc qui l'a changé [795] ? »

— « Pas d'autres que toi-même ! »

— « Et tout cela pour Mme Arnoux ! »... s'écria Rosanette en pleurant.

Il reprit froidement :

— « Je n'ai jamais aimé qu'elle ! »

A cette insulte, ses larmes s'arrêtèrent.

— « Ça prouve ton bon goût ! Une personne d'un âge mûr, le teint couleur de réglisse, la taille épaisse, des yeux grands comme des soupiraux de cave, et vides comme eux ! Puisque ça te plaît, va la rejoindre ! »

— « C'est ce que j'attendais ! Merci ! »

Rosanette demeura immobile, stupéfiée par ces façons extraordinaires. Elle laissa même la porte se refermer ; puis, d'un bond, elle le rattrapa dans l'antichambre, et, l'entourant de ses bras :

— « Mais tu es fou ! tu es fou ! c'est absurde ! je t'aime ! » Elle le suppliait : « Mon Dieu, au nom de notre petit enfant ! »

— « Avoue que c'est toi qui as fait le coup ! » dit Frédéric.

Elle protesta encore de son innocence.

— « Tu ne veux pas avouer ? »

— « Non ! »

— « Eh bien, adieu ! et pour toujours ! »

— « Écoute-moi ! »

Frédéric se retourna.

— « Si tu me connaissais mieux, tu saurais que ma décision est irrévocable ! »

— « Oh ! oh ! tu me reviendras ! »

— « Jamais de la vie ! »

Et il fit claquer la porte violemment.

Rosanette écrivit à Deslauriers qu'elle avait besoin de lui tout de suite.

Il arriva cinq jours après, un soir; et, quand elle eut
conté sa rupture:

— « Ce n'est que ça! Beau malheur! »

Elle avait cru d'abord qu'il pourrait lui ramener Frédéric;
mais, à présent, tout était perdu. Elle avait appris, par son
portier, son prochain mariage avec Mme Dambreuse.

Deslauriers lui fit de la morale, se montra même singulièrement gai, farceur; et, comme il était fort tard, demanda
la permission de passer la nuit sur un fauteuil. Puis, le
lendemain matin, il repartit pour Nogent, en la prévenant qu'il ne savait pas quand ils se reverraient; d'ici à
peu, il y aurait peut-être un grand changement dans sa vie.

Deux heures après son retour, la ville était en révolution.
On disait que M. Frédéric allait épouser Mme Dambreuse.
Enfin, les trois demoiselles Auger, n'y tenant plus, se
transportèrent chez Mme Moreau, qui confirma cette
nouvelle avec orgueil. Le père Roque en fut malade.
Louise s'enferma [796]. Le bruit courut même qu'elle était
folle.

Cependant, Frédéric ne pouvait cacher sa tristesse.
Mme Dambreuse, pour l'en distraire sans doute, redoublait
d'attentions. Toutes les après-midi, elle le promenait dans
sa voiture; et, une fois qu'ils passaient sur la place de la
Bourse, elle eut l'idée d'entrer dans l'hôtel des commissaires-
priseurs, par amusement.

C'était le 1er décembre, jour même où devait se faire
la vente de Mme Arnoux [797]. Il se rappela la date, et mani-
festa sa répugnance, en déclarant ce lieu intolérable, à
cause de la foule et du bruit. Elle désirait y jeter un coup
d'œil seulement. Le coupé s'arrêta. Il fallait bien la suivre.

On voyait, dans la cour, des lavabos sans cuvettes,
des bois de fauteuils, de vieux paniers, des tessons de porcelaine, des bouteilles vides, des matelas; et des hommes en
blouse ou en sale redingote, tout gris de poussière, la
figure ignoble, quelques-uns avec des sacs de toile sur
l'épaule, causaient par groupes distincts ou se hélaient
tumultueusement.

Frédéric objecta les inconvénients d'aller plus loin.

— « Ah! bah! »

Et ils montèrent l'escalier.

Dans la première salle, à droite, des messieurs, un
catalogue à la main, examinaient des tableaux; dans une

autre, on vendait une collection d'armes chinoises ; Mme
Dambreuse voulut descendre. Elle regardait les numéros
au-dessus des portes, et elle le mena jusqu'à l'extrémité
du corridor, vers une pièce encombrée de monde.

Il reconnut immédiatement les deux étagères de *l'Art
industriel*, sa table à ouvrage, tous ses meubles ! Entassés
au fond, par rang de taille, ils formaient un large talus
depuis le plancher jusqu'aux fenêtres ; et, sur les autres
côtés de l'appartement, les tapis et les rideaux pendaient
droit le long des murs. Il y avait, en dessous, des gradins
occupés par de vieux bonshommes qui sommeillaient. A
gauche, s'élevait une espèce de comptoir, où le commissaire-
priseur, en cravate blanche, brandissait légèrement un
petit marteau. Un jeune homme, près de lui, écrivait ; et,
plus bas, debout, un robuste gaillard, tenant du commis
voyageur et du marchand de contremarques, criait les
meubles à vendre. Trois garçons les apportaient sur une
table, que bordaient, assis en ligne, des brocanteurs et
des revendeuses. La foule circulait derrière eux.

Quand Frédéric entra, les jupons, les fichus, les mouchoirs
et jusqu'aux chemises étaient passés de main en main,
retournés ; quelquefois, on les jetait de loin, et des blancheurs traversaient l'air tout à coup. Ensuite, on vendit
ses robes, puis un de ses chapeaux dont la plume cassée
retombait, puis ses fourrures, puis trois paires de bottines ;
— et le partage de ces reliques, où il retrouvait confusément les formes de ses membres, lui semblait une atrocité,
comme s'il avait vu des corbeaux déchiquetant son cadavre.
L'atmosphère de la salle, toute chargée d'haleines, l'écœurait.
Mme Dambreuse lui offrit son flacon ; elle se divertissait
beaucoup, disait-elle.

On exhiba les meubles de la chambre à coucher.

Me Berthelmot annonçait un prix. Le crieur, tout de
suite, le répétait fort ; et les trois commissionnaires attendaient tranquillement le coup de marteau, puis emportaient
l'objet dans une pièce contiguë. Ainsi disparurent, les uns
après les autres, le grand tapis bleu semé de camélias que
ses pieds mignons frôlaient en venant vers lui, la petite
bergère de tapisserie où il s'asseyait toujours en face d'elle
quand ils étaient seuls ; les deux écrans de la cheminée,
dont l'ivoire était rendu plus doux par le contact de ses
mains ; une pelote de velours encore hérissée d'épingles.

C'était comme des parties de son cœur qui s'en allaient avec ces choses: et la monotonie des mêmes voix, des mêmes gestes l'engourdissait de fatigue, lui causait une torpeur funèbre, une dissolution.

Un craquement de soie [798] se fit à son oreille; Rosanette le touchait.

Elle avait eu connaissance de cette vente par Frédéric lui-même. Son chagrin passé, l'idée d'en tirer profit lui était venue. Elle arrivait pour la voir, en gilet de satin blanc à boutons de perles, avec une robe à falbalas, étroitement gantée, l'air vainqueur.

Il pâlit de colère. Elle regarda la femme qui l'accompagnait.

Mme Dambreuse l'avait reconnue; et, pendant une minute, elles se considérèrent de haut en bas, scrupuleusement, afin de découvrir le défaut, la tare, — l'une enviant peut-être la jeunesse de l'autre, et celle-ci dépitée par l'extrême bon ton, la simplicité aristocratique de sa rivale.

Enfin, Mme Dambreuse détourna la tête, avec un sourire d'une insolence inexprimable.

Le crieur avait ouvert un piano, — son piano! Tout en restant debout, il fit une gamme de la main droite, et annonça l'instrument pour douze cents francs, puis se rabattit à mille, à huit cents, à sept cents.

Mme Dambreuse, d'un ton folâtre, se moquait du sabot.

On posa devant les brocanteurs un petit coffret avec des médaillons, des angles et des fermoirs d'argent, le même qu'il avait vu au premier dîner dans la rue de Choiseul, qui ensuite avait été chez Rosanette, était revenu chez Mme Arnoux; souvent, pendant leurs conversations, ses yeux le rencontraient; il était lié à ses souvenirs les plus chers, et son âme se fondait d'attendrissement, quand Mme Dambreuse dit tout à coup:

— « Tiens! je vais l'acheter. »

— « Mais ce n'est pas curieux », reprit-il.

Elle le trouvait, au contraire, fort joli; et le crieur en prônait la délicatesse:

— « Un bijou de la Renaissance! Huit cents francs, Messieurs! En argent presque tout entier! Avec un peu de blanc d'Espagne, ça brillera! »

Et, comme elle se poussait dans la foule:

— « Quelle singulière idée! » dit Frédéric.

— « Cela vous fâche? »

— « Non! Mais que peut-on faire de ce bibelot? »

— « Qui sait? y mettre des lettres d'amour, peut-être! »

Elle eut un regard qui rendait l'allusion fort claire.

— « Raison de plus pour ne pas dépouiller les morts de leurs secrets. »

— « Je ne la croyais pas si morte. » Elle ajouta distinctement: « Huit cent quatre-vingts francs! »

— « Ce que vous faites n'est pas bien », murmura Frédéric.

Elle riait.

— « Mais, chère amie, c'est la première grâce que je vous demande. »

— « Mais vous ne serez pas un mari aimable, savez-vous? »

Quelqu'un venait de lancer une surenchère; elle leva la main :

— « Neuf cents francs! »

— « Neuf cents francs! » répéta Me Berthelmot.

— « Neuf cent dix... quinze... vingt... trente! » glapissait le crieur, tout en parcourant du regard l'assistance, avec des hochements de tête saccadés.

— « Prouvez-moi que ma femme est raisonnable », dit Frédéric.

Il l'entraîna doucement vers la porte.

Le commissaire-priseur continuait :

— « Allons, allons, messieurs, neuf cent trente! Y a-t-il marchand à neuf cent trente? »

Mme Dambreuse, qui était arrivée sur le seuil, s'arrêta; et, d'une voix haute :

— « Mille francs! »

Il y eut un frisson dans le public, un silence.

— « Mille francs, messieurs, mille francs! » Personne ne dit rien? vu? mille francs! — Adjugé! »

Le marteau d'ivoire s'abattit.

Elle fit passer sa carte, on lui envoya le coffret. Elle le plongea dans son manchon.

Frédéric sentit un grand froid lui traverser le cœur.

Mme Dambreuse n'avait pas quitté son bras; et elle n'osa le regarder en face jusque dans la rue, où l'attendait sa voiture.

Elle s'y jeta comme un voleur qui s'échappe, et quand,

elle fut assise, se retourna vers Frédéric. Il avait son chapeau à la main.

— « Vous ne montez pas?

— « Non, Madame! »

Et, la saluant froidement, il ferma la portière, puis fit
signe au cocher de partir.

Il éprouva d'abord un sentiment de joie et d'indépendance reconquise. Il était fier d'avoir vengé Mme Arnoux
en lui sacrifiant une fortune; puis il fut étonné de son
action, et une courbature infinie l'accabla.

Le lendemain matin, son domestique lui apprit les
nouvelles. L'état de siège était décrété, l'Assemblée dis-
soute, et une partie des représentants du peuple à Mazas.
Les affaires publiques [799] le laissèrent indifférent, tant il
était préoccupé des siennes.

Il écrivit à des fournisseurs pour décommander plusieurs
emplettes relatives à son mariage, qui lui apparaissait
maintenant comme une spéculation un peu ignoble; et il
exécrait Mme Dambreuse parce qu'il avait manqué, à
cause d'elle, commettre une bassesse. Il en oubliait la
Maréchale, ne s'inquiétait même pas de Mme Arnoux,
— ne songeant qu'à lui, à lui seul, — perdu dans les décombres de ses rêves, malade, plein de douleur et de
découragement; et, en haine du milieu factice où il avait
tant souffert, il souhaita la fraîcheur de l'herbe, le repos
de la province, une vie somnolente passée à l'ombre du
toit natal, avec des cœurs ingénus. Le mercredi soir enfin,
il sortit.

Des groupes nombreux stationnaient sur le boulevard.
De temps à autre, une patrouille les dissipait; ils se refor-
maient derrière elle. On parlait librement, on vociférait
contre la troupe des plaisanteries et des injures, sans rien
de plus.

— « Comment! est-ce qu'on ne va pas se battre? »
dit Frédéric à un ouvrier.

L'homme en blouse lui répondit:

— « Pas si bêtes de nous faire tuer pour les bourgeois!
Qu'ils s'arrangent! »

Et un monsieur grommela, tout en regardant de travers
le faubourien:

— « Canailles de socialistes! Si on pouvait, cette fois,
les exterminer? »

Frédéric ne comprenait rien à tant de rancune et de sottise. Son dégoût de Paris en augmenta; et, le surlendemain, il partit pour Nogent par le premier convoi.

Les maisons bientôt disparurent, la campagne s'élargit. Seul dans son wagon et les pieds sur la banquette, il ruminait les événements des derniers jours, tout son passé. Le souvenir de Louise lui revint.

— « Elle m'aimait, celle-là! J'ai eu tort de ne pas saisir ce bonheur... Bah! n'y pensons plus! »

Puis, cinq minutes après:

— « Qui sait, cependant?... plus tard, pourquoi pas? »

Sa rêverie, comme ses yeux, s'enfonçait dans de vagues horizons.

— « Elle était naïve, une paysanne, presque une sauvage, mais si bonne! »

A mesure qu'il avançait vers Nogent, elle se rapprochait de lui. Quand on traversa les prairies de Sourdun il l'aperçut sous les peupliers comme autrefois, coupant des joncs au bord des flaques d'eau; on arrivait; il descendit.

Puis il s'accouda sur le pont, pour revoir l'île et le jardin où ils s'étaient promenés un jour de soleil; — et l'étourdissement du voyage et du grand air, la faiblesse qu'il gardait de ses émotions récentes lui causant une sorte d'exaltation, il se dit:

— « Elle est peut-être sortie; si j'allais la rencontrer! »

La cloche de Saint-Laurent tintait; et il y avait sur la place, devant l'église, un rassemblement de pauvres avec une calèche, la seule du pays (celle qui servait pour les noces), quand, sous le portail, tout à coup, dans un flot de bourgeois en cravate blanche, deux nouveaux mariés parurent.

Il se crut halluciné. Mais non! C'était bien elle, Louise! — couverte d'un voile blanc qui tombait de ses cheveux rouges à ses talons; et c'était bien lui, Deslauriers! — portant un habit bleu brodé d'argent, un costume de préfet. Pourquoi donc?

Frédéric se cacha dans l'angle d'une maison, pour laisser passer le cortège.

Honteux, vaincu, écrasé, il retourna vers le chemin de fer, et s'en revint à Paris.

Son cocher de fiacre assura que les barricades étaient dressées depuis le Château-d'Eau jusqu'au Gymnase, et prit par le faubourg Saint-Martin. Au coin de la rue de Provence, Frédéric mit pied à terre pour gagner les boulevards.

Il était cinq heures, une pluie fine tombait. Des bourgeois occupaient le trottoir du côté de l'Opéra. Les maisons d'en face étaient closes. Personne aux fenêtres. Dans toute la largeur du boulevard, des dragons galopaient, à fond de train, penchés sur leurs chevaux, le sabre nu; et les crinières de leurs casques, et leurs grands manteaux blancs soulevés derrière eux passaient sur la lumière des becs de gaz, qui se tordaient au vent dans la brume. La foule les regardait, muette, terrifiée.

Entre les charges de cavalerie, des escouades de sergents de ville survenaient, pour faire refluer le monde dans les rues.

Mais, sur les marches de Tortoni, un homme, — Dussardier, — remarquable de loin à sa haute taille, restait sans plus bouger qu'une cariatide.

Un des agents qui marchait en tête, le tricorne sur les yeux, le menaça de son épée.

L'autre, alors, s'avançant d'un pas, se mit à crier:

— « Vive la République! »

Il tomba sur le dos, les bras en croix.

Un hurlement d'horreur s'éleva de la foule. L'agent fit un cercle autour de lui avec son regard; et Frédéric, béant, reconnut Sénécal.

VI

Il voyagea.

Il connut la mélancolie des paquebots, les froids réveils sous la tente, l'étourdissement des paysages et des ruines, l'amertume des sympathies interrompues.

Il revint.

Il fréquenta le monde, et il eut d'autres amours encore. Mais le souvenir continuel du premier les lui rendait insipides; et puis la véhémence du désir, la fleur même de la sensation était perdue. Ses ambitions d'esprit avaient également diminué. Des années passèrent; et il supportait le désœuvrement de son intelligence et l'inertie de son cœur.

Vers la fin de mars 1867, à la nuit tombante, comme il était seul dans son cabinet, une femme entra [800].

— « Madame Arnoux! »

— « Frédéric! »

Elle le saisit par les mains, l'attira doucement vers la fenêtre, et elle le considérait tout en répétant :

— « C'est lui! C'est donc lui! »

Dans la pénombre du crépuscule, il n'apercevait que ses yeux sous la voilette de dentelle noire qui masquait sa figure.

Quand elle eut déposé au bord de la cheminée un petit portefeuille de velours grenat, elle s'assit. Tous deux restèrent sans pouvoir parler, se souriant l'un à l'autre.

Enfin, il lui adressa quantité de questions sur elle et son mari.

Ils habitaient le fond de la Bretagne, pour vivre économiquement et payer leurs dettes. Arnoux, presque toujours malade, semblait un vieillard maintenant. Sa fille était mariée à Bordeaux, et son fils en garnison à Mostaganem. Puis elle releva la tête:

— « Mais je vous revois! Je suis heureuse! »

Il ne manqua pas de lui dire qu'à la nouvelle de leur catastrophe il était accouru chez eux.

— « Je le savais! »

— « Comment? »

Elle l'avait aperçu dans la cour, et s'était cachée.

— « Pourquoi ? »

Alors, d'une voix tremblante, et avec de longs intervalles entre ses mots:

— « J'avais peur! Oui... peur de vous... de moi! »

Cette révélation lui donna comme un saisissement de volupté. Son cœur battait à grands coups. Elle reprit:

— « Excusez-moi de n'être pas venue plus tôt. » Et désignant le petit portefeuille grenat couvert de palmes d'or: — « Je l'ai brodé à votre intention, tout exprès. Il contient cette somme, dont les terrains de Belleville devaient répondre. »

Frédéric la remercia du cadeau, tout en la blâmant de s'être dérangée.

— « Non! Ce n'est pas pour cela que je suis venue! Je tenais à cette visite, puis je m'en retournerai... là-bas. »

Et elle lui parla de l'endroit qu'elle habitait.

C'était une maison basse, à un seul étage, avec un jardin rempli de buis énormes et une double avenue de châtaigniers montant jusqu'au haut de la colline [801] d'où l'on découvre la mer.

— « Je vais m'asseoir là, sur un banc, que j'ai appelé: le banc Frédéric. »

Puis elle se mit à regarder les meubles, les bibelots, les cadres, avidement, pour les emporter dans sa mémoire. Le portrait de la Maréchale était à demi caché par un rideau. Mais les ors et les blancs, qui se détachaient au milieu des ténèbres, l'attirèrent.

— « Je connais cette femme, il me semble? »

— « Impossible! » dit Frédéric. « C'est une vieille peinture italienne. »

Elle avoua qu'elle désirait faire un tour à son bras dans les rues.

Ils sortirent.

La lueur des boutiques éclairait, par intervalles, son profil pâle; puis l'ombre l'enveloppait de nouveau; et, au milieu des voitures, de la foule et du bruit, ils allaient sans se distraire d'eux-mêmes, sans rien entendre, comme ceux

qui marchent ensemble dans la campagne, sur un lit de
feuilles mortes.

Ils se racontèrent leurs anciens jours, les dîners du temps
de l'*Art industriel*, les manies d'Arnoux, sa façon de tirer
les pointes de son faux col, d'écraser du cosmétique sur
ses moustaches, d'autres choses plus intimes et plus profondes. Quel ravissement il avait eu la première fois, en
l'entendant chanter ! Comme elle était belle, le jour de sa
fête, à Saint-Cloud ! Il lui rappela le petit jardin d'Auteuil,
des soirs au théâtre, une rencontre sur le boulevard, d'anciens domestiques, sa négresse.

Elle s'étonnait de sa mémoire. Cependant, elle lui dit:

— « Quelquefois, vos paroles me reviennent comme un
écho lointain, comme le son d'une cloche apporté par le
vent; et il me semble que vous êtes là, quand je lis des
passages d'amour dans les livres. »

— « Tout ce qu'on y blâme d'exagéré, vous me l'avez
fait ressentir, » dit Frédéric. « Je comprends les Werther [802]
que ne dégoûtent pas les tartines de Charlotte. »

— « Pauvre cher ami ! »

Elle soupira; et, après un long silence:

— « N'importe, nous nous serons bien aimés. »

— « Sans nous appartenir, pourtant ! »

— « Cela vaut peut-être mieux, » reprit-elle.

— « Non ! non ! Quel bonheur nous aurions eu ! »

— « Oh ! je le crois, avec un amour comme le vôtre ! »

Et il devait être bien fort pour durer après une séparation
si longue !

Frédéric lui demanda comment elle l'avait découvert.

— « C'est un soir que vous m'avez baisé le poignet
entre le gant et la manchette. Je me suis dit: « Mais il m'aime...
il m'aime. » J'avais peur de m'en assurer, cependant. Votre
réserve était si charmante que j'en jouissais comme d'un
hommage involontaire et continu. »

Il ne regretta rien. Ses souffrances d'autrefois étaient
payées.

Quand ils rentrèrent, Mme Arnoux ôta son chapeau.
La lampe, posée sur une console, éclaira ses cheveux
blancs. Ce fut comme un heurt en pleine poitrine.

Pour lui cacher cette déception, il se posa par terre à
ses genoux, et, prenant ses mains, se mit à lui dire des
tendresses.

— « Votre personne, vos moindres mouvements me semblaient avoir dans le monde une importance extra-humaine. Mon cœur, comme de la poussière, se soulevait derrière vos pas. Vous me faisiez l'effet d'un clair de lune par une nuit d'été, quand tout est parfums, ombres douces, blancheurs, infini; et les délices de la chair et de l'âme étaient contenues pour moi dans votre nom que je me répétais, en tâchant de le baiser sur mes lèvres. Je n'imaginais rien [803] au delà. C'était Mme Arnoux telle que vous étiez, avec ses deux enfants, tendre, sérieuse, belle à éblouir, et si bonne! Cette image-là effaçait toutes les autres. Est-ce que j'y pensais, seulement! puisque j'avais toujours au fond de moi-même la musique de votre voix et la splendeur de vos yeux. »

Elle acceptait avec ravissement ces adorations pour la femme qu'elle n'était plus. Frédéric, se grisant par ses paroles, arrivait à croire ce qu'il disait. Mme Arnoux, le dos tourné à la lumière, se penchait vers lui. Il sentait sur son front la caresse de son haleine, à travers ses vêtements le contact indécis de tout son corps. Leurs mains se serrèrent; la pointe de sa bottine s'avançait un peu sous sa robe, et il lui dit presque défaillant:

— « La vue de votre pied me trouble. »

Un mouvement de pudeur la fit se lever. Puis, immobile, et avec l'intonation singulière des somnambules:

— « A mon âge! lui! Frédéric!... Aucune n'a jamais été aimée comme moi! Non, non! à quoi sert d'être jeune ? Je m'en moque bien! je les méprise, toutes celles qui viennent ici! »

— « Oh! il n'en vient guère! » reprit-il complaisamment.

Son visage s'épanouit [804], et elle voulut savoir s'il se marierait.

Il jura que non.

— « Bien sûr? pourquoi? »

— « A cause de vous », dit Frédéric en la serrant dans ses bras.

Elle y restait, la taille en arrière, la bouche entr'ouverte, les yeux levés. Tout à coup [805], elle le repoussa avec un air de désespoir; et, comme il la suppliait de lui répondre, elle dit en baissant la tête:

— « J'aurais voulu vous rendre heureux. »

Frédéric soupçonna [806] Mme Arnoux d'être venue pour

s'offrir; et il était repris par une convoitise plus forte que
jamais, furieuse, enragée. Cependant, il sentait quelque
chose d'inexprimable, une répulsion, et comme l'effroi
d'un inceste. Une autre crainte l'arrêta, celle d'en avoir
dégoût plus tard. D'ailleurs, quel embarras ce serait! — et
tout à la fois par prudence et pour ne pas dégrader son idéal,
il tourna sur ses talons et se mit à faire une cigarette.

Elle le contemplait, tout émerveillée.

— « Comme vous êtes délicat. Il n'y a que vous. Il n'y
a que vous. »

Onze heures sonnèrent.

— « Déjà! » dit-elle; « au quart, je m'en irai. »

Elle se rassit; mais elle observait la pendule, et il continuait à marcher en fumant. Tous les deux ne trouvaient
plus rien à se dire. Il y a un moment, dans les séparations [807],
où la personne aimée n'est déjà plus avec nous.

Enfin, l'aiguille ayant dépassé les vingt-cinq minutes,
elle prit son chapeau par les brides, lentement.

— « Adieu, mon ami, mon cher ami! Je ne vous reverrai
jamais! C'était ma dernière démarche de femme. Mon âme
ne vous quittera pas. Que toutes les bénédictions du ciel
soient sur vous. »

Et elle le baisa au front comme une mère.

Mais elle parut chercher quelque chose, et lui demanda
des ciseaux.

Elle défit son peigne; tous ses cheveux blancs tombèrent.

Elle s'en coupa, brutalement, à la racine, une longue
mèche.

— « Gardez-les! adieu! »

Quand elle fut sortie, Frédéric ouvrit sa fenêtre, Mme
Arnoux, sur le trottoir, fit signe d'avancer à un fiacre qui
passait. Elle monta dedans. La voiture disparut.

Et ce fut tout [808].

VII

Vers le commencement de cet hiver [809], Frédéric et Deslauriers causaient au coin du feu, réconciliés encore une fois, par la fatalité de leur nature qui les faisait toujours se rejoindre et s'aimer.

L'un expliqua sommairement sa brouille avec Mme Dambreuse, laquelle s'était remariée à un Anglais.

L'autre, sans dire comment il avait épousé Mlle Roque, conta que sa femme, un beau jour, s'était enfuie avec un chanteur. Pour se laver un peu du ridicule, il s'était compromis dans sa préfecture par des excès de zèle gouvernemental. On l'avait destitué. Il avait été, ensuite, chef de colonisation en Algérie, secrétaire d'un pacha, gérant d'un journal, courtier d'annonces, pour être finalement employé au contentieux dans une compagnie industrielle.

Quant à Frédéric, ayant mangé les deux tiers de sa fortune, il vivait en petit bourgeois.

Puis, ils s'informèrent mutuellement de leurs amis.

Martinon était maintenant sénateur.

Hussonnet occupait une haute place, où il se trouvait avoir sous la main tous les théâtres et toute la presse.

Cisy, enfoncé dans la religion et père de huit enfants; habitait le château de ses aïeux.

Pellerin, après avoir donné dans le fouriérisme, l'homéopathie, les tables tournantes, l'art gothique et la peinture humanitaire, était devenu photographe; et sur toutes les murailles de Paris, on le voyait représenté en habit noir avec un corps minuscule et une grosse tête.

— « Et ton intime Sénécal? » demanda Frédéric.

— « Disparu! Je ne sais! Et toi, ta grande passion, Mme Arnoux? »

— « Elle doit être à Rome avec son fils, lieutenant de chasseurs. »

— « Et son mari? »

— « Mort l'année dernière. »

— « Tiens! » dit l'avocat.

Puis se frappant le front:

— « A propos, l'autre jour, dans une boutique, j'ai rencontré cette bonne Maréchale, tenant par la main un petit garçon qu'elle a adopté. Elle est veuve d'un certain M. Oudry et très grosse maintenant, énorme. Quelle décadence. Elle qui avait autrefois la taille si mince. »

Deslauriers ne cacha pas qu'il avait profité de son désespoir pour s'en assurer par lui-même.

— « Comme tu me l'avais permis, du reste. »

Cet aveu était une compensation au silence qu'il gardait touchant sa tentative près de Mme Arnoux. Frédéric l'eût pardonnée, puisqu'elle n'avait pas réussi.

Bien que vexé un peu de la découverte, il fit semblant d'en rire; et l'idée de la Maréchale lui amena celle de la Vatnaz.

Deslauriers ne l'avait jamais vue, non plus que bien d'autres qui venaient chez Arnoux; mais il se souvenait parfaitement de Regimbart.

— « Vit-il encore? »

— « A peine. Tous les soirs, régulièrement, depuis la rue de Grammont jusqu'à la rue Montmartre, il se traîne devant les cafés, affaibli, courbé en deux, vidé, un spectre. »

— « Eh bien, et Compain? »

Frédéric poussa un cri de joie, et pria l'ex-délégué du Gouvernement provisoire de lui apprendre le mystère de la tête de veau.

— « C'est une importation anglaise. Pour parodier la cérémonie que les royalistes célébraient le 30 janvier, des Indépendants fondèrent un banquet annuel où l'on mangeait des têtes de veau, et où on buvait du vin rouge dans des crânes de veau en portant des toasts à l'extermination des Stuarts. Après thermidor, des terroristes organisèrent une confrérie toute pareille, ce qui prouve que la bêtise est féconde. »

— « Tu me parais bien calmé sur la politique? »

— « Effet de l'âge », dit l'avocat.

Et ils résumèrent leur vie.

Ils l'avaient manquée tous les deux, celui qui avait rêvé l'amour, celui qui avait rêvé [810] le pouvoir. Quelle en était la raison?

— « C'est peut-être le défaut de ligne droite », dit Frédéric.

— « Pour toi, cela se peut. Moi, au contraire, j'ai péché par excès de rectitude, sans tenir compte de mille choses secondaires, plus fortes que tout. J'avais trop de logique, et toi de sentiment. »

Puis, ils accusèrent le hasard, les circonstances, l'époque où ils étaient nés.

Frédéric reprit:

— « Ce n'est pas là ce que nous croyions devenir autrefois, à Sens, quand tu voulais faire une histoire critique de la Philosophie, et moi, un grand roman moyen âge sur Nogent [811], dont j'avais trouvé le sujet dans Froissard: Comment messire Brokars de Fénestranges et l'évêque de Troyes assaillirent messire Eustache d'Ambrecicourt. Te rappelles-tu? »

Et, exhumant leur jeunesse, à chaque phrase, ils se disaient:

— « Te rappelles-tu? »

Ils revoyaient la cour du collège, la chapelle, le parloir, la salle d'armes au bas de l'escalier, des figures de pions et d'élèves, un nommé Angelmarre, de Versailles, qui se taillait des sous-pieds dans de vieilles bottes, M. Mirbal et ses favoris rouges, les deux professeurs de dessin linéaire et de grand dessin, Varaud et Suriret, toujours en dispute, et le Polonais, le compatriote de Copernic, avec son système planétaire en carton, astronome ambulant dont on avait payé la séance par un repas au réfectoire, — puis une terrible ribote en promenade, leurs premières pipes fumées, les distributions des prix, la joie des vacances.

C'était pendant celles de 1837 qu'ils avaient été chez la Turque [812].

On appelait ainsi une femme qui se nommait de son vrai nom Zoraïde Turc; et beaucoup de personnes la croyaient une musulmane, une Turque, ce qui ajoutait à la poésie de son établissement, situé au bord de l'eau, derrière le rempart; même en plein été, il y avait de l'ombre autour de sa maison, reconnaissable à un bocal de poissons rouges près d'un pot de réséda sur une fenêtre. Des demoiselles, en camisole blanche, avec du fard aux pommettes et de longues boucles d'oreilles frappaient aux carreaux quand on passait, et, le soir, sur le pas de la porte, chantonnaient doucement d'une voix rauque.

Ce lieu de perdition projetait dans tout l'arrondissement un éclat fantastique. On le désignait par des périphrases : « L'endroit que vous savez, — une certaine rue, — au bas des Ponts. » Les fermières des alentours en tremblaient pour leurs maris, les bourgeoises le redoutaient pour leurs bonnes, parce que la cuisinière de M. le sous-préfet y avait été surprise ; et c'était, bien entendu, l'obsession secrète de tous les adolescents.

Or, un dimanche, pendant qu'on était aux vêpres, Frédéric et Deslauriers, s'étant fait préalablement friser, cueillirent des fleurs dans le jardin de Mme Moreau, puis sortirent par la porte des champs, et, après un grand détour dans les vignes, revinrent par la Pêcherie et se glissèrent chez la Turque, en tenant toujours leurs gros bouquets [813].

Frédéric présenta le sien, comme un amoureux à sa fiancée. Mais la chaleur qu'il faisait, l'appréhension de l'inconnu, une espèce de remords, et jusqu'au plaisir de voir, d'un seul coup d'œil, tant de femmes à sa disposition, l'émurent tellement qu'il devint très pâle et restait sans avancer, sans rien dire. Toutes riaient, joyeuses de son embarras ; croyant qu'on s'en moquait, il s'enfuit ; et, comme Frédéric avait l'argent, Deslauriers fut obligé de le suivre.

On les vit sortir. Cela fit une histoire qui n'était pas oubliée trois ans après.

Ils se la contèrent prolixement, chacun complétant les souvenirs de l'autre ; et, quand ils eurent fini :

— « C'est là ce que nous avons eu de meilleur ! » dit Frédéric.

— « Oui, peut-être bien ? C'est là ce que nous avons eu de meilleur ! » dit Deslauriers.

NOTES ET VARIANTES

Les renvois aux variantes sont indiqués de la façon suivante :
Orig. = édition originale de 1869 (Michel Lévy).
Q. = édition Quantin (1885).
C. = édition Conard (1910).
D. = édition dite du Centenaire, dont le texte a été revu par Descharmes (1922).

Les références à la *Correspondance* de Flaubert renvoient à l'édition Conard en neuf volumes (1933).

1. Var. la cloche, en avant... (C.)

2. Var. En effet M. Frédéric Moreau... (Orig.)

Avant de choisir le nom de son personnage, Flaubert s'était assuré que ce nom n'était porté par personne à Nogent. Après la publication du roman, une réclamation dut se produire. « Fort de tes renseignements, écrit Flaubert à Louis Bonenfant qui lui avait transmis cette réclamation, je me suis embarqué naïvement. Il n'est plus temps pour moi de revenir là-dessus. Un nom propre est une chose extrêmement importante dans un roman, une chose *capitale*... Tant pis pour les Moreau qui existent à Nogent ! Ils n'auront pas d'ailleurs à se plaindre de moi. Car mon M. Moreau est un jeune homme très chic. » (*Corresp.* V, 427). La dernière phrase est piquante, si l'on ne perd pas de vue que Frédéric Moreau est Flaubert lui-même : ce jeune homme qui vient d'être reçu bachelier et qui quittera sa province pour vivre à Paris, c'est lui-même. (Cf. Gérard-Gailly, *Les Fantômes de Trouville*, p. 86). Mais il est établi aussi que, dans le personnage de Frédéric, Flaubert a mis quelques traits de son ami Maxime Du Camp. (Cf. R. Dumesnil, Gustave Flaubert. *L'Homme et l'Œuvre*, 367-368. — Voir aussi la lettre à Louise Colet où il annonce son intention, *Corresp.* III, 251).

3. Var. où il devait languir encore pendant... (Orig.)

4. « enviait d'en être propriétaire... » Après avoir terminé le manuscrit de *L'Éducation sentimentale*, Flaubert voulut, comme toujours, donner son texte à revoir à celui qu'il considérait comme sa « conscience littéraire, » Louis Bouilhet ; mais Bouilhet, qui devait mourir en juillet 1869, était déjà trop malade pour faire ce travail. Ce fut Maxime Du

Camp qui s'en chargea, et qui proposa à Flaubert 251 remarques, sur lesquelles Flaubert, de son propre aveu, « en envoya promener 87, » s'autorisant de Littré pour justifier les prétendues fautes qui lui étaient reprochées. « Je n'ai pas eu la force de relire mon roman, écrivait-il, d'autant plus que les observations de Maxime, si justes qu'elles soient, m'irritent. J'ai peur de les accepter toutes, ou d'envoyer tout promener. » (*Corresp.* VI, 40. Cf. aussi, *Ibid.*, 26, 27, 30, 35, où il fait allusion aux corrections de son roman.) — Les remarques les plus intéressantes de Du Camp ont été publiées dans l'édition Conard, p. 639 ; nous signalerons ici les plus importantes, avec cette indication : D. C. « *enviaient d'en être propriétaires.* Est-ce français ? j'en doute fort. » (D. C.)

5. « *une excursion maritime :* sur la Seine ! — Si c'est ironique, c'est peu indiqué. » (D. C.)

6. « *Beaucoup chantaient, on était gai, il se versait des petits verres... ;* trois sujets différents dans la même page ; — qui ça, *il ?* » (D. C.)

7. « *Frédéric pensait...* » Flaubert a campé immédiatement la silhouette romantique de son personnage, par des traits précis : « plan d'un drame,... passions futures,... vers mélancoliques. »

8. VAR. Cependant il trouvait... (Orig.)

9. VAR. et son large pantalon tombait... (D.)

10. « rehaussées de dessins bleus. » Cette première esquisse du personnage d'Arnoux sera complétée par de nombreux portraits au cours du roman. M. Gérard-Gailly a montré (*Les Fantômes de Trouville*, p. 57) que la plupart de ces traits s'accordent avec ce que nous pouvons connaître de la personnalité de Maurice Schlésinger, prototype du personnage : cet homme « vulgaire et jovial », qui « tenait le milieu entre l'artiste et le commis voyageur », avait « un je ne sais quoi de plastique et d'ingénu qui séduisit toujours le grand pourfendeur de bourgeois. » Sur le personnage d'Arnoux, son caractère, sa conduite avec sa femme, son activité professionnelle, voir l'importante étude de Mme M.-J. Durry dans son livre *Flaubert et ses projets inédits*, p. 137 et suiv.

11. VAR. de savoir son nom et l'inconnu... (Orig.)

12. VAR. Alors il disparut... (Orig.)

13. VAR. et la surface de l'eau immobile... (Orig.)

14. « Ce fut comme une apparition... » Ce premier portrait de Mme Arnoux présente déjà tous les traits essentiels que Flaubert a empruntés à la beauté de Mme Schlésinger. Voir dans le livre de M. Gérard-Gailly (*Fantômes de Trouville*, p. 86) la comparaison avec un texte de la première *Éducation sentimentale* où Flaubert a fait le portrait de la femme qui fut sa grande, sa seule passion. Voir dans le livre de Mme M.-J. Durry *Flaubert et ses projets inédits*, pp. 144-146, comment on retrouve dans les notes des Carnets de précieuses indications sur

la formation de cette image dont l'apparition bouleverse le héros de l'histoire : « la violence que doit avoir un amour renforcé par des types littéraires admirés dans la jeunesse ; il y a coïncidence de l'idéal et du réel. »

15. « elle avait un chapeau de paille... » les détails vestimentaires tiennent une grande place dans les souvenirs de Flaubert relatifs à Mme Schlésinger. En particulier, le détail des rubans, roses ou rouges, que l'on retrouvera plus loin, est caractéristique.

16. VAR. tachetée de petits points... (Orig.)

17. VAR. dont les yeux roulaient encore des larmes... (Orig.)

18. VAR. venait de s'éveiller. Elle la prit... (C.)

19. VAR. on lui pardonnait trop de caprices. (Orig.)

20. « une découverte, une acquisition. — supprime le dernier mot qui n'est pas bon et affaiblit le premier. » (D. C.)

21. « Il la supposait d'origine andalouse... » Ces rêveries exotiques, que l'on retrouve dans d'autres passages du roman (cf. 33, 73, 93) sont un des traits du romantisme de Frédéric, dans lequel Flaubert s'est peint lui-même.

22. VAR. elle avait ramené des îles cette négresse avec elle. (Q.)

23. « Cependant, un long châle... » Cet épisode du châle est la transposition de l'incident qui marqua la première rencontre de Flaubert avec Mme Schlésinger, et qu'il a raconté lui-même en 1838 dans les *Mémoires d'un fou* (*Œuvres de jeunesse*, édit. Conard, I, 505) : le jeune Flaubert, âgé de quinze ans, en vacances à Trouville, ramassa un matin sur la plage un manteau rouge à raies noires, que la marée montante menaçait, et le rendit à la jeune femme, la Maria des *Mémoires d'un fou*, qui deviendra Mme Arnoux. (Cf. Gérard-Gailly, *op. cit.*, 49).

24. VAR. il allait tomber dans l'eau ; (C. et D.)

25. VAR. Alors il jalousa... (Orig.)

26. VAR. Alors il lui envoya... (Orig.) — Remarquer le grand nombre de *mais, alors, puis, cependant*... que Flaubert a élagués de ses phrases.

27. VAR. mais comme s'il n'eût rien fait... (Orig.)

28. « Elle ressemblait aux femmes des livres romantiques... » nouveau trait de cet idéal romantique, auquel Frédéric ramène toutes ses conceptions, et qui est un des caractères essentiels de l'époque que Flaubert a voulu peindre.

29. « Mme Lafarge... » Allusion à la fameuse affaire d'empoisonnement qui passionnait l'opinion publique depuis 1840. Mme Lafarge, reconnue coupable, avec circonstances atténuantes, avait été condamnée aux travaux forcés à perpétuité le 2 septembre 1840. — Flaubert donne ici, à propos du salon de Mme Moreau, une première esquisse de cette société provinciale de Nogent-sur-Seine, qu'il connaissait

bien. Il avait dans cette ville une partie de sa famille paternelle. Enfant, il y passait ses vacances, chez son oncle Parain. Sur le point d'écrire son roman, il voulut rafraîchir ses souvenirs en revoyant la petite ville. Il était en correspondance avec son cousin Louis Bonenfant (gendre de l'oncle Parain), à qui il avait demandé s'il existait des Moreau à Nogent, (cf. la note 2).

30. « le dernier ouvrage de M. Guizot, » sans doute, l'*Histoire de la civilisation en France*, dont la 5e édition paraissait en 1845. Mais c'est surtout pour créer l'atmosphère politique du livre qu'est mentionné ici Guizot, chef du gouvernement et ministre des Affaires étrangères sous Louis-Philippe, depuis 1840.

31. VAR. mourut bientôt d'un cancer... (Orig.)

32. « marchand d'hommes,... » il procurait des remplaçants pour les fils de famille tombés à la conscription.

33. VAR. une demi-bourse, il le mit... (Orig.)

34. « au collège de Sens... » Quand Flaubert eut établi, avec Bouilhet, le plan de *L'Éducation sentimentale*, il voulut revoir les lieux où il situait l'action de son roman, et en août 1864, il fit un « voyage exquis par le bord de la rivière, à Corbeil, Melun, Montereau et Sens. »

35. VAR. trouvait la vie de collège un peu dure. (Orig.)

36. VAR. Commines... (C.) — Commynes.. (D.)

37. « le Walter Scott de la France... » La vocation d'écrivain, chez Frédéric, est encore un trait de son romantisme. Ses projets, ses ambitions rappellent les œuvres de jeunesse de Flaubert. Sur ces écrits de Frédéric, cf. plus loin, p. 15, 50, 185.

38. « sous l'horloge... » Flaubert fait revivre en partie ici ses propres souvenirs de collégien. (Cf. Édouard Maynial, *La Jeunesse de Flaubert, L'autobiographie de Flaubert*, p. 25 à 54.) Au Collège de Rouen, l'horloge était entourée de la vieille devise des jésuites : *Hic Labor, hic Requies Musarum pendet ab Horis.* — Voir aussi un souvenir de ses promenades de pensionnaire évoqué, comme ici, dans *Novembre* (p. 178).

39. VAR. Mais des doutes... (Orig.)

40. VAR. sur le dos, tout étourdis... (Orig.)

41. VAR. Le pion les rappelait... (Orig.)

42. VAR. sonnait sous les pas... (Orig.)

43. VAR. M. le Censeur... (D.)

44. VAR. Mais le jeune homme déplut à Mme Moreau. Il mangeait.. (orig.)

45. VAR. pour étudier le Droit... (D.)

46. VAR. dans la capitale... (Q. C. et D.)

47. VAR. le fils du Capitaine... (C. et D.)

48. VAR. pour le distraire, il lui fit... (Orig.)

49. « *retenu par une pudeur* = Une pudeur quoi ? Pourquoi pas alors deux ou trois pudeurs ? La pudeur est une ou bien elle est qualifiée. » (D. C.)

50. « Werther — etc. » Sur l'influence, romantique, de *Werther* sur Flaubert - Frédéric, cf. Degoumois, *Flaubert à l'école de Goethe*, p. 44. Voir aussi dans *L'Éducation sentimentale*, p. 421, cette déclaration de Frédéric, dans sa dernière rencontre avec Mme Arnoux : « Je comprends les Werther que ne dégoûtent pas les tartines de Charlotte. »

51. « *mais sans demander une autre pièce* = prends garde, c'est de l'argot d'homme de lettres, et tu n'es plus intelligible. » (D. C.)

52. VAR. à gauche, des haies... (Orig.)

53. « le croupier d'élections... » terme expressif dans sa brutalité, qu'édulcore l'expression actuelle d'*agent électoral*. Sous Louis-Philippe, les collèges électoraux étaient très peu nombreux, ce qui facilitait la corruption.

54. « M. Dambreuse. » Ce personnage, dans lequel Flaubert a symbolisé la bourgeoisie orléaniste, est un des plus étudiés du roman. « Moitié homme d'affaires, moitié politicien, il fait penser à plus d'un personnage de la Monarchie de Juillet. » (Édition Conard, p. 625).

55. VAR. pair de France, un de ces jours... (D.).

56. « centre gauche. » A partir de 1836, le parti conservateur, le parti de la résistance, comme on disait depuis 1830, s'était divisé en deux fractions, le centre droit dirigé par Guizot, le centre gauche dirigé par Thiers. (Édit. Conard, p. 644.)

57. « son cabriolet. » Le cabriolet était, comme le fiacre, une voiture de place, en usage à Paris depuis le début du XIXe siècle.

58. « une des deux portes cochères = Il n'y a pas deux portes cochères, mais deux battants à la porte cochère. » (D. C.) L'observation de Du Camp porte à faux : beaucoup d'anciens hôtels, qui datent de la Restauration, ont encore une porte cochère pour l'entrée des voitures, et une autre pour la sortie.

59. VAR. une dame y monta, et la voiture... (Q. et D.)

60. « *L'Art industriel.* » Flaubert s'est toujours défendu d'avoir voulu peindre tel ou tel éditeur dans le personnage d'Arnoux : « D'autres prétendent, écrivait-il, que j'ai voulu peindre, dans Arnoux, Bernard-Latte (l'ancien éditeur) que je n'ai jamais vu. » (*Corresp.* VI, 107).

61. VAR. que décoraient, à son milieu... (D.)

62. « rue Saint-Hyacinthe. » A son arrivée à Paris, comme étudiant en droit, Flaubert commença par loger dans cette rue. (Cf. Gérard-Gailly, *Fantômes de Trouville*, 161.)

63. VAR. les *Institutes*... (D.)

64. « Baptiste Martinon. » On pense généralement que Flaubert

a donné à ce personnage quelques traits de la personnalité de Prosper
Mérimée. Cela explique que Mérimée « ait eu peu de goût pour le
livre de Flaubert, malgré sa sympathie pour la personne de l'écrivain. »
(R. Dumesnil, *op. cit.* 369).

65. Var. rue de La Harpe... (D.)

66. « Il se mit à écrire un roman... » M. Gérard-Gailly a montré
que ces « rêves vélléitaires » reprennent ceux du héros de la première
Éducation sentimentale et traduisent l'état d'esprit de Flaubert en 1845.
(*Op. cit.*, 158).

67. Var. aux bals de l'Opéra. Mais ces gaietés... (Orig.)

68. Var. Il lui semblait cependant qu'on devait l'aimer. (Q. et D.)

69. Var. « La voilà. » Mais c'était... (Orig.)

70. « la *Revue des deux mondes* », fondée en 1829, prit à partir de
1831, sous la direction de Buloz, une importance considérable, grou-
pant les plus illustres écrivains de l'époque.

71. Var. au Collège de France et écoutait... (Orig.)

72. « Un soir, au théâtre du Palais-Royal... » Par une série de déductions aussi ingénieuses que délicates, M. Gérard-Gailly établit
que cet épisode est transposé de la vie réelle : mais il n'y avait pas
quatre mois, comme Frédéric, il y avait en réalité quatre ans que
Flaubert n'avait revu Mme Schlésinger. Il a pu la croire morte, ayant
rencontré, avant de retrouver la jeune femme, le mari en deuil, puisque
Schlésinger avait perdu son père en 1839. (*L'Unique passion de Flaubert*,
62-64.)

73. Var. Elle causait familièrement avec Arnoux, et lui donnait...
(D.)

74. Var. d'une façon médiocre, il partit... (Orig.)

75. Var. En effet les pétitions... (Orig.)

76. « pour la Réforme ». Il s'agissait d'un projet de réforme électorale qui, en abaissant le taux du cens et en étendant à certaines *capa-
cités* le droit de vote, aurait augmenté le nombre des électeurs. La campagne se faisait par voie de pétitions et de banquets dits *réformistes*.

77. « recensement Humann, » ainsi appelé du nom d'un ministre
des Finances, avait pour objet de relever les taxes. Des troubles san-
glants éclatèrent dans différentes villes de province parce que les
agents du fisc n'étaient pas accompagnés de commissaires répartiteurs,
en violation de la loi (Cf. édit. Conard, 645.)

78. Var. sentit quelqu'un le toucher... (Orig.)

79. Var. Les hommes en blouse... (Orig.)

80. « des sociétés secrètes. » Sous Louis-Philippe, ces sociétés,
telles que celles des *Amis du Peuple*, des *Familles*, des *Droits de l'homme*,
toutes fondées depuis 1830, n'avaient plus le caractère du *carbona-
risme* sous la Restauration, qui avait laissé une impression de terreur

81. Var. Mais bientôt... (Orig.)

82. « Pritchard ! » Cette affaire fameuse, qui surexcita le sentiment national et passionna l'opinion publique, avait été suscitée par un consul anglais Pritchard, qui souleva les indigènes contre les Français établis en Océanie, à Taïti. Mais la scène que raconte ici Flaubert se passe en 1841, et l'affaire Pritchard n'éclata qu'en 1844.

83. Var. Enfin il fit un grand geste... (Orig.)

84. « Béranger, » républicain, boudait le gouvernement de Louis-Philippe, et était très populaire auprès des étudiants.

85. « Laffite, » membre de l'opposition sous la Monarchie de Juillet.

86. « Chateaubriand, » conciliait sa fidélité à la royauté légitime, avec des tendances démocratiques.

87. « *les sergents de ville* = deux lignes après, *sergent ;* mets : *agents.* » (D. C.) Flaubert a tenu compte de l'observation en remplaçant *sergents* par *gardiens de l'ordre public.*

88. « troubles du mois de septembre, » provoqués par le recensement Humann ; cf. n. 77. Dans un des Carnets de Flaubert se trouve une note sur *Les Assommeurs du Châtelet*, lettre à Gabriel Delessert, préfet de police, dont l'auteur se plaint des assommeurs qui suivent les sergents de ville et appelle les agents *sicaires et sbires* (René Dumesnil.)

89. Var. Un flot de monde énorme... (Orig.)

90. Var. Mais Frédéric... (Orig.)

91. Var. élèves en Droit... (D.)

92. Var. Enfin on les fit entrer... (Orig.)

93. « Hussonnet. » M. Gérard-Gailly suppose, non sans vraisemblance, que le nom de ce personnage a été inspiré à Flaubert par celui de Mme Husson, amie de Maxime Du Camp et de Flaubert lui-même. (Cf. *Les Véhémences de Louise Colet*, 230.)

94. Var. élève en Droit. (D.)

95. Var. quelque chose à quelqu'un ? dit Frédéric. (Orig.)

96. Var. de la suspendre toute droite au chevet de son lit. A présent il secouait... (Orig.)

97. Var. à sa reconnaissance. Puis ils allèrent déjeuner ensemble au café Tabourey, devant le Luxembourg ; et là tout en séparant... (Orig.)

98. Var. dans sa vie ; et il paya... (Orig.)

99. Var. Puis Hussonnet... (Orig.)

100. Var. Puis il ouvrit... (Orig.)

101. Var. Mais pourquoi... (Orig.)

102. Var. Alors il demanda... (Orig.). — Remarquer la fréquence des conjonctions ou adverbes éliminés par Flaubert. Cf. n. 26.

103. VAR. il écrivait ses billets... (Orig.)

104. VAR. il lui tendit... (Orig.)

105. VAR. et deux candélabres... (Orig.)

106. VAR. Frédéric avait même aperçu... (Orig.)

107. VAR. Qu'est-ce donc, Citoyen... (C. et D.)

108. VAR. Mais la porte... (Orig.)

109. VAR. Mais Pellerin... (Orig.)

110. « Pas du tout ! elle est honnête. » — Sur les rapports entre le ménage Arnoux et le ménage Schlésinger, cf. Gérard-Gailly, *L'Unique passion de Flaubert*, p. 48 sqq. Jamais Mme Schlésinger n'aima son mari d'amour véritable ; elle se donna à lui parce qu'il l'avait délivrée et sauvée d'un premier mari inacceptable ; mais ce ne fut qu'une flambée ; plus tard, « la vue du couple était pitoyable;... les témoins ont tous constaté l'indifférence meurtrie d'Élisa (Mme Schlésinger), la désunion du ménage. »

111. « le *National* », le journal républicain d'Armand Carrel, fondé en 1830, et qui joua un grand rôle dans les événements qui préparèrent la révolution de 1848.

112. VAR. ne le quittait plus, exprimait sa pensée... (C.)

113. « *entre deux boutons de sa redingote* » = primitivement, Flaubert avait écrit : « dans l'ouverture de sa redingote » ; sur les conseils de Du Camp, il modifia cette expression obscure.

114. VAR. sous le prétexte... (Orig.)

115. VAR. autour de son désir, plus immense que jamais. (D.)

116. « *de sa consommation* = ce mot revient plusieurs fois ; mets-le, tant que tu voudras, dans la bouche du garçon de café ; mais toi, écrivain, ne l'emploie jamais dans ce sens-là. » (D. C.) Flaubert a écrit à côté de cette observation : Littré.

117. VAR. Mais la clef tourna... (Orig.)

118. VAR. n'eut pas la force de mentir. Oui, je l'ai reçue. (Orig.)

119. VAR. Et cette épithète... (Orig.)

120. VAR. Cependant le concierge... (Orig.)

121. VAR. comme un jeune chat. (Orig.)

122. VAR. tamisaient un jour laiteux. (Orig.)

123. « Mme Arnoux parut... » Les portraits de Mme Arnoux, inspirés par Mme Schlésinger, sont nombreux dans *L'Éducation sentimentale*. Tous se rapportent à un type de beauté qui obsédait l'imagination de Flaubert, au point qu'un jour, au cours d'un voyage en Italie, il crut le retouver dans une femme inconnue, qu'il rencontra à Rome, à Saint-Paul-hors-les-murs. (Cf. Flaubert, *Notes de voyage*, édit. Conard, II, 255, et la discussion de M. Gérard-Gailly, à ce sujet, dans son livre *L'Unique passion de Flaubert*, 66-76).

124. « *au moment des liqueurs* = qu'est-ce que c'est que cela ? dirais-tu *au moment du gigot* ? » (D. C.)

125. VAR. Puis rentré au salon... (Orig.)

126. VAR. mais parmi... (Orig.)

127. VAR. Elle lui demanda... (Orig.)

128. VAR. s'inclinait sur son épaule ; elle la relevait soudain, avec des flammes dans les yeux ; sa poitrine... (Orig.)

129. VAR. Puis à onze heures... (Orig.)

130. VAR. éprouva, bien qu'elle fût souple et fondante, comme... (Orig.)

131. VAR. Et qu'importait... (Orig.)

132. VAR. et, en battant... (Orig.)

133. « *poitrine ouverte* = tu as voulu dire *découverte*, — *ouverte* dépasse ton but et fait une image impossible. » (D. C.)

134. « *une heure sonna, lentement...* = *une* heure sonna lentement — ça c'est farce — comment veux-tu qu'un coup sonne lentement ? deux ou trois, à la bonne heure. » (D. C.) Mais Flaubert a peut-être voulu dire *une* au sens indéfini, une heure que le trouble de Frédéric ne lui permet pas d'évaluer exactement.

135. VAR. Son visage s'offrit à lui... (Orig.)

136. VAR. Il se trouva beau, — et resta... (C. D.)

137. « Sénécal. » Un ami de Flaubert croyait reconnaître dans ce personnage un professeur de mathématiques italien « Votre Sénécal est son portrait physique et moral. Tout y est, jusqu'à la coupe des cheveux ! » (*Corresp.* VI, 107).

138. « le *Stabat* de Rossini. » Ce détail est une preuve frappante de l'obsession qu'exerçait sur l'esprit de Flaubert le souvenir du ménage Schlésinger. « D'après la chronologie du roman, cette réunion d'amis chez Frédéric se tient en janvier 1842, et si l'on consulte la biographie de Maurice Schlésinger, on trouve qu'il eut un procès bruyant, un procès perdu, *en janvier* 1842, parce qu'il s'était indûment emparé du *Stabat* de Rossini aux fins d'exécution et d'édition. Le souvenir de cet esclandre était resté si vif chez Flaubert, que, vingt-cinq ans plus tard, il l'utilisa dans son œuvre à la juste date, bien que le détail, dépouillé de toute attache avec la personne de Jacques Arnoux, ne fût d'aucun intérêt pour le récit. » (Gérard-Gailly, *L'Unique passion de Flaubert*, p. 61. Pour le détail de ce procès, cf. *Les Fantômes de Trouville*, p. 82-83).

139. VAR. une carte de géographie... (Orig.)

140. VAR. Molière, l'accepterez-vous... (Orig.)

141. VAR. une fois la semaine. (Orig.)

142. VAR. Cependant il travaillait... (Orig.)

143. Var. mais arrivé... (Orig.)

144. « *l'art de reconnaître les vins* » = Flaubert avait d'abord écrit : « *Il lui montra comment reconnaître les vins,* » tournure que Du Camp condamna comme incorrecte, proposant, pour la remplacer : « *il lui montra comment on reconnaît* ou *il lui apprit à reconnaître.* »

145. « l'embastillement de Paris. » En 1833, la Chambre des députés avait repoussé une demande de crédit du gouvernement pour construire des forts autour de Paris ; l'opposition soutenait que ces forts seraient dirigés non contre un ennemi extérieur, mais contre la population parisienne.

146. « les lois de septembre, » votées en septembre 1835, à la suite de l'attentat de Fieschi ; elles renforçaient les pouvoirs de la cour d'assises contre les actes de rébellion et soumettaient la presse à une censure sévère.

147. « lord Guizot ; » le ministre de Louis-Philippe était ainsi surnommé parce qu'on l'accusait de sympathie pour l'Angleterre.

148. Var. mérité un seul pensum... (Orig.)

149. « la frontière du Rhin. » Allusion aux revendications nationales d'une partie du peuple qui, après 1830, souhaitait une guerre patriotique, comme les campagnes de la Révolution, pour effacer les traités de 1815 et occuper la rive gauche du Rhin.

150. « le style de M. Marrast et celui de Voltaire. » Armand Marrast, journaliste républicain, qui écrivait dans *la Tribune*, puis dans *le National*. Ses attaques contre le gouvernement de Louis-Philippe étaient vives ; mais son talent de polémiste est fort loin du ton et de l'esprit de Voltaire.

151. Var. Il admettait bien les autres, l'entourage ordinaire, mais celui-là, précisément parce qu'il en était moins connu, l'aurait mille fois embarrassé. Le clerc s'apercevait bien qu'il ne voulait pas tenir sa promesse, et Frédéric n'osant s'expliquer là-dessus, ce silence lui semblait une aggravation d'injures. D'ailleurs, il aurait voulu... (Orig.)

152. Var. le révoltait, tout à la fois comme une désobéissance et comme une trahison ; et puis Frédéric, plein de l'idée de Mme Arnoux, parlait de son mari trop souvent ; si bien que Deslauriers ne tarda pas à exécrer cet homme. Alors il commença... (Orig.)

153. Var. levant de colère ses deux poings... (Orig.)

154. Var. Cependant arriva... (Orig.)

155. « de son deuxième examen. » Cet épisode est un écho des propres expériences de Flaubert comme étudiant amateur et candidat malchanceux.

156. Var. Puis la veille... (Orig.)

157. Var. tout n'était pas encore perdu ; en effet à la deuxième... (Orig.)

158. Var. Enfin, arriva le moment terrible où... (Orig.)

159. Var. il se dandinait un peu... (Orig.)

160. Var. Il pouvait maintenant se présenter... (Orig.)

161. Var. d'être interrompu dans ses visites. C'était, croyait-il, ce qui retenait ses paroles ou les rendait insignifiantes ; mais la conviction... (Orig.)

162. Var. il ne serait pas éloigné, il ne serait pas séparé... (Orig.)

163. Var. Mais quand tout cela... (Orig.)

164. Var. Enfin pour savoir... (Orig.)

165. Var. le coin d'une chaise... (Orig.)

166. Var. d'avoir cassé l'ombrelle... (Orig.)

167. Var. Mais Frédéric... (Orig.)'

168. « Et il referma la porte sur son dos, violemment. » Le caractère et les manières d'Arnoux, tels que Flaubert les représente ici, comme dans plusieurs endroits du roman, répondent exactement à ce que nous pouvons savoir de la personnalité de Schlésinger. « Homme prodigue et pingre, écrit M. Gérard-Gailly. Enthousiaste et retors. Capable des élans les plus hasardeux et des vilenies les plus candides. Despote, et esclave de ses caprices. Amoureux de sa femme et désirant toutes les femmes. Père tendre, et qui ruine, ou peu s'en faut, sa famille. Aucune contrainte morale. Un tempérament incompréhensible, où la nature seule mêle ses voix les plus opposées... » Une amie de Mme Schlésinger vit la jeune femme « portant des bas épuisés et ne réussissant pas à en obtenir de neufs. Dans le même temps, le mari faisait cadeau à sa femme d'une somptueuse pelisse, dont elle n'avait aucun besoin. » (*L'Unique passion de Flaubert*, p. 40-41.)

169. Var. Mais ses yeux... (Orig.)

170. Var. le Génie de la colonne... (C.)

171. Var. sur son divan, il s'abandonnait... (Orig.)

172. Var. le ronflement d'un omnibus... (Orig.). — Flaubert a supprimé le mot *ronflement* parce qu'il se trouvait déjà neuf lignes plus haut, où le ronflement d'un tour évoque le souvenir de Binet dans *Madame Bovary*.

173. « ses politesses. » Passage obscur : on ne voit pas bien de quel refroidissement Arnoux peut s'apercevoir ; est-ce du jugement un peu sévère que Frédéric porte sur son esprit ?

174. « *il vendit à un brocanteur* = quel costume ?... demande Du Camp. »

175. « *aux Trois-Frères-Provençaux* = Prends garde, tu as une tendance à parler l'argot des gens de lettres qui, entre eux et en causant, n'emploient que des diminutifs. Champfleury, au lieu de pommes de terre frites, écrit : des *frites*. » (D. C.). Remarque absurde ; car rien n'est plus usuel que de désigner ainsi un restaurant fameux.

Aussi célèbres que le *Rocher de Cancale* ou le *Café Anglais*, les *Trois Frères-Provençaux* passaient pour avoir la meilleure cave de Paris.

176. VAR. il perdait ses intérêts, puisqu'il ne voulait vendre à aucun prix. Regimbart... (C. et D.)

177. VAR. qu'elle avait eu d'abord, il est vrai, des craintes... (Orig.)

178. VAR. par de vagues similitudes... (Orig.)

179. VAR. Alors ils voyageaient... (Orig.)

180. « Une chose l'étonnait... » Ce passage est un de ceux qui ont été rapprochés du *Werther* de Goethe. L'état d'esprit de Frédéric ici est analogue à celui de Werther au début du roman. (Cf. L. Degoumois, *Flaubert à l'école de Goethe*, p. 44.)

181. « subvertir la destinée. » L'emploi du mot *subvertir*, dans le sens de *renverser les lois de*... est un archaïsme caractéristique de Flaubert.

182. « Frédéric souffrait des nerfs. » Rappel discret des crises nerveuses dont Flaubert avait souffert lui-même à l'âge de son héros et dans des circonstances identiques à celles où Frédéric se trouve placé.

183. « beaucoup plus vaste qu'il ne l'était. » Flaubert avait écrit d'abord : *qu'il n'était ;* il a corrigé la phrase à l'instigation de Du Camp.

184. VAR. bleu cerise... (C.) ; mais le texte correct semble devoir être : *bleue, cerise*, — deux couleurs distinctes.

185. VAR. du bout des doigts... (Orig.)

186. VAR. des postures de singes... (D.)

187. VAR. n'osait pas leur parler... (Orig.)

188. VAR. dans la capitale... (C. et D.)

189. VAR. pas de garçon plus discret ! j'en réponds. Mais les autres... (Orig.)

190. VAR. Mais Cisy le tirait... (Orig.)

191. VAR. la censure, le style, le peuple... (Q.)

192. VAR. Puis au galop... (Orig.)

193. VAR. Puis elle s'écoula... (Orig.)

194. « *quand un spectacle les arrêta* = trouve un autre mot (que *spectacle*), celui-là ne rend pas ta pensée et est excessif. » (D. C.)

195. VAR. Puis elle pria... (Orig.). — Trois *puis* de suite ont été ainsi éliminés.

196. « enfin, il dit que le bastringue... » Flaubert avait d'abord écrit : « enfin, ouvrant la bouche, il dit que... » Il effaça *ouvrant la bouche* sur l'observation de Du Camp : « Frédéric ne peut pas parler sans ouvrir la bouche, le mot *enfin* dit tout ce qu'il faut. »

197. VAR. ... une farce réussit: puis, cherchant en lui-même où coucher : Il se moque de moi... (Orig.)

198. VAR. Puis le jour parut... (Orig.)

199. VAR. Le parapet était un peu trop large... (Orig.)

200. VAR. Il se remit en marche... (Orig.)

201. VAR. au journal... (C. et D.)

202. VAR. au bureau du journal... (C. et D.)

203. VAR. Mais au lieu... (Orig.)

204. VAR. il s'était acheté nouvellement... (Orig.)

205. VAR. Vingt minutes après... (Orig.)

206. VAR. Mais la lettre... (Orig.)

207. VAR. Et, en lui faisant un beau salut... (C. et D.)

208. VAR. le commis du roulage. (Orig.)

209. VAR. on s'alla promener... (Orig.)

210. VAR. Cependant un côté... (Orig.)

211. VAR. La mère Oudry s'endormit doucement... (Orig.)

212. « dans l'embrasure de la croisée. » Cette scène a été rapprochée d'une scène analogue, dans *Werther*, où l'on voit Werther et Charlotte s'entretenant aussi à la fenêtre ouverte, devant une nuit d'été. (L. Degoumois, *op. cit.*, 45).

213. « *arrêtant sur lui ses yeux*... » Flaubert avait d'abord écrit : « *le fixant* », faute de français qu'il corrigea sur l'observation de Du Camp.

214. VAR. consolida son œuvre par une forte épingle... (Orig.)

215. VAR. Mais Arnoux... (Orig.)

216. VAR. car maintenant... (Orig.)

217. VAR. débordant les clôtures... (Orig.)

218. VAR. qui remontait lestement... (Orig.)

219. « accusait la Camarilla de perdre des millions en Algérie. » Allusion à la campagne de 1844 contre les Marocains ; cette expédition avait coûté 20 millions, et aucune indemnité de guerre ne fut imposée aux vaincus. « La France est assez riche pour payer sa gloire, » écrivit Guizot dans *Le Journal des Débats*.

220. « Sa femme, de vingt ans plus jeune pour le moins... » Le personnage de Mme Dambreuse a été inspiré par Mme Delessert, qui fut l'amie de Prosper Mérimée. (Cf. sur ce point, R. Dumesnil, *op. cit.*, 361-367, et Gérard-Gailly, *L'Unique passion de Flaubert*, p. 64.) Mme Gabriel Delessert était la femme d'un ancien Préfet de Police. Flaubert la connut par l'intermédiaire de Maxime Du Camp, dont elle fut la maîtresse, après sa liaison avec Mérimée. Mérimée l'a mise en scène sous le nom de Mme de Piennes, dans *Arsène Guillot*, Maxime Du Camp sous le nom de Porcia, dans *Le Livre posthume* et de Viviane dans *Les Forces perdues*. Flaubert et Du Camp avaient

rencontré à Constantinople, en 1850, le jeune Édouard Delessert, fils de M. et Mme Gabriel Delessert, et ce fut l'origine des relations entre Du Camp et Mme Delessert. M. Parturier a établi que le portrait de Mme Dambreuse correspond exactement à celui de Mme Delessert. (Cf. *Les Forces perdues et l'Éducation sentimentale*.)

221. VAR. Puis il était venu... (Orig.)

222. VAR. Alors par horreur... (Orig.)

223. VAR. Il s'assit alors sur le banc... (Orig.)

224. VAR. Et comme les résolutions... (Orig.)

225. VAR. les paroles qu'elle lui avait dites... (Orig.)

226. VAR. Un jour, il conta que... (Orig.)

227. VAR. expliqué enfin par la naissance d'une fille... (Orig.)

228. VAR. mais le professeur... (Orig.)

229. VAR. et n'entendait pas qu'on la tourmentât. Souvent elle portait une robe en lambeaux avec un pantalon garni de dentelles ; et, aux grandes fêtes, elle sortait... (Orig.)

230. VAR. Elle vivait donc seule... (Orig.)

231. VAR. Mais le lendemain... (Orig.)

232. VAR. Sa première communion... (Orig.)

233. VAR. et on avait recours... (Orig.)

234. VAR. en répétant : « Toujours... (Orig.)

235. VAR. Mais bientôt... (Orig.)

236. VAR. Mais à ce moment... (Orig.)

237. VAR. Puis il n'avait pas... (Orig.)

238. VAR. D'ailleurs Louise grandissait... (Orig.)

239. VAR. les toits étaient tout blancs... (Orig.)

240. VAR. Alors il relut... (Orig.)

241. VAR. Puis le soir... (Orig.)

242. VAR. et il se rongea... (Orig.)

243. VAR. Cependant comme les deux maisons... (Orig.)

244. VAR. il sentit un débordement d'ivresse... (Orig.)

245. VAR. Mais le quai de la gare... (Orig.)

246. VAR. des effluves amoureux... (Q. C. et D.)

247. VAR. Des femmes trottaient... (Orig.)

248. VAR. Le vide seul répondit... (Orig.)

249. VAR. mais un corbillard... (Orig.)

250. VAR. « *le Siècle*, » — journal fondé en 1836, organe de la gauche constitutionnelle.

251. « *le Charivari*, » journal satirique fondé en 1832, qui combattait le gouvernement de Louis-Philippe.

252. VAR. Mais le garçon, pour se venger de son maître sans doute, se contenta... (Orig.)

253. VAR. il la renvoya ; ses idées... (Q. C. et D.)

254. « une main sur l'épaule du petit garçon. » Par une coïncidence singulière, qui n'est peut-être pas un hasard, la pose que Flaubert prête ici à Mme Arnoux est exactement celle de Mme Schlésinger dans le portrait qu'a fait d'elle et de son fils Devéria. Ce portrait se trouve à la Bibliothèque nationale, Estampes, Za. 446, et a été reproduit par M. Gérard-Gailly en tête de son livre, *L'Unique passion de Flaubert.*

255. VAR. le lacet de sa brassière... (Orig.)

256. VAR. au bord des yeux. (Orig.)

257. « De simples avocats commandaient... » L'enthousiasme de la jeunesse républicaine pour la Révolution de 1789, excité par la récente *Histoire des Girondins* de Lamartine, fut pour beaucoup dans la Révolution de 1848.

258. « Barthélemy ». Dans sa *Némésis* (1832), dont sont extraits les vers cités par Flaubert, Barthélemy enflammait l'ardeur de la jeunesse républicaine.

259. « j'y ai besoin... = est du charabia. » (D. C.)

260. VAR. Amuse-toi. Arnoux refusa de monter dans la voiture, trop petite pour ses projets, il héla un fiacre... (Orig.)

261. « pour sa pauvre femme... » Flaubert avait d'abord écrit : *pour sa pauvre femme indisposée ;* il effaça cette épithète sur l'observation de Du Camp : « *indisposée* est ridicule, et a tant d'acceptions différentes ; si tu ne veux pas mettre *malade*, mets *souffrante*. »

262. « qu'elles fussent envoyées de bonne heure, le lendemain. » Sur les contradictions de la conduite d'Arnoux avec sa femme, cf. n. 168.

263. VAR. Mais les danses... (Orig.)

264. VAR. Mais un archet... (Orig.)

265. « *Ayant frappé sur un pupitre...* = Crois-tu que ce soit l'archet lui-même qui eût frappé sur le pupitre ; — sous prétexte de couleur et de vivacité, de mouvement, tu te fous trop de la grammaire. » (D. C.)

266. VAR. observa le quadrille... (Orig.). — Flaubert avait d'abord écrit : « observa la foule » ; Du Camp lui fit remarquer : « Tu viens de dire qu'il y avait soixante personnes. »

267. VAR. baron moyen âge... (Q. C. D.)

268. « Vous ne dansez pas... » Il y a une scène analogue, signalée par M. Gérard-Gailly, dans la première *Éducation sentimentale :* Henry refuse de valser, alléguant qu'il ne sait pas. « Vous mentez, lui répond Mme Émilie. Essayez toujours... Oh ! je vous en prie, avec moi... Me refuserez-vous ? » (*Les Fantômes de Trouville,* 99).

269. VAR. Pellerin, — Pellerin... (D.). — Pellerin ; Pellerin... (C.)

270. VAR. les bêtises de la ligne... (D.)

271. VAR. comme les deux ailes... (Orig.)

272. VAR. Il s'échauffait :
— Qu'est-ce qu'une...
— Frédéric l'interrompit... (C.)

273. VAR. le Beau... ah ! le Beau... (C. et D.)

274. VAR. un Pierrot... (C. et D.)

275. VAR. marquise Pompadour... (C. et D.)

276. « Un postillon de Longjumeau, » personnage mis à la mode par l'opéra-comique d'Adam (1836).

277. « *Gaspardo le Pêcheur*, » mélodrame de Bouchardy (1837), dont la vogue balançait encore en 1845 celle de *Lazare le pâtre* (1840).

278. VAR. pour fasciner mieux... (Orig.)

279. VAR. Elle l'écoutait... (Orig.)

280. VAR. des frissonnements d'éventails... (Orig.)

281. VAR. Elle étendit le bras... (Orig.)

282. VAR. potage à la bisque. Alors, toutes à la fois, avec un frou-frou... (Orig.)

283. VAR. Mais une horloge... (Orig.)

284. « ô Celuta... » Celuta est l'héroïne des *Natchez* de Chateaubriand, et cette apostrophe romantique, renouvelée de René, malgré l'intention ironique, montre que l'œuvre célèbre, publiée en 1826, n'avait pas épuisé son succès en 1845.

285. VAR. Mais Rosanette... (Orig.)

286. VAR. Mais les petits oiseaux... (Orig.)

287. VAR. Les flammes jaunes des bougies vacillaient... (Orig.)

288. VAR. Cependant la Sphinx... (Orig.)

289. VAR. Mais le marchand... (Orig.)

290. VAR. Cependant il se mordait... (Orig.)

291. « la rue Rumfort, » ou plutôt *Rumford*, ouverte en 1838, allait de la rue Lavoisier à la rue de la Pépinière ; elle disparut lors de la percée du boulevard Malesherbes.

292. VAR. Il s'acheta ensuite tous les poètes... (Orig.)

293. VAR. Mais d'après les notes... (Orig.)

294. VAR. or comme sa fortune... (Orig.)

295. VAR. d'en vendre ou d'en hypothéquer une partie... (Orig.)

296. VAR. Appendus contre les murs... (Orig.)

297. VAR. de diplomatique. On se sentait là très loin de la foule, et plus séparé d'elle que dans une forteresse. Frédéric... (Orig.)

298. VAR. une orpheline trop jeune encore pour la mener dans le monde. On exalta... (Orig.)

299. VAR. Mais les visites... (Orig.)

300. VAR. par besoin, sans doute, d'un milieu... (Orig.)

301. VAR. Et l'homme se mit... (Orig.)

302. VAR. Mme de Liébard .. (Orig.)

303. VAR. Tout de suite elle la gronda... (Orig.)

304. VAR. Mais Delphine... (Orig.)

305. VAR. n'en pouvait plus. (Orig.)

306. VAR. le Vieux de la Montagne... (D.) Ce nom donné par les croisés au chef des « assassins », secte religieuse de l'Islam au xie siècle, avait été répandu par la littérature romantique. On en avait fait une sorte de *scie*. Ici, il désigne le riche entreteneur de la courtisane.

307. VAR. Berthe... (Orig.). — Ce prénom, substitué par inadvertance à celui de Marthe, ici et plus loin dans la même page, a été corrigé par Flaubert; mais il l'a laissé subsister p. 355. Berthe était le prénom de la fille d'Emma Bovary.

308. VAR. dans la profondeur de ses prunelles, comme une bonté infinie... (Orig.)

309. VAR. Mais comment se faire valoir ? (Orig.)

310. VAR. Alors Mme Arnoux se leva... (Orig.)

311. « la *Revue indépendante*, » d'inspiration démocratique, parut de 1841 à 1848 ; elle comptait parmi ses collaborateurs George Sand et Pierre Leroux. — Les noms cités pêle-mêle par Sénécal représentent à dessein une culture hâtive et confuse, tout orientée dans le sens socialiste. Cette énumération met surtout en valeur l'importance du mouvement saint-simoniste sur les courants d'idées qui préparèrent la révolution de 1848. Écrivant à Michelet au début de 1869, Flaubert disait que son livre l'avait amené à étudier le socialisme. « Je crois qu'une partie de nos maux viennent du néo-catholicisme républicain. J'ai relevé dans les prétendus hommes de progrès, à commencer par Saint-Simon et à finir par Proudhon, les plus étranges citations. *Tous* partent de la révélation religieuse. » (*Corresp.* VI, 10).

312. « ou la plier sur un comptoir... » texte obscur : Flaubert fait sans doute allusion aux ateliers nationaux et à l'organisation du travail en commun obligatoire pour tous, dans les théories de Cabet et de Louis Blanc.

313. VAR. Quelconque. Quand Deslauriers lui communiqua le billet de Frédéric, il répondit : qu'est-ce... (Orig.)

314. VAR. plinthe en chêne relevé de filets d'or... (Orig.)

315. « les meurtres de Buzançais et la crise des subsistances. » Pendant l'hiver de 1846-1847, des troubles provoqués par la disette éclatèrent dans l'Indre. Plusieurs propriétaires furent massacrés par

les émeutiers qui pillaient les fermes et les magasins. Cinq des assassins furent condamnés à mort et exécutés à Buzançais.

316. « les phalanstériens », adeptes de la doctrine de Fourier, réunis en associations de dix-huit cents membres, dites *phalanstères*.

317. VAR. Alors M. de Cisy... (Orig.)

318. « les mariages espagnols. » Allusion à la politique étrangère de Louis-Philippe qui, malgré l'opposition de l'Angleterre, maria son fils, le duc de Montpensier, à l'une des filles de la reine d'Espagne, Marie-Christine ; l'autre fille épousa don François d'Assise. Ces mariages furent célébrés le 10 octobre 1846.

319. « les dilapidations de Rochefort. » Scandale administratif qui éclata en 1847 à l'arsenal de Rochefort ; le directeur, accusé de malversation, s'était suicidé ; plusieurs employés furent traduits en justice et condamnés.

320. « le nouveau chapitre de Saint-Denis. » Un nouveau projet de réorganisation du chapitre de Saint-Denis avait été adopté par la Chambre des pairs au début de 1847. En 1848, il n'avait pas encore été présenté à la Chambre des députés. (Note de l'édition Conard).

321. « Ces imbéciles-là ont raccourci un Delacroix et rallongé un Gros ! » — Dans une lettre à sa sœur, datée de juillet 1842, Flaubert raconte qu'il a dîné à Paris chez des bourgeois, enragés partisans de Louis-Philippe, et que, après le dîner, il a « déblatéré » contre le roi à propos du Musée de Versailles :

« Figure-toi, en effet, que ce porc-là, trouvant qu'un tableau de Gros n'était pas assez grand pour remplir un panneau de muraille, a imaginé d'arracher un côté du cadre et de faire ajouter deux ou trois pieds de toile, peinte par un artiste quelconque. » (*Correspond.* I, 111.)

322. « Je bois... » Ce toast de Deslauriers, sous une forme qui nous paraît naïve, symbolise les revendications et les espérances de la jeunesse républicaine en 1847.

323. « Il s'inquiétait de Barbès... » L'ardent républicain qu'était Armand Barbès paya souvent de sa liberté son opposition constante au gouvernement de Louis-Philippe. Il fut emprisonné en 1834, après l'insurrection d'avril, en 1837, après l'attentat de Fieschi, en 1839, après l'émeute de la *Société des Saisons*.

324. « abandonner les Polonais ! » allusion à la terrible répression par la Russie de l'insurrection polonaise, à propos de laquelle Sébastiani prononça à la tribune de la Chambre le mot fameux : « L'ordre règne à Varsovie. » Le parti républicain en France, et même beaucoup d'orléanistes étaient partisans d'une intervention en faveur de la Pologne.

325. « On avait calomnié les papes... » Certains doctrinaires, sous la Monarchie de Juillet, cherchaient à concilier le catholicisme avec l'esprit de la Révolution.

326. « Lola Montès », maîtresse du roi de Bavière.

327. VAR. Mais le dessert... (Orig.)

328. VAR. Mais il fut impossible... (Orig.)

329. VAR. Enfin ils arrivèrent... (Orig.)

330. VAR. Cependant Hussonnet... (Orig.)

331. VAR. Alors Sénécal... (Orig.)

332. VAR. Puis il se rappela... (Orig.)

333. VAR. Alors il lui apprit... (Orig.). — Remarquer ces sept conjonctions ou adverbes supprimés en tête de phrase.

334. VAR. ... puis se trouvant... (Orig.)

335. VAR. pour essuyer des pleurs... (C.)

336. VAR. Ainsi la fréquentation... (Orig.)

337. VAR. se livrait même à des espiègleries... (Orig.)

338. VAR. mais aucun bénéfice... (Orig.)

339. VAR. Mais au milieu... (Orig.)

340. VAR. et même voulut... (Orig.)

341. VAR. Alors elle prit... (Orig.)

342. VAR. Mme Arnoux... (C.) — Madame Arnoux (D.)

343. VAR. Mais comment faire ? (Orig.)

344. VAR. Enfin une idée machiavélique... (Orig.)

345. VAR. il exécuterait son tableau... (Orig.)

346. VAR. Il la posa debout... (Orig.)

347. VAR. regrettant son autre atelier... (Orig.)

348. VAR. à votre genre de beauté ! (Q.). — à votre genre de beauté. (C.)

349. VAR. le rouge des peintres... (C. et D.)

350. VAR. Mais comme la chaleur... (Orig.)

351. « *les tours de Notre-Dame*... » Flaubert avait d'abord écrit : *la Sainte-Chapelle* ; mais Du Camp lui fit observer qu'à cette époque la Sainte-Chapelle n'était pas visible du Pont-Neuf, la flèche n'ayant pas encore été reconstruite.

352. VAR. Puis le vent... (Orig.)

353. VAR. Puis ils se remirent... (Orig.)

354. VAR. ce souvenir bientôt l'absorba... (Orig.)

355. VAR. Mais les flatteries... (Orig.)

356. « les *Treize* de Balzac ! » Allusion à l'ensemble de romans de Balzac qui groupe, sous le titre général d'*Histoire des Treize*, *Ferragus* (1833), *La Duchesse de Langeais* (1833) et *La Fille aux yeux d'or* (1834-1835). Les Treize sont une société occulte « formée d'aventuriers et de grands seigneurs, sorte de *carbonari*, qui se sont juré aide et pro-

tection mutuelle, jusques et y compris le crime, si l'un d'eux se trouvait menacé, fût-ce dans la satisfaction d'un caprice. »

357. Var. Voyons, mon petit père !... (Orig.)

358. Var. Alors le visage... (Orig.)

359. Var. En effet, pourquoi pas ? (Orig.)

360. Var. remise aux deux autres... (Orig.)

361. Var. Mais le banquier... (Orig.)

362. Var. et les domestiques... (Orig.)

363. Var. de grands arbustes... (Orig.)

364. « *Elle se plaignait de ses rares visites* = tu veux dire : *de la rareté de ses visites ; ses rares visites* signifient tout autre chose. » (D. C.)

365. « Sous le lustre... » La description du salon de Mme Dambreuse est conforme, pour certains détails, à ce que fut le salon de Mme Delessert. (Cf. R. Dumesnil, *op. cit.*, 369).

366. Var. Les quadrilles, cependant... (Orig.)

367. « *Bien qu'il eût des bottes extra-vernies*... = Quel rapport entre *les bottes vernies* et *les tempes rasées* ? Pourquoi alors : *bien que* ? » (D. C.)

368. « M. de Genoude donner la main au *Siècle* ? » M. de Genoude était un des chefs du parti légitimiste; il dirigeait la *Gazette de France;* pour appuyer le retour de la royauté légitime sur le sentiment populaire, il cherchait à se rapprocher des républicains. Sur *le Siècle*, cf. la n. 250.

369. « *remarqua tout haut*... » Flaubert avait d'abord écrit : *observa* un monsieur ; il corrigea cette négligence sur le conseil de Du Camp.

370. « s'écria un catholique. » Le mouvement religieux, certains disaient : la réaction catholique, sous la Monarchie de Juillet, était extrêmement important. Cf. les notes 311 et 325. « Pourriez-vous me dire, écrit Flaubert à Sainte-Beuve, en mars 1866, ce qu'il faut lire pour connaître un peu le mouvement néo-catholique vers 1840 ? » (*Corresp.* V. 205.)

371. Var. couvraient les tables... (Orig.)

372. « la blancheur humaine... » Remarquer cette expression condensée, un peu obscure, qui oppose la nuance du cuir à celle de la peau vivante.

373. « des herbes... » texte qui paraît inacceptable ; Flaubert n'aurait-il pas écrit : *des perles*, malgré la présence du mot *perles* dix-sept lignes plus bas ?

374. Var. puis il songeait... (Orig.)

375. « *s'approchant de sa femme*... » Flaubert avait d'abord écrit : « *s'approchant de Madame*... » « Les bourgeois seuls disent *Madame*, lui fit observer Du Camp, et tu n'en es pas un. »

376. Var. La nièce n'était plus là... (Orig.)

377. « pour faire réparer mon cachemire... » Ce détail du cachemire se trouvait déjà dans la première *Éducation sentimentale*. « Le mari d'Emilie Renaud fait don à sa maîtresse Catherine « d'un châle, d'un grand châle comme Madame en avait », exactement comme le mari de Mme Arnoux fera don à sa maîtresse Rosanette d'un châle de cachemire qu'il avait d'abord acheté pour sa femme. Cela non plus, Flaubert n'a pas dû l'inventer. » (Gérard-Gailly, *Les Fantômes de Trouville*, p. 99.)

378. VAR. puis ses deux mains... (Orig.)

379. VAR. Mais elle ferma... (Orig.)

380. « *indisposé...* » Nous avons vu, note 261, que Du Camp reprochait à Flaubert l'emploi de ce terme.

381. « de petits bourgeois de Chartres. » Flaubert ici a légèrement modifié la réalité : Mme Schlésinger était de Vernon. Mais il a choisi une ville qui offre des analogies avec Chartres, et il tint à visiter cette ville avant d'écrire son chapitre. (Cf. Gérard-Gailly, *L'Unique passion de Flaubert*, p. 85-86. Voir aussi dans *L'Éducation sentimentale* un autre passage sur Chartres, p. 272.)

382. VAR. Mais Arnoux... (Orig.)

383. « son existence se trouvait manqué. » Cette scène, où Frédéric et Mme Arnoux échangent de mélancoliques confidences sur leur passé, et qui se répète plus loin dans le roman (p. 272), rappelle une scène identique du *Lys dans la vallée* de Balzac (1835). Les souvenirs de Félix de Vandenesse et de Mme de Mortsauf ont le même objet, le même sens, et souvent le même accent : « Je lui contai mon enfance et ma jeunesse... etc. » Ce rapprochement souligne l'analogie entre les deux romans.

384. « faisant un peu l'Antony ; » Antony est le héros du drame d'Alexandre Dumas représenté à la Porte Saint-Martin en 1831. C'est un des types les plus caractéristiques du personnage romantique, tel que se le représentait la génération de 1830 dont Flaubert trace le portrait dans son roman.

385. VAR. Mais Arnoux, souvent... (Orig.)

386. VAR. Mais la Providence... (Orig.)

387. VAR. « au seul nom de l'Angleterre. » cf. la note 318.

388. VAR. Mais il se reprochait... (Orig.)

389. VAR. Mais son procès... (Orig.). Flaubert a supprimé ainsi quatre *mais* à la suite.

390. « Un drame »... Ce personnage de l'auteur romantique, sans talent réel, mais plein d'une emphatique prétention, est tout à fait dans l'atmosphère de l'époque.

391. VAR. Mais monsieur travaillait... (Orig.)

392. « rue des Trois-Maries. » Cette rue et la place du même nom

se trouvaient sur l'emplacement actuel de la rue du Pont-Neuf, dont le percement, en 1866, les a fait disparaître.

393. VAR. au quatrième étage... (Orig.)

394. « le père Enfantin. » Le père Enfantin fut un des principaux adeptes du saint-simonisme.

395. « Pierre Leroux » (1797-1831) d'abord saint-simonien, évolua vers une doctrine communiste.

396. « *près de s'embrasser* ; » Flaubert, qui avait d'abord écrit : « *prêts à s'embrasser*, » fit la correction à l'instigation de Du Camp.

397. VAR. Cependant son attitude... (Orig.)

398. VAR. Alors elle fixa sur lui... (Orig.)

399. VAR. à l'angle du Pont-Neuf... (C. et D.)

400. « le lendemain à son réveil... » Ce récit des embarras financiers d'Arnoux, dans lesquels se trouve impliqué Frédéric, est inspiré par le souvenir de la vie tourmentée de Schlésinger, comme commerçant et industriel. Voir là-dessus Gérard-Gailly. (*Les Fantômes de Trouville*, 123.)

401. VAR. ne suis-je pas libre ? (Q.)

402. VAR. Mais l'avocat... (Orig.)

403. « Il le retrouvait... s'ajoutait à la rage de son impuissance. » Texte obscur dans sa concision.

404. VAR. était morte, enfin, et il en éprouvait... (Orig.)

405. VAR. Puis une haine... (Orig.)

406. « le domestique annonça Mme Arnoux. » A la lumière du destin de Mme Schlésinger, dont il a percé le douloureux secret, M. Gérard-Gailly a expliqué avec beaucoup de pénétration les contradictions déconcertantes de la conduite de Mme Arnoux avec Frédéric : « On sent si bien que l'inquiétude de Mme Arnoux n'est pas uniquement celle de la femme alarmée dans ses devoirs, ici assez discutables, ni dans ses goûts profonds, puisque ceux-ci la poussent vers Frédéric, mais est l'inquiétude d'une femme traquée dans on ne sait quel refuge amer, qui doit rester inviolable et inconnu. » (*L'Unique passion de Flaubert*, p. 53).

407. VAR. picoraient dans de la paille ; une femme passa, portant du linge mouillé sur sa tête. (Orig.)

408. VAR. rangées parallèlement sur les deux bords... (Orig.)

409. « Faïences. » Avec ses scrupules habituels, Flaubert s'est documenté sur cette industrie qu'il se proposait de décrire : « Je suis perdu dans les fabriques de porcelaines, écrit-il à sa nièce, en février 1866 ;... rentré chez moi, je lis des traités sur les faïences. Je n'ai pas été au bal des Tuileries ni à celui de l'Hôtel de Ville ; les pots m'occupent trop. » A Bouilhet il déclare qu'il va être obligé d'aller à Sèvres

et à Creil : « Je ne puis plus aller loin dans ma copie sans voir une fabrique de faïence. » (*Corresp.* V. 201 et 293.)

410. Var. lui faisait comme un flot noir... (Orig.)

411. Var. tout l'enchanta. Le jour du dehors, tamisé par les rideaux, blanchissait son visage, et un parfum exquis s'échappait de ses lèvres. Frédéric... (Orig.)

412. Var. Alors Frédéric conta... (Orig.)

413. Var. Mais elle proposa... (Orig.)

414. Var. Mais craignant... (Orig.)

415. Var. les alandiers, les engobes... (Orig.). — Flaubert a prodigué ici ces termes techniques que son érudition toute fraîche avait recueillis dans les traités spéciaux, les *alandiers* sont les bouches qui se trouvent à la base des fours à porcelaine ; les *engobes*, — et non *englobes*, — les produits dont on recouvre la pâte céramique pour en modifier la couleur.

416. Var. elle lui demanda... (Orig.)

417. Var. je l'ai rencontré avant-hier, reprit-elle... (Orig.)

418. Var. Mais la voiture... (Orig.)

419. « L'Hippodrome. » Toute cette scène des courses a été l'objet d'une documentation détaillée : on a même retrouvé dans les papiers de Flaubert, qui constituent le dossier de *L'Éducation sentimentale*, un plan du champ de courses du Champ-de-Mars, couvert d'annotations.

420. Var. l'École militaire... (Q. C. et D.)

421. « le célèbre Algérien Bou-Maza. » Ce chef Arabe, fait prisonnier au cours de la campagne d'Algérie, en 1847, était traité avec honneur par le gouvernement français. Il vivait libre et pensionné, et se montrait à Paris dans toutes les fêtes mondaines.

422. Var. Les *horsemen* les plus enthousiastes... (Orig.)

423. Var. puis au delà, dans l'ovale... (Orig.)

424. Var. repassaient dans la foule qui faisait beaucoup de poussière... (Orig.)

425. Var. Ah ! bravo... (Orig.)

426. Var. les rejoignit tous, précipita ses foulées, et arriva... (Orig.)

427. Var. Tout à coup, à cent pas... (Orig.)

428. Var. en dehors de la portière, comme si elle eût cherché quelqu'un... (Orig.)

429. Var. Enfin, il descendit... (Orig.)

430. Var. Mais la Maréchale... (Orig.)

431. « *douze verres de vin de Champagne...* » Flaubert avait d'abord écrit : *de champagne ;* il corrigea l'expression sur le conseil de Du Camp.

432. Var. proposa à la Maréchale de parier, et comme ses deux bichons étaient une excentricité qui tirait l'œil, il les caressait doucement, tandis que de l'autre coude... (Orig.)

433. Var. Mais la cloche ayant tinté... (Orig.)

434. Var. agonisant sur la selle... (Orig.)

435. Var. et ce n'était pas les plus belles, encore moins les plus jeunes... (Orig.)

436. « le Café Anglais. » C'était, avec le *Café Riche* et le *Café Hardy*, un des établissements les plus fameux du boulevard, depuis la Restauration. Il joue un grand rôle dans les romans parisiens de Balzac. Sur le « genre d'outre-Manche » du *Café Anglais*, cf. H. Clouzot et Valensi, *Le Paris de la Comédie Humaine*, p. 113-114. — Au moment où il préparait ce chapitre de son roman (juin 1867), Flaubert écrit à George Sand : « Ce livre-là me demande des recherches fastidieuses. Ainsi, lundi, j'ai été successivement au Jockey-Club, au Café Anglais et chez un avoué. » (*Corresp.*, V, 309.)

437. Var. « Comme vous voudrez, » dit Frédéric, sans même le regarder. Le bohème, selon sa coutume, accabla Rosanette de louanges hyperboliques, galanteries sans conséquence, qu'elle écoutait cependant avec plaisir. S'il n'avait pas été obligé, dit-il, d'écrire le compte rendu des courses, il n'y serait pas venu ; car il trouvait ce genre d'amusement idiot ; et il se moqua des sportsmen en imitant leur tenue, ce qui fit rire la Maréchale tout le temps que dura la course de haies. Frédéric, affaissé... (Orig.)

438. Var. Mais par moments... (Orig.)

439. Var. et il n'en était pas plus joyeux. (C.)

440. Var. Alors toute sa vertu... (Orig.)

441. « d'où l'on venait d'exclure Edgar Quinet et Mickiewicz. » Quinet était professeur de Langues et Littératures de l'Europe méridionale au Collège de France depuis 1842 ; sa chaire lui fut retirée en 1846, comme sanction à ses attaques contre l'Église catholique, et particulièrement contre les Jésuites. — Le célèbre patriote polonais, Adam Mickiewicz, occupait au Collège de France une chaire de Langues et Littératures slaves, qui fut supprimée en 1846, à cause des manifestations républicaines que provoquait son enseignement.

442. Var. Mais Rosanette n'avait confiance... (Orig.)

443. Var. Et Hussonnet s'en alla... (Orig.)

444. Var. Mais il en avait soif... (Orig.)

445. Var. Enfin la Maréchale se décida... (Orig.)

446. Var. suivant le vicomte de Cisy. (Orig.)

447. Var. Et le regard... (Orig.)

448. Var. et Cisy les énuméra... (Orig.)

449. VAR. la Maréchale était revenue. Mais cette peinture malpropre l'avait presque terrifiée. Elle s'était même... (Orig.)

450. VAR. qu'elle pouvait cependant avoir raison. (Orig.)

451. VAR. un raffermissement pour lui-même auquel il tenait. (Orig.)

452. « les affaires Drouinard et Bénier. » Drouinard, banquier parisien, fut condamné en 1847 pour corruption électorale. Bénier, directeur de la Manutention des vivres, était accusé de malversations dans son service.

453. « un crid japonais. » La forme *crid* ou *crit* subsista quelque temps, depuis le XVIIIe siècle, avant que la forme *criss* l'eût emporté, pour désigner le poignard propre non aux Japonais, mais aux Malais.

454. « service anniversaire de Godefroy Cavaignac. » L'ardent républicain, condamné à la suite des journées d'avril 1834, était l'idole du peuple, dont il incarnait les revendications et les espérances. Il était mort en 1845.

455. « Notre amphitryon, ma parole... » Ce récit du dîner offert par Cisy rappelle par maints détails la scène fameuse du *Repas ridicule* dans la satire de Boileau : « les nobles campagnards » parmi les convives, le parasite famélique empressé à louer l'ordonnance du festin, la modestie affecté de l'hôte, les allusions littéraires, et jusqu'à l'altercation de la fin, avec l'assiette lancée à la figure du vicomte. On connaît l'admiration de Flaubert pour Boileau qu'il relisait sans cesse, et qu'il jugeait « un maître homme et un grand écrivain ».

456. « *Père et Portier,* » comédie-vaudeville en deux actes, d'Ancelot et Bourgeois (1833).

457. « *les Mystères de Paris.* » Le célèbre roman d'Eugène Sue paru en feuilleton dans le *Journal des Débats*, en 1842-1843, était alors dans toute sa vogue, et certains types créés par le romancier, tel celui de Rodolphe, étaient vite devenus populaires.

458. VAR. Et Frédéric se mit... (Orig.)

459. VAR. Mais le vicomte... (Orig.)

460. VAR. il eût peut-être mieux fait... (Orig.)

461. « il aperçut sa mère, en robe noire. » Cette description de l'état psychologique d'un personnage à la veille d'un duel se retrouve plusieurs fois dans l'œuvre de G. de Maupassant, notamment dans *Bel-Ami*, chap. VII.

462. VAR. Mais sa propre lâcheté... (Orig.)

463. VAR. Alors il descendit... (Orig.)

464. VAR. Alors le baron se divertit... (Orig.)

465. VAR. Mais Cisy devint... (Orig.)

466. VAR. avait sauté hors du cabriolet... (Orig.)

467. VAR. Alors le baron se tourna... (Orig.)

468. VAR. Mais Frédéric, ému... (Orig.)

469. « les *Girondins* de Lamartine. » Les livres prêtés par Frédéric à Dussardier doivent être : l'*Histoire du Consulat et de l'Empire*, de Thiers (1835) ; les *Esquisses historiques de la Révolution*, de Dulaure (1837) ; l'*Histoire des ducs de Bourgogne*, de de Barante (1826); l'*Histoire des Girondins*, de Lamartine (1847).

470. « la Société des Familles, » qui devint en 1837 la *Société des Saisons*, était une sorte de club socialiste, organisé en *cellules* secrètes, composées d'un nombre de membres limité et strictement hiérarchisées.

471. « l'affaire de mai 1839, » émeute provoquée par la *Société des Saisons* ; elle éclata soudainement le 12 mai ; les insurgés, au nombre de 600, s'emparèrent de l'Hôtel de Ville, élevèrent des barricades dans le faubourg Saint-Antoine, mais furent assez vite maîtrisés par la troupe. La Cour des pairs jugea les prisonniers arrêtés au cours de l'émeute ; Barbès fut condamné à mort ; mais sa peine fut commuée en détention perpétuelle.

472. « Alibaud, » auteur d'un attentat sur Louis-Philippe, le 25 juin 1836 ; il fut condamné à mort et exécuté.

473. « on l'avait surpris portant de la poudre... » Ce détail rappelle un épisode de l'attentat de Fieschi. En juin 1835, quelques semaines avant l'attentat, Fieschi et ses complices, Morey et Pépin, firent une expérience dans une guinguette située sur les hauteurs de Ménilmontant : ils étudièrent la manière d'enflammer la poudre qui devait faire partir à la fois les vingt-cinq fusils de l'engin.

474. « dans la rue Transnonain. » Épisode fameux des émeutes des 13-15 avril 1834, qui ensanglantèrent le quartier Saint-Merri. La rue Transnonain ou Transnonnain (anciennement Trousse-Nonnain), se trouvait sur l'emplacement de la rue Beaubourg actuelle. Au numéro 12 de cette rue, la troupe, exaspérée par les coups de feu partis d'une croisée, massacra tous les habitants. Le souvenir attribué par Flaubert à Dussardier est inspiré de la célèbre lithographie de Daumier, qui eut un immense succès et qui commença la réputation du jeune artiste. Ledru-Rollin, dans son *Mémoire sur les événements d'avril*, a invoqué plusieurs dépositions sur cette effroyable répression qui frappa des femmes, des enfants, des hommes innocents et sans défense.

475. VAR. D'ailleurs, il se disait que... (Orig.)

476. VAR. à propos d'un décor... (Orig.)

477. VAR. Mais trois jours après... (Orig.)

478. « il se trouva gagner trente mille francs. » Ces opérations de bourse, auxquelles se livre Frédéric, ont été préparées par Flaubert avec la même méthode que les autres épisodes du roman. Voir à ce sujet la lettre à Ernest Feydeau, de la fin de 1866 (*Corresp.*, V, 261) ;

Flaubert consulte son ami sur les valeurs de spéculation pendant l'été de 1847 et sur le mécanisme de l'opération.

479. Var. ne pas se compromettre envers Pellerin... (Orig.)

480. Var. Mais des jardinières toutes pleines occupaient sous les tableaux... (Orig.)

481. « M. Benoist. » Benoist d'Azy, député légitimiste, vice-président de la Chambre.

482. « sur le paupérisme. » Le développement de la grande industrie, sous la Monarchie de juillet, commençait à faire apparaître quelques-unes de ses plus inquiétantes conséquences sociales : l'inégalité entre les classes dirigeantes et les classes laborieuses, le chômage, la misère dans les grands centres ouvriers.

483. Var. Ainsi elle le croyait... (Orig.)

484. Var. en chuchotant, et pour mieux voir... (Orig.)

485. Var. Aussitôt Mme Dambreuse reprit ! (Orig.)

486. Var. le bord d'un journal... (Orig.)

487. Var. en riant très haut... (Orig.)

488. Var. deux ou trois fois seulement, et le tenait... (Q.). — deux ou trois fois seulement, et il le tenait... (D.)

489. Var. Et toutes les autres... (Orig.)

490. « ancien carbonaro... » Il peut sembler surprenant de trouver parmi les partisans du gouvernement de Louis-Philippe d'anciens conspirateurs qui, sous la Restauration, appartenaient aux sociétés secrètes. Mais un grand nombre de *carbonari* s'étaient ralliés au nouveau régime, et il y en avait jusque parmi les ministres du roi.

491. Var. D'ailleurs, il croyait... (Orig.)

492. Var. de ne pas les avoir émotionnées. (Orig.)

493. Var. il se plaignit même de son isolement. Alors Dussardier... (Orig.)

494. Var. Mais cette mésaventure... (Orig.)

495. « comme stellionataire. » Le *stellionat* est une fraude qui consiste à présenter comme libres des biens hypothéqués, à vendre ou à hypothéquer des biens dont on sait n'être pas propriétaire.

496. Var. Alors l'avocat devint... (Orig.)

497. Var. Frédéric était fatigué... (Orig.)

498. Var. puis elle énuméra... (Orig.)

499. Var. des suppléments d'intérêts... (Orig.)

500. Var. Pierre Moreau, écuyer du roi... (Orig.)

501. Var. dans son vieux fauteuil... (Orig.)

502. Var. Mais cette place... (Orig.)

503. Var. Alors il reprit... (Orig.)

504. VAR. Un froncement de sourcils orgueilleux... (Orig.)

505. « Et le *Don Quichotte*... » Dans ce détail, comme dans tous les souvenirs d'enfance évoqués ici, il y a sans doute quelque chose de l'enfance de Flaubert lui-même, de ses jeux, de sa camaraderie avec sa sœur et l'amie de sa sœur, Laure Le Poittevin. Un vieux voisin, le père Mignot, qui lui racontait des histoires, lui révéla *Don Quichotte* par ses récits et par ses lectures. Ce livre resta toujours une des grandes admirations littéraires de Flaubert : « Je retrouve, écrivait-il, toutes mes origines dans le livre que je savais par cœur avant de savoir lire. » (Lettre à Louise Colet, 12 juin 1852).

506. VAR. Mais ces souvenirs... (Orig.)

507. VAR. le vicaire... (Q. et C.)

508. « *tout ce que je voulais*... » Flaubert avait d'abord écrit : *tout ce que je veux* ; il corrigea sur l'observation de Du Camp.

509. VAR. Mais en deçà... (Orig.)

510. VAR. Ensuite l'absence... (Orig.)

511. VAR. lui causait cependant comme un gonflement... (Orig.)

512. VAR. elle défaillait... (Q. et D.)

513. VAR. et s'enfonçant la tête... (Orig. Q. et D.)

514. VAR. cherchant quelque réponse, sans doute... (C. et D.). — cherchant quelque réponse. Sans doute... (Q.)

515. VAR. réfléchir et jugerait... (Q.) — réfléchir, et jugerait... (D.)

516. VAR. Mais Frédéric avait peur... (Orig.)

517. VAR. Ensuite elle retira... (Orig.)

518. VAR. un moment de surprise, puis dit... (Q. et D.)

519. VAR. sans voir où le poser... (Orig.)

520. VAR. non ! vous vous ennuyez. Alors il se rassit... (Orig.)

521. VAR. C'est le prince... (Q. et C.)

522. VAR. mais le tombac... (Orig.)

523. VAR. Alors il dit... (Orig.)

524. VAR. Mais comment se faisait-il... (Orig.)

525. VAR. Puis se plaignant... (Orig.)

526. VAR. Puis elle voulut... (Orig.)

527. VAR. s'il en avait besoin. C'était une dérision ! Frédéric... (Orig.)

528. VAR. Cependant Frédéric fut vertueux. (Orig.)

529. VAR. Mais le lendemain... (Orig.)

530. VAR. Frédéric n'eût point donné... (Orig.)

531. « les *Fables* de Lachambeaudie, le *Napoléon* de Norvins. »

Lachambeaudie (1806-1872) était un écrivain à tendances saint-simoniennes, auteur de *Fables populaires*, et militant du parti républicain. —
L'*Histoire de Napoléon* de Norvins parut en 1827.

532. « le suffrage universel » faisait partie des revendications du
parti radical, parmi les républicains de 1830.

533. « les banquets réformistes... » Cf. *L'Éducation sentimentale*,
p. 27 et la note 76. Ces banquets de propagande furent particulièrement
nombreux de juillet à décembre 1847.

534. « le Piémont, Naples, la Toscane... » A la fin de 1847 et au
commencement de 1848, une vive agitation politique régnait dans
les différents États d'Italie, au Piémont, où le roi Charles-Albert
accorda plusieurs réformes libérales, à Naples; où le roi Ferdinand II
accepta une constitution calquée sur la charte française de 1830, en
Toscane, où le gouvernement était impuissant contre l'opposition.

535. « la Hollande..., etc... » Dans tous ces propos, se manifeste
l'hostilité systématique du parti républicain contre l'Angleterre.
(Cf. *L'Éducation sentimentale*, p. 139 et la n. 318.) Certains des faits
allégués ici sont inexacts : ainsi l'Angleterre ne fit aucune difficulté
pour reconnaître Louis-Philippe. La *Convention des Détroits* (13 juillet
1841) qui donnait à la Turquie le droit d'interdire l'entrée des Darda-
nelles et du Bosphore aux navires de guerre, favorisait l'Angleterre
au détriment de la Russie. Les ambitions de la Prusse commençaient
à préoccuper l'opinion européenne depuis le *Zollverein* de 1833. En
Suisse, il y avait opposition entre les radicaux et les catholiques,
l'Angleterre soutenant les radicaux, l'Autriche et la France les
catholiques.

536. VAR. mais le placeur de vins... (Orig.)

537. « les loups-cerviers de la Bourse... » Allusion aux excès de
la spéculation boursière, que favorisait à cette époque le développement de la grande industrie. — « la corruption des fonctionnaires... »
allusion aux différents scandales de l'époque. (Cf. *L'Éducation sentimentale*, p. 139, note 319).

538. « le procès Teste-Cubières. » Teste, ministre des Travaux
publics, le général Cubières, ministre de la Guerre, furent condamnés
en 1847 pour corruption en matière de fournitures militaires.

539. « la duchesse de Praslin, » fille du maréchal Sebastiani, assas-
sinée par son mari, le duc de Choiseul-Praslin le 18 août 1847 ; le
duc se suicida alors qu'il allait être traduit devant la Chambre des
pairs.

540. « *le Chevalier de Maison-Rouge...* », drame en 5 actes, d'A. Dumas
et A. Maquet, tiré d'un roman de Dumas (1847). A. Dumas avait
obtenu le privilège du *Théâtre Historique*, salle occupée d'abord
par le *Cirque National*, sur le boulevard du Temple.

541. VAR. car qu'est-ce que le style ? (Orig.)

542. « *La Démocratie pacifique*, » organe fouriériste et féministe, dirigé par Victor Considérant, qui parut de 1843 à 1851.

543. « le jongleur de l'Hôtel de Ville... » allusion à une caricature politique, qui représentait Louis-Philippe en escamoteur, faisant disparaître trois muscades : la Liberté, la Révolution et Juillet. — « l'ami du traître Dumouriez... » En 1793, Louis-Philippe, alors duc de Chartres, avait servi sous les ordres de Dumouriez.

544. « M. d'Alton-Shée. » Membre de l'opposition à la Chambre des pairs.

545. VAR. Mais l'heure de s'en aller... » (Orig.)

546. VAR. désespérant de l'intimider, avait rencontré comme par hasard ses deux amis, et les avait circonvenus... (Orig.)

547. « Frédéric se vengea de l'avoir payé... » La suite des idées manque de clarté dans ce passage. On ne comprend pas nettement en quoi l'achat d'un mauvais tableau par Frédéric favorise les ambitions de Deslauriers. Le pronom *leur* dans la phrase : « qui leur sont désagréables, » manque aussi de clarté.

548. VAR. certains hommes d'ailleurs se réjouissent... (Orig.)

449. VAR. Un souvenir heureusement lui revint... (Orig.)

550. VAR. Mais je vous répète que non ! C'est une calomnie imbécile. Pouvez-vous croire que moi, avec mes goûts d'artiste, mes besoins... (Orig.)

551. VAR. Mais moi... (Orig.)

552. VAR. car c'était... (Orig.)

553. VAR. ne pouvait donc les surprendre... (Orig.)

554. VAR. Mais cette convention... (Orig.)

555. VAR. qui les garantissait du péril, en leur donnant sur tout le reste plus de liberté, facilitait leurs épanchements. (Orig.)

556. « Elle lui dit... » Sur ces souvenirs évoqués en commun par Mme Arnoux et Frédéric, cf. *L'Éducation sentimentale*, p. 170-171 et la note 383.

557. VAR. comment, alors, dans son ciel poétique... (Orig.)

558. VAR. Mais ces discours... (Orig.)

559. VAR. excédant toutes les joies... (Orig.)

560. VAR. quelque chose de suave, de resplendissant... (Orig.)

561. VAR. avec un ravissement pareil. (Orig.)

562. VAR. la forme de ses ongles. (Orig.)

563. VAR. Puis ils arrivèrent... (Orig.)

564. VAR. Cependant elle ne faisait rien... (Orig.)

565. VAR. et à sa physionomie sérieuse. (Orig.)

566. VAR. dans l'harmonie naturelle de sa beauté. (Orig.)

567. VAR. Mais par l'exercice... (Orig.)

568. VAR. Quand il se présenta, il avait dans les allures quelque chose de plus hardi. Mais elle... (Orig.)

569. VAR. Alors on se livrait... (Orig.)

570. « Léotade. » Allusion à une affaire judiciaire qui passionnait alors l'opinion publique : Léotade était un Frère de la Doctrine chrétienne, condamné aux travaux forcés à perpétuité pour meurtre d'une jeune fille. Mais sa culpabilité ne paraissait pas nettement établie et faisait l'objet de vives discussions. Léotade devait mourir au bagne en 1850.

571. « l'insurrection de Palerme, » contre le roi de Naples, en janvier 1848. La Sicile revendiquait son indépendance.

572. « le banquet du XIIe arrondissement ; » il s'agit d'un banquet réformiste; le XIIe arrondissement correspondait au Ve d'aujourd'hui. Ce banquet avait été interdit.

573. VAR. Mais je n'en doute pas... (Orig.)

574. VAR. Mais tout cela... (Orig.)

575. VAR. et alors plus dévotement... (Orig.)

576. VAR. Mais en débouchant... (Orig.)

577. « des gens en blouse et des bourgeois. » La *Correspondance de* Flaubert (V, 211, 213, 293) porte la trace du soin minutieux avec lequel il a préparé ces scènes d'émeutes. Il consulta les journaux des années 1847-1848 à la Bibliothèque nationale. Il a lu et annoté en six semaines vingt-sept volumes sur la Révolution de 1848 !

578. « *les gardes nationaux,* » correction de Flaubert, qui avait d'abord écrit : *la garde nationale.* Du Camp lui fit observer que l'on disait : *les gardes nationales* du royaume, *les gardes nationaux* de Paris.

579. « Vive la Réforme ! à bas Guizot ! » cf. p. 274 et la note 572.

580. « Sans doute elle avait un empêchement. » M. Gérard-Gailly a rapproché cette scène du rendez-vous accepté, de l'attente vaine, de la déception furieuse, d'une scène analogue dans la première *Éducation sentimentale* (chap. 10). De ces deux scènes semblables, il déduit, avec beaucoup de vraisemblance, l'hypothèse d'une situation vécue dans la vie sentimentale de Flaubert et de Mme Arnoux. (*Les Fantômes de Trouville,* p. 91.)

581. VAR. Alors qui la retenait ?... (Orig.)

582. VAR. il s'efforçait de n'y pas croire. (Orig.)

583. VAR. Puis cinq heures... (Orig.)

584. « C'était l'enfant lui-même qui toussait. » M René Dumesnil a fait une étude excellente de cet épisode. (*Op. cit.,* 376-182). Il montre comment dans ce récit, comme dans la scène des comices de *Madame Bovary,* deux thèmes sont alternés : ici, celui de la souffrance physique chez l'enfant et de l'angoisse morale chez la mère. Il compare ces

pages de Flaubert à un épisode analogue d'un roman d'Octave Feuillet, *La Morte*, pour faire éclater la supériorité humaine et artistique du premier écrivain. On peut suivre dans la *Correspondance* de Flaubert (V, 359-363) la documentation de cette scène : au mois de mars 1868, il a poussé le scrupule professionnel jusqu'à aller voir à l'hôpital Sainte-Eugénie, à Paris, des enfants qui avaient le croup ; « c'est abominable et j'en sortais navré, mais l'Art avant tout ! » — M. Degoumois a signalé l'analogie entre cet épisode de *L'Éducation sentimentale* et un épisode des *Affinités électives* de Goethe. (*Op. cit.*, 52.)

585. VAR. penchée sur sa couchette... (Orig.)

586. VAR. cherchant partout un point d'appui... (Orig.)

587. VAR. Mais n'était-ce pas... (Orig.)

588. VAR. Cependant une espèce de sommeil... (Orig.)

589. VAR. Mais soit que le Savoyard... (Orig.)

590. VAR. ressentit d'abord un soulagement... (Orig.)

591. VAR. Vive la ligne ! vive la ligne !... (Orig.)

592. « la fusillade du boulevard des Capucines... » Cf. plus loin, p. 285.

593. VAR. Mais la Maréchale... (Orig.)

594. VAR. Mais à l'angle de la rue... (Orig.)

595. « un grand jeune homme pâle... » cette *chose vue* paraît inspirée ou par une impression directe, ou par le souvenir d'un tableau tel que la fameuse *Liberté* de Delacroix. (Cf. p. 336 et la note 702.)

596. VAR. La veille au soir, en effet, le spectacle... (Orig.)

597. VAR. D'ailleurs la résistance... (Orig.)

598. VAR. de gré ou de force... (Orig.)

599. VAR. Cependant un jeune garçon... (Orig.)

600. VAR. par-dessus les têtes... (Orig.)

601. VAR. sur des vêtements, des débris, des shakos... (Orig.)

602. VAR. Mais des bandes nouvelles... (Orig.)

603. VAR. les marchands de vin... (Q. et D.)

604. VAR. l'Arc de Triomphe... (Q. C. et D.)

605. VAR. Mais tout à coup la *Marseillaise*... (Orig.)

606. VAR. Puis en haut... (Orig.)

607. VAR. le piétinement... (Orig.)

608. VAR. Les héros ne fleurent pas bon ! (Orig.)

609. VAR. redoublait au tintamarre continu... (Orig.)

610. VAR. Mais l'attention de Frédéric... (Orig.)

611. VAR. Puis Hussonnet dit... (Orig.)

612. VAR. le *Journal de Troyes*... (C.)

613. VAR. Après le café, cependant... (Orig.)

614. VAR. Mais sa rancune... (Orig.)

615. VAR. avec une prestesse de zèle merveilleux, la Magistrature... (C. et D.)

616. VAR. fusillés sans jugement... (Q. et D.)

617. VAR. des allures de bivouac... (Q.)

618. « les hommes de Caussidière... » Caussidière, dessinateur à Lyon, avait été condamné pour avoir pris part à l'insurrection d'avril 1834. Nommé préfet de police après la révolution de 1848, il organisa un corps de police, les *Montagnards*, composé d'anciens combattants des journées de février.

619. VAR. Mais un de ses camarades... (Orig.)

620. « Le sac des châteaux... » Le château de Neuilly, résidence royale, et le château de Suresne, appartenant aux Rothschild, furent pillés en février 1848 par les insurgés. — Les usines de Lyon avaient été incendiées ou mises à sac par les ouvriers. — La circulaire de Ledru-Rollin recommandait les candidatures républicaines aux élections pour l'Assemblée constituante. — Pour remédier à l'évasion de l'argent, le cours forcé des billets de banque avait été décrété, mais l'émission des billets limitée à 250 millions.

621. « l'impôt des quarante-cinq centimes, » était une augmentation de 45 centimes pour 100 francs sur les quatre contributions. Cette mesure inspirée par Garnier-Pagès au Gouvernement provisoire était très impopulaire.

622. « elles épouvantèrent les bourgeois. » Cette étude des sentiments de la bourgeoisie en 1848 est fondée sur les documents les plus précis. Dans son *Histoire de la Monarchie de Juillet*, Thureau-Dangin cite une opinion de Renan que le texte de Flaubert semble illustrer : « Le matérialisme en politique produit les mêmes effets qu'en morale ; il ne saurait inspirer le sacrifice, ni par conséquent la fidélité... On dira peut-être que ces intérêts bien entendus, en faisant sentir au bourgeois le besoin de la stabilité, suppléeront aux principes et l'attacheront solidement à son parti : il n'en est rien. Loin de lui conseiller la fermeté, ses intérêts le porteront à être toujours de l'avis du plus fort. De là ce type fatal, sorti de nos révolutions, l'homme d'ordre, comme on l'appelle, prêt à tout subir, même ce qu'il déteste. L'intérêt ne saurait rien fonder, car, ayant horreur des grandes choses et des dévouements héroïques, il amène un état de faiblesse et de corruption où une minorité décidée suffit à renverser le pouvoir établi. » (Texte cité dans l'édition Conard, p. 626.) La préoccupation et l'horreur que Flaubert a eues toute sa vie de l'esprit *bourgeois* ne l'ont pas empêché de se montrer ici clairvoyant et juste.

623. « la pipe de Flocon. » Flocon, ancien rédacteur en chef de *la Réforme*, fut membre du Gouvernement provisoire, ministre du Commerce, député de la Seine à l'Assemblée constituante. Silhouette

politique à la fois populaire et pittoresque, il était célèbre par sa pipe qui ne le quittait jamais.

624. « l'élucubration de Frédéric ; » l'article au *Journal de Troyes*, cf. p. 294.

625. VAR. Mais l'affranchissement du prolétaire... (Orig.)

626. « l'affranchissement de la femme. » Sur le rôle du féminisme sous la Monarchie de Juillet et dans la Révolution de 1848, cf. Marcel Bouteron, *Muses romantiques*, notamment *Saint-Simoniennes* et *Sandisme*. Les revendications féministes étaient soutenues dans *La Gazette des femmes* (1836-1838), dans *Le Globe*, *La Femme libre*, rédigée par de simples ouvrières, dans *le Phalanstère* de Fourier et *la Phalange* de Victor Considérant.

627. VAR. Et à peine sortie... (Orig.)

628. VAR. — Bien ! bien !... (Orig.)

629. VAR. d'ici à peu... (Orig.)

630. VAR. Mais le cabotin... (Orig.)

631. VAR. Mais un patriote... (Orig.)

632. « l'organisation immédiate du travail... » Allusion à une manifestation populaire qui eut lieu à l'Hôtel de Ville le 25 février 1848. Les ouvriers, reprochant au Gouvernement provisoire de laisser le peuple mourir de faim en 1848 comme en 1830, présentèrent une pétition réclamant le droit au travail garanti, le minimum assuré pour l'ouvrier et sa famille en cas de maladie ou d'incapacité de travail.

633. VAR. Alors un des secrétaires... (Orig.)

634. « *L'Assemblée nationale*, » fondée le 29 février 1848 et rédigée par d'anciens fonctionnaires de la Monarchie de Juillet, faisait opposition au Gouvernement provisoire.

635. VAR. à la mémoire des martyrs de thermidor. Des applaudissements éclatèrent ; quelques-uns cependant se penchaient vers leurs voisins, pour savoir ce qu'étaient les martyrs de thermidor. (Orig.)

636. VAR. Alors le bonhomme... (Orig.)

637. VAR. Il se reprocha d'abord... (Orig.)

638. VAR. dans un langage presque populacier... (Orig.)

639. « Se croyant une mission... » Le 2 juin 1867, Flaubert écrivait à Maurice Schlésinger : « Je suis forcé, dans le travail que je fais maintenant, de passer par la Révolution de 48. Vous avez joué un rôle dans *Le Club des femmes* (exactement : *Le Club des maris et le Club des femmes*, vaudeville de Clairville et Cordier, 1848). Le récit exact de cette soirée se trouve-t-il quelque part ? Ce qui serait bien, ce serait de recueillir vos souvenirs à ce sujet et de me les envoyer lisiblement écrits — car j'ai souvent du mal à déchiffrer vos rares épîtres. Tel est le service que j'attends de vous, cher ami. Si Mme Maurice est de retour à Bade, présentez-lui mes meilleurs souvenirs. »

(*Corresp.*, V, 304). Combien il est curieux que cette demande de document, destinée à rendre plus vraisemblable le rôle d'un personnage épisodique de *L'Éducation sentimentale*, soit adressée précisément à celui qui fut le mari de « Mme Arnoux » !

640. « il avait défendu les bureaux de *la Presse*. » Dans la *Presse*, E. de Girardin avait posé au Gouvernement provisoire une question qui sembla injurieuse aux républicains : que ferait le gouvernement, si l'Assemblée constituante ne proclamait pas la République ? Des émeutiers essayèrent de prendre d'assaut les bureaux du journal. — Une autre émeute, le 15 mai 1848, occupa pendant une journée la Chambre, pour réclamer la dissolution de l'Assemblée ; les manifestants furent dispersés par la garde nationale.

641. « les conférences du Luxembourg. » Il s'agit des séances d'une Commission pour l'organisation du travail, qui siégeait au Luxembourg depuis le 1er mars, et que présidait Louis Blanc ; « les vésuviennes » : on appelait ainsi des femmes de mœurs équivoques, qui, sous prétexte de revendications féministes, avaient fondé un club en 1848. Une chanson de l'époque disait :

> Je suis vésuvienne ;
> A moi le pompon !
> Que chacun me vienne
> Friper le jupon !

642. VAR. Ce partage néanmoins blessait... (Orig.)

643. VAR. et le plaisir de l'avoir pour dupe... (Orig.)

644. « les ateliers nationaux », organisés par le décret du 27 février 1848, pour les ouvriers sans travail, qui recevaient un salaire quotidien de 2 francs. Cette organisation coûtait plus de 150.000 francs par jour à l'État. En outre, les ateliers étaient le centre d'une vive agitation socialiste, qui paralysait le commerce et effrayait la bourgeoisie.

645. VAR. Cependant au milieu... (Orig.)

646. VAR. sentant avec effroi ses scrupules disparaître, comme des murailles sous une inondation... (Orig.)

647. VAR. Alors ne sachant que faire... (Orig.)

648. VAR. La misère, en effet, abandonnait à eux-mêmes... (Orig.)

649. « Malgré la loi contre les attroupements... » Les quartiers du centre, et particulièrement les boulevards, étaient à chaque instant envahis par des bandes d'agitateurs professionnels. La loi permit d'arrêter bon nombre de ces meneurs.

650. VAR. Mais une poussée de monde... (Orig.)

651. VAR. Puis tous les trois... (Orig.)

652. « Vive Napoléon ! » Louis Napoléon était revenu d'Angleterre après la Révolution de février, et avait adressé un appel au gouvernement provisoire, qui éluda ses offres. Le prince retourna en

Angleterre, laissant à Paris de nombreux partisans qui travaillaient à sa cause. — « A bas Marie ! » Marie était le député qui avait fait voter la loi sur les attroupements ; il était de ce fait très impopulaire.

653. VAR. Des groupes de badauds tranquilles... (Orig.)

654. « y disparaissaient à peine entrés. » Phrase obscure : le pronom *y* semble renvoyer à *ruelles*, ce qui donnerait un sens absurde ; il représente sans doute le nom *multitude*, mais l'expression est peu correcte.

655. « Le bannissement des d'Orléans, » voté le 26 mai 1848 par l'Assemblée constituante, qui abrogea en même temps la loi de bannissement contre les Bonaparte.

656. « M. de Falloux », nommé rapporteur de la commission chargée d'enquêter sur les Ateliers nationaux, avait conclu à leur dissolution immédiate.

657. VAR. une force brute incalculable... (Orig.)

658. « des lampions ! » Cf. plus loin, p. 346. — Ce cri familier des manifestations populaires, qui prétendaient obliger tous les Parisiens à s'associer à leur enthousiasme en illuminant les maisons, était déjà en usage sous la Restauration. Voir à ce sujet Chateaubriand, *Mémoires d'outre-tombe* IV, 354, note 4.

659. « ils partirent pour Fontainebleau. » Avant d'écrire cet épisode du séjour à Fontainebleau de Frédéric et de Rosanette, Flaubert en avait préparé et rassemblé les éléments avec sa méthode habituelle. Quand il était encore au collège, pendant les vacances de 1833, il avait visité le château, comme il l'écrit à son ami Ernest Chevalier. Longtemps après, quand il composait *L'Éducation sentimentale*, il voulut revoir en détail le château et la forêt, et fit plusieurs séjours à Fontainebleau, pendant l'été de 1868. Selon les conseils de George Sand, il alla aux sables d'Arbonne, dont le souvenir se retrouve dans son roman (cf. p. 327). En écrivant ces pages, Flaubert ne pouvait pas ne pas songer à George Sand et à la scène fameuse évoquée dans *Elle et Lui* (1859). Peut-être se souvient-il aussi d'un épisode de *Manette Salomon* (1867) de J. et E. de Goncourt. — En août 1868, l'écrivain n'avait pu obtenir qu'avec difficulté l'autorisation de visiter le château de Fontainebleau ; il fallut l'intervention d'Octave Feuillet, bibliothécaire du palais, pour lui faire ouvrir les portes. Quelques jours après cette visite, le 15 août, il écrit à sa nièce : « Je prépare maintenant la fin de mon chapitre (le premier de la troisième partie). J'arrange le château et la forêt de Fontainebleau. » Dans l'édition Conard (p. 638), on a publié un très intéressant croquis de Flaubert, « Notes de mon carnet », sur la promenade dans la forêt, qu'il se proposait d'écrire ; les notations y sont à la fois très précises et très vivantes. En voici quelques exemples : « Parfois le premier plan dans l'ombre et les fonds éclairés... Nature à la fois mélancolique, riante... La solitude pousse à la révolte — renaître l'instinct sauvage... Houle de la verdure, perspective à vol d'oiseau, sentir de la pluie nouvelle-

ment tombée. Un fluide voluptueux anime plantes, fleurs, insectes, oiseaux, papillons. »

660. Var. représentant les dieux, Psyché... (Orig.)

661. Var. dans la salle des Fêtes. (Q. et C.)

662. Var. Alors ils furent éblouis... (Orig.)

663. Var. En effet tous ces symboles... (Orig.)

664. Var. Mais l'étang des carpes... (Orig.)

665. « les belles pleureuses des premières loges. » Allusion au passage des *Confessions* (livre VIII), dans lequel J.-J. Rousseau raconte la première représentation de son opéra-comique, *Le Devin du village*, à Fontainebleau devant la Cour (1752). Rousseau assista au spectacle dans une grande loge, vis-à-vis de celle où se trouvaient le roi et Mme de Pompadour. Il était lui-même entouré de jolies femmes, qui lui semblaient « belles comme des anges », qui chuchotaient : « Cela est charmant, cela est ravissant ; il n'y a pas un son là qui ne parle au cœur, » et qui laissaient couler leurs larmes aux endroits les plus pathétiques. Il était « dévoré du désir de recueillir de ses lèvres les délicieuses larmes qu'il faisait couler. »

666. Var Les résidences royales, du reste, ont en elles... (Orig.)

667. Var. aux têtes les plus naïves (Orig.)

668. « Ils entrèrent dans la futaie de Franchard. » Le 9 septembre 1868, Flaubert annonce à George Sand qu'il vient de terminer sa description de la forêt de Fontainebleau ; elle lui a, dit-il, donné envie de se pendre à l'un de ses arbres.

669. « les grands cerfs portant une croix de feu entre leurs cornes » évoquent, mais bien avant que Flaubert eût songé à l'écrire, *La Légende de Saint Julien l'Hospitalier* avec l'apparition prophétique.

670. Var. où l'on vend aussi. (Orig.)

671. Var. n'en furent pas très émus. (Orig.)

672. Var. Mais cette foule... (Orig.)

673. Var. Titans immobilisés tout à coup... (Orig.)

674. Var. Mais un bruit de fer... (Orig.)

675. Var. Frédéric lui disait... (Orig.)

676. Var. Une colline toute en sable... (D.)

677. Var. Puis le bras sous la taille... (Orig.)

678. Var. de ce qu'elle était si faible... (Orig.)

679. Var. et même l'eau secouait... (Orig.)

680. Var. mais tout cela... (Orig.)

681. « se mit à parler de son enfance. » Sur cette enfance lyonnaise de Rosanette, voir la lettre de Flaubert à Jules Duplan, dans laquelle il pose à son ami des questions très précises sur l'intérieur d'un ouvrier

tisseur à Lyon, en 1830, et sur les conditions de son travail en chambre. (*Corresp.*, V, 403.). Dans les notes des Carnets, sous le titre *Mœurs parisiennes*, on trouve des détails que Flaubert devait utiliser pour les confidences de Rosanette à Frédéric sur son enfance. (Cf. M.-J. Durry, *op. cit.* ; pp. 123-127.)

682. VAR. Mais le pauvre bonhomme... (Orig.)

683. VAR. Voyait encore leur chambre... (Orig.)

684. VAR. Alors une surprise... (Orig.)

685. VAR. absorbée dans une vision. (Orig.)

686. VAR. sortir de sa misère ? (Orig.)

687. VAR. Que s'était-il enfin passé... (Orig.)

688. VAR. Mais son dernier aveu... (Orig.)

689. VAR. Et même Frédéric... (Orig.)

690. VAR. Alors il jugea... (Orig.)

691. VAR. ou bien des fanges... (Orig.)

692. VAR. n'en avait jamais connu de meilleure. (Q. et D.)

693. « il n'était pas facile de s'en retourner à Paris. » Tout d'abord, Flaubert avait raconté le retour de Fontainebleau en chemin de fer, quand il s'aperçut qu'en 1848 il n'y avait pas de chemin de fer de Paris à Fontainebleau. Cela lui fit « deux passages à démolir et à recommencer. » Voir la lettre à Jules Duplan où il demande à son ami comment, en juin 1848, on allait de Paris à Fontainebleau, quelles voitures on prenait, où descendaient ces voitures dans Paris. Il explique minutieusement à Duplan la situation dans laquelle se trouvent ses personnages. (*Corresp.* V, 409.)

694. VAR. pas de passeport... (D.). — point de passeport (Q. et C.)

695. VAR. Mais un brave homme...

696. « la mairie du XIIᵉ arrondissement, » correspond au Vᵉ arrondissement actuel. Voir la lettre à Ernest Feydeau dans laquelle Flaubert demande à son ami quels étaient, en juin 1848, les postes de la garde nationale dans les quartiers Mouffetard, Saint-Victor et Latin, et si dans la nuit du dimanche 25 juin au lundi 26 juin c'était la garde nationale ou la ligne qui occupait la rive gauche de Paris. (*Corresp.*, V, 417).

697. VAR. les feux de bivouac... (Q.)

698. « les morts de Bréa... etc... » le général Bréa, tué par les insurgés à la barrière de Fontainebleau le 25 juin ; le général de Négrier fut tué le même jour, ainsi que Charbonnel, tombé à la Bastille, et Mgr Affre, archevêque de Paris.

699. VAR. Cependant que l'artillerie... (Orig.)

700. « faisaient de la charpie. » Tout ce passage a dû être documenté par les souvenirs de Jules Duplan, à qui Flaubert écrivait : Te rappelles-

tu *la binette des ambulances* ? S'il te revient à la mémoire quelques détails sur les nuits de Paris cette semaine-là, envoie-les moi. Mon héros vagabonde dans les rues pendant la dernière nuit, celle du 25 au 26 (c'est le 26 que tout a été fini). (*Corresp.* V. 410.)

701. VAR. Mais de la pièce voisine... (Orig.)

702. « Le samedi, au haut d'une barricade... » Dans toutes ces scènes d'émeute et de barricades, particulièrement dans cet épisode de l'enfant, Flaubert peut avoir présent à l'esprit le souvenir des scènes analogues décrites par V. Hugo dans *Les Misérables* (1862), malgré son jugement très sévère sur le livre, qu'il a exprimé dans sa lettre à Mme des Genettes (juillet 1862). — Ce gamin enveloppé d'un drapeau tricolore, sur la barricade de la rue Lafayette, rappelle aussi le fameux tableau de Delacroix : *Le 28 juillet 1830, La Liberté guidant le peuple.*

703. VAR. Et comme ils s'avançaient... (Orig.)

704. VAR. de prévenances, cependant, jusqu'à lui apporter... (Orig.)

705. « Sénécal, enfermé aux Tuileries... » Sous la terrasse de l'Orangerie, 1.500 prisonniers avaient été enfermés.

706. VAR. Mais dès les premières marches... (Orig.)

707. « en lâchant un coup de fusil. » Ce détail reproduit à peu près une scène authentique ; un garde national ivre ayant fait partir son fusil par mégarde, les autres gardes crurent à une révolte des prisonniers et tirèrent dans le tas ; il y eut 200 morts ou blessés. Sur cette scène qui se passa dans la nuit du 26 au 27 juin, cf., édition Conard, p. 674.

708. « au bord du baquet... » Passage obscur. De quel baquet s'agit-il ? Ne faut-il pas lire : « Au bord du barreau ? »

709. VAR. Mais quelqu'un marcha... (Orig.)

710. VAR. Il soupirait, geignait. (Orig.)

711. VAR. shake hands ! Et, comme il allait s'asseoir : « Non, là ! » en lui montrant un fauteuil près de sa nièce. » (Orig.)

712. VAR. Mais comme si les horreurs... (Orig.)

713. VAR. Alors M. Dambreuse glissa... (Orig.)

714. VAR. vieux Saxe... (D.)

715. VAR. qui lui avait enlevé sa chaise... (Orig.)

716. « quelque chose de rouge dans ses cheveux. » Ce détail, qui hante l'imagination de Flaubert, est comme un leitmotiv de l'image de Mme Arnoux et de la femme réelle dans laquelle il a incarné son unique passion. Dans le roman (p. 46), à un dîner, Mme Arnoux porte dans les cheveux « une longue bourse algérienne en filet de soie rouge. » Le manteau de Maria (Mme Schlésinger), sur la plage de Trouville, est rouge. (*Mémoires d'un fou*, 505.) A Rome, en 1851, la jeune femme inconnue de St-Paul-hors-les-murs a un corsage rouge

et un large ruban rouge, noué à son chignon, qui retombe sur ses épaules. (*Notes de voyage*, II, 257.) Ces rapprochements ont été faits par M. Gérard-Gailly (*L'Unique passion de Flaubert*, 67).

717. VAR. que c'était une sorte de vengeance... (Orig.)

718. VAR. Alors la jeune fille... (Orig.)

719. VAR. son visage apoplectique semblait près d'éclater... (Orig.)

720. « la mort de Mgr Affre et du général de Bréa. » Cf. p. 335 n. 698.

721. « Lamoricière, » un des artisans de la conquête de l'Algérie. Député à l'Assemblée constituante, il devint ministre de la guerre en 1848 et contribua à réprimer l'insurrection lors des journées de juin.

722. VAR. Oh ! beaucoup ! beaucoup ! (Orig.)

723. VAR. Mais comme Frédéric... (Orig.)

724. VAR. leur route, d'ailleurs, étant la même... (Orig.)

725. VAR. Alors il dit... (Orig.)

726. VAR. Il y passe la nuit. (Q. et D.)

727. VAR. la tête dans ses deux mains... (Orig.)

728. VAR. pour s'en préoccuper si fortement ! (Orig.)

729. VAR. Mais les fonds lui manquaient... (Orig.)

730. « Berthe. » Dans un autre passage du roman (p. 135, n. 307), Flaubert avait déjà donné à la fille de Mme Arnoux le prénom de la fille de Mme Bovary, Berthe au lieu de Marthe ; mais dans ce premier texte, il avait fait la correction dans les éditions qui suivirent l'originale. Ici, l'erreur a subsisté dans toutes les éditions publiées de son vivant.

731. VAR. troublait ses habitudes. Il lui demanda un rendez-vous. Donc... (Orig.)

732. VAR. Cependant Frédéric n'osait... (Orig.)

733. « la proposition Rateau. » Rateau était un député de la Charente, qui avait proposé la dissolution de l'Assemblée constituante et l'élection d'une Assemblée législative. Cette proposition devait être adoptée le 29 janvier 1849.

734. VAR. Mais une rafale... (Orig.)

735. VAR. Alors, il lui posa doucement... (Orig.)

736. « ce que j'endure comme épouse et comme mère. » Cf. ci-dessus (p. 355) : « Berthe (Marthe) se rangeait toujours du côté de son père. » M. Gérard-Gailly rapporte dans son livre, *L'Unique passion de Flaubert* (p. 98), les ennuis que Mme Schlésinger eut avec sa fille et qui assombrirent la fin de sa vie. Ce détail accentue l'analogie entre l'héroïne du roman et l'inspiratrice du romancier.

737. VAR. Oh ! comme il l'aurait aimée ! — Les parenthèses manquent dans C. et D.

738. « un ancien fabuliste », sans doute Lachambeaudie; cf. p. 263, n. 531.

739. VAR. ayant réclamé d'elle un mot d'entretien, pour le soustraire aux embûches des dames... (Orig.)

740. « Aux bains de Balaruc. » Balaruc-les-Bains, station thermale de l'Hérault, à 6 kilomètres de Cette ; eaux chaudes chlorurées, employées contre le rhumatisme et la scrofule.

741. « Assez de lyre ! » Les émeutiers avaient envahi la Chambre le 15 mai 1848 ; Lamartine essaya de les apaiser, mais s'attira cette riposte : « Assez de lyre comme ça ! »

742. « l'affaire du Conservatoire ; » c'est une émeute du 13 juin 1849 qui eut pour centre le quartier du Conservatoire des Arts et Métiers, autour duquel plusieurs barricades furent dressées. L'émeute fut réprimée par Changarnier.

743. « son volume contre le Socialisme. » Il s'agit probablement du livre de Thiers intitulé *De la propriété*, qui parut en 1848 et qui reprend le titre du fameux livre de Proudhon (1841) pour en combattre les idées.

744. « *La Foire aux idées*, » journal-vaudeville de Leuven et Brunswick en 4 journées ou numéros, joué au Vaudeville du 16 janvier au 13 octobre 1849.

745. VAR. agréable par moments, pénible, fastidieuse... (Orig.)

746. VAR. quelqu'un de fort pour la conduire ? (C. et D.)

747. VAR. il l'entraîna vers sa maison... (Orig.)

748. « les pontons de Belle-Isle. » C'était le lieu de détention des émeutiers de juin.

749. VAR. Il lui dit son idée... (Orig.)

750. VAR. Un droit incommutable... (Orig.)

751. VAR. Du reste, on pouvait... (Orig.)

752. VAR. Mais comment le capitaliste... (Orig.)

753. VAR. Puis elle le ramenait... (Orig.)

754. VAR. La chance les enhardissait. (C. et D.)

755. VAR. Sa qualité d'intime le faisant admettre... (C. et D.)

756. « la révocation du général Changarnier. » Commandant de la garde nationale, le général Changarnier s'était acquis la réputation d'une énergie indomptable dans la répression des émeutes. Louis-Napoléon devait lui enlever son commandement aux approches du coup d'État. (janvier 1851).

757. VAR. Frédéric voulut partir alors... (Orig.)

758. « Frédéric se mit alors en courses. » Flaubert profita d'un séjour à Paris, à la fin de décembre 1868, pour faire « des courses », analogues à celles de Frédéric préparant les obsèques de M. Dambreuse : « sept

à neuf heures de fiacre tous les jours, ce qui est un joli moyen de faire fortune avec la littérature... Je me suis trimbalé aux Pompes funèbres, au Père-Lachaise, dans la vallée de Montmorency, le long des boutiques d'objets religieux, etc. » (*Corresp.* VI, 3, 6 et 7).

759. VAR. Et l'on partit. (Orig.)

760. « le refus d'allocation. » L'Assemblée législative avait repoussé le 10 février 1851 le projet déposé par le ministre des finances, demandant un supplément de 1.800.000 francs pour l'indemnité du Prince-Président.

761. « Piscatory, etc. » Piscatory (1799-1870), ancien ambassadeur, député à l'Assemblée législative, un des chefs de l'opposition contre Louis-Napoléon. — Chambolle, député de la Vendée, fut arrêté au 2 décembre, comme membre de l'opposition ; il appartenait au parti royaliste.

762. VAR. au nom de la Société philanthropique universelle. (Orig.)

763. VAR. ses vertus et même son mutisme... (Orig.)

764. VAR. Ah ! ce qu'il y a ? (Orig.)

765. VAR. Mais l'honneur le forçait... (Orig.)

766. VAR. Mais un commissionnaire... (Orig.)

767. VAR. avec la taille mince... (Orig.)

768. « le bruit continuel des pianos. » Que viennent faire ces *pianos* dans cette maison de santé ? Le texte est obscur et paraît fautif.

769. « La maison de la nourrice... » Cet épisode de la visite à la nourrice rappelle l'épisode analogue de *Madame Bovary* (II, 3) ; Emma, accompagnée de Léon, va voir sa petite fille qu'elle a mise en nourrice chez la femme d'un menuisier, aux environs d'Yonville. — Andilly se trouve dans la forêt de Montmorency, à 4 kil. de Montmorency. Flaubert visita scrupuleusement cette région avant d'écrire l'épisode. (Cf. note 343.)

770. VAR. en leur disant que sa mère... (Orig.)

771. VAR. hautaine envers ses gens... (Orig.)

772. VAR. Alors elle les niait tous... (Orig.)

773. VAR. en tiers dans leur compagnie. (Orig.)

774. VAR. d'anciens cadeaux du brave Arnoux. (Orig.)

775. VAR. Enfin choisissant... (Orig.)

776. VAR. Mais je vais lui flanquer... (Orig.)

777. VAR. Cependant elle avait été sensible... (Orig.)

778. « ils tuent notre République... » Dès janvier 1851, Thiers avait prononcé à la tribune de l'Assemblée les mots fameux : « L'Empire est fait ! » Dussardier fait allusion à divers événements européens, qui semblaient une menace pour la liberté : Venise reprise par les Autrichiens en 1849, la Pologne menacée par les ambitions rivales

de la Prusse et de l'Autriche, l'insurrection hongroise écrasée en 1849.

779. « On a abattu les arbres de la liberté, » sur l'ordre du préfet de police Carlier, en 1850. — VAR. arbres de la Liberté... (C. et D.).

780. « on a restreint le droit de suffrage, » par la loi du 31 mai 1850, qui exigeait que l'électeur fût domicilié depuis trois ans dans la même commune et inscrit sur les rôles de l'impôt.

781. « l'enseignement livré aux prêtres, » par la loi de 1850, qui abolissait le monopole de l'Université dans l'enseignement secondaire. Deux autres lois, 6 juin et 16 juillet 1850, étaient dirigées contre les clubs et contre la liberté de la presse.

782. « nous souhaitent bien les Cosaques. » Allusion à l'invasion et à l'occupation de la France en 1814-1815.

783. « Nadaud, » maçon de la Creuse, député socialiste à l'Assemblée législative, exilé au coup d'État.

784. VAR. elle se laissa tomber... (Orig.)

785. VAR. un flot de larmes coulant... (Orig.)

786. VAR. Mais bien des raisons... (Orig.)

787. « les petits saint Jean de Corrège... » — VAR. Saint-Jean (C.) — saints Jean (D.) — tel le saint Jean qui figure dans le *Mariage mystique de sainte Catherine* au Louvre et les petites figures d'enfants qui entourent *L'Homme sensuel.* — Le tableau de Lawrence auquel fait allusion Pellerin peut être soit le portrait de la comtesse Gower et de son enfant, soit Lady Dover et son enfant.

788. « l'infante Rose de Vélasquez... » C'est l'Infante Marguerite du Musée du Louvre, « un visage et des mains éblouis de rose, ... une hymne de fleurs dans l'aurore. » (Élie FAURE).

789. VAR. et vous êtes sûr ?... (Orig.)

790. VAR. Il fallait trouver douze mille francs... (Orig.)

791. VAR. à n'importe quelles conditions. (Orig.)

792. VAR. Elle voulut le connaître... (Orig.)

793. VAR. Mais des larmes abondantes... (Orig.)

794. VAR. en poursuivre le recouvrement (afin d'éviter les déchéances résultant des délais accordés aux porteurs d'un billet pour exercer des recours contre les endosseurs) il avait... (Orig.)

795. VAR. Qu'est-ce donc qui t'a changé ? (C. et D.)

796. VAR. Quant à Louise elle s'enferma... (Orig.)

797. « où devait se faire la vente de Mme Arnoux. » On trouve une scène analogue au dénouement du roman de G. d'Annunzio, *Il Piacere* (*L'Enfant de volupté*) : André Sperelli assiste à la vente publique des meubles qui ont appartenu à sa maîtresse, Marie Ferrès. La scène semble inspirée de Flaubert. Dans un des Carnets de Flaubert, Mme M.-J. Durry a retrouvé les notes détaillées que l'écrivain avait

prises en assistant à une vente aux enchères. Beaucoup de ces indications se retrouvent dans l'épisode de la vente du mobilier de Mme
Arnoux. (*Flaubert et ses projets inédits*, pp. 17-20.)

798. Var. Mais un craquement de soie... (Orig.)

799. Var. Mais les affaires publiques... (Orig.)

800. « une femme entra. » C'est ici la scène capitale du roman.
Cette suprême visite de Mme Arnoux à Frédéric a été étudiée surtout
par M. Gérard-Gailly, *Les Fantômes de Trouville*, p. 166, et *L'Unique
passion de Flaubert*, p. 54, 87 et 94. M. Gérard-Gailly montre, par une
série de déductions très délicates, comment Flaubert n'a fait que
transposer dans le roman la dernière rencontre qu'il dut avoir avec
Mme Schlésinger en 1864, ou en 1865.

801. Var. jusqu'au haut d'une colline. (Orig.)

802. Var. je comprends Werther... (Q. C. et D.) — Sur les
rapprochements avec *Werther*, cf. L. Degoumois, *Flaubert à l'école
de Goethe*, p. 44.

803. Var. Je n'imaginais même rien... (Orig.)

804. Var. Alors son visage... (Orig.)

805. Var. Mais tout à coup... (Orig.)

806. Var. Alors Frédéric soupçonna... (Orig.)

807. « Il y a un moment dans les séparations... » M. Dumesnil
a noté (*op. cit.* p. 359) que Flaubert avait déjà fait cette réflexion dans
Novembre en 1842 : « Marie ne me parla plus, quoique je restasse encore
une demi-heure chez elle. Elle songeait peut-être à l'amant absent.
Il y a un instant dans le départ où, par anticipation de tristesse, la
personne aimée n'est déjà plus avec vous. »

808. Var. Et puis ce fut tout... (Orig.)

809. « Vers le commencement de cet hiver... » Ce bilan des illusions
détruites et des grands rêves qui se sont brisé les ailes, est la grande
leçon morale de *L'Éducation sentimentale*. George Sand reprochait
à Flaubert l'amertume et le pessimisme de ce dénouement. (Cf. édition
Conard du roman, p. 622).

810. Var. celui qui avait ambitionné le pouvoir... (Orig.)

811. « Un grand roman moyen âge sur Nogent. » Flaubert se
souvient ici de ses propres œuvres de jeunesse. Quand il était encore
au collège, il avait écrit plusieurs de ces « romans moyen âge » :
Chronique normande du Xe siècle. *Deux mains sur une couronne*, *Mort de
Marguerite de Bourgogne*, *Un secret de Philippe de Prudent*.

812. « chez la Turque. » Il semble bien que Maupassant se soit
souvenu de cette *Turque* dans le titre qu'il donna en 1875 à l'une
de ses œuvres les plus libres et les moins connues : *La Maison turque
à la feuille de rose*, sorte de farce représentée dans l'atelier du peintre
Maurice Leloir, devant un petit groupe d'écrivains et d'artistes, parmi
lesquels Flaubert, Tourguéneff et Zola.

813. « en tenant toujours leurs gros bouquets. » Flaubert fait allusion, dans une de ses lettres, à ce détail de son dénouement : « J'ai été réjoui, ce matin, par l'histoire de Mlle Papavoine, une pétroleuse, qui a subi au milieu des barricades les hommages de dix-huit citoyens en un seul jour ! Cela est raide, et dépasse de beaucoup la fin de la pauvre *Éducation sentimentale*, où les héros se bornent à offrir des fleurs, passage déclaré cynique ! » (Lettre à la princesse Mathilde, du 6 septembre 1871. — *Correspondance*, VI, 279.)

TABLE DES MATIÈRES

ACHEVÉ D'IMPRIMER
PAR L'IMPRIMERIE ANDRÉ TARDY
A BOURGES
LE 15 DÉCEMBRE 1964

Numéro d'édition : 922
Numéro d'impression : 4275
Dépôt légal 4ᵉ trim. 1964

Printed in France